O LIVRO DO FEMINISMO

AS GRANDES IDEIAS

- O LIVRO DA FILOSOFIA
- O LIVRO DA PSICOLOGIA
- O LIVRO DA ECONOMIA
- O LIVRO DA SOCIOLOGIA
- O LIVRO DA CIÊNCIA
- O LIVRO DAS RELIGIÕES
- O LIVRO DA POLÍTICA

- O LIVRO DOS NEGÓCIOS
- O LIVRO DA LITERATURA
- O LIVRO DO CINEMA
- O LIVRO DA HISTÓRIA
- O LIVRO DA MITOLOGIA
- O LIVRO DA BÍBLIA
- O LIVRO DA ARTE

DE TODOS OS TEMPOS

O LIVRO DO FEMINISMO

GLOBOLIVROS

G/OBO LIVROS

DK LONDRES

EDITORA DE PROJETO
Zoë Rutland

EDITORA DE PROJETO DE ARTE
Katie Cavanagh

EDITORA SÊNIOR
Camilla Hallinan

ILUSTRAÇÕES
James Graham

EDITORA DE CAPA
Emma Dawson

DESIGNER DE CAPA
Stephanie Cheng Hui Tan

GERENTE DE DESENVOLVIMENTO DE DESIGN DE CAPA
Sophia MTT

PRODUTORA, PRÉ-PRODUÇÃO
Gillian Reid

PRODUTORA
Many Inness

GERENTE EDITORIAL
Gareth Jones

GERENTE SÊNIOR DE EDITORIAL DE ARTE
Lee Griffiths

DIRETORA ASSOCIADA DE PUBLICAÇÕES
Liz Wheeler

DIRETORA DE ARTE
Karen Self

DIRETOR DE DESIGN
Philip Ormerod

DIRETOR DE PUBLICAÇÕES
Jonathan Metcalf

PROJETO ORIGINAL
STUDIO8 DESIGN

GLOBO LIVROS

EDITOR RESPONSÁVEL
Lucas de Sena Lima

ASSISTENTE EDITORIAL
Lara Berruezo

TRADUÇÃO
Ana Rodrigues

CONSULTORIA
Beatriz Accioly Lins

PREPARAÇÃO DE TEXTO
Luciana Bastos Figueiredo

REVISÃO DE TEXTO
Rita Godoy
Erika Nogueira

EDITORAÇÃO ELETRÔNICA
Equatorium Design

Editora Globo S.A.
Rua Marquês de Pombal, 25 — 20230-240
Rio de Janeiro — RJ — Brasil
www.globolivros.com.br

Texto fixado conforme as regras do Acordo Ortográfico da Língua Portuguesa (Decreto Legislativo nº 54, de 1995).

Todos os direitos reservados. Nenhuma parte desta edição pode ser utilizada ou reproduzida — em qualquer meio ou forma, seja mecânico ou eletrônico, fotocópia, gravação etc. — nem apropriada ou estocada em sistema de banco de dados sem a expressa autorização da editora.

Publicado originalmente na Grã-Bretanha em 2019 por Dorling Kindersley Limited, 80 Strand London, WC2R 0RL. Parte da Penguin Random House.

Título original: *The Feminism Book*

1ª edição, 2019 - 2ª reimpressão, 2022

Impressão e acabamento: COAN

Copyright © Dorling Kindersley Limited, 2019
Copyright da tradução © Editora Globo S.A., 2019

UM MUNDO DE IDEIAS
www.dk.com

CIP-BRASIL. CATALOGAÇÃO NA PUBLICAÇÃO
SINDICATO NACIONAL DOS EDITORES DE LIVROS, RJ

L762

O livro do feminismo / colaboração Hannah McCann ... [et al.] ; tradução Ana Rodrigues. - 1. ed. - Rio de Janeiro : Globo Livros, 2019 : il. (As grandes ideias de todos os tempos)

Tradução de: The Feminism Book
Inclui índice
ISBN 9788525066886

1. Feminismo. I. McCann, Hannah. II. Rodrigues, Ana. III. Série.

19-56591

CDD: 305.42
CDU: 141.72

Meri Gleice Rodrigues de Souza - Bibliotecária CRB-7/6439

COLABORADORES

HANNAH MCCANN, EDITORA CONSULTORA

A dra. Hannah McCann é professora de estudos de gênero na Universidade de Melbourne e pesquisa a imagem do gênero feminino como representado no discurso feminista e em uma ampla variedade de comunidades LGBTQ+. Seu estudo "Queering Femininity: Sexuality, Feminism and the Politics of Presentation" foi publicado em janeiro de 2018.

GEORGIE CARROLL

Georgie Carroll é doutoranda na School of Oriental & African Studies, em Londres. Estudou questões de gênero nas novelas indianas e sua pesquisa atual sobre estética e o meio ambiente no contexto do sul asiático observa cenários de gênero e sexualidade feminina.

BEVERLEY DUGUID

Beverley Duguid é escritora e historiadora. Sua tese de doutorado aborda as diversas reações das mulheres aos impérios formais e informais no Caribe e na América Central durante o século XIX. Também escreveu sobre o crescimento da conscientização feminista e de políticas para mulheres britânicas negras nos anos 1980.

KATHRYN GEHRED

Kathryn Gehred se graduou pela Sarah Lawrence College, com um mestrado em história das mulheres. Atualmente, é pesquisadora chefe na Universidade da Virginia, onde trabalha no Martha Washington Papers Project.

LIANA KIRILLOVA

Liana Kirillova é doutoranda em história na Southern Illinois University Carbondale (SIUC) e está se especializando no Movimento Jovem na União Soviética no contexto da Guerra Fria e do Internacionalismo Soviético.

ANN KRAMER

Ann Kramer estudou história das mulheres na Universidade de Sussex, no Reino Unido. Dedicou a maior parte da sua produção acadêmica à atividade política das mulheres, desde Mary Wollstonecraft até os dias de hoje, assim como escreveu sobre as experiências das mulheres nas duas guerras mundiais.

MARIAN SMITH HOLMES

Marian Smith Holmes é jornalista e já foi editora associada da revista *Smithsonian*. Mora em Washington, D.C., e é especialista em história e cultura afro-americana. Holmes editou e colaborou com *Dream a World Anew: The African American Experience and the Shaping of America*, de 2016.

SHANNON WEBER

Shannon Weber é escritora, pesquisadora e professora feminista norte-americana. Também é PhD em estudos feministas pela Universidade da Califórnia e tem textos publicados em livros e várias revistas e periódicos acadêmicos e populares. Weber lecionou em uma variedade de instituições acadêmicas, incluindo as universidades Tufts e Brandeis.

LUCY MANGAN, AUTORA DA APRESENTAÇÃO

Lucy Mangan é colunista, crítica de televisão e articulista. Estudou em Cartford, em Londres, e em Cambridge. Estudou inglês em Cambridge e cursou dois anos de direito. Mas, assim que se formou, resolveu que seria muito mais feliz trabalhando em uma livraria. Hoje, é colunista da revista *Stylist* e escreve com frequência para o *The Guardian*, o *The Telegraph* e outras publicações. Mangan é autora de cinco livros; o mais recente, publicado em 2018, é *Bookworm: A Memoir of Childhood Reading*.

SUMÁRIO

11 APRESENTAÇÃO
12 INTRODUÇÃO

O NASCIMENTO DO FEMINISMO
SÉC. XVIII — INÍCIO DO SÉC. XIX

20 Homens nascem livres, mulheres nascem escravas
Início do feminismo britânico

22 Nosso corpo é a roupa da nossa alma
Início do feminismo escandinavo

24 Mulheres prejudicadas! Ergam-se, reivindiquem seus direitos!
Ação coletiva no século XVIII

28 A liberdade está em suas mãos
Feminismo iluminista

34 Não desejo que as mulheres tenham poder sobre os homens, mas sobre si mesmas
Emancipação da domesticidade

36 Convocamos todas as mulheres, não importa sua posição social
Feminismo na classe trabalhadora

38 Ensinei a elas a religião de Deus
Educação para mulheres islâmicas

40 Que todo o caminho seja tão aberto para a mulher quanto é para o homem
Autonomia feminina em um mundo dominado por homens

A LUTA POR DIREITOS IGUAIS
1840–1944

46 Quando você vende seu trabalho, você se vende
Sindicalização

52 Um mero instrumento de produção
Feminismo marxista

56 Esperamos que esta verdade seja evidente: que todos os homens e mulheres são iguais
O nascimento do movimento sufragista

64 Tenho tanto músculo quanto qualquer homem
Igualdade racial e de gênero

70 Uma mulher que contribui não pode ser tratada com desdém
Casamento e trabalho

72 Casamento faz uma imensa diferença legal para as mulheres
Direitos para as mulheres casadas

76 Eu me sinto mais determinada do que nunca a me tornar médica
Tratamento médico melhor para as mulheres

78 As pessoas toleram no homem o que é fortemente condenado na mulher
Dupla moral sexual

80 Igreja e Estado definem o direito divino do homem sobre a mulher
Instituições como opressores

81 Todas as mulheres padecendo nos grilhões da família
Socialização do cuidado com os filhos

O PESSOAL É POLÍTICO
1945-1979

114 **Não se nasce mulher, torna-se mulher**
As raízes da opressão

118 **Há alguma coisa muito errada com o modo como as mulheres norte-americanas estão tentando viver**
O problema sem nome

124 **Em briga de marido e mulher se mete a colher**
Lutas feministas no Brasil

126 **Nossa própria biologia não tem sido devidamente analisada**
Prazer sexual

128 **Comecei a contribuir**
Arte feminista

132 **Chega de Miss América!**
A popularização da libertação feminina

134 **Nossos sentimentos guiarão nossas ações**
Conscientização

82 **A mulher era o sol. Agora ela é uma lua débil**
Feminismo no Japão

84 **Tomem coragem, deem as mãos, fiquem ao nosso lado**
Igualdade política na Grã-Bretanha

92 **Guerreamos contra a guerra**
Mulheres unidas pela paz

94 **Deixem-nos ter os diretos que merecemos**
O movimento global pelo sufrágio

98 **O controle de natalidade é o primeiro passo na direção da liberdade**
Controle de natalidade

104 **Os homens se recusam a ver o potencial das mulheres**
Início do feminismo árabe

106 **Não há barreira, fechadura ou ferrolho que possa se impor à liberdade da minha mente**
Liberdade intelectual

108 **A solução está na revolução**
Anarcofeminismo

136 **Niveladora, libertadora**
A pílula

137 **Vamos até o fim**
Feminismo radical

138 **O feminismo vai se infiltrar pelas rachaduras das estruturas mais básicas da sociedade**
Estruturas familiares

140 **As mulheres têm muito pouca ideia de como os homens as odeiam**
Confrontando a misoginia

142 **As autoras de *Ms.* traduziram um movimento em uma revista**
As modernas publicações feministas

144 **Patriarcado, reformado ou não, ainda é patriarcado**
Patriarcado como controle social

146 **A inveja do útero atormenta o inconsciente masculino**
Inveja do útero

147 **Somos sempre a indispensável força de trabalho deles**
Remuneração para o trabalho doméstico

148 **A saúde deve ser definida por nós**
Sistemas de saúde centrados na mulher

154 O feminismo não tem começo, meio ou fim
Inserindo as mulheres na história

156 A liberdade da mulher está em jogo
Conquistando o direito legal ao aborto

160 Vocês precisam protestar, precisam fazer greve
Organizando sindicatos de mulheres

162 Grite baixinho
Proteção contra a violência doméstica

164 O olhar projeta a fantasia do homem na mulher
O olhar masculino

166 O estupro é um processo consciente de intimidação
Estupro como abuso de poder

172 Nascer mulher é uma experiência vivida
Feminismo radical transexcludente

174 Ser gorda é uma forma de dizer "não" à falta de poder
Positividade gorda

176 A libertação das mulheres é a libertação de todo mundo
Feminismo indiano

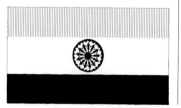

178 Nossas vozes têm sido negligenciadas
Teatro feminista

180 Todas as feministas podem e devem ser lésbicas
Lesbianismo político

182 A mulher deve se colocar no texto
Pós-estruturalismo

A POLÍTICA DA DIFERENÇA
ANOS 1980

192 Os discursos do patriarcado
Linguagem e patriarcado

194 A heterossexualidade tem sido forçadamente imposta às mulheres
Heterossexualidade compulsória

196 A pornografia é a principal expressão de sexualidade do poder masculino
Feminismo antipornografia

200 As mulheres são guardiãs do futuro
Ecofeminismo

202 As mulheres foram testadas, mas nem todas elas se qualificaram
Racismo e preconceito de classe dentro do feminismo

206 As forças armadas são o produto mais óbvio do patriarcado
Mulheres contra armas nucleares

208 A mulherista está para a feminista assim como o púrpura está para o lilás
Feminismo negro e mulherismo

216 As ferramentas do senhor nunca derrubarão a casa-grande
Raiva como ferramenta ativista

217 Metade da população trabalha por quase nada
Produto Interno Bruto

218 A sociedade branca roubou a nossa personalidade
Anticolonialismo

220 Uma irmandade com problemas
Feminismo pós-colonial

240 **Todos os sistemas de opressão estão interligados**
Interseccionalidade

246 **Poderíamos ser qualquer uma e estamos em todos os lugares**
Protesto do Guerrilla

UMA NOVA ONDA EMERGE
1990–2010

252 **Eu sou a terceira onda**
O pós-feminismo e a terceira onda

258 **Gênero é um conjunto de atos repetidos**
Gênero é performativo

262 **Feminismo e teoria queer são galhos da mesma árvore**
Feminismo e teoria queer

264 **O mito da beleza pressupõe comportamento, não aparência**
O mito da beleza

268 **Toda política é política reprodutiva**
Justiça reprodutiva

224 **Deixem que sejamos as ancestrais a quem nossos descendentes vão agradecer**
Feminismo indígena

228 **As mulheres permanecem presas em empregos sem perspectiva**
Feminismo do colarinho-rosa

230 **As questões das mulheres foram abandonadas**
Feminismo na China pós-Mao

232 **O casamento forçado é uma violação dos direitos humanos**
Impedindo o casamento forçado

234 **Por trás de toda condenação erótica há uma ardente hipocrisia**
Positividade sexual

238 **Todas têm o direito de contar a verdade sobre a própria vida**
Sobrevivente, não vítima

239 **Privilégio sem mérito é permissão para dominar**
Privilégio

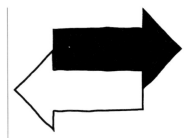

269 **A sociedade prospera na dicotomia**
Bissexualidade

270 **A reação antifeminista começou**
Reação antifeminista

272 **Garotas podem mesmo mudar o mundo**
O movimento Riot Grrrl

274 **Figuras femininas construídas pelo homem**
Reescrevendo a filosofia antiga

275 **A linguagem teológica permanece sexista e excludente**
Teologia da libertação

276 **Deficiência, assim como feminilidade, não é inferioridade**
Feminismo para as deficientes

278 **Mulheres sobreviventes mantêm famílias e países unidos**
Mulheres em zonas de guerra

280 **Uma questão de poder e controle de gênero**
Campanha contra a mutilação genital feminina

10

282 A cultura raunch não é progressista
Cultura raunch

284 Igualdade e justiça são necessárias e possíveis
Feminismo islâmico moderno

286 Um novo tipo de feminismo
Feminismo trans

COMBATENDO O SEXISMO NOS DIAS DE HOJE
2010 EM DIANTE

294 Talvez a quarta onda seja *on-line*
Feminismo digital

298 O feminismo precisa das profissionais do sexo, que, por sua vez, precisam do feminismo
Apoio às profissionais do sexo

299 Minha roupa não é um convite
Acabando com a culpabilização da vítima

300 O feminismo se tornou um produto
Feminismo anticapitalista

302 Sejamos todos feministas
Feminismo universal

308 Não é uma questão de homem *vs.* mulher
O sexismo está por toda parte

310 Quando uma de nós é cerceada em seus direitos, todas nós somos
Educação global para as meninas

312 Mulheres líderes não, apenas líderes
Fazendo acontecer

314 Quando você expõe um problema, você cria um problema
A feminista estraga-prazeres

316 Mulheres são uma comunidade e nossa comunidade não está segura
Homens machucam mulheres

318 A igualdade salarial ainda não é igualitária
Disparidade salarial

320 Sobreviventes são culpados até que se provem inocentes
Combatendo a agressão sexual nos *campi*

321 Meu corpo, minhas regras: não é não!
Feminismo contemporâneo no Brasil

322 #MeToo
Consciência do abuso sexual

328 LEITURA ADICIONAL

338 GLOSSÁRIO

342 ÍNDICE

352 AGRADECIMENTOS

Nota da edição brasileira: o termo original "lesbianism" foi traduzido aqui como "lesbianidade", exceto quando dá origem ao termo "lesbianismo político", já consagrado pelo uso.

APRESENTAÇÃO

Recém-saída da universidade, eu me candidatei a um emprego em Londres. O mais velho dos dois homens que me entrevistaram olhou para o meu currículo, e, ao entender que minha monografia tratava das questões femininas, perguntou: "Então, você é feminista?". Eu quase conseguia enxergar o que se passava na cabeça dele: mulheres de jeans, marchando pelas ruas com cartazes nas mãos. Mas queria um emprego, por isso respondi com cautela: "Bom, sou a minha ideia do que é ser feminista. Duvido que seja a sua". Ele reconheceu a minha diplomacia com um aceno de cabeça, mas continuou voltando ao assunto e — apesar da tentativa de intervenção do colega mais jovem — me perturbando a respeito. No fim, irritada, eu disse: "Ah, pelo amor de Deus! Depilei as pernas para esta entrevista, se isso o faz se sentir melhor!". O colega dele ficou paralisado, mas o homem riu. Consegui o emprego.

Tudo isso é para dizer: feminismo é um negócio complicado. Há muita ignorância, assim como estereótipos, hostilidade e pura confusão. O único modo de combater todas essas coisas é garantindo maior informação. Para preencher com fatos o vazio que permite que medos, dúvidas e preconceitos se instalem. Qualquer coisa, de mastodontes a movimentos sociopolíticos globais, torna-se muito menos assustadora quando sai das sombras para que sejamos capazes de ver exatamente com o que estamos lidando. Esse livro explica o feminismo por todos os ângulos e rechaça a ignorância em cada página.

O livro do feminismo também desempenha uma segunda função vital: dar às mulheres uma noção particular do seu lugar na história, que é notoriamente escrita pelos vencedores. Mulheres ativistas e suas conquistas nunca foram celebradas, divulgadas ou suficientemente reconhecidas. E, quando isso acontece, fica mais difícil ter como referência o que veio antes. A roda tem que ser reinventada, o que é exaustivo até quando você não tem que, ao mesmo tempo, dar à luz e criar a próxima geração.

A maior parte de nós não aprende sobre a história do feminismo na escola. Se tomamos consciência da desigualdade entre os sexos, é de forma fragmentada. O mais comum, para mim, era que um minúsculo, mas ultrajante recorte no noticiário chamasse a minha atenção e se alojasse em meu cérebro como um carrapato. Quando eu tinha dez anos, por exemplo, descobri que o irmão mais novo da minha amiga ganhava uma mesada maior do que a dela. Por quê? Porque ele era menino. Meu corpo praticamente se contorceu com a dor dessa injustiça. Alguns anos mais tarde, li na revista *Just Seventeen* que Claudia Schiffer, a maior das supermodelos dos anos 1980, estava sendo consumida de ansiedade por causa da sua "linha irregular dos cabelos". Em algum lugar bem no fundo de mim, reconheci que um mundo em que uma mulher jovem podia se sentir daquele jeito possivelmente não era um mundo amplamente preocupado com o conforto e a conveniência das mulheres. Outras percepções semelhantes aconteceram ao longo dos anos, em maior e menor escala, até a inclinação do mundo a favor dos homens se tornar óbvia demais para ser ignorada. Então, começamos a buscar ansiosamente por respostas. Que podem ser eletrólise... ou feminismo.

Mas o que é feminismo? É possível ser igual, mas diferente? Ser contra o patriarcado, mas ainda gostar dos homens? Deve-se brigar por cada pequena coisa, ou guardar energia para as grandes? E será que eu me desqualifiquei da irmandade para sempre quando depilei as pernas para aquela entrevista?

Como seria melhor saber que formas de feminismo atuaram, como evoluíram, quais as suas forças e pontos cegos. Saber que batalhas já foram lutadas e vencidas, e quais foram lutadas e precisam ser de novo. Ser capaz de olhar suas reservas históricas, arregimentar sua tropa de argumentos e entrar na batalha armada com o conhecimento de que você não está, e nunca esteve, sozinha na luta.

Neste livro estão místicas, escritoras, políticas, cientistas, artistas e muitas outras que apresentaram novos pensamentos, novas atitudes, novas definições, novas regras, novas prioridades, novas percepções, antes e agora. O que é feminismo? Descubra aqui.

Lucy Mangan

Lucy Mangan, jornalista e escritora

INTRODU

ÇÃO

INTRODUÇÃO

Por séculos, mulheres têm falado abertamente sobre desigualdades enfrentadas por causa do seu sexo. No entanto, o "feminismo" como um conceito só emergiu em 1837, quando o francês Charles Fourier usou pela primeira vez o termo *féminisme*. A palavra foi adotada na Grã-Bretanha e nos Estados Unidos ao longo das décadas seguintes, quando era usada para descrever um movimento que tinha como objetivo conquistar igualdade social, econômica e legal entre os sexos, e terminar com o sexismo e a opressão às mulheres pelos homens. Existem várias vertentes feministas oriundas dos diferentes objetivos e níveis de desigualdade ao redor do mundo. O desdobramento de suas ideias e objetivos continuou a moldar sociedades desde sua concepção e, por isso, se destaca como um dos movimentos mais importantes do nosso tempo — inspirando, influenciando e até mesmo surpreendendo um enorme número de pessoas conforme continua a se desenvolver.

Pavimentando o caminho

A dominação masculina está enraizada no sistema patriarcal, que esteve na base da maior parte das sociedades humanas por séculos. O sistema patriarcal nasceu no momento em que as sociedades se tornaram mais complexas, passando a exigir mais regulação, e os homens criaram instituições que reforçavam seu poder e infligiam opressão às mulheres. As regras masculinas foram impostas em todas as áreas da sociedade — do governo, leis e religião ao casamento e ao lar. Subordinadas a essas regras masculinas, e impotentes, as mulheres eram vistas como inferiores aos homens em termos de posição cultural, social e intelectual. As evidências de mulheres desafiando os limites impostos pelo patriarcado são escassas, principalmente porque os homens controlavam os registros históricos. No entanto, com o advento do Iluminismo, no final do século XVII e início do século XVIII, e a ênfase ao desenvolvimento intelectual e à liberdade individual, mulheres

Eu nunca me senti inferior… No entanto, 'ser uma mulher' relega toda mulher a uma condição secundária.
Simone de Beauvoir

pioneiras começaram a chamar a atenção para as injustiças que sofriam. Quando as revoluções estouraram nos Estados Unidos (1775–1783) e na França (1787–1799), muitas mulheres militaram para que as novas liberdades fossem aplicadas a elas. Por mais que essa militância não tenha sido bem-sucedida à época, não demorou muito para que mais mulheres se juntassem à causa.

As ondas

Sociólogos identificam três "ondas" principais do feminismo, mas algumas feministas saúdam uma quarta onda na segunda década do século XXI. Cada onda teve catalisadores específicos, embora alguns vejam a metáfora como um problema, já que reduz cada onda a um único objetivo, quando o feminismo é um movimento em evolução constante, com amplos objetivos. Os objetivos da primeira onda do feminismo dominaram a agenda feminista nos Estados Unidos e na Europa em meados do século XIX e se originaram dos mesmos princípios libertários que impulsionaram a abolição da escravidão. As primeiras feministas (basicamente mulheres brancas, de classe média, com acesso à educação) exigiam direito ao voto, acesso igualitário à educação e direitos iguais no casamento. A primeira onda vai até cerca de 1920, época em que a

INTRODUÇÃO

maior parte dos países ocidentais já havia garantido às mulheres o direito ao voto.

Com a atenção voltada para o esforço de guerra durante a Segunda Guerra Mundial (1939–1945), só nos anos 1960 a segunda onda começou a florescer, embora influenciada por textos que emergiram durante o período de guerra. O *slogan* "o pessoal é político" sintetizou o pensamento dessa nova onda. As mulheres perceberam que os direitos legais adquiridos durante a primeira onda não tinham levado a nenhuma melhoria real em suas vidas cotidianas, e voltaram sua atenção à redução da desigualdade em áreas que iam do local de trabalho à família, para falar abertamente sobre "normas" sexuais. Estimulada pelo clima revolucionário dos anos 1960, a segunda onda se identificou com o destemido "Movimento de Libertação das Mulheres", que buscou principalmente identificar e acabar com a opressão à mulher. Enquanto novos cursos sobre teoria feminista nas universidades examinavam as raízes da opressão e analisavam a configuração das ideias de gênero, organizações de grupos de base surgiam para enfrentar injustiças. As mulheres tomaram para si o controle de natalidade, até então nas mãos de uma medicina dominada por homens; lutaram pelo direito ao aborto legal; e denunciaram agressões físicas. A vitalidade da segunda onda se desvaneceu durante os anos 1980, enfraquecida pelo sectarismo e pelo clima político cada vez mais conservador. Ainda assim, os anos 1980 viram emergir o feminismo negro (também chamado de "mulherismo") e a ideia de interseccionalidade — um reconhecimento das múltiplas barreiras encaradas pelas mulheres negras, que o feminismo, dominado por mulheres brancas de classe média, deixara de abordar. Esse conceito, apresentado em 1989 por Kimberlé Crenshaw, reverberou não apenas nos Estados Unidos e no Reino Unido, como também em países em todo o mundo que já haviam sido colônias.

Novas preocupações

Quando a feminista norte-americana Rebecca Walker reagiu à libertação de um suposto estuprador no início dos anos 1990, ela verbalizou a necessidade de uma terceira onda, argumentando que as mulheres ainda precisavam de libertação, e não apenas da igualdade que as pós-feministas achavam já ter conquistado. A terceira onda abrangeu correntes diversas e, por vezes, conflitantes. Essas correntes incluíam atitudes em relação à "cultura raunch" (comportamento abertamente sexual) como uma expressão de liberdade sexual, a inclusão de

Uma mulher não deve aceitar; ela deve contestar.
Margaret Sanger

mulheres trans no movimento e o debate sobre se os objetivos feministas podiam ser alcançados em uma sociedade capitalista. Essa rica troca de ideias continuou ao longo da entrada do novo milênio, ajudada por blogs feministas e pelas mídias sociais. Ao abordar questões que vão desde o assédio sexual no local de trabalho à desigualdade salarial entre os gêneros, o feminismo é hoje mais relevante do que nunca.

Este livro

Este livro pretende apresentar algumas das ideias mais proeminentes desde o século XVII até hoje. Cada seção se concentra em um período específico de tempo e expõe citações marcantes de quem viveu e falou nesses períodos. Ele mostra como o feminismo é fundamental para compreender a organização atual do mundo, e como esse movimento ainda precisa ir mais longe. ■

O NASCI
DO FEMI
SÉCULO XVIII – INÍCIO

MENTONISMO
DO SÉCULO XIX

INTRODUÇÃO

Em seu livro *Some Reflections Upon Marriage*, a inglesa Mary Astell argumenta que Deus criou os homens e as mulheres com **almas igualmente inteligentes**.

Na Grã-Bretanha, é formada a Bluestockings Society, um **grupo informal de discussão**, para intelectuais mulheres e homens convidados.

1700

ANOS 1750

1734

O Código Civil sueco garante alguns direitos às mulheres, com destaque para a proibição de que os homens vendam **as propriedades da esposa** sem consentimento dela.

1765

Forma-se o **Filhas da Liberdade** nos EUA, grupo político para protestar contra direitos de importação e para apoiar a independência das colônias americanas da Grã-Bretanha.

A palavra "feminismo" só se tornou corrente nos anos 1890, mas as mulheres já expressavam individualmente visões feministas bem antes. Por volta do início do século XVII, mulheres de diferentes partes do mundo estavam definindo e examinando a condição de desigualdade das mulheres e começando a questionar se aquilo era natural e inevitável. Essas mulheres, individual ou coletivamente, investigaram a própria situação através de textos e discussões, e começaram a verbalizar suas objeções à posição de subserviência das mulheres e a expressar o desejo por mais direitos e igualdade com os homens.

Da fraqueza à força

Nos anos 1700, as mulheres eram vistas como naturalmente inferiores aos homens, em nível cultural, social e intelectual. Essa era uma crença antiga e profunda, reforçada pelos ensinamentos da Igreja Católica, que definia as mulheres como o "vaso mais frágil". Estavam sujeitas ao controle dos pais e, caso se casassem, ao dos maridos. Conforme o século avançava, mudanças sociais e tecnológicas começaram a ter influência cada vez mais profunda na vida das mulheres. O crescimento da indústria e do comércio criou uma ambiciosa classe média emergente, na qual os papéis sociais eram agudamente definidos pelo gênero. A esfera pública do trabalho e da política era vista como unicamente masculina, enquanto das mulheres esperava-se que permanecessem na esfera privada do "lar", uma distinção que se tornou cada vez mais arraigada. A tecnologia também transformou a indústria da impressão, levando a um grande aumento da publicação de jornais, panfletos, romances e poesia; e espalhando informação e novas ideias. Isso tudo foi absorvido por mulheres cultas e privilegiadas, e algumas delas, apesar das restrições sociais, passaram a escrever, expressando visões feministas por meio da palavra impressa. Alguns dos primeiros textos feministas surgem na Suécia, em meados do século XVIII. Ali, uma abordagem relativamente liberal dos direitos legais das mulheres permitiu que intelectuais como a editora e jornalista Margareta Momma e a poeta Hedvig Nordenflycht publicassem temas feministas. Embora menos liberal do que a Suécia, a Grã-Bretanha tinha visto a expressão de teorias reconhecidamente feministas no começo dos anos 1700, principalmente através do trabalho de Mary Astell. Ao argumentar que Deus tinha feito as mulheres

O NASCIMENTO DO FEMINISMO   19

Judith Sargent Murray, ativista norte-americana pelos direitos das mulheres, afirma em seu ensaio "Sobre a igualdade dos sexos" que as mulheres são **tão inteligentes quanto os homens**.

Em *Reivindicação dos direitos das mulheres*, a escritora britânica Mary Wollstonecraft argumenta que as mulheres devem ter **direito ao ensino**.

Na França, Suzane Voilquin se torna editora do primeiro **jornal feminista para a classe trabalhadora**, o *Tribune des femmes*.

1790   **1792**   **1832**

1791   **1830**

Em *A declaração dos direitos das mulheres e das cidadãs*, a ativista política francesa Olympe de Gouges argumenta que as mulheres deviam ter os **mesmos direitos que os homens como cidadãs**.

Onde hoje é o norte da Nigéria, Nana Asma'u treina um grupo de mulheres, chamadas *jajis*, para viajar pelo Califado Sokoto e **educar outras mulheres**.

---

exatamente tão racionais quanto os homens, Astell teve a ousadia de declarar que o papel socialmente inferior das mulheres não era nem determinado por Deus, nem inevitável. Por volta de 1750, na Grã-Bretanha e em outros países europeus, grupos de intelectuais mulheres começaram a se reunir em "salões literários". Nessas reuniões, as mulheres debatiam literatura e compartilhavam ideias, abrindo espaço para a experiência feminina, para a comunicação e para o encorajamento de mulheres escritoras e pensadoras.

Novas ideias e revolução
Na Europa e nos Estados Unidos, especificamente dois eventos políticos, culturais e intelectuais ajudaram a estimular o crescimento e a expansão do feminismo: o Iluminismo e as revoluções norte-americanas e francesa. Filósofos do Iluminismo, como os franceses Jean-Jacques Rousseau e Denis Diderot, desafiaram a tirania de sociedades baseadas em privilégios herdados de reis, nobres e igrejas. Eles argumentavam a favor da liberdade, da igualdade e dos "direitos do homem", o que, particularmente para Rousseau, excluía as mulheres. No entanto, as mulheres estavam envolvidas nas revoluções que tornaram os Estados Unidos independentes da Grã-Bretanha em 1783 e que chocaram a França em 1789: elas começaram a exigir seus próprios direitos. Nos Estados Unidos, Abigail Adams, esposa do segundo presidente dos Estados Unidos, clamou aos pais fundadores que "se lembrassem das damas" nas mudanças revolucionárias, enquanto na França a dramaturga e ativista Olympe de Gouges publicou *A declaração dos direitos da mulher e da cidadã*, clamando por direitos legais iguais para mulheres e homens. Influenciada pela Revolução Francesa, a escritora britânica Mary Wollstonecraft publicou *Reivindicação dos direitos das mulheres*, um marco nos textos feministas, que identificou a tirania doméstica como a principal barreira que impedia as mulheres de viverem vidas independentes e clamou para que elas tivessem acesso à educação e ao trabalho. Embora muitas das defensoras dos direitos das mulheres de maior visibilidade fossem das classes privilegiadas, no início do século XIX, mulheres da classe trabalhadora dos Estados Unidos e do Reino Unido estavam se tornando politicamente ativas, em geral dentro dos recém-formados movimentos operários. As opiniões feministas também estavam se fazendo ouvir em partes do mundo islâmico. Essas vozes se tornaram muito mais altas conforme o século XIX avançava. ■

HOMENS NASCEM LIVRES, MULHERES NASCEM ESCRAVAS
INÍCIO DO FEMINISMO BRITÂNICO

EM CONTEXTO

CITAÇÃO FUNDAMENTAL
Mary Astell, 1706

FIGURA-CHAVE
Mary Astell

ANTES
1405 Em *O livro da cidade das mulheres*, a escritora francesa Christine de Pizan cria uma cidade simbólica de grandes figuras históricas femininas, destacando a importância das mulheres na sociedade.

1589 A inglesa Jane Anger faz uma defesa das mulheres e uma crítica aos homens em seu panfleto "Jane Anger: a proteção dela para as mulheres".

DEPOIS
1792 Em *Reivindicação dos direitos das mulheres*, Mary Wollstonecraft defende que as mulheres parem de depender dos homens.

1843 A feminista escocesa Marion Reid escreve *A Plea for Woman*, criticando o conceito de "comportamento feminino" da sociedade, que limita as oportunidades das mulheres.

Quase duzentos anos antes de "feminismo" se tornar um conceito, algumas mulheres começaram a desafiar a visão da sociedade de que deveriam se subordinar. Uma das vozes mais significativas na Grã-Bretanha foi a de Mary Astell. Ela argumentou em seus textos que as mulheres eram tão capazes quanto os homens de ter um pensamento claro e crítico; que a aparente inferioridade delas era resultado do controle masculino e do acesso limitado a uma educação sólida.

O vaso mais frágil?

O século XVII foi de agitação política, embora a Guerra Civil Inglesa (1642–1651), seguida pela restauração da monarquia, tenha tido pouco impacto nas mulheres. Elas eram encaradas como "o vaso mais frágil", visão apoiada pela Igreja Católica e pela afirmação bíblica de que Eva foi criada da costela de Adão. Presumia-se que seu papel natural era de esposa ou mãe. Mas havia exceções. Alguns grupos dissidentes, incluindo os anabatistas e os *quakers*, declaravam que todos eram iguais perante Deus. Não apenas as mulheres compareciam aos seus cultos como podiam até mesmo pregar. As mulheres também eram importantes entre os Niveladores,

Margaret Cavendish declarou que escrevia porque muito era negado às mulheres na vida pública. Em vinte anos, ela publicou 23 trabalhos, incluindo peças, ensaios, ficção, versos e cartas.

movimento político igualitário da Guerra Civil Inglesa, mas foram excluídas da reivindicação desse grupo por sufrágio mais amplo.

Protofeministas

Apesar das barreiras, algumas mulheres se voltaram para a escrita para desafiar a visão de que o sexo feminino era inferior. Entre elas estava

O NASCIMENTO DO FEMINISMO

Veja também: Início do feminismo britânico 20-21 ▪ Feminismo iluminista 28-33 ▪ O movimento global pelo sufrágio 94-97

> Se Deus deu tanto às mulheres como aos homens almas inteligentes, por que elas devem ser proibidas de se desenvolver intelectualmente?
> **Mary Astell**

Mary Astell

Nascida em uma família anglicana de classe média, em Newcastle upon Tyne, em 1666, Mary Astell recebeu pouca educação formal. No entanto, seu tio, Ralph Astell, ensinou-lhe filosofia clássica. Depois da morte da mãe, em 1688, Mary Astell se mudou para Chelsea, em Londres, onde teve dificuldades para se manter financeiramente com a escrita, mas foi estimulada por amigas intelectuais e por mecenas. William Sancroft, arcebispo de Canterbury, também era amigo dela e lhe deu apoio financeiro. Seu primeiro livro, *A Serious Proposal to the Ladies*, destacou-a como uma pensadora importante. Em 1709, Astell se afastou da vida pública e fundou uma escola de caridade para meninas em Chelsea. Ela morreu em 1731 depois de uma mastectomia para remover um câncer no seio.

Trabalhos-chave

1694 *A Serious Proposal to the Ladies*
1700 *Some Reflections Upon Marriage*

Bathsua Makin, autora de "Um ensaio para reviver a educação antiga das mulheres da nobreza" (1673), e Margaret Cavendish, que fez uma crítica feroz à posição das mulheres na sociedade. Em seu *Philosophical and Physical Opinions* (1655), ela reclama que as mulheres eram "mantidas presas como pássaros em gaiolas", despojadas de poder e desdenhadas por homens vaidosos, uma visão que recebeu duras críticas masculinas. Nascida em 1640, de origem humilde, a escritora, espiã e viajante Aphra Behn ficou conhecida como a primeira inglesa a ganhar a vida com o que escrevia. Suas várias peças debochavam do mundo literário dominado pelos homens e do comportamento masculino. Críticos a chamavam de dissoluta e a acusaram de plágio, mas seus trabalhos populares atraíam um público entusiasmado.

Uma análise radical

Contra este cenário, a escritora Mary Astell explorou e analisou a alegação de que as mulheres deviam permanecer sob o controle dos homens. Católica devota, ela se opunha à posição da Igreja de que o papel secundário das mulheres era determinação divina, e argumentava que Deus havia criado mulheres com "almas igualmente inteligentes", e com a "faculdade do Pensamento", e homens as subordinavam. Ao negar às mulheres um pensamento independente, os homens na verdade as mantinham escravizadas; um insulto a Deus. Para Astell, uma educação melhor era a chave para igualdade. Em *A Serious Proposal to the Ladies* (1694), ela conclama mulheres a aprenderem a desenvolver seus talentos, em vez de se submeterem aos homens. Astell chegou a propor um convento tradicional, ou universidade, onde mulheres pudessem seguir uma "vida da mente". E aceita o casamento, embora ela mesma não tenha se casado, mas, em *Some Reflections Upon Marriage* (1700), a autora alerta as mulheres para que evitem casamentos baseados em luxúria ou dinheiro. Ela acredita que a educação ajudará as mulheres a escolherem com sabedoria e evitarem infelicidade. Como suas contemporâneas, Astell não era uma ativista, mas observava e escrevia sobre a situação das mulheres ao seu redor, a partir do que atualmente seria descrito como uma perspectiva feminista; suas teorias permanecem reconhecidas ainda hoje. Levaria quase um século até que outras mulheres adotassem o debate publicamente. ■

Aphra Behn, aqui retratada pelo artista holandês do século XVII Peter Lely, escrevia para escapar das dívidas. Seus textos a tornaram uma celebridade de seu tempo, e quando morreu, em 1689, foi enterrada na Abadia de Westminster.

NOSSO CORPO É A ROUPA DA NOSSA ALMA
INÍCIO DO FEMINISMO ESCANDINAVO

EM CONTEXTO

CITAÇÃO FUNDAMENTAL
Sophia Elisabet Brenner, 1719

FIGURAS-CHAVE
Sophia Elisabet Brenner, Margareta Momma, Hedvig Nordenflycht, Catharina Ahlgren

ANTES
1687 O rei Cristiano V da Dinamarca e da Noruega aprova uma lei definindo mulheres solteiras como subordinadas.

DEPOIS
1848 A escritora sueca e ativista feminista Sophie Sager processa seu senhorio por estupro em um julgamento memorável.

1871 É fundada na Holanda a Sociedade das Mulheres Holandesas, por Matilde e Fredrik Bajer.

No começo da Era da Liberdade Sueca (1718–1772), quando o poder passou da monarquia para o governo, houve um aumento do debate político e filosófico, incluindo o clamor por maior liberdade para as mulheres. Esse ambiente progressivo se refletiu no Código Civil de 1734, que deu às mulheres alguns direitos de propriedade e o direito ao divórcio em casos de adultério.

Elucidando fatos

Uma das primeiras a declarar publicamente que mulheres mereciam ter os mesmos direitos que homens foi a escritora sueca Sophia

A Estocolmo do século XVIII, vista na tela de Elias Martin (1739–1818), era um lugar de conquista crescente de direitos civis e lar de algumas das primeiras feministas do mundo.

Elisabet Brenner, uma aristocrata culta. Em 1693, ela havia publicado o poema "A defesa justificada do sexo feminino", afirmando igualdade intelectual. E, em 1719, em um poema à rainha Ulrika Eleonora da Suécia, Brenner argumentou que homens e mulheres eram iguais, a não ser pela aparência externa. Em "Conversa entre as sombras de Argos e uma mulher desconhecida" (1738–1739), a jornalista Margareta Momma

O NASCIMENTO DO FEMINISMO

Veja também: Início do feminismo britânico 20-21 ▪ Feminismo iluminista 28-33 ▪ O movimento global pelo sufrágio 94-97

> Uma mulher contundente, mas cheia de talento.
> **Jonas Apelblad**
> Escritor de viagens sueco descrevendo Catharina Ahlgren

retoma o clamor para que as mulheres se eduquem e satiriza os críticos que as julgam incapazes de debater. Influenciada pelo Iluminismo europeu e encorajando a liberdade de discurso e religião, Momma também incentivou o uso da língua sueca em vez do francês aristocrático, para permitir que mais pessoas tivessem acesso a novas ideias.

Reconhecimento intelectual

Hedvig Charlotta Nordenflycht, escritora e pensadora, fez sua estreia literária com "O lamento da mulher sueca" (1742), um poema para o funeral da rainha Ulrika Eleonora, em que a poeta reivindica mais direitos para seu sexo. Ao contrário de Momma e de muitas de suas contemporâneas, Nordenflycht publicou usando o próprio nome. Ela teve sucesso na carreira e, em 1753, foi admitida na Ordem dos Construtores de Pensamento, um grupo literário de Estocolmo que buscava reformar a literatura sueca, do qual ela era o único membro feminino. Nordenflycht abrigou um salão literário em sua casa, frequentado pelos melhores escritores da época, para promover troca de ideias. Ao defender o intelecto feminino em poemas como

"O direito das mulheres de usarem sua inteligência" e refutar a misoginia em "Defesa das mulheres" (1761), ela reivindicou o direito de ser intelectualmente ativa.

A linguagem da ciência

Catharina Ahlgren, amiga de Nordenflycht, publicou seu primeiro poema em 1764, para o aniversário da rainha Louisa Ulrika. Ahlgren já era conhecida como tradutora de trabalhos em inglês, francês e alemão quando, em 1772, sob o pseudônimo Adelaide, escreveu cartas eloquentes publicadas em sueco em duas séries de periódicos populares.

Nas cartas, Ahlgren se dirige a homens e mulheres e defende o ativismo social, a democracia, a igualdade de gênero e a solidariedade em relação às mulheres contra a dominação masculina; e expressa a crença de que o amor verdadeiro só é possível quando uma mulher e um homem se tratam como iguais. Amizade é o tema mais frequentemente abordado nas cartas de Adelaide, mas outros tópicos incluem moralidade e conselhos às filhas. Ahlgren supostamente

Hedvig Nordenflycht nasceu em Estocolmo, em 1718. Era poeta, escritora e anfitriã de um salão literário, e foi uma das primeiras mulheres cuja opinião foi levada a sério pela elite dominante masculina.

também foi a autora do ensaio "As mulheres modernas Sophia e Belisinde discutem ideias". Nele, ela critica o ensino de francês, o idioma dos romances leves, e defende que as mulheres passem a estudar inglês, o idioma da ciência, e aprender sobre discurso. ∎

Catharina Ahlgren

Nascida em 1734, Catharina Ahlgren serviu na corte da rainha da Suécia, Louisa Ulrika. A rainha era uma conspiradora inveterada e acabou dispensando Ahlgren da corte por causa de uma intriga. Ahlgren passou a viver escrevendo, editando, publicando e gerenciando uma livraria. Ela se casou e se divorciou duas vezes e teve quatro filhos. Mais tarde, mudou-se para a Finlândia, onde, em 1782, apareceu na cidade de Åbo (agora Turku) como editora de *A arte de agradar corretamente*, um dos primeiros jornais finlandeses. Em 1796, ela voltou à Suécia para viver com a filha mais nova e morreu por volta de 1800.

Trabalhos-chave

1772 "Uma correspondência entre uma mulher em Estocolmo e uma mulher do campo"
1793 "Confrontos amigáveis"

MULHERES PREJUDICADAS! ERGAM-SE, REIVINDIQUEM SEUS DIREITOS!
AÇÃO COLETIVA NO SÉCULO XVIII

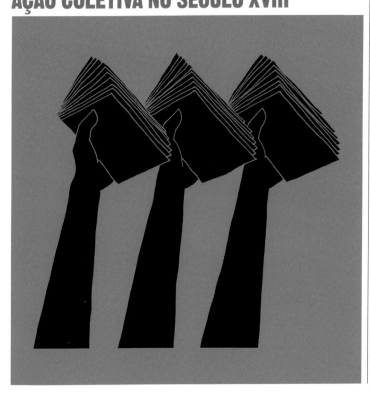

EM CONTEXTO

CITAÇÃO FUNDAMENTAL
Anna Laetitia Barbauld, 1792

FIGURA-CHAVE
Elizabeth Montagu

ANTES
1620 Catherine de Vivonne organiza seus primeiros salões em Paris, no Hôtel de Rambouillot.

1670 Aphra Behn se torna a primeira inglesa conhecida por viver da escrita após a montagem de sua peça *The Forc'd Marriage*.

DEPOIS
1848 Acontece a primeira reunião pública dedicada aos direitos das mulheres norte-americanas, em Seneca Falls, em Nova York.

1856 O Círculo Langham Place se encontra pela primeira vez em Londres, com a missão de fazer campanha pelos direitos das mulheres.

Na Grã-Bretanha do século XVIII, conforme a classe média enriquecia, desenvolveu-se uma ideologia que promovia a distinção entre os âmbitos público e privado. Os homens, que exploravam as oportunidades oferecidas pela industrialização e pelo comércio, ocupavam o "âmbito público", onde a opinião pública era formada, enquanto as mulheres "nutriam a virtude" dentro do "âmbito privado", o lar.

O lugar de uma mulher
A publicação de panfletos, revistas e livros que determinavam o comportamento feminino adequado proliferou durante esse período e representou um esforço para encorajar

O NASCIMENTO DO FEMINISMO   25

Veja também: Feminismo iluminista 28-33 ▪ Emancipação da domesticidade 34-35 ▪ Feminismo na classe trabalhadora 36-37 ▪ Direitos para as mulheres casadas 72-75 ▪ Conscientização 134-135 ▪ Feminismo radical 137

Desprezar riquezas pode, realmente, ser filosófico, mas distribuí-las igualitariamente com certeza deve ser mais benéfico à humanidade.
Fanny Burney

as mulheres a adotarem esse novo papel privado, que era visto como uma especificidade da elite. Essas publicações incentivavam as mulheres a lerem livros "de aperfeiçoamento", especialmente a Bíblia e trabalhos históricos. Romances, no entanto, eram fortemente desencorajados, e foram descritos por Thomas Gisborne, em seu livro *An Enquiry into the Duties of the Female Sex* (1797), como "secretamente corrompidos". O pedido para o "aperfeiçoamento" tinha a intenção de encorajar as mulheres a manter padrões morais em casa, a servir obedientemente os maridos, aumentando a virtude da sociedade como um todo. No entanto, isso também provocou o aumento do número de mulheres cultas que passaram a olhar além dos confins da vida doméstica; o que foi estimulado por uma onda de trabalhos impressos que abarcavam não apenas as listas de leitura ditadas pelos livros de comportamento, mas também romances, jornais e revistas. Tudo isso estimulou a curiosidade das mulheres a respeito do mundo, mas os meios que tinham para influenciar o debate público eram limitados, considerando que ainda permaneciam confinadas ao âmbito privado.

Encontros de mentes

Algumas mulheres encontraram apoio mútuo nos "salões", espaços organizados para promover o debate entre damas privilegiadas, que viam o patrocínio privado e a sociabilização como veículos para suas capacidades intelectuais e como um modo de influenciar a sociedade. O primeiro salão em Londres foi organizado em Mayfair, na casa de Elizabeth Montagu, que havia se unido por casamento a uma família rica de mineiros de carvão e proprietários de terras. Por volta de 1750, ela e outras mulheres com modos de pensar »

Mary, duquesa de Gloucester (centro), proeminente mecenas da Bluestockings, apresenta a poeta e dramaturga Hannah More a um grupo da elite.

Chá inglês sendo servido a um grupo que conversa e ouve música no Salon des Quatre Glaces, no Palais du Temple, em Paris, em 1764. As mulheres estão em maior número do que os homens e relaxadas no ambiente misto.

O salão

A palavra "salon" foi usada pela primeira vez na França do século XVII, derivada do italiano *salone*, que significa "sala grande". Catherine de Vivonne, a marquesa de Rambouillet (1588–1665), foi uma das primeiras mulheres a organizar um salão em sua casa, em Paris, em um cômodo que ficou conhecido como *Chambre Bleu* (Sala Azul). O sucesso dela como anfitriã literária inspirou mulheres a adotarem o papel de líderes intelectuais e sociais como *salonnières*. Os salões garantiam um espaço respeitável no qual as mulheres podiam expor sua curiosidade intelectual. Elas debatiam sobre trabalhos literários e estimulavam homens e mulheres a falarem sobre pensamento político e ideias científicas.

Os salões foram um sucesso na Europa por todo o século XVIII, incluindo o salão científico promovido por Julie von Bondeli, em Berna, e o salão literário de Henriette Herz, uma judia emancipada, em Berlim.

26 AÇÃO COLETIVA NO SÉCULO XVIII

Elizabeth Montagu

Conhecida como a "Rainha da Bluestockings", Elizabeth Montagu era uma escritora, reformista social e crítica literária, e uma proeminente mecenas das artes e do pensamento no século XVIII, na Grã-Bretanha. Nascida em 1718, quando criança, Elizabeth costumava visitar Cambridge, onde seu avô adotivo, Conyers Middleton, era professor universitário. Seu casamento, em 1742, com Robert Montagu, neto do primeiro conde de Sandwich, garantiu-lhe recursos e dinheiro para apoiar o trabalho de escritores ingleses e escoceses. A partir de 1750, passou a organizar reuniões intelectuais nos invernos em Londres, mantendo amizade com importantes figuras políticas e literárias, como Samuel Johnson, Horace Walpoel e Edmund Burke. O salão de Montagu brilhou por cinquenta anos, até sua morte em 1800.

Trabalhos-chave

1760 Três trechos anônimos nos *Dialogues of the Dead*, de George Lyttleton
1769 "An Essay on the Writings and Genius of Shakespeare"

parecidos, em particular a intelectual irlandesa Elizabeth Vesey, estabeleceram a Bluestockings Society (Sociedade das Meias Azuis). O nome foi inspirado na preferência dos homens pelas meias com fio azul sobre seda negra que elas usavam durante o dia e simbolizava uma ocasião menos formal. A Bluestockings reuniu mulheres cultas e também alguns homens, para promover "conversas racionais" que gerariam aprimoramento moral. As integrantes costumavam se encontrar uma vez por mês, e as reuniões começavam no fim da tarde e às vezes se estendiam até meia-noite. Eram servidos chá e limonada, em vez de bebidas alcoólicas, e os jogos de apostas, que eram a diversão em eventos, foram banidos. Entre uma reunião e outra, as integrantes da Bluestockings mantinham uma prolífica troca de cartas. Elizabeth Montagu, para se ter ideia, escreveu cerca de 8 mil cartas. Cada uma das anfitriãs tinha seu próprio estilo. As reuniões na casa de Elizabeth Vesey, por exemplo, eram mais informais, com cadeiras dispostas ao redor do salão para encorajar a discussão em pequenos grupos. Elizabeth Montagu, por outro lado, arrumava as cadeiras em arco, e se colocava no centro.

Os objetivos das Bluestockings

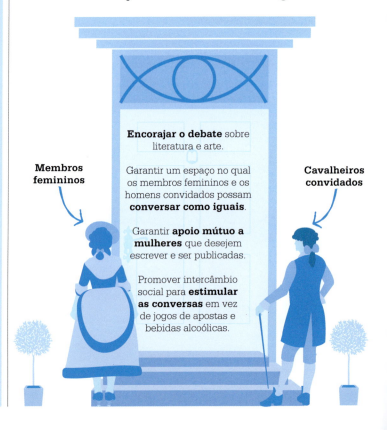

Membros femininos

Encorajar o debate sobre literatura e arte.

Garantir um espaço no qual os membros femininos e os homens convidados possam **conversar como iguais**.

Garantir **apoio mútuo a mulheres** que desejem escrever e ser publicadas.

Promover intercâmbio social para **estimular as conversas** em vez de jogos de apostas e bebidas alcoólicas.

Cavalheiros convidados

O NASCIMENTO DO FEMINISMO

Outra anfitriã, Frances Boscawen, organizava reuniões em Hatchlands Park, sua casa de campo em Surrey, assim como em sua casa em Londres, na Audley Street.

Aspirações literárias

A Bluestockings dava apoio à educação das mulheres e também às que estavam tentando conquistar espaço como escritoras, como Fanny Burney, Anna Laetitia Barbauld, Hannah More e Sarah Scott (irmã de Elizabeth Montagu). Chamadas de "amazonas da pena" pelo autor Samuel Johnson (outro membro da sociedade), elas desafiaram as noções tradicionais sobre mulheres e suas capacidades intelectuais, não apenas fazendo comentários sobre trabalhos literários clássicos, mas escrevendo seus próprios poemas, peças e romances. Elizabeth Montagu foi a Paris defender Shakespeare de ataques do escritor e filósofo Voltaire. Seu "An Essay on the Writings and Genius of Shakespeare", publicado anonimamente, foi bem recebido pelos críticos e causou uma mossa na reputação de Voltaire quando foi traduzido para o francês. Outra integrante da Bluestockings, Elizabeth Carter, foi descrita por Samuel Johnson como a melhor pesquisadora sobre Grécia clássica que já conhecera. Ao longo do tempo, algumas integrantes da Bluestockings que não eram financeiramente independentes chegaram até a ganhar a vida com seus trabalhos. Em vez de serem vistas como uma ameaça para a superioridade masculina, as integrantes da Bluestockings eram louvadas como bastiões da virtude e do intelecto feminino. Em 1778, o artista Richard Samuel retratou nove das participantes mais eminentes do grupo como musas clássicas e símbolos de orgulho nacional. No entanto, por trás dessa aura de aprendizado e elegância estava o desejo por um lugar mais público. Elizabeth Montagu, por exemplo, passou muito tempo interessada no Iluminismo escocês, que defendia um papel mais proeminente para as mulheres.

Desafiando os homens

As mulheres estavam se provando iguais aos homens talvez onde mais importava, no âmbito das ideias e da inteligência. Conforme se tornavam mais poderosas, com algumas participantes aspirando a carreiras literárias de sucesso, as Bluestockings

Mulheres da classe alta, incluindo a duquesa de Devonshire, marcham em apoio ao político radical Charles James Fox, em 1784. Àquela altura, as mulheres estavam se fazendo ouvir.

ganharam consciência coletiva e voz pública. Cinquenta anos depois das primeiras reuniões, mulheres cultas estavam deixando de ser figuras de estabilidade social e coesão para se tornarem rebeldes e radicais, trazidas à luz em uma era de revolução na Europa e na América. ∎

Nosso minério intelectual deve brilhar,
não ficar parado preguiçosamente na mina.
Vamos cunhar a educação moral A mais nobre das imagens gravadas.
Hannah More
"The Bas Bleu" ("Meias Azuis")

Os homens são muito imprudentes ao tentar fazer de tolas aquelas a quem confiam tanto de sua honra, felicidade e fortuna.
Elizabeth Montagu

A LIBERDADE ESTÁ EM SUAS MÃOS

FEMINISMO ILUMINISTA

FEMINISMO ILUMINISTA

EM CONTEXTO

CITAÇÃO FUNDAMENTAL
Olympe de Gouges, 1791

FIGURAS-CHAVE
Olympe de Gouges, Judith Sargent Murray

ANTES
1752 Em Londres, as mulheres são convidadas a comparecer a um discurso público, "O tempo do bom gosto", mas não têm permissão para fazer parte dos debates.

1762 O filósofo francês Jean-Jacques Rousseau publica *Émile*, no qual argumenta que o principal papel de uma mulher é ser esposa e mãe.

DEPOIS
1871 É formada a Union des Femmes (União das Mulheres), durante a Comuna de Paris. A União prepara as mulheres trabalhadoras para pegar em armas na revolução e exige igualdade de gênero legal e cívica, direito ao divórcio e remuneração igual.

O Iluminismo, movimento intelectual do século XVIII, transformou a Europa e a América do Norte enfatizando a razão e a ciência acima da superstição e da fé, e impondo novos ideais de igualdade e liberdade. No entanto, as opiniões ficaram divididas sobre se as noções de liberdade e direitos iguais se aplicavam às mulheres assim como aos homens. O pensador francês Jean-Jacques Rousseau considerava as mulheres naturalmente mais fracas e menos racionais do que os homens e, portanto, dependentes deles. Outros, como os filósofos Denis Diderot, Marquês de Condorcet, Thomas Hobbes e Jeremy Bentham, reconheciam publicamente as capacidades intelectuais das mulheres e apoiavam seu objetivo de conquistar igualdade de gênero.

Fazendo suas vozes serem ouvidas

Nos dois lados do Atlântico as mulheres recorriam a plataformas onde pudessem se engajar em discussões intelectuais e provar sua igualdade com os homens. Em Londres, sociedades públicas de debates dominadas por homens passaram a abrigar reuniões mistas, e, nos anos 1780, várias sociedades femininas floresceram, como a La Belle Assemblée, o Female Parliament, a Carlisle House Debates e o Female Congress. Nelas, as mulheres podiam atrair atenção pública para a igualdade na educação, os direitos políticos e o direito de trabalho.

Nós, mulheres, demoramos demais para fazer nossas vozes serem ouvidas.
Penelope Barker
Líder da Edenton Tea Party, na Carolina do Norte

Pensadores iluministas de toda a Europa reunidos no salão semanal em Paris, organizado pela rica mecenas Madame Geoffrin, retratado aqui durante a leitura de uma peça feita por Voltaire, em 1755.

O NASCIMENTO DO FEMINISMO 31

Veja também: Início do feminismo britânico 20-21 ▪ Ação coletiva no século XVIII 24-27 ▪ O nascimento do movimento sufragista 56-63 ▪ Casamento e trabalho 70-71

Unindo-se à revolução

Na América do Norte, e depois na França, os movimentos revolucionários desafiaram a ordem estabelecida, criando um ambiente político no qual as mulheres podiam estar envolvidas. Nos anos que levaram à Guerra da Independência dos Estados Unidos (1775–1783), as mulheres começaram a tomar parte nos debates sobre o relacionamento das colônias com a Grã-Bretanha. Quando os Atos Townshend de 1767–1768 impuseram o pagamento de taxas de importação à Coroa Britânica, as mulheres organizaram boicotes contra o consumo de produtos britânicos. Algumas abriram mão do chá; outras deixaram claro seu compromisso com a não importação e com a causa nacional (Patriota) ao fazerem suas roupas com tecido produzido em tear caseiro. Grandes encontros para fiar lã, conhecidos como "abelhas fiadoras", eram patrocinados pelas Filhas da Liberdade, a primeira associação feminina formal que apoiou a independência norte-americana, formada em 1765, em resposta ao encargo imposto às colônias pela Lei do Selo. Tais iniciativas encorajaram as mulheres a se unirem ao movimento revolucionário. Com o começo da guerra, em 1775, a participação das mulheres aumentou. Elas assumiram papéis fora de casa, cuidando de negócios e tomando importantes decisões, já que os pais e maridos tinham sido convocados a servir ao exército. As mulheres também se tornaram ativas na política. Em 1780, Esther Reed publicou o panfleto "Os sentimentos de uma mulher americana", para impulsionar o apoio feminino à causa Patriota. A campanha recolheu 300 mil dólares. Junto com Sarah Franklin

Nessa capa da revista *Life*, em 1915, a expressão "E mulheres" é acrescentada à Declaração de Independência Americana, de 1776, no trecho que diz: "Todos os homens são criados iguais".

Bache, filha de Benjamin Franklin (um dos pais fundadores dos EUA), Reed criou então a Associação das Damas da Filadélfia, a maior organização de mulheres da Revolução Americana; suas integrantes iam de porta em porta recolhendo dinheiro para as tropas Patriotas. Algumas mulheres »

Lembre-se de que todos os homens seriam tiranos se pudessem.
Abigail Adams
Carta para seu marido e líder político, John Adams

32 FEMINISMO ILUMINISTA

entraram ainda mais na arena masculina, assumindo um papel militar ativo. Por exemplo, Ann Smith Strong e Lydia Barrington Darragh serviram como espiãs dos Patriotas, conseguindo informações com os britânicos, para passar ao general Washington. Entre as espiãs antisseparatistas estava Ann Bates, que se disfarçou de vendedora ambulante e se infiltrou em um acampamento do exército norte-americano. Algumas poucas mulheres chegaram a se passar por homens, para que pudessem lutar ao lado dos outros soldados. Deborah Sampson, responsável por carregar os canhões com munição, chegou até a receber uma pensão em reconhecimento ao seu serviço militar no exército de Washington.

Uma luta contínua por direitos

As mulheres tiveram um papel ativo durante a Revolução Francesa (1789–1799), o que gerou novas demandas pelo avanço dos seus direitos. As milhares de trabalhadoras que marcharam até o palácio de Versalhes exigindo pão, em outubro de 1789, conseguiram o que a tomada da Bastilha, em 14 de julho, não havia conseguido: sua ação derrubou efetivamente a já arruinada monarquia francesa. Ainda assim, quando um grupo dessas mulheres submeteu uma petição de seis páginas propondo direitos iguais à Assembleia Nacional, que então governava a França, o documento nunca chegou sequer a ser discutido. As francesas persistiram em sua luta por igualdade conforme a revolução se desenrolava ao longo dos anos 1790, participando de atos públicos, publicando jornais e criando suas próprias associações políticas, quando foram excluídas das assembleias dominadas por homens. A mais notável dessas associações foi a Sociedade de Mulheres Revolucionárias e Republicanas, fundada em 1793, que buscava a igualdade sexual e uma voz política para as mulheres. As associações também abordavam a questão da cidadania ao reclamarem o título de *citoyenne* (cidadã) e, portanto, os direitos e responsabilidades que acompanhavam a plena cidadania em uma república.

Palavras como armas

Em meio ao ruído da guerra, escritoras-chave garantiram que a discussão dos direitos das mulheres ainda fosse ouvida. Quando a revolucionária Declaração do Homem e do Cidadão estabeleceu na França direitos e liberdade para todos os homens, a ativista e dramaturga Olympe de Gouges redigiu o panfleto *A declaração dos direitos da mulher e da cidadã* (1791), estabelecendo direitos iguais para as mulheres. Em todo o seu trabalho, De Gouges enunciou os valores do Iluminismo e como eles poderiam efetivamente mudar a vida das mulheres. Nos Estados Unidos, a ensaísta e dramaturga Judith Sargent Murray desafiou a noção predominante da inferioridade das mulheres em seu

> A ideia de incapacidade das mulheres é,… nessa época iluminada, totalmente inadmissível.
> **Judith Sargent Murray**

Na França, a Liberdade é retratada como uma mulher, como no quadro de Eugène Delacroix, mostrando a Revolução de Julho de 1830. Mas as mulheres francesas só ganharam direito ao voto em 1944.

O NASCIMENTO DO FEMINISMO

O Iluminismo e o feminismo

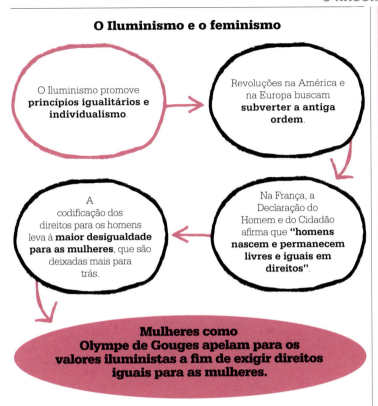

- O Iluminismo promove **princípios igualitários e individualismo**.
- Revoluções na América e na Europa buscam **subverter a antiga ordem**.
- Na França, a Declaração do Homem e do Cidadão afirma que **"homens nascem e permanecem livres e iguais em direitos"**.
- A codificação dos direitos para os homens leva à **maior desigualdade para as mulheres**, que são deixadas mais para trás.
- Mulheres como Olympe de Gouges apelam para os valores iluministas a fim de exigir direitos iguais para as mulheres.

Olympe de Gouges

Nascida Marie Gouze, em 1748, Olympe de Gouges superou uma paternidade questionável, como filha ilegítima do marquês de Pompignon, e depois um casamento contra a sua vontade, aos dezesseis anos, e conseguiu arrumar um lugar para si na aristocracia francesa. Nos anos 1780, ela começou a escrever peças e a publicar panfletos políticos que desafiavam a autoridade masculina na sociedade. Também abordou os males do tráfico de escravos. Com sua *Declaração dos direitos da mulher e da cidadã*, De Gouges foi uma das primeiras a propor um argumento persuasivo em favor da plena cidadania e dos direitos iguais para as mulheres francesas. Durante um período sangrento da Revolução Francesa, conhecido como o Reinado do Terror, De Gouges foi presa por criticar o governo e executada na guilhotina em 1793.

Trabalhos-chave

1788 "Carta para as pessoas, ou projeto para um fundo patriótico"
1790 *A necessidade do divórcio*
1791 *A declaração dos direitos da mulher e da cidadã*

---

ensaio memorável "Sobre a igualdade dos sexos", no qual defende que as mulheres rivalizariam com os homens em realizações se a elas fosse permitido ter uma educação similar. Na Grã-Bretanha, Mary Wollstonecraft também destacou a importância da educação em *Reivindicação dos direitos das mulheres* (1792). Ela afirma que as meninas são ensinadas a se subordinar e que é inculcada nelas a noção de sua inerente inferioridade aos homens; ideias que Wollstonecraft contestou por toda a sua vida. Apesar desses clamores estridentes por igualdade, o legado das duas revoluções seria de certo modo ambíguo para as mulheres. Assumir papéis masculinos nos tempos de guerra não garantiu ganhos imediatos na batalha pela igualdade de gêneros. Na França, a execução de De Gouges, Madame Roland e Charlotte Corday (que havia assassinado o líder jacobino Jean-Paul Marat), três mulheres politicamente ativas, desencorajou as francesas a expressarem suas visões políticas.

No entanto, os exemplos de mulheres politicamente ativas, os debates e textos sobre igualdade de gêneros que haviam começado durante o Iluminismo, e se proliferado ao longo das duas revoluções, são fundamentais para o debate feminista moderno e ajudaram as mulheres a ganhar ímpeto na luta por direitos iguais. ∎

NÃO DESEJO QUE AS MULHERES TENHAM PODER SOBRE OS HOMENS, MAS SOBRE SI MESMAS
EMANCIPAÇÃO DA DOMESTICIDADE

EM CONTEXTO

CITAÇÃO FUNDAMENTAL
Mary Wollstonecraft, 1792

FIGURA-CHAVE
Mary Wollstonecraft

ANTES
1700 Em *Some Reflections Upon Marriage*, a filósofa inglesa Mary Astell questiona por que as mulheres nascem escravas, enquanto os homens nascem livres.

1790 A historiadora britânica Catharine Macaulay escreve *Letters on Education*. Ela argumenta que a suposta fraqueza feminina é causada por uma educação inferior.

DEPOIS
1869 O filósofo britânico John Stuart Mill publica *A sujeição das mulheres*, um argumento poderoso a favor dos direitos iguais, desenvolvido com a feminista Harriet Taylor Mill, sua esposa.

Em 1792, com a publicação de *Reivindicação dos direitos das mulheres*, Mary Wollstonecraft disparou um ataque na batalha pela emancipação feminina da domesticidade. Ela escreveu o polêmico texto feminista em resposta a pensadores iluministas do século XVIII, como Jean-Jacques Rousseau, que não estendia suas ideias de liberalismo às mulheres. Wollstonecraft critica a injustiça e a inconsistência daqueles homens que clamavam por liberdade e subjugavam as mulheres. Ela também rejeita a noção contemporânea de que as mulheres são menos racionais. "Quem fez do homem o juiz exclusivo?", pergunta. As mulheres, ela escreve, podem até ser mais fracas fisicamente, mas são tão capazes de ter um pensamento racional quanto os homens.

Joguetes dos homens

Wollstonecraft afirma que as mulheres permanecem como inferiores porque são mantidas na esfera doméstica, forçadas a serem "brinquedos e joguetes" dos homens. A sociedade as ensinou que a aparência, a opinião masculina e o casamento são mais importantes do que a realização pessoal e intelectual. Moldadas por um estereótipo de gênero, as meninas eram levadas a explorar sua aparência a fim de encontrar um homem que as sustentasse e protegesse. Wollstonecraft foi a primeira feminista a descrever o "casamento para o sustento" como uma forma de prostituição, uma afirmação chocante para a época. A ausência de meios de sustento impelia as mulheres ao casamento, e, degradadas por sua dependência da aprovação masculina, se tornavam escravas dos homens. Wollstonecraft achava que uma vida tão restrita, limitada à banalidade doméstica, também poderia causar danos psicológicos. Para restaurar a dignidade das mulheres, a autora recomenda "uma revolução dos modos

Ela foi criada para ser o brinquedo do homem, seu chocalho, e deve retinir em seus ouvidos sempre que, não importando a razão, ele quiser ser entretido.
Mary Wollstonecraft

O NASCIMENTO DO FEMINISMO

Veja também: Feminismo iluminista 28-33 ▪ Autonomia feminina em um mundo dominado por homens 40-41 ▪ Direitos para as mulheres casadas 72-75 ▪ Remuneração para o trabalho doméstico 147

femininos". Ela acreditava que mulheres e homens deviam ser educados da mesma maneira, em um sistema coeducacional, e que as mulheres deveriam participar da esfera pública e serem treinadas para trabalhar fora de casa, em áreas como medicina, obstetrícia e negócios. Ela defende o fim da distinção social entre os sexos e pede direitos iguais para mulheres, para torná-las capazes de assumir o controle das próprias vidas.

Reações ambíguas

Reivindicação foi bem recebido, particularmente pelos intelectuais. Porém, a imprensa hostil descreveu Wollstonecraft como uma "hiena de anáguas", por conta de seu livro e de seu estilo de vida pouco ortodoxo. O livro só foi reimpresso em meados do século XIX, quando foi admirado pela sufragista britânica Millicent Fawcett e a ativista norte-americana Lucretia Mott. As ideias de Wollstonecraft influenciaram feministas futuras, de Barbara Bodichon a Simone de Beauvoir. ▪

O trabalho da mulher no século XVIII era invariavelmente de natureza doméstica. Lavadeiras podiam trabalhar fora de casa, mas eram longas horas de um trabalho extenuante para pouca remuneração.

Mary Wollstonecraft

A feminista radical anglo-irlandesa Mary Wollstonecraft nasceu em Londres, em 1759. Seu pai era agressivo e perdulário. Wollstonecraft foi altamente autodidata e começou uma escola no noroeste de Londres com uma amiga. Quando a escola faliu, ela se tornou preceptora da família do lorde Kingsborough, uma posição que odiava. Por volta de 1790, Wollstonecraft estava trabalhando para uma editora londrina e era parte de um grupo de pensadores radicais que incluíam Thomas Paine e William Godwin. Em 1792, foi para Paris, onde conheceu Gilbert Imlay, com quem teve uma filha, Fanny. Imlay foi infiel e o romance terminou. Em 1797, Wollstonecraft se casou com Godwin, mas morreu no fim daquele ano, dez dias depois de dar à luz a filha deles, Mary, que mais tarde escreveria o romance *Frankenstein* como Mary Shelley.

Trabalhos-chave

1787 *Pensamentos sobre a educação das filhas*
1790 *Reivindicação dos direitos dos homens*
1792 *Reivindicação dos direitos das mulheres*

CONVOCAMOS TODAS AS MULHERES, NÃO IMPORTA SUA POSIÇÃO SOCIAL
FEMINISMO NA CLASSE TRABALHADORA

EM CONTEXTO

CITAÇÃO FUNDAMENTAL
Suzanne Voilquin, 1832–1834

FIGURA-CHAVE
Suzanne Voilquin

ANTES
1791 Na França revolucionária, Olympe de Gouges publica *A declaração dos direitos da mulher e da cidadã*, defendendo a igualdade entre mulheres e homens.

1816 O aristocrata francês e teórico político Henri de Saint-Simon publica "l'Industrie", o primeiro de vários ensaios declarando que a felicidade humana está em uma sociedade produtiva baseada em igualdade verdadeira e trabalho útil.

DEPOIS
Anos 1870 O socialista francês e um dos primeiros líderes do movimento trabalhista francês Jules Guesde diz às mulheres francesas que seus direitos são diversionários e serão uma consequência natural quando o capitalismo for desmantelado.

Mulheres (e homens) são **divididas** por posição social entre **"proletárias"** e **"privilegiadas"**.

Mas **a opressão une todas as mulheres** de diferentes origens.

O *La tribune des femmes*, o primeiro periódico feminista da classe trabalhadora, estimulava todas as mulheres a contribuírem e ajudarem para o seu progresso.

De vários modos, a industrialização aumentou o abismo entre as mulheres da classe média e as da classe trabalhadora. Ambos os grupos se sentiam oprimidos, mas, enquanto as mulheres da classe média, excluídas de uma função econômica nas novas indústrias, faziam campanha por uma melhor educação, pelo acesso a trabalhos significativos e pelo direito ao voto, as mulheres da classe trabalhadora, que contribuíam para a renda da família trabalhando nas usinas e fábricas, eram menos ouvidas e estavam mais preocupadas em melhorar o pagamento e as condições de trabalho. Algumas mulheres da classe trabalhadora pareciam tender para o sindicalismo, enquanto outras eram atraídas por movimentos utópicos como o São-Simonismo, que floresceu na França na primeira metade do século XIX. Inspirado por ideias de Henri de Saint-Simon, o movimento defendia uma "união de trabalho", na qual todas as classes cooperavam para vantagens

O NASCIMENTO DO FEMINISMO 37

Veja também: Feminismo marxista 52-55 ▪ Racismo e preconceito de classe dentro do feminismo 202-205 ▪ Feminismo do colarinho-rosa 228-229 ▪ Disparidade salarial 318-319

Homens! Não… fiquem mais surpresos pela desordem que reina na nossa sociedade. É um protesto enérgico contra o que vocês mesmos fizeram.
Suzanne Voilquin

mútuas e iguais, em um mundo cada vez mais tecnológico e científico.

Os são-simonianos promoviam um estilo de vida comunitário, livre da tirania do casamento, no qual os princípios femininos de paz e compaixão substituiriam os valores masculinos, mais agressivos. Gravuras satíricas da época mostravam homens são-simonianos fazendo tarefas domésticas e usando espartilhos, enquanto as mulheres assumiam o que eram consideradas tarefas masculinas, como caçar e fazer discursos.

Uma publicação para as mulheres

Entre as que foram influenciados pelo São-Simonismo, estava Suzanne Voilquin, uma bordadeira francesa que resolveu viver de forma independente, depois da separação amigável do marido. Ela desejava ser um exemplo para as outras e também advogar a causa são-simoniana, o que acreditava ser urgente, uma vez que a Revolução de Julho de 1830 não fizera nada para alterar a sorte das classes trabalhadoras. A própria Voilquin havia passado por dificuldades depois da revolução, quando um declínio na venda de artigos de luxo afetou seu trabalho como bordadeira, e ela passou um período desempregada. Em 1832, Voilquin se tornou editora do *La tribune des femmes*, um periódico que promovia os valores são-simonianos. Mulheres de todas as classes eram convidadas a contribuir, embora o recrutamento se concentrasse na classe trabalhadora. As redatoras utilizavam só seus primeiros nomes, como um protesto contra a obrigação de adotar o sobrenome do marido. O periódico defendia uma aliança entre "as mulheres proletárias" e "as mulheres com privilégios" para criar uma *nouvelle femme* (nova mulher). "Cada mulher vai colocar uma pedra fundamental a partir da qual o edifício moral do futuro será construído", disse Voilquin. O *La tribune des femmes* foi a primeira tentativa de criar uma conscientização feminina. ▪

Conforme os países se industrializavam, mulheres e meninas passaram a trabalhar fora de casa. Essa foto de 1898 é de uma usina em Málaga, na Espanha, com operárias em um salão de carretéis.

Suzanne Voilquin

Filha de um chapeleiro, Suzanne Voilquin nasceu em Paris, em 1801. Ela teve um início de vida confortável, mas ansiava pela educação a que os irmãos tinham acesso. Quando a falência do pai levou a tempos difíceis, Voilquin se tornou bordadeira. Em 1823, Voilquin se casou e se uniu ao movimento São-Simoniano, uma espécie de pioneiro do socialismo utópico. Em 1832, depois de se separar do marido, ela começa a editar *La tribune des femmes*, o primeiro periódico conhecido das feministas da classe trabalhadora. Voilquin escreveu sobre a injustiça do Código Civil Francês, que não incluía mulheres em assuntos públicos e defendeu a autossuficiência econômica. Em 1834, Voilquin atendeu ao chamado de divulgar a palavra do São-Simonismo e viajou para o Egito, onde se tornou enfermeira. Mais tarde, ela foi para a Rússia e para os Estados Unidos, mas voltou à França em 1860 e morreu em Paris em 1877.

Trabalhos-chave

1834 *Minha lei para o futuro*
1866 *Memórias de uma filha do povo*

ENSINEI A ELAS A RELIGIÃO DE DEUS
EDUCAÇÃO PARA MULHERES ISLÂMICAS

EM CONTEXTO

CITAÇÃO FUNDAMENTAL
Nana Asma'u, 1858–1859

FIGURA-CHAVE
Nana Asma'u

ANTES
610 O profeta Maomé começa a receber revelações de Deus, que mais tarde formam o Corão.

DEPOIS
Anos 1990 Shaykh Ibrahim Zakzaky estabelece o Movimento Islâmico na Nigéria. O movimento promove a educação feminina.

2009 O Talibã promove ataques a escolas no Vale do Swat, no Paquistão. A sobrevivente Malala Yousafzai recebe o Prêmio Nobel da Paz em 2014 por defender os direitos humanos, em particular a educação para mulheres e crianças.

2014 O Boko Haram, uma organização jihadista, sequestra meninas estudantes na cidade de Chibok, no oeste da Nigéria.

A educação é considerada um dever para todo muçulmano. O profeta Maomé (571–632) enfatizou a necessidade do ensino, dizendo que uma pessoa que busca conhecimento alcança recompensas espirituais equivalentes às da pessoa que jejuou o dia todo e manteve uma vigília de orações durante toda a noite. Os ensinamentos islâmicos não diferenciam o conhecimento religioso do mundano: todo aprendizado é considerado parte da humanidade. Na Idade Média, a ciência vicejou nas terras muçulmanas. Acadêmicos abriram caminho na medicina, na astronomia e na matemática, calculando a circunferência da Terra e estabelecendo os princípios da álgebra. No início do islamismo (séculos VII e VIII), as mulheres tinham um importante papel na difusão do conhecimento. Fontes xiitas registram que Fatima, a filha do profeta, e sua filha Zaynab eram impecavelmente versadas no Corão e no Hadith (um registro de dizeres e feitos do profeta) e ensinavam às mulheres na medina: o próprio profeta disse às mulheres da cidade para aprenderem com Fatima. O sobrinho de Zaynab, Ali ibn al-Husayn (659–713), que os membros do ramo xiita do Islã acreditavam ser predestinado a ser o imã, chamava a tia de "a acadêmica que não teve professor", sugerindo que Zaynab havia assimilado conhecimento do ambiente no qual viveu.

Mulheres cultas

Por volta do século XI, as mulheres muçulmanas já não tinham mais acesso ao mesmo nível de educação que os homens. Em parte, isso se deveu ao patriarcado, que presumia que os homens assumiam papéis mais públicos e, portanto, precisavam de um nível mais alto de educação. No entanto, mulheres privilegiadas às vezes usavam sua riqueza e suas conexões para ultrapassar essas

Buscar o conhecimento é incumbência de todo muçulmano, homem e mulher.
Profeta Maomé

O NASCIMENTO DO FEMINISMO 39

Veja também: Início do feminismo árabe 104-105 ▪ Lutas feministas no Brasil 124-125 ▪ Patriarcado como controle social 144-145 ▪ Anticolonialismo 218-219 ▪ Feminismo islâmico moderno 284-285

Uma menina nigeriana aprende o Corão usando um *lawh* (uma tábua de madeira). Até hoje, em muitos países muçulmanos, um conhecimento geral do Corão forma a base do início da educação.

Não dar às meninas a oportunidade de estudar e aprender… é basicamente enterrá-las vivas.
Shaykh Mohammed Akram Nadwi
Acadêmico islâmico

barreiras e garantir a educação. Fatima al-Fihri fundou a Universidade Al Quaraouiyine, no Marrocos, em 859 d.C. Ibn Asakir (1105–1176), uma acadêmica sunita que viajou por todo o mundo islâmico, estudou o Hadith com centenas de professores, incluindo oitenta mulheres. Hajji Koka foi conselheira do imperador Jahangir (1569–1627), do império Mongol, e usou sua riqueza para fundar escolas para mulheres.

Uma das mulheres mais notáveis do século XIX foi Nana Asma'u, do Califado de Sokoto, que ganhou destaque não só por ser a filha do califa, mas também por sua sabedoria. Por acreditar que a educação para meninas precisava ser institucionalizada e padronizada, Nana Asma'u treinou uma rede de professoras, conhecidas como *jajis*, que passaram a viajar pelo império, ensinando as mulheres em suas próprias casas. O legado de Nana sobrevive na Nigéria, apesar dos esforços dos militantes jihadistas para atrapalhar a educação das meninas: hoje, incontáveis escolas e organizações para mulheres no país recebem seu nome, e sua contribuição está entronizada na cultura e na história nigerianas. Ela é um lembrete da importância da educação para todos no Islã. ▪

Uma criança, um professor, um livro, uma caneta podem mudar o mundo.
Malala Yousafzai

Nana Asma'u

Nascida no norte da Nigéria, em 1793, Nana Asma'u era filha de Usman dan Fodio, o fundador do Califado de Sokoto (1809–1903), na África Ocidental. Como o pai, Nana era uma estudiosa do Corão, também fluente em quatro línguas e costumava usar a poesia como meio para ensinar os princípios do califado.

Quando o irmão de Nana, Mohammed Bello, se tornou o segundo califa de Sokoto, Nana foi sua conselheira próxima. Seu maior legado, no entanto, foi criar um sistema de educação para as mulheres. Quando Nana morreu, em 1864, deixou uma grande herança de textos — poéticos, políticos, teológicos e educacionais — em árabe, fula, hauçá e tuaregue.

Trabalho-chave

1997 *Coletânea de trabalhos de Nana Asma'u, filha de Usman dan Fodio (1793–1864)*

QUE TODO O CAMINHO SEJA TÃO ABERTO PARA A MULHER QUANTO É PARA O HOMEM

AUTONOMIA FEMININA EM UM MUNDO DOMINADO POR HOMENS

EM CONTEXTO

CITAÇÃO FUNDAMENTAL
Margaret Fuller, 1845

FIGURAS-CHAVE
Frances (Fanny) Wright, Harriet Martineau, Margaret Fuller

ANTES
1810 A Suécia garante às mulheres o direito ao trabalho em todas as profissões sindicalizadas, comércio e artesanato.

1811 Na Áustria, mulheres casadas recebem permissão para serem independentes financeiramente e têm garantido o direito a escolher uma profissão.

DEPOIS
1848 Três estados norte-americanos (Nova York, Pensilvânia e Rhode Island) promulgam novos atos de propriedade que dão às mulheres o controle do que possuem.

1870 O Ato de Propriedade das Mulheres Casadas permite que mulheres britânicas tenham dinheiro e propriedades herdadas.

Conforme a Revolução Industrial (1760–1840) ganhava força no início do século XIX, as mulheres começavam a rever sua posição em sociedades que enfatizavam a importância de se realizar um trabalho produtivo. O filósofo francês e socialista utópico Charles Fourier, que cunhou o termo *féminisme*, defende uma nova ordem mundial baseada em autonomia cooperativa por homens e mulheres em condições iguais. Ele acreditava que todo trabalho deveria ser aberto às mulheres, de acordo com seus talentos individuais, interesses e atitudes, e que a contribuição delas — livres da opressão patriarcal — era vital para uma sociedade harmoniosa e produtiva. Seu ponto de vista se espalhou pela Europa e pelos Estados Unidos, onde, nos anos 1840 e 1850, apoiadores de suas ideias criaram várias comunidades utópicas, nas quais homens e mulheres viviam e trabalhavam de forma cooperativa.

Pensadoras e escritoras

Frances (Fanny) Wright, uma feminista escocesa, livre-pensadora e abolicionista, vivia na América e defendia as crenças de Fourier. Na série de cartas publicadas como *Views of Society and Manners in America*

Mulheres com acesso à educação tinham poucas formas de sustentar um bom estilo de vida. A partir dos anos 1870, a introdução das máquinas de escrever ofereceu oportunidades para trabalho de escritório.

(1821), ela afirma que as mulheres estavam "assumindo seus lugares como seres pensantes", mas eram tolhidas por sua falta de direitos legais e financeiros. Wright passou algum tempo na comunidade utópica de New Harmony, em Indiana, fundada pelo reformista social galês Robert Owen, um seguidor de Fourier, e se tornou a primeira mulher na América a editar um periódico, o *The New Harmony*

O NASCIMENTO DO FEMINISMO

Veja também: Feminismo iluminista 28-33 ▪ Casamento e trabalho 70-71 ▪ Direitos para as mulheres casadas 72-75 ▪ Liberdade intelectual 106-107

A extensão dos direitos da mulher é o princípio básico de todo progresso social.
Charles Fourier

Gazette. Em 1829, Wright se mudou para Nova York, onde quebrou o tabu sobre mulheres fazerem discursos públicos e deu palestras defendendo a emancipação de escravos e mulheres, direitos legais para esposas, leis liberais de divórcio e a introdução do controle de natalidade. A escritora britânica Harriet Martineau abordou questões sociais, econômicas e políticas que costumavam ser discutidas apenas por homens. Ela se destacou a partir de *Illustrations of Political Economy* (1832), com 25 "retratos" ficcionais descrevendo o impacto das condições econômicas em pessoas comuns. Martineau viajou para os EUA entre 1834 e 1836, para examinar os princípios democráticos declarados do país, e então publicou suas descobertas em *Society in America* (1837). Um dos capítulos, "A não existência política da mulher", registra que as mulheres recebem "indulgência no lugar de justiça", e pede que elas recebam uma educação melhor, para que possam sobreviver sem o apoio financeiro e o controle dos homens. Alguns anos mais tarde, a jornalista norte-americana Margarett Fuller somou sua voz às dessas escritoras feministas com o livro *Woman in the Nineteenth Century* (1845). O livro prevê um novo despertar, no qual mulheres independentes construiriam uma sociedade melhor, em igualdade de condições com os homens. Fuller aceita as diferenças físicas entre os sexos, mas rejeita atributos definidos para cada gênero: "Não há homem completamente masculino, nem mulher puramente feminina", uma declaração que estava bem à frente do seu tempo.

Influência duradoura

Essas mulheres inspiraram a luta pela emancipação feminina nos EUA e na Europa, e na segunda metade do século XIX, uma nova onda de ativistas faria suas vozes serem ouvidas; força que governantes acabaram se vendo forçados a reconhecer. Enquanto essas vozes eram de modo geral da classe média, o crescimento de empresas comerciais e da burocracia aumentou a demanda por mulheres educadas da classe média-baixa e da classe trabalhadora, para que ocupassem vagas de estenógrafas, copistas e guarda-livros, papéis antes executados por homens. No entanto, qualquer autonomia e satisfação pessoal que esses empregos pudessem ter trazido foram reduzidas pelos baixos salários e baixa importância social. O trabalho das mulheres ainda era visto como secundário em relação ao dos homens. ▪

Existe na mente dos homens a mesma percepção sobre mulheres e sobre escravos.
Margaret Fuller

Harriet Martineau

Nascida em Norwich, Reino Unido, em 1802, filha de um comerciante de tecidos, Harriet Martineau recebeu uma boa educação, mas foi confinada à esfera doméstica pela visão estrita da mãe sobre os papéis tradicionais dos gêneros. Depois da morte do pai, em 1826, Martineau foi ganhar a vida como jornalista, apesar de ser surda desde os doze anos. O sucesso de seu *Illustrations of Political Economy* possibilitou que ela se mudasse para Londres, em 1832. Lá, conheceu pensadores como John Stuart Mill. Depois de viajar para a América e para o Oriente Médio, Martineau voltou para casa e continuou a escrever. Ela publicou mais de cinquenta livros e 2 mil artigos e, por toda a vida, defendeu a educação para as mulheres, liberdades civis e o sufrágio. Martineau morreu em 1876, em uma casa que ela mesma projetou e construiu em Lake District.

Trabalhos-chave

1832 *Illustrations of Political Economy*
1836 *Philosophical Essays*
1837 *Society in America*
1848 *Household Education*

A LUTA DIREITOS 1840–1944

POR
IGUAIS

INTRODUÇÃO

No Reino Unido, Karl Marx e Friedrich Engels publicam *O manifesto comunista*, um panfleto político que clama pela **libertação de homens e mulheres do capitalismo**.

Nos EUA, a ativista e abolicionista Sojourner Truth faz um discurso na Convenção pelos Direitos das Mulheres, em Ohio, exigindo que a luta por direitos iguais inclua **mulheres negras**.

No Reino Unido, o Ato de Propriedade das Mulheres Casadas permite às mulheres **serem donas de propriedades e terem o controle sobre elas**.

1848 — **1851** — **1882**

1849 — **1869**

Elizabeth Blackwell se torna a **primeira mulher médica** ao se graduar em uma faculdade de medicina nos EUA.

A The National Woman Suffrage Association (NWSA), nos EUA, **condena a 15ª Emenda**, que garante aos homens afro-americanos o direito ao voto, **por não incluir as mulheres**.

A história descreve o período que vai de meados do século XIX ao início do século XX como a "primeira onda" do feminismo. Durante esse tempo, emergia um movimento distinto, conforme feministas do mundo todo analisavam aspectos de suas vidas e visavam mudar as instituições que as oprimiam. Aos poucos as mulheres começaram a se reunir para exigir direitos iguais na lei, na educação, no emprego e na política. Por volta dos anos 1840, nos Estados Unidos, e depois na Grã-Bretanha, as exigências por direitos foram canalizadas no que se tornou uma campanha de base ampla, e às vezes dividida, pelo direito ao voto. No entanto, o feminismo nunca foi um movimento unificado. Diferentes abordagens políticas fizeram com que surgisse uma variedade de padrões que com frequência eram conflitantes. A primeira onda militou em várias frentes: na Grã-Bretanha, as ativistas Caroline Norton e Barbara Bodichon orquestraram ataques a leis que mantinham as mulheres, principalmente as casadas, em um papel de subordinação. Seus esforços resultaram no Ato das Causas Matrimoniais de 1857, que forçou os homens a provarem o adultério da esposa no tribunal e permitiu às mulheres denunciarem os maridos por crueldade ou abandono, seguido por dois atos de propriedade de mulheres casadas, sendo que o segundo, de 1882, garantiu a elas o direito de ser dona de uma propriedade.

Escape do lar

As mulheres também desafiaram as restrições sociais que as mantinham na esfera doméstica. As feministas inglesas Harriet Taylor Mill e Elizabeth Blackwell argumentavam que deveriam ter o mesmo acesso que os homens ao estudo universitário e ao trabalho remunerado, e se dedicaram a conquistar mais oportunidades para as mulheres. Os textos dos teóricos alemães Karl Marx e Friedrich Engels influenciaram feministas socialistas como Clara Zetkin, na Alemanha, e Alexandra Kollontai, na Rússia. Elas viam a opressão às mulheres como uma questão de classe e diziam que o desenvolvimento da família como uma unidade econômica fundamental ao capitalismo forçava as mulheres a um papel de subordinação, e só uma revolução socialista as libertaria. Enquanto as mulheres de classe média dos países ocidentais protestavam contra o ócio forçado, as mulheres da classe trabalhadora, nas fábricas e usinas, tinham outras preocupações.

A LUTA POR DIREITOS IGUAIS   45

Na Nova Zelândia, mulheres **ganham o direito ao voto**, e é a primeira vez em que esse direito é conquistado pelas mulheres de qualquer lugar do mundo.

Inspirada pelo movimento pelo sufrágio feminino nos EUA, a **feminista japonesa** Fusae Ichikawa forma a Liga pelo Sufrágio Feminino.

Na Espanha, Lucía Sanchez Saornil é cofundadora da organização anarquista Mujeres Libres, que busca **empoderar e libertar** mulheres da classe trabalhadora.

1893   **1924**   **1936**

1888   **1903**   **1929**

Em uma fábrica de fósforos no Reino Unido, 1.400 mulheres **entram em greve** para protestar contra baixos salários e condições ruins de trabalho.

A ativista britânica Emmeline Pankhurst forma a Women's Social and Political Union (WSPU) que milita pelo **sufrágio feminino**.

Em *Um teto todo seu*, a escritora britânica Virginia Woolf atribui a **sub-representação feminina na literatura** à falta de liberdade financeira, intelectual e social das mulheres.

Elas sempre contribuíram para a renda da família, mas a industrialização as tirou das atividades domésticas para o trabalho externo, sem qualquer proteção em relação à exploração. As trabalhadoras dos EUA e da Grã-Bretanha encararam a oposição dos sindicatos masculinos, que viam o trabalho feminino como uma ameaça, e partiram para a ação, fazendo greves e formando sindicatos só de mulheres.

Raça, sexo e voto
Questões de raça permearam a primeira onda do feminismo do século XIX em diante. Feministas negras, como a ativista e ex-escrava Sojourner Truth, sofreram opressão dupla, tanto pelo gênero quanto pela etnia. A causa abolicionista uniu mulheres brancas e negras, mas surgiram divisões durante a última parte do século, em particular durante a luta pelo voto, quando, nos EUA, o sufrágio feminino foi adiado em favor do direito ao voto para homens negros.

Apesar dos tabus sociais das mulheres falarem sobre sexo, algumas pioneiras na Grã-Bretanha, na Suécia e em outros lugares destacaram o sexo e a reprodução como áreas-chave sobre as quais elas tinham pouco controle. Na Grã-Bretanha e nos EUA, militantes feministas se posicionavam contra o domínio masculino dos direitos reprodutivos das mulheres. Havia outras mais radicais, como a reformista social inglesa Josephine Butler, que identificou um padrão social duplo, no qual a atividade sexual era tolerada em relação aos homens, mas não em relação às mulheres, com destaque para a atitude ambígua da sociedade em relação à prostituição. Por volta da metade da primeira onda, feministas na Grã-Bretanha e nos EUA se uniram em um movimento maciço para conquistar o sufrágio, o direito ao voto. As estratégias para alcançar esse objetivo variaram e, na Grã-Bretanha, a luta se tornou cada vez mais acirrada e violenta. Apesar das divisões entre as feministas, a militância pelo sufrágio dominou a maior parte das atividades até a Primeira Guerra Mundial (1914–1918) e pouco depois. Nos anos 1920, as ideias feministas e a militância haviam emergido em muitos países, incluindo o Japão, onde feministas como Fusae Ichikawa defendiam o direito de a mulher se envolver em política. Também no mundo árabe, particularmente no Egito, Huda Shaarawi e outras mulheres estabeleceram as primeiras organizações feministas. ■

QUANDO VOCÊ VENDE SEU TRABALHO, VOCÊ SE VENDE

SINDICALIZAÇÃO

SINDICALIZAÇÃO

EM CONTEXTO

CITAÇÃO FUNDAMENTAL
Lowell Mill Girls, 1841

ORGANIZAÇÕES-CHAVE
Lowell Mill Girls, as Match Girls

ANTES
Meados dos anos 1700
Invenções britânicas, como as máquinas de fiar hidráulicas, e as melhorias no motor a vapor, levam à automação do trabalho pesado.

1833 No Reino Unido, a primeira "Lei das Fábricas" garante alguma proteção legal a crianças no trabalho fabril.

DEPOIS
1888 A sufragista e ativista norte-americana Leonora O'Reilly começa um capítulo feminino dos Cavaleiros do Trabalho, uma federação trabalhista nacional.

1903 Mary Harris Jones lidera uma marcha de crianças trabalhadoras da Filadélfia até Nova York, para protestar contra o trabalho infantil.

A Revolução Industrial mudou fundamentalmente a maneira como as pessoas viviam e trabalhavam. A mecanização tornou possível a produção em massa de mercadorias, e as empresas começaram a empregar um grande número de trabalhadores não qualificados para lidar com as máquinas, incluindo mulheres e crianças. Como esse trabalho costumava ser repetitivo e amador, os chefes pagavam salários muito baixos. Artesãos autônomos não conseguiam competir com o baixo custo dos produtos industrializados e, para muitas pessoas, vender seu trabalho por um salário acabava se tornando a única opção.

Trabalhos para mulheres

Tradicionalmente, mulheres faziam trabalhos repetitivos e tediosos em casa e no campo, e antigas noções de "trabalho de mulher" ditavam as vagas abertas na indústria. Elas assumiram uma grande parte do trabalho administrativo mal pago, no varejo e nas fábricas. Como as mulheres sempre costuraram as roupas em casa, as fábricas têxteis costumavam contratar uma ampla força de trabalho feminina. Os papéis

Falarei do pequeno para o grande, e do fraco para o forte.
Annie Besant

de chefia raramente estavam disponíveis para as mulheres, as solteiras supostamente só trabalhariam até encontrarem um marido, e as empresas lhes pagavam uma fração do que os homens recebiam. No início dos anos 1800, uma usina têxtil em Massachusetts mandou recrutadores a pequenas fazendas para contratar jovens como operárias. A maior parte da economia da Nova Inglaterra era agrária na época, e algumas famílias mandaram suas filhas para ganhar dinheiro extra nas fábricas. Os proprietários da usina prometeram assumir um papel paternal na vida dessas jovens, mandando-as à igreja e lhes dando

Sarah Bagley

Nascida na Nova Inglaterra, em 1806, Sara Bagley se mudou para Massachusetts em 1836, para trabalhar em uma das muitas usinas têxteis da cidade. Ao longo de uma década, Bagley percebeu como o salário pago aos operários da usina e a qualidade de vida permaneciam iguais, mesmo quando a produção nas usinas aumentava. Dona de uma forte personalidade e uma oradora carismática, Bagley e doze outras "Mill Girls" ("Moças da Usina") começaram a Lowell Female Labor Reform Association (LFLRA), em janeiro de 1845. Em maio de 1846, elas compraram um jornal operário, *The Voice of Industry*, para compartilhar suas ideias. A LFLRA se juntou a um grupo crescente de organizações trabalhistas que exigia salários justos e jornadas de trabalho de dez horas por dia. Essa foi a primeira união de mulheres trabalhadoras nos EUA e chegou a ter seiscentas ramificações. Já idosa, Bagley praticou medicina homeopática com o marido, em Nova York. Ela morreu na Filadélfia, em 1899.

Trabalho-chave

1846–1848 *The Voice of Industry*

A LUTA POR DIREITOS IGUAIS

Veja também: Ação coletiva no século XVIII 24-27 ▪ Feminismo na classe trabalhadora 36-37 ▪ Feminismo marxista 52-55 ▪ Organizando sindicatos de mulheres 160-161 ▪ Feminismo anticapitalista 300-301

Obstáculos à sindicalização feminina

- Mulheres de classe média estão preocupadas com o **sufrágio feminino**.
- Mulheres são vistas como uma **ameaça ao emprego do homem**.
- Mulheres trabalham em **bases informais** com frequência.
- Sindicatos banem mulheres de trabalhos vistos como **"masculinos"**.
- Empregadores provocam divisão ao pagar **menos às mulheres do que aos homens**.

Mulheres que desejavam se sindicalizar encaravam resistência dos empregadores e dos colegas homens, e recebiam pouco apoio das sufragistas de classe média.

educação moral. Na realidade, as condições da fábrica eram exploratórias: em 1845 os salários das mulheres eram de cerca de quatro dólares por semana (o equivalente a cem dólares hoje), e os chefes costumavam esticar o horário de trabalho, ou exigir produtividade maior sem alteração no pagamento. A duração de um dia de trabalho era em média de treze horas.

Ação coletiva

As mulheres começaram a se organizar e a se sindicalizar (fazendo exigências como grupo) no início da Revolução Industrial, reivindicando melhor remuneração e tratamento mais justo dos empregadores. Em 1828, o "Lowell Mill Girls" ("Moças da Usina Lowell"), o primeiro sindicato feminino nos EUA, ocupou as ruas com faixas e cartazes para protestar contra as regras restritivas dos empregadores. Em 1836, 1.500 trabalhadoras entraram em greve geral, paralisando a produção. A reação contra as grevistas da Lowell, retratadas como ingratas e imorais pelos empregadores, foi violenta. Ainda assim, as Mill Girls acabaram se tornando conhecidas como um sindicato forte. Em 1866, o ano seguinte à abolição da escravidão no país, um grupo de antigas lavadeiras escravas formou a primeira associação trabalhista no estado do Mississípi. Em 20 de junho, elas enviaram uma resolução para o prefeito de Jackson, capital do estado, exigindo uma remuneração uniforme para o trabalho que realizavam. Também solicitaram que qualquer mulher que encontrasse trabalho por menos deveria ser multada. Poucos dias mais tarde, um grupo de homens, ex-escravos, inspirados pelas mulheres, se reuniu na igreja batista de Jackson para discutir entrar em greve por melhor remuneração. Mais greves se seguiram. Na cidade de Lynn, em Massachusetts, em 28 de julho de 1859, um grupo de mulheres que trabalhavam na produção de sapatos criou seu próprio sindicato. Elas se denominavam "Daughters of St. Crispin" ("Filhas de São Crispim") inspiradas por sua contrapartida masculina, os "Knights of St. Crispin" ("Cavaleiros de São Crispim"), pois Crispim era o santo padroeiro dos »

Uma revista mensal, a *Lowell Offering*, publicada para as operárias da Usina Lowell, idealizava a vida das jovens. A realidade era diferente, com longas horas de trabalho e baixa remuneração.

SINDICALIZAÇÃO

> Nosso objetivo no momento é ter união e empenho, e permanecermos de posse de nossos próprios direitos inquestionáveis.
> **Proclamação de greve na usina Lowell**

sapateiros. O sindicato feminino cresceu rapidamente, com sedes em outros estados, e se tornou o primeiro sindicato trabalhista nacional dos EUA. Em 1870, as Daughters of St. Crispin exigiram pagamento igual ao dos homens por trabalho equivalente. Elas organizaram duas greves em 1872: a primeira, em Stoneham, Massachusetts, não teve sucesso, mas a segunda, em Lynn, conseguiu salários mais altos para as operárias. Em 1874, as Daughters of St. Crispin exigiram jornadas diárias de trabalho de dez horas para mulheres e crianças na indústria.

Conexões socialistas

Na Grã-Bretanha e no restante da Europa, a industrialização avançava mais rápido do que nos EUA. A Lei das Fábricas da Grã-Bretanha, de 1847, limitou a jornada diária a dez horas por dia para mulheres e adolescentes, mas os proprietários das fábricas continuaram a pagar baixos salários pelo trabalho em condições nada seguras. Uma grande quantidade de trabalhadores empobrecidos, que havia migrado do campo para as cidades, garantia uma força de trabalho ampla e desesperada. Se uma operária deixava o trabalho ou ficava doente, era fácil encontrar uma substituta. Filósofos e teóricos políticos como Karl Marx e Friedrich Engels escreveram sobre a exploração injusta e sugeriram alternativas socialistas ao capitalismo. O papel das mulheres, no entanto, não ocupava um lugar central nos textos de Marx e Engels. Em vez disso, ativistas como as sufragistas britânicas Emma Paterson e Clementina Black basearam suas políticas nas próprias experiências de trabalho e relações de classe. Em 1872, aos dezenove anos, Paterson se tornou secretária assistente do Workmen's Club and Institute Union, e dois anos mais tarde fundou a Women's Protective and Provident League, com o objetivo específico de conseguir que mais mulheres se envolvessem na organização de sindicatos. A liga era formada principalmente por pessoas das classes média e alta, com visões socialistas. Clementina Black, uma inglesa de classe média que era amiga da família de Karl Marx, optou por uma abordagem diferente: ela se concentrou em usar o poder das mulheres como consumidoras para provocar uma mudança social. Black se dedicou a criar uma liga de consumidoras, que defendia que se comprasse apenas de indústrias que pagassem salários justos. Em 1886, ela se tornou integrante da Liga de Mulheres de Emma Paterson, trabalhando como secretária da organização.

Ação militante

Em 1888, Clementina Black se envolveu com a greve das Match Girls em Londres. O sucesso da greve a convenceu de que uma ação mais direta, mais militante, era o melhor modo de conseguir uma mudança efetiva. Em 1889, Black ajudou a fundar a Women's Trade Union Association e, em 1894, se tornou editora do *Women's Industrial News*, o periódico do WIC, Women's

A greve em 1888 não foi o primeiro protesto das Match Girls. Em 1871, elas marcharam contra uma tarifa proposta sobre os fósforos.

A greve das Match Girls

Em julho de 1888, 1.400 mulheres abandonaram o trabalho na fábrica de fósforos Bryant & May, em Londres, no que ficou conhecido como greve das Match Girls. A socialista britânica Annie Besant usou seu jornal *The Link* para denunciar a jornada de trabalho de catorze horas, os materiais tóxicos, a divisão injusta de lucros e os baixos salários pagos aos empregados. Trabalhadoras reclamavam de multas aplicadas aos seus salários e de demissões injustas. Elas também sofriam com dificuldade para respirar e outros problemas de saúde, por causa dos vapores de fósforo na fábrica. A Bryant & May tentou diminuir as críticas da opinião pública fazendo suas operárias assinarem uma negação por escrito dos maus-tratos. Isso, combinado com outra demissão injusta, foi o estopim para a greve. A opinião pública ficou ao lado das operárias e a Bryant & May cedeu. O sucesso das "Moças do Fósforo" inspirou uma onda similar de greves e impulsionou as atividades sindicais.

A LUTA POR DIREITOS IGUAIS

Nunca se iludam que os ricos vão permitir que vocês votem para afastá-los da sua riqueza.
Lucy Parsons

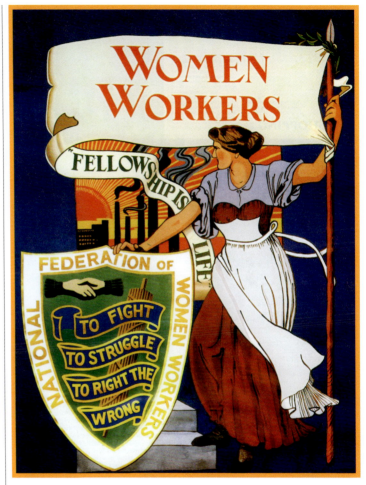

Industrial Council, que publicou investigações sobre as condições de trabalho das operárias.

Nos EUA, a socialista afro-americana e anarquista Lucy Parsons ajudou a fundar a IWPA, International Working People Association, em Chicago, em 1881. Depois de se mudar com o marido de Chicago para o Texas, em 1873, ela abriu uma loja de roupas e organizou encontros da ILGWU, International Ladies Garment Workers Union. Parsons também escreveu artigos para o *The Socialist* e para o *The Alarm*, dois jornais radicais da IWPA que eram publicados na cidade. Em 1886, Parsons ajudou a organizar o protesto do Dia do Trabalho, no qual mais de 80 mil trabalhadores de Chicago e cerca de 350 mil por todo o país abandonaram seus postos em uma greve geral, para lutar por uma jornada diária de trabalho de oito horas. Em 3 de maio, a greve se tornou violenta depois que a polícia atirou na multidão em Chicago. Quando um dos policiais foi morto, a reação foi rápida e dura. Apesar de não estar presente no momento, o marido de Parsons foi perseguido, preso, considerado culpado e executado. Parsons continuou com seu trabalho ativista. Foi a única mulher a falar na reunião da Industrial Workers of the World, uma organização internacional de trabalho fundada em Chicago, em 1905, e viajou o mundo para palestrar sobre causas socialistas. Os abusos associados à industrialização foram sofridos por homens e mulheres, mas a maior parte dos sindicatos trabalhistas ainda era aberta apenas aos homens no início do século XX. As trabalhadoras geralmente eram forçadas a organizar os próprios sindicatos para reivindicar a solução de seus problemas específicos. Esses esforços acabaram sendo encampados pelo sufrágio e pelos movimentos de mulheres. Os

A National Federation of Women Workers (NFWW) lutou por um salário mínimo na Grã-Bretanha e expôs a crueldade das longas horas de trabalho duro, das condições precárias e da baixa remuneração. Foi fundada em 1906 e em 1914 já tinha 20 mil integrantes.

sindicatos de mulheres ajudaram a garantir a jornada diária de trabalho de oito horas como padrão (em 1940), a terminar com alguns dos abusos do trabalho infantil e a garantir melhores salários para as mulheres. ∎

UM MERO INSTRUMENTO DE PRODUÇÃO

FEMINISMO MARXISTA

EM CONTEXTO

CITAÇÃO FUNDAMENTAL
Karl Marx e Friedrich Engels, 1848

FIGURAS-CHAVE
Karl Marx, Friedrich Engels, Rosa de Luxemburgo, Clara Zetkin, Alexandra Kollontai

ANTES
Anos 1770 O trabalho do economista escocês Adam Smith ignora amplamente o papel das mulheres na economia.

1821 O filósofo alemão George Wilhelm Friedrich Hegel afirma que as mulheres não pertencem às esferas públicas.

DEPOIS
1972 Feministas marxistas lançam a Campanha por Remuneração para o Trabalho Doméstico, na Itália.

2012 Nos EUA, o trabalho doméstico não remunerado das mulheres é tido como responsável por aumentar em 25,7% o PIB.

Em *O manifesto comunista* de 1848, os filósofos alemães e teóricos políticos revolucionários Karl Marx e Friedrich Engels afirmam que o capitalismo oprime as mulheres e as trata como cidadãos de segunda classe, submissas, tanto na família quanto na sociedade. O feminismo marxista adapta essa teoria, buscando a emancipação das mulheres através do desmantelamento do sistema capitalista. Textos posteriores de Marx se concentravam essencialmente nas desigualdades econômicas entre classes e prestavam pouca atenção à questão da dominação masculina, mas ele voltou ao assunto da opressão feminina no

A LUTA POR DIREITOS IGUAIS

Veja também: Sindicalização 46-51 ▪ Socialização do cuidado com os filhos 81 ▪ Anarcofeminismo 108-109 ▪ Feminismo radical 137 ▪ Estruturas familiares 138-139 ▪ Remuneração para o trabalho doméstico 147 ▪ Produto Interno Bruto 217

Homens nas **classes dominantes** veem crianças como **instrumentos baratos** de trabalho, com quem podem **lucrar**.

⬇

Mulheres são requisitadas a **produzir filhos** para garantir a demanda por **trabalho** barato.

⬇

Elas são **oprimidas** pelos maridos, que se **beneficiam** da exploração delas e dos seus filhos.

⬇

O homem burguês vê a esposa como um mero instrumento de produção.

---

foram arraigadas na família já em sua fundação. Ele descreve o crescimento do núcleo familiar como a "derrota mundial histórica do sexo feminino", no qual a mulher era escrava do marido e um mero instrumento para a produção de filhos. Para garantir sua fidelidade, escreve Engels, "a mulher é entregue incondicionalmente ao poder do marido; se ele a matar, estará apenas exercendo seus direitos". Textos marxistas afirmam que, enquanto a divisão do trabalho baseada em gênero sempre existiu, o trabalho realizado por homens e mulheres é igualmente necessário. Só com o crescimento do capitalismo, o advento do excedente de produto e a acumulação de propriedade, a humanidade se tornou realmente interessada no conceito de herança. Engels garante que o direito à herança era apoiado pela ideia de moralidade, de família monogâmica e pela separação entre as esferas pública e privada, o que levou então ao controle da sexualidade feminina. De acordo com a teoria marxista clássica, a emancipação das mulheres exigia sua inclusão na produção social. Assim, a luta das mulheres se torna uma parte importante da luta de classe. Os seguidores do marxismo acreditavam que as mulheres compartilhavam dos mesmos objetivos como trabalhadoras, e que a desigualdade de gênero desapareceria com a eliminação da propriedade privada, já que a razão para qualquer exploração deixaria de existir. Feministas marxistas acreditavam que, na sociedade capitalista, as mulheres eram um "exército reservista de trabalho", convocado quando a necessidade surgia, como durante a guerra, e excluídas quando essa

final da vida, escrevendo extensas notas a respeito. Engels se baseou nas notas de Marx e na pesquisa do acadêmico norte-americano progressista Lewis Henry Morgan para escrever *A origem da família, da propriedade privada e do Estado* (1884), no qual examina o começo e a institucionalização da opressão feminina.

Submissão das mulheres
Engels afirma que a violência e opressão que as mulheres sofrem

Karl Marx (esquerda) e Friedrich Engels (direita) se conheceram quando Engels começou a escrever para o *Rheinische Zeitung*, um periódico editado por Marx. Quando Marx foi expulso da Alemanha, os dois se mudaram para a Bélgica e mais tarde para a Inglaterra.

necessidade desaparecia. Elas argumentavam que o patriarcado e a dominação masculina existiam antes que a propriedade privada e as divisões de classe emergissem, e identificavam o capitalismo e o patriarcado como sistemas duais que sustentavam a opressão.

Um esforço conjunto
Entre as mortes de Marx (1883) e Engels (1895) e a Primeira Guerra Mundial (1914–1918), teóricas socialistas e feministas detalharam as questões sobre o empoderamento das mulheres e o sufrágio universal. Rosa Luxemburgo e Clara Zetkin, na Alemanha, e Alexandra Kollontai, na Rússia, teóricas e líderes do movimento comunista internacional, rejeitavam a ideia de que, por causa de seu gênero, as mulheres não pertenciam à liderança socialista. »

FEMINISMO MARXISTA

Clara Zetkin

Nascida na Saxônia, na Alemanha, em 1857, Clara Zetkin era uma ativista do movimento comunista internacional e defendia o sufrágio e a reforma da legislação trabalhista para mulheres. Ela ajudou a tornar o Movimento Social-Democrata das Mulheres da Alemanha um dos mais fortes da Europa. Zetkin editou o jornal *Die Gleichheit* de 1892 a 1917 e liderou um instituto da mulher do Partido Social-Democrata em 1907.

Ela se recusou a apoiar o esforço de guerra alemão durante a Primeira Guerra Mundial e conclamou os trabalhadores a se unirem contra o fascismo. Quando Adolf Hitler subiu ao poder, em 1933, ela fugiu para a União Soviética. Clara Zetkin morreu em Arkhangelskoye, perto de Moscou, naquele mesmo ano.

Trabalhos-chave

1906 *Social-Democracy and Woman Suffrage*
1914 *The Duty of Working Women in War Time*
1925 *Lenin on the Women's Question*

Em sociedades capitalistas dominadas pelo homem, o trabalho "improdutivo" das mulheres estava na base da pirâmide social.

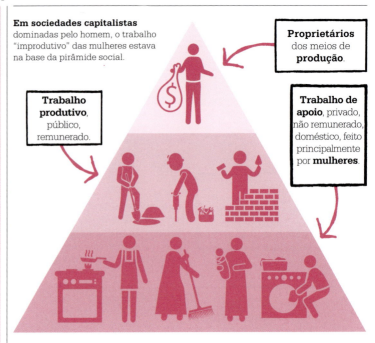

Proprietários dos meios de **produção**.

Trabalho produtivo, público, remunerado.

Trabalho de apoio, privado, não remunerado, doméstico, feito principalmente por **mulheres**.

Seguindo seus próprios princípios, elas tornaram visível a questão dos direitos das mulheres na luta pela emancipação dos trabalhadores.

A questão das mulheres

Por mais que o empoderamento das mulheres não fosse o foco dos textos de Rosa Luxemburgo, ela acreditava que a revolução era a chave para a emancipação feminina e que as mulheres tinham o direito de trabalhar fora de casa. Ela destacava a hipocrisia das pregações sobre igualdade de gênero pelo Cristianismo e pelos acadêmicos da classe burguesa dominante, e declarou que faltava à sociedade capitalista igualdade genuína para as mulheres, e que só com a vitória de uma revolução proletária as mulheres seriam liberadas da escravidão do lar. Em seu discurso de 1912, "Sufrágio feminino e luta de classes", proferido no Encontro das Mulheres Social-Democratas, em Stuttgart, Alemanha, Luxemburgo, afirmou que o "socialismo tem promovido o renascimento espiritual da massa de mulheres proletárias" e acrescentou, com sarcasmo, "e, no processo, tem feito sem dúvida (as mulheres) competentes como trabalhadoras produtivas para o capital". Luxemburgo criticava o movimento das mulheres burguesas. Ela descrevia as esposas burguesas como "parasitas na sociedade" e "bestas de carga da família", e argumentava que só através da luta de classes as mulheres poderiam "se tornar seres humanos". Ela afirmava que a mulher burguesa não tinha interesse real em perseguir direitos políticos porque não exercia qualquer função econômica na sociedade e gozava dos "frutos prontos para o consumo da classe dominante". Para Luxemburgo, a luta pelo sufrágio feminino não era simplesmente uma missão das mulheres, mas o objetivo

A LUTA POR DIREITOS IGUAIS

comum de todos os trabalhadores. Ela também via o sufrágio feminino como um passo necessário para educar o proletariado e para liderá-lo na luta contra o capitalismo. Junto com outras mulheres socialistas, em particular sua amiga e confidente Clara Zetkin, que também desprezava o feminismo liberal por considerá-lo burguês, Luxemburgo se envolveu em várias militâncias que reforçaram a solidariedade das mulheres. Muitas líderes femininas de esquerda se encontravam em congressos internacionais para trocar experiências e estabelecer organizações internacionais de mulheres. Durante a Primeira Guerra Mundial, Luxemburgo e Zetkin participaram da campanha antiguerra do maior jornal socialista para mulheres, o *Die Gleichheit*, conclamando as leitoras a se oporem ao militarismo. Luxemburgo foi presa em 1915 por expressar sua visão antiguerra, mas seguiu em frente e, em 1916, com Zetkin, fundou a Liga Spartacus, grupo clandestino marxista que se opunha ao imperialismo alemão e buscava a revolução.

Uma nova ideia de mulher

Movimentos revolucionários na Rússia dos anos 1900 estimularam o

> O irreversível avanço da luta da classe proletária leva as mulheres trabalhadoras para dentro do turbilhão da vida política.
> **Rosa Luxemburgo**

desenvolvimento do feminismo marxista. Alexandra Kollontai, uma proeminente revolucionária comunista, colocou a emancipação feminina e a igualdade de gênero no centro da agenda socialista internacional. A partir de 1905, ela passou a promover as ideias marxistas mais ativamente entre as operárias russas. Kollontai exigiu o rompimento radical das relações familiares tradicionais, insistindo que, enquanto uma mulher fosse dependente de um homem e não participasse diretamente da vida pública e industrial, ela não poderia ser livre. O artigo de Kollontai *Uma nova mulher* (1918) proclama que as mulheres teriam que emergir do papel subserviente imposto pelas tradições patriarcais e cultivar qualidades tradicionalmente associadas aos homens. A nova mulher conquistaria suas emoções e desenvolveria autodisciplina. Ela exigiria respeito ao homem e não pediria apoio material a ele. Os interesses dessa nova mulher não seriam limitados ao lar, à família e ao amor, e ela não esconderia sua sexualidade. Em *Society and Motherhood* (1916) Kollontai analisa a atuação nas fábricas e declara que o trabalho duro torna a maternidade um fardo, e é causa de problemas sociais e de saúde para as mulheres e crianças. Ela defende a melhoria nas condições de trabalho e o reconhecimento do Estado do valor da maternidade, através da garantia de um seguro nacional, e afirma que a saúde da trabalhadora e de seu filho, assim como os cuidados com os filhos enquanto a mãe trabalha, deve ser responsabilidade do Estado. Feministas marxistas do início do século XX influenciaram políticas de Estado dos futuros governos comunistas ao redor do mundo. Mais tarde, nos anos 1960 e 1970, grupos feministas radicais, como o Wages for Housework, também foram inspirados por suas ideias. ■

Dia Internacional da Mulher e suas origens

Celebrado anualmente no dia 8 de março, o Dia Internacional da Mulher remonta ao ano de 1907, nos EUA, quando mais de 15 mil operárias da indústria têxtil marcharam pela cidade de Nova York, exigindo melhores condições de trabalho e direito ao voto. Em 1909, o Partido Socialista da América declarou o Dia Nacional da Mulher, celebrado até 1913, no último domingo de fevereiro. Em 1910, cerca de cem mulheres, de dezessete países, compareceram à Segunda Conferência Internacional de Mulheres, em Copenhague, na Dinamarca, e ali Clara Zetkin propôs que se estabelecesse o Dia Internacional da Mulher, no qual as mulheres poderiam expor suas questões. No ano seguinte, mais de um milhão de homens e mulheres participaram de encontros pelo Dia Internacional da Mulher pelo mundo. Na Rússia, em 1917, as mulheres marcaram a data com uma greve de quatro dias por "pão e paz", o que levou à Revolução Russa, em outubro daquele ano.

Mulheres de muitos países participam da marcha do Dia Internacional da Mulher, em Londres, no dia 8 de março de 2018. O dia foi adotado pelas Nações Unidas em 1975, e é feriado nacional em alguns países.

ESPERAMOS QUE ESTA VERDADE SEJA EVIDENTE: QUE TODOS OS HOMENS E MULHERES SÃO IGUAIS

O NASCIMENTO DO MOVIMENTO SUFRAGISTA

58 O NASCIMENTO DO MOVIMENTO SUFRAGISTA

EM CONTEXTO

CITAÇÃO FUNDAMENTAL
Elizabeth Cady Stanton, 1848

FIGURAS-CHAVE
Elizabeth Cady Stanton, Lucretia Mott, Susan B. Anthony, Lucy Stone

ANTES
1792 *Reivindicação dos direitos das mulheres*, de Mary Wollstonecraft, é publicado no Reino Unido.

1837 Em *Letters on the Equality of the Sexes*, Sarah Grimké argumenta que as mulheres têm a mesma responsabilidade que os homens em agir para o bem da humanidade.

DEPOIS
1869 O Wyoming se torna o primeiro território norte-americano a garantir o sufrágio feminino.

1920 A 19ª Emenda da Constituição dos EUA é ratificada, dando a todas as mulheres norte-americanas o direito ao voto.

Em 19 de julho de 1848, trezentas pessoas se reuniram em Seneca Falls, Nova York, para a primeira assembleia de ativistas dos direitos das mulheres. Era uma época de grande mudança social, especialmente na Europa. Karl Marx e Friedrich Engels haviam acabado de publicar *O manifesto comunista*, em Londres, e revoltas republicanas, conhecidas como as Revoluções de 1848, haviam estourado na França, na Holanda e na Alemanha. O ímpeto para a Convenção de Seneca Falls, no entanto, veio da experiência das mulheres com o movimento abolicionista e com a transferência da oposição moral à escravidão para o ativismo político.

Mentes semelhantes

As organizadoras da Convenção de Seneca Falls foram Lucretia Mott e Elizabeth Cady Stanton, abolicionistas que se conheceram na Convenção Mundial Antiescravagista em Londres, em 1840, onde haviam se unido em seu ultraje pela marginalização das mulheres delegadas. Por volta de 1848, Stanton havia se mudado para Seneca Falls, em Nova York. Quando Mott entrou em contato, as duas decidiram que era hora de confrontar a falta de direitos sociais, civis e religiosos para as mulheres, e organizaram uma convenção na cidade. Com apenas poucos dias de antecedência, elas e outras mulheres, incluindo a oradora e abolicionista Lucy Stone,

Lucretia Mott (centro) e uma companheira militante são escoltadas através de uma multidão de homens furiosos protestando e tentando sabotar a Convenção de Seneca Falls de 1848.

Elizabeth Cady Stanton

Nascida em Johnstown, Nova York, em 1815, Elizabeth Cady Stanton dizia ter recebido sua primeira lição de discriminação de gênero enquanto estudava no escritório de advocacia do pai. Segundo as leis da época, a uma cliente mulher eram negados os meios legais de recuperar o dinheiro que o marido tivesse roubado dela. Elizabeth era uma mulher culta e se casou com o advogado e abolicionista Henry Stanton, em 1840. O casal teve sete filhos. Já mais velha, Elizabeth voltou sua atenção para a representação das mulheres na Bíblia. Ela argumentava que a religião havia contribuído para a subjugação das mulheres. Essas visões, expressas em *The Woman's Bible* (1895), não foram populares nem com a Igreja nem com as organizações de mulheres. Elizabeth continuou escrevendo até seus últimos dias e morreu de falência cardíaca em 1902.

Trabalhos-chave

1881–1886 *The History of Woman Suffrage Volumes 1-3* (com Susan B. Anthony)
1892 *The Solitude of Self*
1895 *The Woman's Bible*

A LUTA POR DIREITOS IGUAIS

Veja também: Igualdade racial e de gênero 64-69 ▪ Direitos para as mulheres casadas 72-75 ▪ Igualdade política na Grã-Bretanha 84-91 ▪ O movimento global pelo sufrágio 94-97

rascunharam "A declaração dos direitos e sentimentos", talvez o documento mais importante no movimento das mulheres norte-americanas do século XIX. Elas anunciaram o evento no *Seneca County Courier*, e Mott, uma pregadora muito conhecida, foi a única oradora citada na convenção. O marido dela, James, presidiu o evento e havia quarenta homens entre trezentas pessoas. Entre eles estava o renomado abolicionista Frederick Douglass, que foi convidado para o evento por Elizabeth M'Clintock, amiga de Stanton e companheira ativista.

Precedente constitucional

Inspirada pela Declaração de Independência dos Estados Unidos de 1776, "A declaração dos direitos e sentimentos" expôs a forma como os direitos consagrados no documento de origem da Constituição dos EUA eram negados às mulheres. Stanton exibiu uma lista de dezesseis injustiças, incluindo o fato de que as mulheres não tinham direito ao voto, tinham direitos de propriedade limitados e acesso restrito à educação avançada e à maior parte das ocupações profissionais. Seus direitos eram caçados não apenas pelo casamento, dizia ela, mas por todas as maneiras como as mulheres eram privadas de responsabilidade e mantidas dependentes dos homens. Se esses direitos fossem garantidos, argumentava Stanton, elas poderiam proteger a si mesmas e ter noção do próprio potencial como líderes morais e espirituais. Os "sentimentos" foram seguidos por doze "resoluções", que as participantes eram convidadas a adotar. Onze delas foram adotadas por unanimidade, incluindo resoluções para direitos iguais no casamento, na religião, na educação e no emprego. No entanto, a resolução que tratava do sufrágio feminino recebeu menos apoio, principalmente dos homens presentes na convenção, e só foi adotada quando Douglass, que defendia o sufrágio feminino em seu jornal, *The North Star*, defendeu-a da plateia. Depois da sua intervenção, »

A história da humanidade é uma história de repetidas ofensas e usurpações por parte do homem em relação à mulher.
Elizabeth Cady Stanton

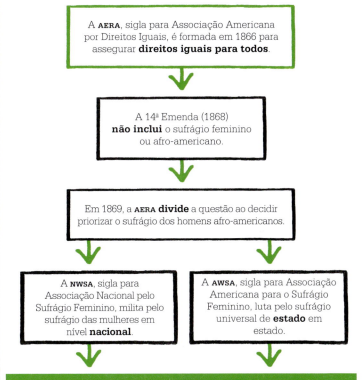

A **AERA**, sigla para Associação Americana por Direitos Iguais, é formada em 1866 para assegurar **direitos iguais para todos**.

↓

A 14ª Emenda (1868) **não inclui** o sufrágio feminino ou afro-americano.

↓

Em 1869, a **AERA divide** a questão ao decidir priorizar o sufrágio dos homens afro-americanos.

↓

A **NWSA**, sigla para Associação Nacional pelo Sufrágio Feminino, milita pelo sufrágio das mulheres em nível **nacional**.

A **AWSA**, sigla para Associação Americana para o Sufrágio Feminino, luta pelo sufrágio universal de **estado** em estado.

↓

Em 1890, movimentos se reúnem para formar a Associação Nacional Americana pelo Sufrágio Feminino.

O NASCIMENTO DO MOVIMENTO SUFRAGISTA

Operárias produzem saias-balão na Thomson's, em Londres, nos anos 1860. O avanço da revolução industrial reforçou o argumento para as mulheres ganharem seu próprio sustento.

cem pessoas assinaram a resolução. Dois anos mais tarde, em 1850, acontece a primeira Conferência Nacional dos Direitos das Mulheres, em Worcester, Massachusetts. Organizado por Lucy Stone, o evento atraiu mil participantes de onze estados. Mais conferências aconteceram ao longo dos anos 1850, tanto nacional quanto regionalmente.

A propriedade importa

Em 1851, Stanton foi apresentada a Susan B. Anthony por Amelia Bloomer, uma ativista contra os espartilhos apertados e outras peças de roupa restritivas. As personalidades e talentos complementares de Stanton e Anthony — Stanton era animada e falante, enquanto Anthony era quieta e séria, com muito jeito para estatísticas — fizeram das duas uma poderosa força de mudanças. "Quando escrevemos juntas, fazemos um trabalho melhor do que quando estamos separadas", disse Stanton. Em Nova York, Anthony, uma professora de uma família de *quakers* e abolicionistas de Rochester, defendia oportunidades iguais na educação, e que as escolas de formação e universidades admitissem mulheres e ex-escravos. Ela também era ativista trabalhista e do movimento pela temperança, mas como mulher não tinha permissão para falar nos comícios de nenhuma das duas causas. Anthony organizou sua primeira conferência pelos direitos da mulher em Syracuse, em 1852, e a partir de 1853 passou a militar por direitos de propriedade para as mulheres do estado de Nova York. Para muitas mulheres, em especial as da classe trabalhadora, direitos de propriedade eram mais importantes do que o sufrágio, que contemplava apenas mulheres brancas e abastadas. Enquanto o Ato de Propriedade das Mulheres Casadas de Nova York, de 1848, havia dado às mulheres casadas o direito de manter em sua posse dinheiro herdado, a renda conseguida através do emprego continuava de propriedade do marido. Em 1854, Anthony e Stanton trabalharam juntas no discurso de Stanton para a Assembleia Legislativa de Nova York, no qual ela listou todos os direitos negados às mulheres e pediu que fossem garantidos. Junto ao discurso, era entregue uma petição com 6 mil assinaturas para que se ampliasse o Ato de Propriedade das Mulheres Casadas de 1848. Uma moção foi derrotada em 1854, mas a campanha continuou até que conseguissem passá-la, em 1860. O novo ato dava às mulheres o direito de manter a própria renda e lhes dava guarda compartilhada dos filhos com o marido. Uma esposa também poderia fechar contratos sem o marido e sem criar vínculos com os negócios e, quando viúvas, ganhariam os mesmos direitos de propriedade dos homens. Feministas de origens menos abastadas lutavam de formas diferentes. Lucy Stone, que era filha de um fazendeiro, trabalhou como governanta para pagar sua formação como professora. Ela havia relutado em se casar, já que isso teria significado o fim de todos os seus direitos, mas, em 1855, acabou se casando com Henry Blackwell. Na cerimônia, os dois leram uma declaração dizendo não aceitar a ausência de direitos para as mulheres casadas, o que conferia, segundo eles, "uma superioridade ofensiva e antinatural" ao marido. Em 1858, Stone se recusou a pagar seus impostos, com base na afirmação "sem representatividade, sem impostos". O governo confiscou e vendeu seus bens.

Retificando a Constituição

Durante a Guerra Civil Americana (1861–1865), o abolicionismo eclipsou a

Nossa doutrina é 'direito não tem sexo'.
Frederick Douglass

A LUTA POR DIREITOS IGUAIS   61

A massa fala através de nós... as mulheres trabalhadoras exigindo remuneração por suas labutas.
Elizabeth Cady Stanton

militância pelos direitos das mulheres. Stanton e Anthony formaram a Liga Nacional Leal às Mulheres, em 1863, para apoiar a emenda constitucional que abolia a escravidão. Suas petições receberam 400 mil assinaturas em quinze meses. Em 1865, quando Abraham Lincoln passou a 13ª Emenda, abolindo a escravidão, Stanton e Anthony acreditaram que, àquela altura, os republicanos também abordariam a questão do sufrágio feminino. Em 1866, as duas mulheres organizaram a AERA, Associação Americana por Direitos Iguais, com o objetivo de garantir os direitos de todas as pessoas, independentemente de raça, cor ou sexo. A primeira presidente da associação foi Lucretia Mott. Stanton, Anthony e Stone militaram pelo sufrágio feminino e afro-americano durante um referendo que aconteceu no Kansas, em 1867. Seu fracasso levou a uma divisão no movimento do sufrágio, com alguns priorizando o sufrágio para homens afro-americanos em vez do das mulheres. Anthony sentiu-se ultrajada: "Cortarei meu braço direito antes de militar pelo voto para o negro e não para a mulher". Em 1868, Stanton e Anthony publicaram artigo no jornal *The Revolution*, em Rochester, com a manchete: "Homens, seus direitos e nada mais; mulheres, seus direitos e nada menos". Fundado pelo empresário racista George Train, o jornal incluía textos de Stanton que defendiam os direitos das mulheres brancas com acesso ao estudo contra os dos homens negros do Sul, sem acesso à educação. A 14ª Emenda, ratificada em 1868, garantiu cidadania e direitos iguais perante a lei aos homens que haviam sido escravos. Stanton e Anthony fizeram uma petição contra a exclusão das mulheres, mas não tiveram sucesso. Stone, no entanto, apoiou a emenda, que considerou como sendo um passo na direção do sufrágio universal. Em 1869, a AERA se dividiu em AWSA, American Woman Suffrage Association, e a NWSA, National »

Uma charge de 1869, intitulada "A Idade do Latão ou o triunfo dos direitos das mulheres", mostra a suposta ameaça aos tradicionais papéis de gênero que o sufrágio feminino evocava.

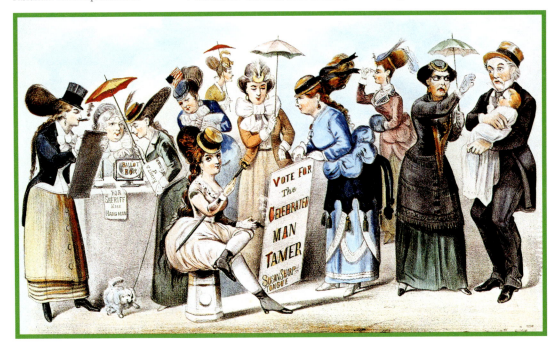

O NASCIMENTO DO MOVIMENTO SUFRAGISTA

Mulher erguendo tocha desperta as mulheres norte-americanas enquanto atravessa os EUA, em uma ilustração que acompanha um poema de incitação da sufragista Alice Duer Miller, de 1915.

Woman Suffrage Association, fundada por Anthony e Stanton, em Nova York. A NWSA tinha apenas integrantes mulheres, e também defendia a reforma do divórcio e remunerações iguais. Em 1870, passou a 15ª Emenda: "direito ao voto não deve ser negado ou abreviado pelos Estados Unidos, ou por qualquer estado, por motivo de raça, cor, ou condição anterior de servidão". Militantes haviam acreditado que o gênero também seria incluído, mas isso não aconteceu. Anthony e Stanton a denunciaram. No entanto, apoiada por Stone, a AWSA, baseada em Boston, aceitou a 15ª Emenda como um passo na direção certa.

Pressão política
Os esforços legais pelo sufrágio feminino continuaram nos anos 1870. Anthony convocou advogados para argumentarem que a 14ª Emenda exigia que os estados permitissem às mulheres votarem. A Suprema Corte discordou. Em 1872, Anthony, suas três irmãs e outras mulheres foram presas por votarem em Rochester, Nova York. Ela se recusou a pagar a fiança, com esperança de que o caso fosse levado à Suprema Corte. Mas seu advogado acabou pagando a fiança, e Anthony não pôde apelar porque não tinha ficado presa. Anthony também saiu discursando pelo país e fazendo campanha. Em 1877, ela reuniu petições com 10 mil assinaturas de 26 estados dos EUA, mas o congresso ignorou-as. Em 1878, ela tentou uma emenda constitucional, apresentada pelo senador Sargent, da Califórnia. A emenda foi rejeitada pelo senado, mas voltou a ser apresentada várias vezes ao longo dos dezoito anos seguintes. A NWSA ganhou apoio principalmente do norte do estado de Nova York e do Meio-Oeste, e defendia a mudança da lei em nível federal, enquanto a AWSA

Esse poder é a cédula do voto, o símbolo de liberdade e igualdade.
Susan B. Anthony

A LUTA POR DIREITOS IGUAIS

defendia a mudança estado por estado. Como organização, a AWSA era mais conservadora, trabalhando apenas pelo sufrágio e por mais nenhuma outra questão que pudesse mudar seu foco. Aos poucos, sua persistência foi recompensada. As mulheres do Wyoming ganharam direito ao voto em 1869, as de Utah em 1870, as de Washington em 1883. Então, vieram Colorado, em 1893, e Idaho, em 1896. Em 1890, os dois movimentos sufragistas se juntaram para formar a NAWSA, National American Woman Suffrage Association. Anthony ainda militava pelo voto federal, enquanto outras mulheres buscavam a reforma estado por estado.

Trabalho conta

As organizações pelo sufrágio norte-americano continuaram a ser lideradas por "mulheres da elite" até os anos 1890. Era o pensamento dominante que a política deveria ser deixada a cargo de mulheres com acesso ao estudo, e as mulheres da classe trabalhadora deveriam acatar o que as primeiras decidissem. Mulheres mais jovens, incluindo a filha de Stanton, Harriot Stanton Blatch, enfatizavam o papel do trabalho, remunerado ou não, na escolha de uma mulher para a liderança. Ainda assim, o foco permanecia nas mulheres letradas, mais do que nas trabalhadoras, que, com frequência, eram exploradas.

Inspirando o mundo

A luta inicial das americanas pelo sufrágio teve um impacto mundial. Inspiradas pela Convenção de Seneca Falls, as francesas começaram a militar pela reforma: em 1848, quando a França se tornou o primeiro país a introduzir o sufrágio universal

> O mundo ainda não viu uma grande nação realmente virtuosa porque as muitas fontes de vida são envenenadas em suas nascentes por causa da degradação da mulher.
> **Lucretia Mott**

masculino, uma mulher tentou votar e outra se candidatou a um cargo político. As duas foram presas. Mulheres britânicas também foram inspiradas pela militância nos EUA. As sociedades pelo sufrágio feminino proliferaram na Grã-Bretanha nos anos 1870, e petições apresentadas ao parlamento receberam milhares de assinaturas. Mesmo assim, as expansões ao sufrágio durante os anos 1880 não foram aplicadas às mulheres.

As canadenses também receberam apoio das ativistas americanas. Elas defendiam que uma expansão do sufrágio beneficiaria o país, o lar e a família, além das mulheres como indivíduos. Os debates no parlamento canadense se concentravam nos direitos dos canadenses brancos, que falavam inglês, mas algumas pessoas também defendiam os direitos das mulheres indígenas, junto com os das que tinham tido acesso à educação. As mulheres batalharam pelo sufrágio por muitos anos. Os primeiros países a darem a elas o direito ao voto foram a Nova Zelândia em 1893 e a Austrália em 1902 (embora esse direito só tenha sido estendido às mulheres aborígenes em 1962). As americanas conquistaram direito ao voto em nível federal em 1920. ∎

O Conselho Internacional das Mulheres

Além de trabalhar para garantir o sufrágio para as mulheres americanas, Susan B. Anthony e Elizabeth Cady Stanton fundaram o International Council of Women, que teve sua primeira reunião em Washington, D.C., em abril de 1888. O evento marcou o quadragésimo aniversário da Convenção de Seneca Falls. Em princípio, a organização não defendia o sufrágio feminino por medo de alienar algumas de suas integrantes mais conservadoras, mas isso mudou em 1899, quando começou a militar amplamente por questões como saúde, paz, educação e igualdade. No entanto, nunca foi adotada uma agenda feminista, e, em 1902, um grupo rompeu com o conselho para formar a International Woman Suffrage Alliance para defender uma agenda mais radical. Os membros, que originalmente representavam nove países, se expandiram para mais de setenta e hoje em dia a Aliança tem sede em Paris e age como consultora em questões femininas para as Nações Unidas.

Delegadas acenam com suas bandeiras nacionais, no Conselho Internacional de Mulheres, em Berlim, 1929. Nessa época, a filiação havia se estendido para além da Europa, América do Norte e colônias britânicas.

TENHO TANTO MÚSCULO QUANTO QUALQUER HOMEM

IGUALDADE RACIAL E DE GÊNERO

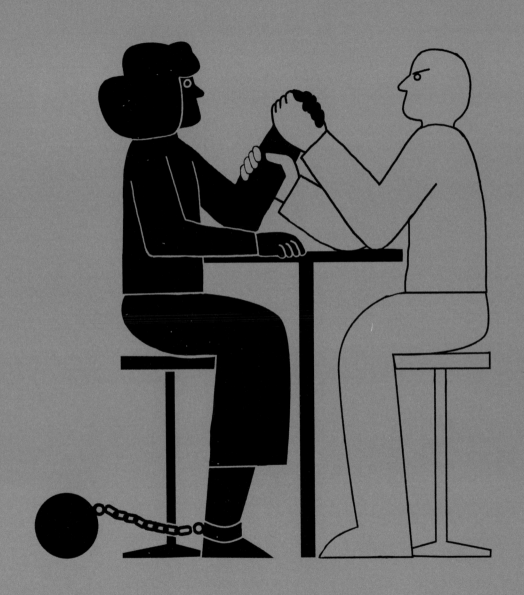

66 IGUALDADE RACIAL E DE GÊNERO

EM CONTEXTO

CITAÇÃO FUNDAMENTAL
Sojourner Truth, 1851

FIGURAS-CHAVE
Sojourner Truth, Elizabeth Cady Stanton, Susan B. Anthony, Frederick Douglass

ANTES
1768 Phillis Wheatley, uma africana escravizada em Boston, nos EUA, escreve um apelo por liberdade na forma de um poema que ela dirige ao rei George III, da Grã-Bretanha.

1848 O abolicionista negro Frederick Douglass fala em uma convenção pelos direitos das mulheres para conseguir a aprovação das delegadas para a primeira exigência formal pelo direito feminino ao voto.

DEPOIS
1863 As abolicionistas Susan B. Anthony e Elizabeth Cady Stanton coletam 400 mil assinaturas em apoio à 13ª Emenda para abolir a escravidão nos EUA.

1869 Em protesto contra a exclusão das mulheres da 15ª Emenda, que garante aos homens negros o direito ao voto, Anthony e Stanton cortam laços com os abolicionistas e formam a Associação Nacional pelo Sufrágio Feminino, para conquistarem o sufrágio para as mulheres.

N a América do início do século XIX, a ideia de direitos iguais para as mulheres era apenas um conceito vago, tema de conversa em alguns círculos esclarecidos. O pensamento dominante, defendido pela maioria das mulheres e dos homens, era de que Deus havia criado as mulheres como subordinadas aos homens. Essa crença foi tirada de passagens selecionadas da Bíblia, assim como de interpretações deformadas e amplamente usadas para declarar pessoas negras como inerentemente inferiores às brancas. O livro da professora britânica Mary Wollstonecraft, *Reivindicação dos direitos das mulheres*, de 1792, que argumenta que as mulheres eram tão capazes intelectualmente quanto os homens e que mereciam acesso aos mesmos direitos humanos, deixou de ser reimpresso em 1820. O clima revolucionário no qual ele foi escrito tinha dado lugar a forças reacionárias, e houve medo de que o livro pudesse minar o sistema vigente nos lares americanos. Da mesma forma, quando as mulheres em Nova Jersey, a única das antigas Treze Colônias que havia garantido o sufrágio feminino, subitamente perderam seu direito ao voto em 1807 (em uma manobra

"Não sou uma Mulher e uma Irmã?"
Essa imagem abolicionista acompanhou um poema no jornal *The Liberator*, em 1832, e foi pensada para apelar à solidariedade das leitoras brancas.

Não tenho intenção de me submeter docilmente à injustiça infligida a mim ou ao escravo.
Lucretia Mott

política dos Federalistas de Nova Jersey para prejudicar o voto republicano), a decisão permaneceu inalterada. Esses passos retrógrados não ficaram restritos apenas aos EUA. A França, por exemplo, revogou a legislação de direitos iguais de herança para as mulheres em 1804, menos de quinze anos depois de ter sido aprovada. No entanto, um despertar feminista estava no horizonte nos EUA, encorajado pelo movimento abolicionista.

Incitada à ação

Movimentos para libertar negros escravizados datam de muitos anos antes: a primeira sociedade abolicionista se originou na Filadélfia, em 1775. Depois da Guerra da Independência (1775–1783), os estados do Norte gradualmente emanciparam seus escravos. Já os estados do Sul desenvolveram uma economia rural em larga escala, baseada nas plantações de algodão e tabaco, e uso de trabalho escravo para obter lucro. Conforme o sistema de trabalho escravo se tornava mais arraigado no Sul, o número de abolicionistas aumentava, inspirados pelo despertar religioso conhecido como Segundo Grande Despertar, que via a escravidão como imoral. Por volta de 1830, os abolicionistas, que contavam

A LUTA POR DIREITOS IGUAIS 67

Veja também: Feminismo marxista 52-55 ▪ O nascimento do movimento sufragista 56-63 ▪ O movimento global pelo sufrágio 94-97 ▪ Racismo e preconceito de classe dentro do feminismo 202-205 ▪ Feminismo negro e mulherismo 208-215

Mulheres participam de um comício da Sociedade Americana Antiescravagista, em 1840, época em que as mulheres estavam assumindo um papel mais determinado na organização.

O princípio de que **"todos os homens são criados iguais"**, na Declaração da Independência, inspira a causa abolicionista.

O movimento abolicionista cresce, atraindo o apoio de **muitas mulheres** entre seus integrantes.

Mulheres **ganham experiência** em **ativismo político**, incluindo discursos em público, petições, organizações de encontros e redação de editoriais.

A discriminação contra as mulheres no movimento abolicionista leva à formação de organizações antiescravagistas próprias.

Mulheres abolicionistas defendem o **sufrágio universal**, o direito de voto para todos.

com milhares de mulheres brancas em suas fileiras, estavam ganhando força para erradicar a escravidão. Mulheres negras livres e com acesso à educação, como Frances Harper e Sarah Remond, se juntaram à causa, assim como as escravas fugitivas Harriet Tubman e Sojourner Truth. Apenas poucos dias depois da fundação da Sociedade Americana Antiescravagista, em 1833, um grupo de mulheres organizou a Sociedade Feminina Antiescravagista da Filadélfia, que estava aberta tanto a mulheres brancas quanto a negras. Assim como os homens, mulheres se mobilizaram e viajaram pelo país seguindo um roteiro de palestras antiescravagistas, falando diariamente, por meses a fio, às vezes sendo alvo de zombarias e violência da plateia. As mulheres se destacaram no levantamento de fundos para ajudar os escravos fugitivos e, por vezes, agiam como condutoras na perigosa Underground Railroad, uma rede de rotas secretas usadas para levar os escravos do Sul para o Norte. Elas faziam circular petições e escreviam centenas de editoriais contra a escravidão. Mulheres como Lucy Stone, Elizabeth Cady Stanton, Lucretia Mott e as irmãs Sarah e Angelina Grimké surgiram como líderes e organizadoras do movimento abolicionista.

Causas compartilhadas

Experiências na luta antiescravagista serviram como fundamento para o feminismo e conectaram os dois »

IGUALDADE RACIAL E DE GÊNERO

Mulheres são banidas da tribuna da primeira Convenção Mundial Antiescravagista, em Londres, em 1840. Esse tratamento chocou a delegação americana e foi um catalisador no início da história do feminismo nos EUA.

movimentos. Mulheres voltadas para a reforma não podiam mais ignorar a supressão de seus próprios direitos conforme lutavam pela liberdade dos afro-americanos escravizados. Por várias décadas, a militância pelas duas causas se sobrepôs. Na Convenção Mundial Antiescravagista, em Londres, 1840, as delegadas dos EUA foram impedidas de discursar com a justificativa de que eram "constitucionalmente ineptas" para assuntos de negócio. Esse esforço inicial para silenciar as mulheres acabou levando à primeira conferência feminina oficial, em Seneca Falls, Nova York, em 1848, organizada por Lucretia Mott e sua companheira abolicionista Elizabeth Cady Stanton. Muitos homens abolicionistas também participaram, incluindo o ativista Charles Remond, um afro-americano livre. A Convenção Nacional pelos Direitos das Mulheres, em Worcester, 1850, reiterou a exigência pelo sufrágio feminino e defendeu o direito de a mulher ter um emprego e igualdade perante a lei "sem distinção de sexo ou cor", unindo as duas causas. Nessa época, a respeitada abolicionista negra Sojourner Truth, uma ex-escrava que não tivera acesso à educação, havia se juntado ao circuito de palestras, promovendo o sufrágio feminino, e fez um discurso memorável sobre a igualdade das mulheres na Convenção pelos Direitos das Mulheres em Akron, Ohio, em 1851. Quando as convenções antiescravagistas e pelos direitos das mulheres convergiram em Nova York, 1853, a lista de oradores era igual para ambas as causas.

Eclipsadas pela guerra civil

A crise por causa da escravidão continuou a se intensificar e gerou uma guerra civil, em 1861. Sem saber se Abraham Lincoln, o presidente recém-eleito, cederia em relação à escravidão para preservar a União, os abolicionistas uniram forças para

A cabana do pai Tomás

O romance antiescravagista *A cabana do pai Tomás*, de Harriet Beecher Stowe, foi uma intervenção notável na metade do século XIX. No romance, Stowe explora uma importante questão social e a dramatiza para um público privado, quase todo formado por mulheres. Ao escrever para um editor, Stowe disse: "Sinto que agora chegou a hora de até mesmo uma mulher ou uma criança poderem defender a liberdade e humanidade". O romance, que foi publicado como um folhetim de 41 capítulos em um jornal antiescravagista de 1851, ajudou a colocar a opinião popular contra a escravidão. Diz-se que Abraham Lincoln afirmou que a Guerra Civil poderia ser atribuída aos sentimentos antiescravagistas expressados no livro, e que supostamente chamava Stowe de "a mulherzinha que começou essa guerra". No Sul dos Estados Unidos, a posse, ou até mesmo o conhecimento da existência do livro, era considerado perigoso.

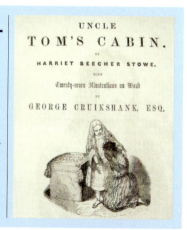

A LUTA POR DIREITOS IGUAIS

defender a plena emancipação. Os trabalhos referentes à questão dos direitos das mulheres foram suspensos durante a guerra. Depois da Proclamação da Emancipação, em 1863, mulheres antiescravagistas, preocupadas com a possibilidade de a proclamação acabar sendo derrubada, defenderam uma emenda constitucional que garantisse a liberdade às pessoas negras. Elizabeth Cady Stanton e Susan B. Anthony organizaram a Women's National Loyal League para recolher 400 mil assinaturas em apoio à 13ª Emenda, que aboliu a escravidão nos EUA. Isso resolvido, algumas organizações antiescravagistas se dissolveram, mas outras juraram colocar "o voto na mão do homem liberto". Ao perceber uma oportunidade de ganhar o direito ao voto para as mulheres, assim como para os negros, Anthony acelerou o ativismo feminino por meio de uma nova organização chamada Associação Americana por Direitos Iguais, formada em 1866, que defendia o sufrágio universal. Abolicionista de longa data e apoiador dos direitos das mulheres, Wendell Phillips, entre outros, objetou. "Essa hora pertence aos negros", disse ele, colocando de lado o objetivo do sufrágio feminino até um momento

A missão do Movimento Radical Antiescravagista não é apenas para o escravo africano, mas também para os escravos dos costumes, do credo e do sexo.
Elizabeth Cady Stanton

Não vejo como alguém consegue fingir que existe a mesma urgência em dar o voto às mulheres que há em dar para os negros.
Frederick Douglass

futuro. O ativismo e os recursos seriam usados para garantir o direito ao voto para os homens negros, através da 15ª Emenda, ratificada em 1870. Douglass, que tinha apoiado o sufrágio feminino por mais de vinte anos, defendia essa estratégia. Por causa do racismo, argumentava, garantir o voto para os homens negros era "uma questão de vida ou morte".

Deixadas para trás

As relações entre os abolicionistas e os movimentos das mulheres logo se tornaram amargas. Stanton foi particularmente eloquente e cáustica, até mesmo racista, em sua fúria contra os antigos aliados abolicionistas. Ela se posicionou agressivamente em público e por escrito em relação aos "negros e estrangeiros ignorantes", às "camadas inferiores dos… homens iletrados" conseguindo o direito ao voto antes das "camadas superiores das mulheres". Stanton e Anthony se opuseram à ratificação da 15ª Emenda e àqueles que não se opuseram a ela. Como resultado, duas organizações emergiram para assumir a luta pelo sufrágio feminino: a NWSA, National Woman Suffrage Association, e a AWSA, American Woman Suffrage Association. A batalha seguiu tempestuosa por mais cinquenta anos. ■

Sojourner Truth

Nascida escrava no estado de Nova York, por volta de 1797, Sojourner Truth se tornou uma figura-chave nos movimentos abolicionistas e pelos direitos das mulheres. Batizada de Isabella Baumfree pela sua proprietária, ela fugiu em 1826, depois de uma experiência religiosa profunda. Inspirada por sua fé, Baumfree se tornou uma pregadora itinerante. Em 1843, Baumfree mudou seu nome para Sojourner Truth e se juntou a uma comunidade igualitária em Massachusetts devotada à abolição da escravidão. Truth conheceu líderes abolicionistas: William Lloyd Garrison, Frederick Douglass e David Ruggles, que acenderam nela a paixão por discursar contra a escravidão e a desigualdade das mulheres. Com um metro e oitenta e de presença imponente, Truth tinha uma oratória poderosa, recheada de sarcasmo. Em seu discurso de 1851, em uma convenção pelos direitos das mulheres, em Ohio, ela se declarou igual aos homens em força e intelecto, estabelecendo-se como um símbolo do feminismo antiescravagista. Truth militou até uma idade bastante avançada e morreu em 1883, aos quase 86 anos de idade.

UMA MULHER QUE CONTRIBUI NÃO PODE SER TRATADA COM DESDÉM
CASAMENTO E TRABALHO

EM CONTEXTO

CITAÇÃO FUNDAMENTAL
Harriet Taylor Mill, 1851

FIGURA-CHAVE
Harriet Taylor Mill

ANTES
1825 Na Grã-Bretanha, Anna Wheeler e William Thompson publicam seu apelo para que as mulheres tenham liberdade política, civil e sejam libertadas da escravidão doméstica.

1838 Harriet Martineau escreve *On Marriage*, sobre as iniquidades a que as mulheres casadas são expostas.

DEPOIS
1859 É estabelecida a Sociedade Britânica para Promover o Emprego para as Mulheres.

1860 É fundada em Londres a Victoria Press, que edita o *English Women's Journal*.

1870 O Ato de Propriedade das Mulheres Casadas garante às mulheres da Inglaterra e do País de Gales mais independência financeira.

Em 1851, inspirada pelas primeiras convenções de direitos das mulheres nos EUA, a ativista pelos direitos femininos britânica Harriet Taylor Mill escreve seu poderoso ensaio "The Enfrachisement of Women", pedindo igualdade com os homens "em todos os direitos, políticos, civis e sociais" e insistindo no direito ao trabalho fora de casa. Mill foi uma voz proeminente em um volume cada vez maior desse tipo de protestos nos EUA e na Grã-Bretanha.

Esposa e mãe
Na Grã-Bretanha do século XIX, a maior parte das mulheres casadas de classe média se conformava com o papel doméstico de esposa e mãe que a convenção social vitoriana impôs a elas. As mulheres não tinham o mesmo nível de acesso à educação que os homens, o que limitava suas aspirações profissionais. Nas classes mais baixas, a maior parte delas tinha que cuidar da casa, criar os filhos e trabalhar por uma remuneração irrisória na agricultura,

As mulheres assumiriam papéis importantes na sociedade conforme as oportunidades educacionais e de trabalho se expandiam, mas, como ilustra este pôster sufragista de 1912, só os homens podiam votar, até os bêbados e vagabundos.

A LUTA POR DIREITOS IGUAIS

Veja também: Emancipação da domesticidade 34-35 ▪ Feminismo marxista 52-55 ▪ Estruturas familiares 138-139 ▪ Remuneração para o trabalho doméstico 147

Mulheres que **trabalham dentro de casa** são consideradas **servas** domésticas.

Mulheres que **trabalham fora de casa** são elevadas à posição de **parceiras**.

Uma mulher que contribui materialmente para o sustento da família não pode ser tratada da mesma forma tirânica e desdenhosa que a outra que é dependente.

Harriet Taylor Mill

Nascida em Londres em 1807, Taylor Mill tinha uma origem econômica confortável e tradicional. Apesar de suas opiniões radicais, ela ficou aborrecida com o escândalo criado em torno de sua separação do marido, John Taylor, para ficar com John Stuart Mill, que a tratava de forma respeitosa, como um par intelectual. O ostracismo social não a fez desistir do relacionamento, e ela se casou com Mill quando Taylor morreu. Harriet publicou pouco sob seu próprio nome; seus artigos para jornais, vários sobre violência doméstica, eram publicados anonimamente. John Stuart Mill declarou que muito do que foi publicado sob o nome dele deveria ser considerado também trabalho dela. Harriet teve influência significativa no tratado de Mill *The Subjection of Women* (1869) e também contribuiu para *Principles of Political Economy* (1848) e *On Liberty* (1859), dedicado a ela. Harriet morreu em 1858.

Trabalhos-chave

1848 *On the Probable Future of the Labouring Classes*
1851 *The Enfranchisement of Women*

indústria e comércio. Quando engravidavam, geralmente trabalhavam até o momento de darem à luz. Mulheres de todas as classes não tinham direito de manter consigo o que ganhavam: no casamento, todo o seu dinheiro e propriedade passavam aos maridos. A situação era semelhante nos EUA e na maior parte da Europa. As feministas que protestavam incluíam a escritora irlandesa Anna Wheeler, que deixou o marido e ganhava a vida como tradutora e escritora. Ela defendia direitos políticos e acesso à educação igualitários para as mulheres, pois estava convencida de que a igualdade de gênero jamais poderia existir enquanto as mulheres fossem socialmente excluídas do trabalho produtivo. A escritora britânica e teórica social Harriet Martineau lamentava o fato de as esposas serem tidas como inferiores, apesar do interesse mútuo de ambos os parceiros em construírem um casamento bem-sucedido.

Momento decisivo

Companheira e futura esposa do economista e filósofo John Stuart, Harriet Taylor Mill chamou atenção para o preconceito que excluía as mulheres de quase todo o trabalho que exigia pensamento ou treinamento. Ela argumentava que uma esposa culta, que contribuísse para a renda da família, ganharia mais respeito do marido e seria tratada como uma parceira, o que seria um benefício para as mulheres e a sociedade como um todo; e as que não conseguissem se ajustar à sociedade poderiam atrapalhar o desenvolvimento moral de suas famílias. Mill não chegou a ver as mudanças que conclamou, mas seus textos inspiraram a reivindicação por educação e formação de muitas mulheres. Em 1870, as esposas da Grã-Bretanha conquistaram o direito de manter qualquer dinheiro que ganhassem, embora um século fosse se passar antes que a remuneração igual tornasse lei. ■

Nada além do poder do dinheiro — na ausência do bastão — consegue garantir completa e permanentemente a autoridade.
Frances Power Cobbe
Militante pelo sufrágio feminino

CASAMENTO FAZ UMA IMENSA DIFERENÇA LEGAL PARA AS MULHERES
DIREITOS PARA AS MULHERES CASADAS

EM CONTEXTO

CITAÇÃO FUNDAMENTAL
Barbara Leigh Smith Bodichon, 1854

FIGURAS-CHAVE
Caroline Norton, Barbara Leigh Smith Bodichon

ANTES
1736 Sir Matthew Hale, em *History of Pleas of the Crown* determina que um marido não pode ser acusado de estuprar a esposa, já que ela se entregou a ele.

1765 William Blackstone expõe os princípios legais de *coverture* (cobertura) em *Commentaries on the Laws of England*.

DEPOIS
1923 O Ato de Causas Matrimoniais da Grã-Bretanha torna iguais as bases do divórcio para mulheres e homens.

1964 O Ato de Propriedade das Mulheres Casadas permite às mulheres manterem metade de qualquer dinheiro reservado à manutenção da casa.

No reino Unido, durante os anos 1800, assim como nos EUA, uma mulher casada era propriedade do marido, de acordo com o direito comum. Conhecido como *coverture*, essa condição de subordinada era o caso desde a invasão normanda, no século XI. A partir dos anos 1850, duas mulheres, Caroline Norton e Barbara Leigh Smith Bodichon, militaram para derrubar a lei.

Condição legal
Sob a doutrina legal do *coverture*, um marido poderia "disciplinar" fisicamente a esposa e trancafiá-la para garantir que ela cumprisse com os

A LUTA POR DIREITOS IGUAIS

Veja também: Emancipação da domesticidade 34-35 ▪ Casamento e trabalho 70-71 ▪ O problema sem nome 118-123 ▪ Estruturas familiares 138-139 ▪ Proteção contra a violência doméstica 162-163

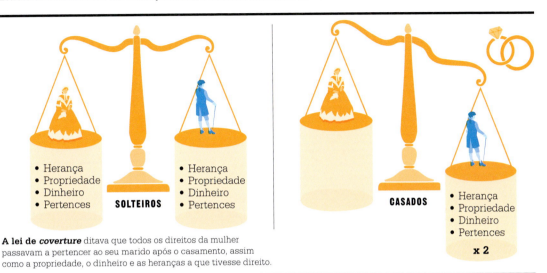

A lei de *coverture* ditava que todos os direitos da mulher passavam a pertencer ao seu marido após o casamento, assim como a propriedade, o dinheiro e as heranças a que tivesse direito.

deveres domésticos e sexuais que tinha em relação a ele. Os homens eram os únicos guardiões legais dos filhos do casal e poderiam puni-los, tirá-los da mãe e mandá-los para longe, para que outra pessoa tomasse conta deles. Os maridos também tinham direitos sobre a propriedade das esposas. No casamento, o casal se tornava uma pessoa única aos olhos da lei, e a esposa perdia os direitos que já tivera como mulher solteira. O marido, então, tornava-se responsável por seus atos, e ela vivia sob a proteção ou cobertura dele. As famílias mais ricas se certificavam de que as mulheres da família pudessem manter seu capital através da lei da equidade. Acordos pré-nupciais garantiam que o capital da mulher fosse mantido em um fundo enquanto durasse o casamento, e que todos os juros pertencessem à mulher. No entanto, esse arranjo era caro e possível apenas para os muito ricos. O divórcio exigia um ato privado do parlamento, envolvendo três processos separados e, portanto, era pouco comum. Apenas quatro mulheres instituíram os procedimentos de divórcio contra os maridos entre 1765 e 1857, e, para as mulheres, apenas crueldade extrema, incesto ou bigamia eram bases para o divórcio. A separação legal era possível, mas cara. E mesmo se um casal se separasse, qualquer dinheiro que a esposa ganhasse, então, pertenceria ao marido, embora na teoria ele fosse obrigado a continuar a sustentá-la financeiramente. O marido também poderia processar homens que suspeitasse estar tendo relações sexuais com sua esposa, ou por ter "conversas criminosas" com ela.

Crueldade conjugal

O primeiro desafio à lei de *coverture* veio de Caroline Norton, uma mulher de classe média alta, com muitos contatos sociais, artísticos e políticos,

Caroline Norton era uma reformista social e escritora que militou intensamente durante a metade do século XIX para a proteção das mulheres, depois de sofrer nas mãos do marido violento.

que ganhava dinheiro como escritora e editora de revistas. Em 1835, seu marido, George Norton, espancou-a tão violentamente, que ela sofreu um aborto e fugiu para a casa da mãe. Quando voltou para a própria casa, descobriu que George havia terminado o casamento deles, barrado sua »

DIREITOS PARA AS MULHERES CASADAS

Barbara Leigh Smith Bodichon

Filha ilegítima da chapeleira Anne Longden e do membro radical do parlamento Benjamin Leigh Smith, Barbara Leigh Smith nasceu em Sussex, no Reino Unido, em 1827. Quando a mãe morreu, Barbara morou com a família do pai. Naquela família, as meninas recebiam o mesmo padrão de educação dos meninos. Barbara defendeu a educação para as meninas por toda a sua vida e, aos 21 anos, usou sua herança para criar uma escola para elas. Mais tarde, fundou a Girton, a primeira instituição de ensino superior para mulheres em Cambridge. Leigh Smith se casou com o dr. Eugene Bodichon em 1857. O casamento não foi convencional: os dois viviam juntos em Argel, na Argélia, por metade do ano, e ali ele desenvolvia seu interesse por antropologia, enquanto ela passava os seis meses sozinha em Londres, trabalhando como artista. Leigh Smith morreu em Sussex em 1891.

Trabalhos-chave

1854 *"A Brief Summary in Plain Language of the most Important Laws concerning Women"*
1857 *Women and Work*

entrada em casa e levado embora os três filhos deles, sendo que o mais novo tinha apenas dois anos. George processou o primeiro-ministro, lorde Melbourne, por "conversa criminosa" com sua esposa e, embora a corte tenha declarado Melbourne inocente, a reputação de Caroline saiu arruinada. George mandou os filhos morarem com parentes, e eles passaram a ter um contato muito limitado com a mãe. Seis anos mais tarde, o filho mais novo morreu em um acidente, que Caroline declarou ter sido por negligência. Enquanto isso, Caroline permanecia financeiramente presa ao marido. Ele reteve todo o seu dinheiro, tanto o que ela ganhou quanto o que herdou, e a pensão que era obrigado a pagar geralmente não era paga. Nos círculos sociais, a situação de Caroline era abertamente considerada uma enorme injustiça.

Proteção das mulheres

Em 1837, Caroline começou uma campanha para mudar a lei relacionada à custódia dos filhos, de modo que mães fiéis teriam a guarda dos filhos com menos de sete anos e acesso aos mais velhos. Ela escreveu vários panfletos polêmicos, que fazia circular em ambientes privados, destacando o fato de que uma mãe não poderia entrar com uma ação de custódia porque não tinha existência legal. Thomas Talfourd, membro do parlamento, concordou em apresentar o projeto de lei, mas a Câmara dos Lordes rejeitou-o por dois votos. Caroline Norton respondeu em seu panfleto "Uma carta simples ao lorde chanceler sobre a Lei de Custódia de Crianças" (1839), que enviou para todos os membros do parlamento, pedindo ajuda e proteção. Ainda naquele ano, essa ação levou ao Ato de Custódia das Crianças. Mas foi tarde demais para Norton, porque o marido já mandara os filhos deles para a Escócia àquela altura, onde o ato não se aplicava. Em 1854, Norton escreveu "Leis inglesas para mulheres", para defender a reforma. Um panfleto do ano seguinte, "Uma carta para a rainha sobre o projeto de lei de casamento e divórcio do lorde chanceler", detalhou as injustiças que

A Victoria Press, em Londres, foi montada por Emily Faithfull, em 1860, para promover o emprego para as mulheres. Ali se imprimia o *The English Women's Journal*, primeira publicação feminista britânica.

A LUTA POR DIREITOS IGUAIS

Uma mulher depõe em um tribunal de divórcio, nos anos 1870. Os procedimentos para o divórcio só aconteciam na Suprema Corte e eram extremamente caros; portanto, reservados aos ricos.

havia sofrido nas mãos do marido e do sistema legal. O panfleto comparava a situação das mulheres comuns com a da rainha Vitória, que era respeitada por todos. Norton argumentava que o projeto de lei do divórcio de Cranworth, de 1854, não levava a sério o bastante o direito das mulheres. Em todos os seus textos, Norton clamava por solidariedade e proteção, em vez de qualquer igualdade com os homens, que ela chamava de "um absurdo". Ela enfatizava a visão que prevalecia na época: de que os homens tinham um "dever sagrado" de proteger as mulheres.

Ladies of Langham Place

"Leis inglesas para mulheres" inspirou Barbara Leigh Smith Bodichon, ativista pelos direitos das mulheres, a defender a educação para meninas. Em 1854, ela escreveu "A Brief Summary in Plain Language of the most Important Laws Concerning Women". Ao contrário do trabalho de Norton, esse panfleto não era polêmico, mas uma descrição da forma como várias leis afetavam as mulheres; e deixava claro todos os direitos que as mulheres não tinham. Durante o final dos anos 1850, Leigh Smith ajudou a fundar o Ladies of Langham Place, o primeiro grupo ativista feminista do Reino Unido. Suas integrantes eram mulheres da classe média, com acesso à educação, que preparavam petições para reformar as leis para mulheres casadas. Em 1856, petições com mais de 26 mil assinaturas foram entregues na Câmara dos Comuns. As signatárias incluíam as escritoras Elizabeth Gaskell e Elizabeth Barrett Browning. Em parte como resultado da ação de Norton e Leigh Smith, o Ato de Causas Matrimoniais foi aceito em 1857. Isso levou ao estabelecimento do primeiro tribunal de divórcio britânico, o primeiro passo para desmantelar a *coverture*. No entanto, mulheres casadas ainda não podiam ser donas de suas propriedades. O livro *Women and Work* (1857), de Leigh Smith, argumentava que a dependência das mulheres casadas em relação aos maridos era degradante, e que elas deveriam ter liberdade para ganhar o próprio dinheiro. Junto com a amiga Bessie Rayner Parkes, Leigh Smith fundou e publicou o *The English Woman's Journal*. Entre 1858 e 1864, o periódico defendeu a educação das mulheres, tanto para que se tornassem esposas, mães e preceptoras melhores, quanto para capacitá-las a assumir empregos independentes. Em 1859, as Ladies se mudaram para Langham Place, 19, onde ficava instalado o *The English Woman's Journal*. O prédio tinha um restaurante, uma biblioteca e uma cafeteria. A partir de 1866, as Ladies of Langham Place começaram a lutar pelo sufrágio feminino. Isso levou ao Ato de Propriedade das Mulheres Casadas, em 1870, que deu às mulheres o direito de manter consigo o dinheiro que ganhassem, as propriedades pessoais, a renda de aluguéis e investimentos e heranças abaixo de duzentas libras. Embora isso desse alguma segurança às mulheres casadas, elas ainda tinham menos direitos do que as solteiras, uma situação que não mudou até a extensão do ato, em 1882. ∎

Uma esposa inglesa não tem direito legal nem sobre as próprias roupas.
Caroline Norton

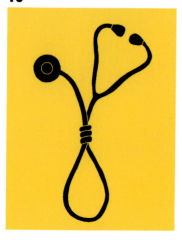

EU ME SINTO MAIS DETERMINADA DO QUE NUNCA A ME TORNAR MÉDICA

TRATAMENTO MÉDICO MELHOR PARA AS MULHERES

EM CONTEXTO

CITAÇÃO FUNDAMENTAL
Elizabeth Blackwell, 1895

FIGURAS-CHAVE
Elizabeth Blackwell, Sophia Jex-Blake, Elizabeth Garrett Anderson

ANTES
1540 Na Grã-Bretanha, o presidente da Companhia dos Cirurgiões-Barbeiros, precursora do Colégio Real dos Cirurgiões, proíbe explicitamente as mulheres de se tornarem cirurgiãs.

1858 O Ato Médico, no Reino Unido, proíbe mulheres de se tornarem estudantes de medicina.

DEPOIS
1876 Um novo Ato Médico permite às autoridades médicas britânicas concederem licenças tanto para homens quanto para mulheres.

1892 A Associação Médica Britânica aceita mulheres médicas como membros.

Uma enfermeira em um abrigo, no século XIX, pega um bebê da mãe que não pode cuidar da criança. Elas podiam seguir a carreira de enfermeira, mas os homens, como médicos, estavam no comando.

Durante o século XIX, a medicina era um mundo dos homens, apesar da longa associação das mulheres com a cura, como herboristas, parteiras e enfermeiras. As mulheres eram subordinadas a médicos homens, que se pronunciavam sobre todos os aspectos da saúde feminina, e a ideia de ter mulheres médicas era considerada absurda. A primeira onda do feminismo exigiu acesso à formação médica e o direito de praticar medicina, junto com demandas mais amplas por educação universitária e outras carreiras profissionais. A luta para dar acesso à profissão e à formação em medicina para as mulheres foi longa e dura. Elizabeth Blackwell foi uma das que

A LUTA POR DIREITOS IGUAIS 77

Veja também: Controle de natalidade 98-103 ▪ Sistemas de saúde centrados na mulher 148-153 ▪ Conquistando o direito legal ao aborto 156-159 ▪ Educação global para as meninas 310-311

defenderam que as mulheres seriam mais bem tratadas por médicas mulheres. Seu exemplo ajudou a dar acesso a essa profissão.

A luta para se qualificar

Supostamente influenciada por uma amiga à beira da morte que lhe disse que se sentia constrangida demais para se consultar com médicos homens, Blackwell se convenceu de que as mulheres receberiam melhores cuidados das próprias mulheres. Inicialmente, lhe causava repulsa a ideia de estudar o corpo humano, mas, ainda assim, ela estava determinada a se tornar médica e fez contato com várias faculdades de medicina na Filadélfia, sem sucesso. A visão geral, como expressa no periódico médico britânico *The Lancet*, em 1870, era de que as mulheres eram constitucional, mental e sexualmente inapropriadas para as pesadas responsabilidades de um médico. Também se temia que mulheres médicas fossem minar a reputação e qualificação dos médicos homens. Por fim, Blackwell conseguiu uma vaga para estudar medicina no Geneva Medical College, em Nova York, e se formou em 1849. Foi a primeira mulher a conseguir esse diploma nos EUA. Como médica, ela enfrentou oposição dos colegas homens, mas também de pacientes mulheres, que associavam mulheres médicas a aborteiras clandestinas. Blackwell viajou pela Europa e continuou a estudar medicina e a ganhar experiência, mas, como mulher, muitas vezes era impedida de visitar enfermarias em hospitais. Ela voltou para Nova York em 1857 e, com a irmã Emily e a dra. Marie Zakrzewska, abriu o Ambulatório para Crianças e Mulheres em cortiços. Apesar de muita oposição, Blackwell conseguiu estabelecer o princípio de que as mulheres compreendem mais a saúde das próprias mulheres do que os homens, e acrescentou uma escola médica para mulheres ao seu hospital em 1868.

A formação decola

Blackwell não tinha dúvidas de que a sociedade eventualmente reconheceria a necessidade de médicas mulheres. Como outras médicas pioneiras, ela foi inflexível na crença de que a formação deveria ser igual para homens e mulheres, sem qualquer concessão especial a elas. Blackwell inspirou duas mulheres em particular. Sophia Jex-Blake encabeçou uma campanha que finalmente forçou a Universidade de Edimburgo a admitir alunas no curso de medicina, em 1870. Elizabeth Garrett Anderson assistia a palestras dirigidas a médicos homens, e acabou passando nos exames de medicina para a Sociedade dos Apotecários. Em 1872, ela estabeleceu o New Hospital for Women, em Londres, o primeiro hospital para mulheres, que mais tarde foi rebatizado de Elizabeth Garrett Anderson Hospital. Em 1874, Blackwell, Jex-Blake e Garrett Anderson fundaram juntas a London School of Medicine for Women. ▪

Se a sociedade não admitir o livre desenvolvimento da mulher, então deve ser remodelada.
Elizabeth Blackwell

Elizabeth Blackwell

Nascida na cidade de Bristol, Reino Unido, em 1821, Elizabeth Blackwell emigrou com a família para os EUA em 1832. Após a morte do pai, em 1838, ela passou a dar aulas para ajudar a sustentar a família e decidiu ser médica em 1849. Enquanto trabalhava em hospitais na Europa, Blackwell perdeu a visão de um olho por causa de uma infecção. Em 1856, quando estabelecia um ambulatório em Nova York, ela adotou uma órfã irlandesa, Kitty Barry, que permaneceu com Blackwell por toda a vida. Ao voltar para o Reino Unido, em 1869, continuou a praticar a medicina, mas nas quatro décadas seguintes fez também campanhas por amplas reformas na medicina, nos métodos de higiene, condições sanitárias, planejamento de família e sufrágio feminino. Ela faleceu em Hastings, em 1910, depois de sofrer um acidente vascular cerebral.

Trabalhos-chave

1856 *An Appeal in Behalf of the Medical Education of Women*
1860 *Medicine as a Profession for Women*
1895 *Pioneer Work in Opening the Medical Profession to Women*

AS PESSOAS TOLERAM NO HOMEM O QUE É FORTEMENTE CONDENADO NA MULHER

DUPLA MORAL SEXUAL

EM CONTEXTO

CITAÇÃO FUNDAMENTAL
Josephine Butler, 1879

FIGURA-CHAVE
Josephine Butler

ANTES
1738–1739 A escritora sueca Margareta Momma investiga a condição de desigualdade das mulheres no casamento em vários ensaios.

1792 A feminista britânica Mary Wollstonecraft compara o casamento à prostituição legal em *Reivindicação dos direitos das mulheres*.

DEPOIS
1886 Os Atos sobre Doenças Contagiosas do Reino Unido, que permitia exames forçados em prostitutas, é revogado.

1918 Na Suécia, o Ato Lex Veneris abole o controle do Estado sobre a prostituição.

2003 A Nova Zelândia é o primeiro país a descriminalizar o trabalho sexual. E também garante direitos e proteção às profissionais do sexo.

A partir da segunda metade do século XIX, algumas feministas da Grã-Bretanha e da Suécia começam a desafiar o que viam como uma dupla moral sexual inaceitável: a sociedade tolera a atividade sexual e a promiscuidade nos homens, enquanto das mulheres é esperado que sejam puras e permaneçam virgens até se casarem. Sustentando essa moral dupla estava a visão ambígua da sociedade em relação à prostituição. As prostitutas eram vistas como um "mal social" que devia ser mantido longe de todas as mulheres respeitáveis, mas também eram consideradas uma consequência essencial e inevitável das necessidades sexuais incontroláveis de um homem. Como as feministas argumentavam cada vez mais, esse padrão duplo dividia as mulheres em "boas" esposas e em mulheres "más", e permitia que os homens controlassem e oprimissem todas elas.

Leis punitivas

No século XIX, o rápido crescimento da população na Europa levou a um aumento dramático das doenças sexualmente transmissíveis, como a sífilis. Seguiu-se, então, um pânico moralista, com as autoridades culpando as prostitutas por disseminarem doenças venéreas, especialmente em grandes áreas urbanas, como Londres, onde um relatório de 1835 estimou que cerca de 80 mil mulheres trabalhavam como prostitutas. Leis punitivas foram introduzidas ostensivamente para

Uma prostituta francesa faz pose em uma fotografia tirada na virada para o século XX. Na época da Primeira Guerra Mundial, estimava-se que, só em Paris, havia 5 mil prostitutas licenciadas e 70 mil sem licença.

A LUTA POR DIREITOS IGUAIS

Veja também: Emancipação da domesticidade 34-35 ▪ Casamento e trabalho 70-71 ▪ O problema sem nome 118-123 ▪ Estruturas familiares 138-139 ▪ Proteção contra a violência doméstica 162-163

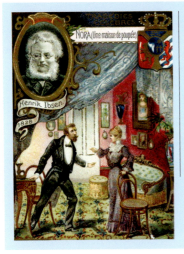

Casa de bonecas

Em 1879, a peça *Casa de bonecas*, do dramaturgo norueguês Henrik Ibsen, estreou no Royal Theatre de Copenhague. A história se passa em uma cidade norueguesa da época e explora, por meio das experiências da personagem principal, Nora, a moral sexual hipócrita que sustentava um casamento aparentemente feliz de classe média. Incapaz de se conformar com os ideais infantilizados de feminilidade

Nora diz ao marido chocado, Helmer, por que quer deixá-lo. De uma série de pinturas francesas (de cerca de 1900) sobre tragédias famosas.

e do que significava ser plenamente adulta, Nora acaba se recusando a fazer o papel de uma esposa submissa e obediente — a "boneca" do marido. Em um final explosivo, ela deixa o marido e os filhos, e bate a porta ao sair.

Esse foi um reflexo dramático da crença do próprio Ibsen de que uma mulher era incapaz de ser ela mesma em uma sociedade em que os homens ditam as regras e forçam sua adoção. Vista como escandalosa na época, por causa da descrição realista que fazia da desigualdade no relacionamento entre marido e esposa, a peça é o retrato clássico da opressão feminina dentro do casamento.

---

impedir a propagação das doenças. Na Suécia, em 1859, todas as prostitutas tinham que se registrar em um departamento especial e passar por exames médicos semanais. Na Grã-Bretanha, leis conhecidas como Atos sobre Doenças Contagiosas, que entraram em vigor entre 1864 e 1867, declaravam que qualquer mulher suspeita de ser uma prostituta "comum" poderia ser detida e examinada à força. Caso a mulher se recusasse, seria presa. Se estivesse infectada, poderia ser confinada em um hospital-prisão por até três meses.

À altura do desafio

Em 1869, a feminista britânica e reformista social Josephine Butler fundou a LNA, Ladies' National Association, para reivindicar a revogação dos Atos sobre Doenças Contagiosas. Seu argumento era simples: as leis eram injustas e expunham a moral sexual hipócrita. Puniam as vítimas (as mulheres) da exploração masculina, enquanto deixavam os perpetradores (os homens)

intocados. Butler também chamou a atenção para o favorecimento de classe dentro dos Atos, que protegiam os homens de classe alta e média, enquanto miravam nas mulheres da classe trabalhadora, e alegou que os Atos sobre Doenças Contagiosas na prática colocavam as prostitutas como uma "classe escrava" para o prazer do homem. Influenciada pela LNA, foi estabelecida em 1879, em Estocolmo, a Svenska Federationen (Federação Sueca). Usando encontros públicos e o jornal da federação, o *Sedlighetsvännen* (*Amigo da virtude*), a federação militava

Nunca saímos das mãos dos homens, até morrermos.
Testemunho de uma prostituta
The Shield (maio de 1870)

contra a regulamentação do trabalho sexual, sob o argumento de que estigmatizaria as mulheres. O debate cultural sobre a moralidade sexual se espalhou pelo resto da Escandinávia durante os anos 1880. E foi liderado por escritores como o norueguês Henrik Ibsen e pelo sueco August Strindberg que, em 1884, foi acusado de blasfêmia por seu retrato de mulheres como iguais aos homens em sua coleção de contos intitulada *Casando-se*.

Um futuro mais seguro

Foi preciso coragem da LNA e da Federação Sueca para desafiar a dupla moral sexual e a exploração das prostitutas quando era tabu as mulheres "respeitáveis" discutirem esses assuntos. A campanha da LNA também expôs ligações entre a prostituição e as condições econômicas. Isso voltou a ser discutido durante os anos 1970, quando prostitutas da Grã-Bretanha, da França e dos EUA começaram a se organizar, exigindo o direito de serem vistas como "profissionais do sexo". ▪

IGREJA E ESTADO DEFINEM O DIREITO DIVINO DO HOMEM SOBRE A MULHER
INSTITUIÇÕES COMO OPRESSORES

EM CONTEXTO

CITAÇÃO FUNDAMENTAL
Matilda Joslyn Gage, 1893

FIGURA-CHAVE
Matilda Joslyn Gage

ANTES
1777 Novas leis em todos os estados dos EUA negam o voto às mulheres.

1871 Matilda Joslyn Gage e cerca de 150 outras mulheres tentam votar, mas não conseguem. Elas invocam a 15ª Emenda, que declara que nem governo nem estado podem negar a cidadãos dos EUA o direito ao voto com base em "raça, cor ou antiga condição de servidão".

DEPOIS
1920 A 19ª Emenda dá às mulheres norte-americanas o direito ao voto. Segue-se, em 1924, o sufrágio para os indígenas norte-americanos.

1963 O Ato de Remuneração Igualitária promete pagamentos iguais para todos os trabalhadores, independente de gênero, raça ou cor.

Em 1852, Matilda Joslyn Gage fez seu primeiro discurso em público, na terceira Convenção Nacional pelos Direitos da Mulher, em Syracuse, Nova York. Gage era uma sufragista muito culta, abolicionista, ativista pelos direitos dos povos nativos norte-americanos, livre-pensadora e escritora; falou sobre a degradação sentida por mulheres inteligentes, sujeitas à "regra tirana" dos homens; e declarou que o governo dos EUA tratava as mulheres com desprezo.

Confrontando a causa

Gage culpava tanto o Estado quanto a Igreja pela subjugação das mulheres e, em 1893, registrou suas teorias em *Woman, Church, and State*. Ela aborda a tradição do cristianismo de apoiar a subjugação feminina, controlando o casamento como uma instituição dominada por homens, perseguindo mulheres acusadas de bruxaria e pregando no púlpito a inferioridade feminina. A Igreja, aponta Gage, declarou que a mulher foi feita do homem e sob seu comando. Considerando Eva, a primeira mulher, como a que introduziu o pecado no mundo, a Igreja também defende "como dogma principal, uma crença na inerente perversidade da mulher". Convicções como essa reforçaram os valores patriarcais que privavam as mulheres de seus direitos legais e as expunham ao abuso físico e sexual.

Gage militou a vida toda por direitos iguais em todos os aspectos da vida. Ela morreu em 1898, e na inscrição em seu túmulo lê-se: "Há uma palavra mais doce do que Mãe, Lar ou Paraíso. Essa palavra é Liberdade". ∎

(Mulheres) são… ensinadas antes do casamento a esperar sustento dos pais, e depois, dos maridos.
Convenção Nacional dos Direitos das Mulheres

Veja também: Início do feminismo árabe 104-105 ▪ As raízes da opressão 114-117 ▪ Lutas feministas no Brasil 124-125 ▪ Patriarcado como controle social 144-145

A LUTA POR DIREITOS IGUAIS 81

TODAS AS MULHERES PADECENDO NOS GRILHÕES DA FAMÍLIA
SOCIALIZAÇÃO DO CUIDADO COM OS FILHOS

EM CONTEXTO

CITAÇÃO FUNDAMENTAL
Alexandra Kollontai, 1909

FIGURA-CHAVE
Alexandra Kollontai

ANTES
1877 Na Suíça, mães que trabalhavam tinham direito a oito semanas de licença-maternidade, sem remuneração, mas com garantia de manutenção do emprego.

1883 A Alemanha se torna o primeiro país a dar às mulheres licença-maternidade remunerada, por três semanas, desde que pagassem o seguro nacional.

DEPOIS
1917 A Revolução Bolchevique derruba o governo na Rússia Czarista e isso leva à criação da União Soviética, em 1922.

1936 A União Soviética, sob o comando de Joseph Stálin, que estava preocupado com a queda nas taxas de natalidade, torna mais rígidas as leis do divórcio e bane o aborto, a menos que a vida da mulher estivesse em perigo.

Alexandra Kollontai foi uma das primeiras russas a defender uma sociedade reestruturada e mais justa, na qual as mulheres — especialmente as mães que trabalhavam — fossem apoiadas pelo Estado e tivessem direitos legais e políticos iguais aos dos homens. Nascida em São Petersburgo, em 1872, filha de um oficial da cavalaria, ela era culta, fluente em várias línguas e tinha absorvido as ideias marxistas e socialistas na Europa, depois de deixar um casamento no qual se sentia presa.

Empoderando as mulheres
Membro do Partido Trabalhista Social-Democrata russo desde 1899, Kollontai estimulava as trabalhadoras a se juntarem aos homens na luta pela emancipação política e econômica. Em 1909, ela escreveu *As bases sociais da questão feminina*, propondo medidas como apoio financeiro do Estado para mães gestantes ou lactantes, e a socialização do trabalho doméstico e dos cuidados com os filhos. Kollontai argumenta que, ao tornar o cuidado com os filhos responsabilidade da sociedade, as mulheres seriam capazes

Kollontai se encontra com famílias de sem-teto em seu cargo como Comissária do Povo para o Bem-Estar Social. Ela foi a primeira mulher a ocupar um cargo no governo Bolchevique, de 1917 a 1918.

de contribuir na política e economia do Estado. Em 1919, Kollontai estabeleceu o Zhenotdel, o primeiro departamento de governo do mundo dedicado às mulheres. Uma nova legislação criou licença-maternidade remunerada, clínicas-maternidade, creches e casas para mães solteiras. Por volta de 1921, o aborto era gratuito em muitos hospitais, e estava em andamento um programa de alfabetização. ■

Veja também: Feminismo marxista 52-55 ▪ O problema sem nome 118-123 ▪ Estruturas familiares 138-139 ▪ Remuneração para o trabalho doméstico 147

A MULHER ERA O SOL. AGORA ELA É UMA LUA DÉBIL
FEMINISMO NO JAPÃO

EM CONTEXTO

CITAÇÃO FUNDAMENTAL
Hiratsuka Raichō, 1911

FIGURAS-CHAVE
Hiratsuka Raichō, Ichikawa Fusae

ANTES
1729 O filósofo neoconfucionista Kaibara Ekiken escreve *Onna daigaku* ("Maior aprendizado para mulheres"), no qual enfatiza a importância da formação moral das mulheres.

1887 A autora, educadora e defensora da reforma Fukuzawa Yukichi escreve *Donjo kosairon* ("O novo maior aprendizado para mulheres"), que apresenta novas ideias para a evolução dos papéis de gênero.

DEPOIS
1978 É fundada em Quioto a Sociedade dos Estudos das Mulheres do Japão.

1985 O governo japonês aprova o projeto de lei de Oportunidades Iguais de Emprego.

O movimento feminista no Japão emergiu durante a Restauração Meiji (1868–1912), que terminou com o xogunato militar e levou a sociedade feudal japonesa à era moderna. Antes disso, as mulheres não tinham tido nenhum *status* legal, não podiam ser donas de propriedades e eram inferiores aos homens em todos os aspectos. Com a restauração da regra imperial, o Japão se esforçou para alcançar o Ocidente em termos tecnológicos, militares e legais, para abolir privilégios feudais e para reparar parte da desigualdade entre os sexos, baseado no Iluminismo da Europa.

Damas escritoras

O interesse pela literatura europeia foi o incentivo para o movimento feminista japonês. Em 1907, um grupo de mulheres fundou uma sociedade literária chamada de Keishu Bungakukai (Sociedade das Damas Escritoras), que organizava encontros com autores e professores renomados da literatura europeia. Em 1911, Hiratsuka Raichō, integrante da sociedade, fundou um novo grupo de mulheres chamado Seitosha (Meias Azuis), inspirada pelas Bluestockings do século XVIII (v. p. 24–27). A própria Hiratsuka era escritora e sua autobiografia, *No começo, a mulher era o sol*, descreve sua rebelião contra os códigos sociais da época, em que a obediência da mulher era regra. O Seitosha chegou a publicar uma revista chamada *Seito* (Meia Azul) para promover a escrita criativa entre as mulheres japonesas e cultivar a imagem de "nova mulher". O grupo lutava contra as atitudes tradicionais, feudais, e se tornou objeto de censura

---

Mulheres já foram o sol. Eram seu eu **autêntico**, com uma forte noção do **próprio valor** e de **liberdade**…

… mas a sociedade forçou-as a **esconder seu potencial**, a depender dos homens e a **refletir o brilho deles**.

Agora as mulheres são uma lua pálida e débil.

A LUTA POR DIREITOS IGUAIS   83

Veja também: Início do feminismo britânico 20-21 ▪ Início do feminismo escandinavo 22-23 ▪ Ação coletiva no século XVIII 24-27 ▪ Feminismo iluminista 28-33

governamental, acusado de espalhar "ideias revolucionárias". Em 1916, o grupo foi banido.

O NWA

O Seitosha pavimentou o caminho para uma nova organização, a Shin Fujin Kyokai (Associação das Novas Mulheres, conhecida como NWA), que militou por direitos políticos para as mulheres a partir de 1920. A NWA levantou a questão da emancipação entre intelectuais japoneses, tanto homens quanto mulheres, e promoveu o ideal da "nova mulher", que tentava romper as amarras feudais e com o patriarcado no Japão.

Suffragettes em Tóquio, em 1920, divulgando a "nova mulher", que anseia por destruir tradições e leis estabelecidas somente para a conveniência do homem.

Sob a liderança de Ichikawa Fusae, a NWA concentrava suas reivindicações nos papéis tradicionais das mulheres na família, enfatizando que elas seriam melhores mães e esposas se contribuíssem para o futuro do país. As mulheres japonesas ganharam direito ao pleno sufrágio em 1945, logo depois da Segunda Guerra Mundial. Acreditava-se que os sofrimentos por que haviam passado na guerra tinham lhes garantido o direito ao voto. Ainda assim, as necessidades das mulheres eram precariamente atendidas em termos de maior acesso à saúde e ao trabalho, de eliminação da pobreza e de proteção da maternidade. Muitas mulheres, assim como muitos homens, ainda viam o sistema patriarcal como base de lei e ordem. O conflito entre os valores tradicionais e modernos ainda precisava ser resolvido. ■

Ichikawa Fusae

Sufragista, feminista e política, Ichikawa Fusae foi uma das mulheres mais influentes no Japão do século XX. Nascida em 1893, trabalhou como jornalista para o jornal *Nagoya Shimbun* e foi cofundadora da Shin Fujin Kyokai (Associação das Novas Mulheres), em 1920.

Em 1921, viajou para os EUA e conheceu a líder sufragista Alice Paul. Após voltar ao Japão, em 1924, Ichikawa formou a Fujin Sanseiken Kakutokukisei Domeikai (Liga Sufragista das Mulheres). Depois que as mulheres japonesas conquistaram o direito ao voto, em 1945, Ichikawa formou a Shin Nihon Fujin Domei (União da Nova Mulher Japonesa), que defendia, entre outras coisas, o fim da escassez crônica de comida no período do pós-guerra. O governo da Ocupação Aliada baniu-a do serviço público, mas ela voltou à política em 1953 e trabalhou até os anos 1970. Ichikawa morreu em Tóquio, em 1981.

Trabalhos-chave

1969 *Sengo fujikai no doko* ("Rumos dos círculos de mulheres no período pós-guerra")
1972 *Watakushi no fujin undo* ("Meu movimento de mulheres")

TOMEM CORAGEM, DEEM AS MÃOS, FIQUEM AO NOSSO LADO

IGUALDADE POLÍTICA NA GRÃ-BRETANHA

IGUALDADE POLÍTICA NA GRÃ-BRETANHA

EM CONTEXTO

CITAÇÃO FUNDAMENTAL
Christabel Pankhurst, 1908

FIGURAS-CHAVE
Millicent Fawcett, Emmeline Pankhurst, Sylvia Pankhurst, Christabel Pankhurst, Mary Leigh, Emily Davison

ANTES
1832 O Ato da Grande Reforma exclui o voto das mulheres em eleições parlamentares.

1851 É formada a Associação Política Feminina Sheffield, o primeiro grupo de mulheres sufragistas no Reino Unido.

DEPOIS
1918 Mulheres donas de propriedades e maiores de trinta anos conquistam o direito ao voto. Ao mesmo tempo, o sufrágio masculino é estendido a todos os homens acima de 21 anos.

1928 Mulheres britânicas conquistam os mesmos direitos ao voto que os homens.

De todas as manifestações que fizeram avançar a causa do feminismo no século XX, o movimento das suffragettes se destaca por seu uso eficaz de violência política para garantir às mulheres da Grã-Bretanha e da Irlanda o direito ao voto. Lideradas por Emmeline Pankhurst e por suas filhas, as suffragettes chamaram a atenção pública porque as mulheres envolvidas — a maior parte delas de classe média e alta — estavam dispostas a ser presas, feridas e até mortas por suas causas.

As suffragettes defendiam dois princípios. O primeiro era o de que as mulheres deveriam ter o direito ao voto nas eleições públicas nos mesmos termos que os homens — uma proposta já defendida pelo movimento sufragista feminino que emergira em meados do século XIX. O segundo era o de que qualquer ação para atingir esse fim se justificava, um preceito expresso pelo lema "ações, não palavras". Foi a adoção de táticas de protesto militante que diferenciou as suffragettes das sufragistas, considerando que essas últimas usavam apenas meios estritamente pacíficos para alcançar seus objetivos.

A militância pelo direito das mulheres ao voto não era um fenômeno novo — o sufrágio feminino era assunto em várias nações desde meados do século XIX, e na Suécia desde o século XVIII. Nos EUA, o tema do sufrágio feminino emergiu por volta da mesma época que o clamor pela abolição da escravidão começou a ganhar força, em 1840. No Reino Unido, a primeira petição pelo sufrágio feminino foi apresentada ao parlamento pela ativista de direitos das mulheres Mary Smith, em 1832. Houve algum progresso na direção do objetivo de estender o voto às mulheres, mas foi lento.

Ganhando força

Em 1867, John Stuart Mill, membro do parlamento pela cidade de Westminster, propôs um projeto de lei ao parlamento britânico que daria às mulheres os mesmos direitos políticos dos homens. Amplamente derrotado, o projeto fracassado foi o catalisador da formação de sociedades de sufrágio ao redor do país; dezessete dessas foram unificadas em 1897 na NUWSS, National Union of Women's Suffrage Societies. Ao fundir recursos e agir como uma frente unida, as sufragistas esperavam ganhar força para o que chamavam de "A causa": igualdade política para as mulheres, que era mais claramente simbolizada pelo voto.

Em poucos anos, Millicent Fawcett, esposa e filha de políticos radicais proeminentes, já assumira o papel de líder e porta-voz. As sufragistas tinham um foco na classe média, pois um de seus objetivos era garantir o voto para as mulheres que

Suffragettes marcham em apoio às companheiras ativistas, que deixavam a prisão Holloway em agosto de 1908. As mulheres tinham sido presas por jogar pedras na janela do primeiro-ministro.

A LUTA POR DIREITOS IGUAIS   87

Veja também: O nascimento do movimento sufragista 56-63 ▪ O movimento global pelo sufrágio 94-97

Sufragistas × Suffragettes

Sufragistas lideradas por **Millicent Fawcett**...

↓

... formam a **National Union of Women's Suffrage Societies (NUWSS)**.

↓

Quase todas as integrantes são da **classe média ou alta**.

↓

Elas defendem uma **abordagem sem confrontos**, por meio de petições pacíficas e encontros públicos.

Suffragettes lideradas por **Emmeline Pankhurst**...

↓

... formam a **Women's Social and Political Union (WSPU)**.

↓

Algumas integrantes buscam atrair a **classe trabalhadora**.

↓

Elas enfatizam **"ações, não palavras"** e defendem **ações militantes** para divulgação do movimento.

> A diferença entre uma sufragista e uma suffragette... a sufragista quer o voto, enquanto a suffragette está determinada a consegui-lo.
> **The Suffragette**
> (1914)

formar seu próprio grupo dissidente, a WSPU, Women's Social and Political Union, quando o braço local do Partido Trabalhista Independente se recusou a colocar em sua agenda o voto feminino. Esse rompimento foi significativo, já que o partido havia trabalhado junto com as NUWSS para investigar a desigualdade social e propor reformas ao parlamento britânico.

As filhas de Emmeline Pankhurst, Sylvia, Christabel e Adelia, também foram fundadoras da WSPU. Mais adiante, os membros da família iriam se desentender por causa da crescente convicção de Sylvia de que as mulheres da classe trabalhadora deveriam ser incluídas nos planos da união, mas, durante os primeiros anos da WSPU, a família partilhava das mesmas ideias. A sra. Pankhurst, como Emmeline se tornou conhecida pela mídia, militava pela causa do sufrágio feminino desde 1880, e ao longo de mais de vinte anos acabou chegando à conclusão de que o voto para as mulheres nunca seria conquistado através dos canais políticos convencionais. Era necessária uma abordagem radical, »

fossem donas de propriedades. Suas atividades eram legais e constitucionais, e incluíam escrever cartas para membros do parlamento e organizar marchas e comícios.

Uma estratégia diferente

Assim como Fawcett, a companheira sufragista Emmeline Pankhurst era de classe média. Mas, enquanto Fawcett poderia ser considerada uma conservadora-liberal, Pankhurst era socialista, e sua estratégia para conquistar igualdade política para as mulheres era muito diferente. Ao passo que as sufragistas de Fawcett buscavam meios pacíficos, Pankhurst defendia ação assertiva. Apesar de ser uma integrante ativa das NUWSS, em 1903, Pankhurst se viu compelida a

IGUALDADE POLÍTICA NA GRÃ-BRETANHA

Tive que ver de perto a miséria e a infelicidade de um mundo feito por homens antes de poder... me revoltar contra ele com sucesso.
Emmeline Pankhurst

que forçaria o governo a prestar atenção e a levar o voto das mulheres a sério. Inspirada pelas táticas de militância dos revolucionários russos, Pankhurst e seu grupo de seguidoras criaram uma estratégia de desobediência civil e terrorismo para forçar o parlamento a aprovar a legislação que daria às mulheres os direitos eleitorais do voto.

Esse extremismo ressaltou a diferença entre as sufragistas da NUWSS e as suffragettes lideradas por Pankhurst, da WSPU. Na verdade, a WSPU se colocou em oposição direta à NUWSS, que recusou uma união.

O termo suffragettes foi adotado pela WSPU em 1906, depois que o nome foi cunhado em um artigo no jornal *Daily Mail*. O editor acrescentou intencionalmente o sufixo "ettes", que torna a palavra um diminutivo, como um insulto, insinuando que essas mulheres eram meramente uma imitação das sufragistas de verdade. A resposta inteligente da WSPU à zombaria do *Daily Mail* foi adotar o termo como um distintivo de honra.

Inspiração e táticas

Desde bem jovem, Emmeline Pankhurst ouvia histórias sobre a inquietação civil na Rússia, enquanto seus cidadãos lutavam por liberdade sob o regime do czar. Sua família recebera exilados russos para reuniões na casa da London's Russell Square. Pankhurst certamente conhecia a história do julgamento de Vera Zasulich, acusada de tentativa de assassinato do governador Trepov, em São Petersburgo, em 1878. Zasulich foi considerada inocente e declarara com orgulho que não era uma assassina, era uma terrorista. Estava agindo em nome do grupo anarquista russo Narodnaya Volya (A Vontade do Povo), uma organização política que lutava por igualdade na sociedade russa. As mulheres eram participantes ativas nos atos de violência política do grupo, incluindo o assassinato do czar.

Informada em parte por essas mulheres que haviam arriscado tudo na busca pela igualdade, Emmeline Pankhurst decidiu que o modo mais eficaz de conseguir apoio para o movimento das suffragettes era através da publicidade que resultaria do encarceramento. Incêndios criminosos, bombas, destruição de propriedade e o ato de se acorrentarem a prédios públicos compunham o arsenal das suffragettes.

A tática de quebrar janelas foi introduzida no verão de 1908. As suffragettes marcaram uma marcha até a Downing Street em 30 de junho e jogaram pedras nas janelas da residência do primeiro-ministro. Entre as 27 mulheres detidas no local e presas em Holloway estava a ex-professora Mary Leigh, que havia se unido ao WSPU em 1906. Em outubro daquele ano, Leigh foi presa de novo e sentenciada a três meses de prisão por segurar a rédea de um cavalo da polícia durante uma manifestação do lado de fora da Câmara dos Comuns.

Emmeline Pankhurst

Nascida em Manchester, no Reino Unido, em 1858, Emmeline Gouldern foi criada em uma família com pontos de vista radicais. Em 1879, casou-se com Richard Pankhurst, advogado e apoiador do sufrágio feminino, que havia redigido os Atos de Propriedade das Mulheres Casadas do Reino Unido (1870 e 1882). Entre suas conquistas estavam a formação da Women's Franchise League, em 1889, e da Women's Social and Political Union (WSPU), em 1903. Ela foi presa sete vezes por desobediência civil, mas era patriota e encorajara a contribuição das mulheres para o esforço de guerra da Grã-Bretanha, a partir de 1915. Mais tarde, Emmeline renegou a filha, Sylvia, por suas ideias políticas socialistas e pacifistas. Em 1926, Emmeline se juntou ao Partido Conservador e, pouco antes de sua morte, em 1928, se candidatou para um distrito eleitoral em East London.

Trabalhos-chave

10 de janeiro de 1913 Carta às integrantes do WSPU, esboçando o argumento para militância.
13 de novembro de 1913 Discurso "Liberdade ou morte", em Hartford, Connecticut, EUA.

A LUTA POR DIREITOS IGUAIS

THE SUFFRAGETTE THAT KNEW JIU-JITSU.
THE ARREST.

Uma charge do *Punch*, de 1910, mostra um policial de Londres intimidado por uma suffragette conhecedora do jiu-jítsu. Edith Garrud, exímia lutadora, dava aulas para companheiras suffragettes e escrevia artigos com dicas de autodefesa no jornal da WSPU.

Filha de Emmeline Pankhurst, Christabel se destacou como a estrategista criativa das suffragettes e orquestrou vários eventos que atraíram a atenção da mídia. Ela organizou, por exemplo, o Parlamento de Mulheres, em 1908, e um grande comício, que reuniu mais de 500 mil mulheres no Hyde Park, em Londres. Sua estratégia baseou-se, em parte, em um comentário feito pelo liberal e membro do parlamento Herbert Henry Asquith, altamente cotado para ser o próximo primeiro-ministro. Ele havia dito que, se pudesse ser convencido de que as mulheres realmente queriam votar, deixaria de se opor ao movimento.

Em 1910, quando o parlamento estava prestes a garantir às mulheres o direito ao voto na forma do Projeto de Lei de Conciliação, Asquith, agora primeiro-ministro, interveio para barrar o projeto de lei antes da segunda leitura. Das cerca de trezentas mulheres que seguiram em marcha depois desse ato até o parlamento para protestar, em 18 de novembro de 1910 — no que acabou conhecido como Sexta-Feira Negra —, 119 foram presas, duas morreram e muitas denunciaram terem sido espancadas ou agredidas por policiais ou homens infiltrados.

Desde o início, os atos de desobediência civil da WSPU geravam relatos de agressão, violência e abuso sexual perpetrados pela polícia e por homens presentes aos atos. Mas a Sexta-Feira Negra foi decisiva, e membros da WSPU se equiparam para se proteger. Algumas começaram a usar coletes de papelão embaixo das roupas, para proteger as costelas, mas Emmeline Pankhurst sugeriu que o meio mais eficaz de autodefesa era o jiu-jítsu, a principal arte marcial do treinamento da polícia. A mídia popular se deleitou com a visão de mulheres militantes da classe média praticando artes marciais, e não demorou para que o termo "suffrajitsu" fosse adotado popularmente. Em um discurso em 1913, Sylvia Pankhurst estimulou todas as suffragettes a aprender autodefesa.

Os confrontos com a polícia se intensificaram conforme as suffragettes reforçavam suas atividades com incêndios criminosos no meio da madrugada e ataques a bomba a casas de membros do parlamento, igrejas, agências de correio e estações de trem. Como resultado, cada vez mais as mulheres se viam atrás das grades. A atriz Kitty Marion, uma destacada ativista da WSPU desde sua inclusão como membro, em 1908, foi presa várias vezes por quebrar janelas e por provocar incêndios criminosos. Ela colocou fogo nas casas dos membros do parlamento que se opunham ao voto feminino, incluindo a casa que estava sendo construída para David Lloyd George, então ministro da Economia.

Punição

Pankhurst e suas filhas Christabel e Sylvia estavam entre as suffragettes que mais foram presas. As mulheres faziam greves de fome enquanto estavam encarceradas para chamar a atenção para o seu protesto, o que detonou a controversa política de alimentação forçada. A prática brutal de forçar tubos de alimentação pela garganta das mulheres costumava resultar em danos internos, como foi »

Nem eu, nem qualquer outra mulher, temos… qualquer método reconhecido de reparação… a não ser métodos de revolução e violência.
Emmeline Pankhurst

IGUALDADE POLÍTICA NA GRÃ-BRETANHA

Alimentação forçada

Um dos aspectos mais controversos da forma como o governo lidava com as suffragettes presas, a política da alimentação forçada, foi introduzido para evitar que as suffragettes morressem devido às greves de fome e se tornassem mártires. Relatos da imprensa atiçaram a preocupação pública em relação à prática. Um desses depoimentos detalhava os tormentos de Kitty Marion, que foi forçada a se alimentar mais de 230 vezes. O relato da suffragette Mary Leigh sobre ter sido forçada a se alimentar por um tubo nasal que tinha "dois metros de comprimento, com um funil na ponta e uma junção de vidro no meio para ver se o líquido estava passando" foi publicado enquanto ela ainda estava na prisão. O clamor público provocado pela matéria levou à libertação de Leigh. Em resposta às persistentes greves de fome, o parlamento introduziu o chamado Ato Gato e Rato, em 1913. Essa lei permitia a libertação das mulheres em greve de fome até estarem bem para serem detidas de novo e voltarem à prisão.

o caso da própria Emmeline. As suffragettes sentiram-se ultrajadas com o tratamento dado a sua líder, em particular, e estimularam uma de suas integrantes, Mary Richardson, a rasgar a *Vênus ao espelho*, uma amada pintura de Velásquez, em exibição na National Gallery. Ela declarou: "Tentei destruir a pintura da mulher mais linda na história da mitologia como protesto contra o governo por destruir a sra. Pankhurst, que é o mais lindo personagem da história moderna". As integrantes do WSPU estavam determinadas a proteger Emmeline Pankhurst de futuras detenções e prisões e, para isso, Edith Garrud selecionou e treinou um grupo de cerca de trinta mulheres, que se tornaram conhecidas como *The bodyguard* e acompanhavam Pankhurst em suas aparições-chave, para evitar que ela fosse pega ela polícia. Armadas com porretes escondidos nos vestidos, as integrantes das Guarda-Costas estavam prontas para usar qualquer meio e proteger sua líder, mas também usavam de armadilhas e outros truques para ajudar Pankhurst a fugir da captura da polícia. Uma suffragette que chamou a atenção da nação da pior forma possível foi Emily Davison. Em junho de 1913, ela se jogou debaixo do cavalo do rei, no Epsom Derby, uma corrida de cavalos à qual o próprio rei

A partir do momento em que as mulheres aceitaram a prisão, as greves de fome e a alimentação forçada como o preço a pagar pelo voto, o voto realmente pertenceu a elas.
Christabel Pankhurst

Emmeline Pankhurst é presa durante uma manifestação que se tornou violenta na frente ao Palácio de Buckingham, em 1914. Pankhurst organizou a marcha para pedir o apoio do rei George V ao sufrágio feminino.

comparecia. A morte de Davison, que alguns historiadores achavam que talvez tivesse sido apenas uma tentativa de segurar a rédea do cavalo, e, portanto, acidental, foi registrada pelas câmeras dos cinejornais.

Apoio masculino

Apesar da fama de radical e de ser retratada na mídia como violenta, a WSPU angariou apoio entre algumas figuras masculinas importantes, que estavam prontas a arriscar sua reputação para perseguir os objetivos da WSPU. Os políticos da bancada trabalhista, Keir Hardie e George Lansbury, falaram na Câmara dos Comuns em apoio ao movimento sufragista, e iam aos comícios da WSPU. O varejista Henry Gordon Selfridge ergueu a bandeira da WSPU no alto de sua loja de departamento na Oxford Street, em Londres, em sinal de solidariedade.

Desarmadas pela guerra

O que realmente sensibilizou tanto a opinião pública quanto os políticos a favor do voto feminino foi a deflagração da Primeira Guerra Mundial, em 1914. Com a Grã-Bretanha engolfada pela guerra, a WSPU se viu forçada a reconsiderar sua

A LUTA POR DIREITOS IGUAIS

forma de militância. Em apoio ao esforço de guerra, Emmeline Pankhurst suspendeu as atividades da sociedade. De acordo com a companheira suffragette Ethel Smyth, "a sra. Pankhurst declarou que não era uma questão de votos para as mulheres, mas de ainda restar alguma coisa do país para ser votada".

Emmeline Pankhurst declarou que era melhor que a União voltasse suas energias para apoiar o esforço de guerra, considerando que a paz era necessária para a liberdade das mulheres. Essa decisão se mostrou crucial e acabaria ajudando a organização a alcançar seu objetivo tão longevo do voto para as mulheres. Como parte do esforço de guerra, a WSPU rebatizou o jornal *The Suffragette* de *Britannia* e trabalhou junto com Lloyd George, que substituiu Asquith como primeiro-ministro em 1916, em apoio ao Registro Nacional. Em preparação para o serviço nacional, o Registro recolhia detalhes pessoais de todos na Grã-Bretanha, incluindo as mulheres, muitas das quais trabalharam em fábricas de munição durante a guerra. A WSPU usou a guerra para mostrar que as mulheres eram capazes de contribuir igualmente para a sociedade e que haviam, portanto, conquistado o direito ao voto. Algumas integrantes apoiaram a Campanha da Pena Branca, em que mulheres davam penas brancas, simbolizando covardia, a homens usando roupas civis.

Finalmente, os votos

O esforço de guerra das suffragettes não passou despercebido e ajudou a conseguir o apoio dos que antes permaneceram impassíveis em relação à luta pelo sufrágio feminino. Mesmo antes do fim do conflito, em novembro de 1918, as mulheres estavam na rua para conquistar o direito nacional ao voto. Em 6 de fevereiro de 1918, o Ato de Representação do Povo garantiu às mulheres acima dos trinta anos e donas de propriedades o direito ao voto na Grã-Bretanha e na Irlanda. Cerca de 8,4 milhões de mulheres, ou 40% da população feminina do Reino Unido, agora tinham direito ao voto. Foi um marco na luta pelo sufrágio feminino, embora excluísse as mulheres entre 21 e trinta anos e as que não tivessem propriedades — essencialmente as mulheres da classe trabalhadora. Os homens também se beneficiaram do ato, que estendeu o direito ao voto a homens que não possuíam propriedades, normalmente da classe trabalhadora, e os com 21 anos ou mais, aumentando assim a desigualdade entre os sexos. O Ato de 1918 elevou o número total de eleitores na Grã-Bretanha de 8 milhões para 21 milhões. Levaria mais dez anos até que o governo conservador estendesse o direito ao voto a todas as mulheres britânicas acima de 21 anos. O Ato de Representação do Povo, de 1928, que quase dobrou o número de mulheres que poderiam votar, tornou-se lei algumas semanas depois da morte de Emmeline Pankhurst, em 14 de junho. ∎

Christabel Pankhurst deposita seu voto na urna em 1910, em uma de suas muitas jogadas publicitárias. Como a mãe, Christabel era uma líder motivacional e a estrategista-chave do WSPU, que sabia como chamar a atenção da imprensa.

GUERREAMOS CONTRA A GUERRA
MULHERES UNIDAS PELA PAZ

EM CONTEXTO

CITAÇÃO FUNDAMENTAL
Manifesto do Exército de Mulheres pela Paz, 1915

ORGANIZAÇÕES-CHAVE
Comitê Internacional das Mulheres pela Paz Permanente, Liga Internacional das Mulheres pela Paz e Liberdade

ANTES
1915 É formado o Partido das Mulheres pela Paz em uma reunião em Washington, D.C.

DEPOIS
1920 O Comitê Internacional das Mulheres pela Paz Permanente (ICWPP) se opõe aos termos punitivos do Tratado de Versalhes, no fim da Primeira Guerra Mundial, alegando que ele levaria a mais conflitos.

Anos 1980 Grupos só de mulheres pela paz, como o Greenham Common Women's Peace Camp, em Berkshire, no Reino Unido, protestam contra armas nucleares.

A deflagração da Primeira Guerra Mundial causou um racha no movimento sufragista. Algumas mulheres viam a guerra como algo apenas dos homens e defendiam o pacifismo. Outras argumentavam que se a violência era justificável na luta por igualdade sexual, o mesmo era verdade em outros tipos de conflitos, como a guerra entre nações. Mulheres que acreditavam nessa segunda possibilidade abandonaram temporariamente a luta pelo sufrágio, a fim de priorizar a proteção da nação. Até mesmo a líder britânica das suffragettes, Emmeline Pankhurst, voltou sua atenção para recrutar mulheres para assumir papéis próprios de tempos de guerra, uma linha de atuação a que se opôs sua filha, Sylvia, que defendia um ponto de vista pacifista em seu jornal *The Woman's Dreadnought*. Havia muitas como Sylvia para formar uma aliança internacional de mulheres que imaginavam o pacifismo e o feminismo coexistindo lado a lado.

Causa compartilhada

Em abril de 1915, cerca de 1.100 mulheres se reuniram em Haia, nos Países Baixos, para o Primeiro Congresso Internacional de Mulheres, onde discutiram o que poderiam fazer para promover a paz. Entre as participantes estava a militante pacifista norte-americana Jane Addams, a médica holandesa Aletta Jacobs, a ativista sindical alemã Lida Gustava Heymann e a jornalista húngara Rosika Schwimmer. Só vinte das 180 mulheres britânicas que planejavam comparecer tiveram seus passaportes liberados, considerando que o restante estava sob vigilância por causa da postura antiguerra.

Duas políticas principais emergiram na conferência. A primeira foi a necessidade de enfatizar o sofrimento de mulheres e crianças na

Podemos acreditar que somos feitos para dominar todas as outras pessoas? Nós, com esses sérios fracassos sociais em relação ao nosso próprio povo, especialmente as mulheres?
Sylvia Pankhurst

A LUTA POR DIREITOS IGUAIS

Veja também: O nascimento do movimento sufragista 56-63 ▪ Ecofeminismo 200-201 ▪ Mulheres contra armas nucleares 206-207 ▪ Mulheres em zonas de guerra 278-279

> Como Mães da Raça, é seu privilégio conservar a vida, o amor e a beleza, tudo o que é destruído pela guerra.
> **Vida Goldstein**

guerra — uma preocupação que poderia unir pessoas nas fronteiras nacionais. As mulheres relacionavam pontos de vista sociais universais, como a santidade da maternidade e a inocência das crianças, com seu pedido por paz. A segunda política era o sufrágio feminino: se as mulheres pudessem votar, seriam capazes de influenciar a política internacional.

Em poucos meses, as integrantes do congresso mandaram delegações tanto para lugares a favor da guerra, quanto para os neutros, incluindo os EUA. Embora tenham tido sucesso limitado, ao menos seu argumento de mediação para o fim da guerra foi ouvido. O encontro de Haia também levou à fundação do ICWPP, Comitê Internacional das Mulheres pela Paz Permanente, que, no espaço de um ano, se expandiu para dezesseis sedes nacionais por toda a Europa, América do Norte e Austrália. E ainda da WILPF, Women's International League for Peace and Freedom. Essas organizações de paz também alertavam as pessoas para os perigos de um poder imperial, arrastando uma nação subordinada para a guerra. Na Austrália, grupos como o Partido das Mulheres pela Paz e o Sisterhood of International Peace, liderados por Vida Goldstein e Eleanor Moore, ajudaram a promover a visão da Austrália como uma nação independente. ▪

Integrantes da delegação norte-americana chegam no *MS Noordam* para o Congresso Internacional de Mulheres em Haia, em 1915. Mulheres que criticaram a guerra foram proibidas de comparecer ao encontro.

Vida Goldstein

Filha de uma sufragista, Vida Goldstein nasceu em Portland, na Austrália, em 1869. Ela teve acesso à educação e era muito culta. Vida apurou seu interesse pela política, assistindo a sessões parlamentares em Victoria, seu estado natal. Por volta de 1889, Vida se tornou líder do movimento sufragista em Victoria e começou a publicar um periódico chamado *The Australian Women's Sphere* para promover a causa. Depois que as mulheres australianas conquistaram o direito nacional ao voto, em 1902, ela concorreu a uma vaga no parlamento e, em 1903, tornou-se a primeira mulher oficialmente eleita no Império Britânico. Em 1911, Vida visitou a Grã-Bretanha, onde discursou. Depois da deflagração da Primeira Guerra Mundial, em 1914, Goldstein se tornou uma ardente pacifista. Ela nunca atingiu seu objetivo de se tornar primeira-ministra, mas continuou a defender as reformas sociais, incluindo cláusulas para controle de natalidade. Ela morreu aos oitenta anos, em 1949.

Trabalho-chave

1900–1905 *The Australian Women's Sphere*

DEIXEM-NOS TER OS DIREITOS QUE MERECEMOS
O MOVIMENTO GLOBAL PELO SUFRÁGIO

EM CONTEXTO

CITAÇÃO FUNDAMENTAL
Alice Paul, 1913

FIGURAS-CHAVE
Kate Sheppard, Jessie Street, Alice Paul, Clara Campoamor

ANTES
1793 Na França, Olympe de Gouges, autora de *A declaração dos direitos da mulher e da cidadã*, é mandada para a guilhotina.

1862–1863 Mulheres suecas que pagam impostos conquistam direito ao voto nas eleições locais.

1881 Mulheres donas de propriedades na Escócia têm permissão para votar nas eleições locais.

DEPOIS
2015 Mulheres na Arábia Saudita votam pela primeira vez nas eleições municipais.

N o final do século XIX e nas primeiras décadas do século XX, mulheres ao redor do mundo começaram a pressionar seus governantes por emancipação. Seus métodos para conquistar o objetivo, e os argumentos que apresentavam, não eram idênticos. Organizações pelo sufrágio feminino frequentemente eram afiliadas a grupos de influência, que tinham outras pautas como igualdade racial ou autonomia. Na Nova Zelândia, que se tornaria a primeira nação autônoma a garantir às mulheres, incluindo as maori, direitos parlamentares de voto, em 1893, a ativista Kate Sheppard e suas colegas foram as fundadoras da WCTU, Women's Christian Temperance Union. Elas argumentavam que precisavam de poder político a fim de controlar as leis

A LUTA POR DIREITOS IGUAIS

Veja também: O nascimento do movimento sufragista 56-63 ▪ Feminismo no Japão 82-83 ▪ Igualdade política na Grã-Bretanha 84-91 ▪ Início do feminismo árabe 104-105

As sufragistas indianas estavam entre as 60 mil mulheres que se juntaram à Procissão de Coroação das Mulheres, uma marcha pelo sufrágio em Londres, antes da coroação do rei George V, em 1911. As participantes vieram de todo o Império Britânico.

relacionadas a bebidas alcoólicas no país e para tolher a tirania dos homens bêbados em casa. As mulheres da Nova Zelândia apresentaram ao governo suas petições pelo sufrágio em 1891, 1892 e 1893. A última petição tinha quase 32 mil assinaturas.

Encorajamento mútuo

Sheppard se inspirou na WCTU norte-americana e nas feministas britânicas da época e, por sua vez, sua vitória na Nova Zelândia inspirou as sufragistas nos EUA e no Reino Unido. A visita de Sheppard aos dois países, junto com as reportagens nos jornais sobre suas conquistas, deu um novo sopro de vida aos movimentos nesses territórios, especialmente na Grã-Bretanha. Ligações internacionais como essas foram a chave para o movimento de sufrágio global. A conquista pelas mulheres da Finlândia do direito ao voto, em 1906, como parte do levante socialista contra o Império Russo, foi resultado de grandes manifestações e da ameaça de uma greve geral, inspiradas em parte pelas revolucionárias russas. Como um periódico do dia declarou: "Nós [mulheres] temos que gritar para o mundo que estamos exigindo o direito ao voto e à tribuna para as eleições, e que não vamos nos contentar com nada a menos. Agora não é hora para concessões". Na Estônia, Letônia e Lituânia, o sufrágio feminino, conquistado em 1918, também foi incorporado à luta contra o Império Russo. Na Irlanda, o sufrágio feminino foi ligado à sua independência da Grã-Bretanha. A disposição das suffragettes britânicas de morrer pela causa atraiu muitas admiradoras ao redor do mundo. Na Austrália, Jessie Street, que se tornou uma líder militante no movimento sufragista do país, interessou-se pelo sufrágio quando visitava parentes no Reino Unido. A ativista *quaker* Alice Paul, nos EUA, frustrada pelo progresso lento do Congresso em colocar o sufrágio como prioridade, formou o Partido Nacional »

Alice Paul

Filha de mãe sufragista e de um homem de negócios, Alice Paul nasceu em Moorestown, em Nova Jersey (EUA), em 1885. Depois de se formar no que hoje é a Universidade Columbia e com um mestrado em sociologia, ela viajou para o Reino Unido em 1910 para estudar serviço social. Lá, conheceu a companheira norte-americana Lucy Stone e se juntou ao movimento sufragista. Ao retornar aos EUA, Paul fundou o Partido Nacional das Mulheres para defender no Congresso a reforma constitucional. Sua persistência levou à aprovação da 19ª Emenda, em 1920, garantindo o sufrágio feminino em nível estadual e federal.

Paul passou os anos seguintes militando por direitos iguais em relação ao divórcio, à propriedade e ao emprego. Embora aprovada em 35 estados nos anos 1970, sua Emenda pelos Direitos Iguais nunca foi ratificada. Paul morreu em 1977, aos 92 anos.

Trabalhos-chave

1923 Emenda por direitos iguais
1976 *Conversations with Alice Paul: Woman Suffrage and the Equal Rights Amendment*

O MOVIMENTO GLOBAL PELO SUFRÁGIO

Clara Campoamor

Nascida no distrito de Masalaña, em Madri, em 1888, Clara Campoamor foi moldada por suas raízes da classe trabalhadora. Depois da morte do pai, quando tinha treze anos, ela deixou a escola para ajudar a mãe costureira a sustentar a família. Em poucos anos, estava trabalhando como secretária para várias organizações, incluindo o jornal político liberal *La Tribuna*, onde começou a se interessar pelos direitos das mulheres. Motivada por crescente fervor político, Campoamor estudou direito na Universidade Complutense de Madrid, graduou-se aos 36 anos e se tornou a primeira mulher advogada na Suprema Corte da Espanha. Em 1931, tornou-se membro da Assembleia Nacional Constituinte, formada para redigir a nova Constituição do país. Campoamor garantiu que o sufrágio universal fosse incluído no texto, embora, mais tarde, o ditador fascista general Franco o tenha revogado. Depois que o fascismo assumiu o poder, Campoamor fugiu da Espanha e foi viver no exílio. Ela foi banida por Franco, proibida para sempre de voltar à Espanha, e morreu na Suíça em 1972.

das Mulheres, em 1913, inspirada pelas táticas de militância das suffragettes britânicas. Na véspera da posse de Woodrow Wilson como presidente, em março de 1913, ela organizou uma marcha que reuniu em torno de 8 mil mulheres, marcando o começo de uma campanha permanente contra a administração de Wilson, que bloqueava mudanças na Constituição que concederiam direitos civis às mulheres. Ela e um grupo de mulheres fizeram piquetes na Casa Branca por dezoito meses.

A estratégia de Paul acabou minando a resistência de Wilson e, em 1917, o presidente começou a apoiar seus objetivos — o mesmo ano em que o estado de Nova York garantiu o voto às mulheres. Em 4 de junho de 1919, a 19ª Emenda garantiu às mulheres norte-americanas o direito ao voto em nível estadual e federal. Foi um grande marco no caminho da igualdade de direitos para as mulheres.

Primeiro localmente

Até a Primeira Guerra Mundial, apenas a Nova Zelândia, a Austrália (excluindo as mulheres indígenas), a Finlândia, a Noruega e onze estados dos EUA garantiam pleno direito de voto às mulheres. Apesar da pressão das sufragistas, a Grã-Bretanha foi lenta nesse sentido, a não ser em eleições locais. De acordo com a tradição das relações de gênero de "esferas separadas", era considerado aceitável que as mulheres britânicas votassem em questões locais, tais como garantias educacionais, mas não em questões nacionais. Os governos da Suécia, Bélgica, Dinamarca e Romênia também se prendiam a essa distinção.

O monumento *Mulheres são pessoas*, em Ottawa, no Canadá, mostra "The Famous Five", que derrubou uma regra proibindo as mulheres de concorrerem ao Senado. A estátua de Nelly McClung segura o jornal anunciando a vitória feminina.

Primeira Guerra Mundial

Para muitos países, a Primeira Guerra Mundial foi um ponto de virada no movimento sufragista. As suffragettes, lideradas por Emmeline Pankhurst, apoiaram ativamente o esforço de guerra britânico, e centenas de milhares de mulheres britânicas trabalharam em fábricas de munição, derrubando o argumento de que as mulheres não podiam votar porque não tomavam parte na guerra, a última arma do governo contra o sufrágio feminino. A lealdade das mulheres britânicas foi recompensada com uma concessão parcial em 1918, quando mulheres donas de propriedades, com idade acima de trinta anos — o que correspondia a cerca de 40% da população feminina adulta —, foram emancipadas. Ainda levaria mais uma década até que todas as mulheres adultas na Grã-Bretanha se tornassem aptas a votar.

Outros países priorizaram mulheres que trabalhavam e pagavam impostos, ou as que tinham mais acesso à educação. Essas limitações normalmente recebiam apoio das sufragistas de classe média. No Canadá, as mulheres conquistaram o

A LUTA POR DIREITOS IGUAIS

Sufrágio feminino

Mesmo depois de conquistado, o sufrágio feminino era frequentemente restrito por classe, idade, raça ou nível de educação. Por exemplo, na Grã-Bretanha, o sufrágio foi inicialmente limitado a mulheres de mais de trinta anos que fossem donas de propriedade. E, na Austrália, mulheres aborígenes não puderam votar até 1967.

Data em que o sufrágio universal foi introduzido em nível nacional

- Antes de 1914
- 1914–1920
- 1921–1945
- 1946–1970
- 1971 e depois
- Não tem sufrágio nacional

direito ao voto em 1918 (excluindo as da província de Quebec), mas a luta não havia acabado. Embora tenham conquistado o direito de se eleger para a Câmara dos Comuns do país, em 1919, o Senado ainda estava fora do alcance, por causa do trecho de uma lei que determinava que só "pessoas qualificadas" poderiam se candidatar. O governo canadense insistiu que isso queria dizer homens, não mulheres. Em 1929, cinco proeminentes ativistas pelos direitos das mulheres, conhecidas como "The Famous Five", conseguiram mudar essa interpretação.

Eleitoras tardias

Alguns países foram surpreendentemente lentos em garantir o sufrágio feminino. Na França, o berço da Revolução de 1789, as mulheres não puderam votar até 1944; na Bélgica, até 1948. Às vezes, essa demora se devia ao medo que os partidos no poder tinham das alianças políticas que mulheres emancipadas poderiam vir a fazer. Por exemplo, os comunistas, que queriam limitar os poderes da Igreja, achavam que as mulheres tinham mais chance do que os homens de apoiar os valores conservadores católicos, que se opunham ao comunismo. Ao mesmo tempo, em muitos países católicos a Igreja se opunha ao sufrágio alegando que minaria o casamento e a família,

> Essa é uma experiência tão ampla e ousada que deve ser realizada por algum outro país antes.
> **Viscount Bryce**
> Político britânico

importantes pilares religiosos. Depois da Segunda Guerra Mundial, poucos países que desejavam ser vistos como democracias modernas poderiam negar o sufrágio feminino, mas a demora em conquistar a democracia ou a independência tornou as mudanças mais lentas em antigas colônias. Ditaduras fascistas também retardaram o progresso. As mulheres portuguesas não puderam votar até 1975, o ano em que a ditadura do Estado Novo caiu; e na Espanha o pleno sufrágio só foi conquistado depois da morte do ditador fascista general Franco, em 1976. Ele tinha revertido o progresso em relação ao sufrágio feminino conquistado pela advogada e ativista Clara Campoamor, em 1931, proibira o acesso a meios contraceptivos, o divórcio, o aborto, e restringira o acesso das mulheres ao emprego e à propriedade. Sua morte liberou as mulheres espanholas social, econômica e politicamente. ∎

O CONTROLE DE NATALIDADE
É O PRIMEIRO PASSO NA DIREÇÃO DA LIBERDADE

CONTROLE DE NATALIDADE

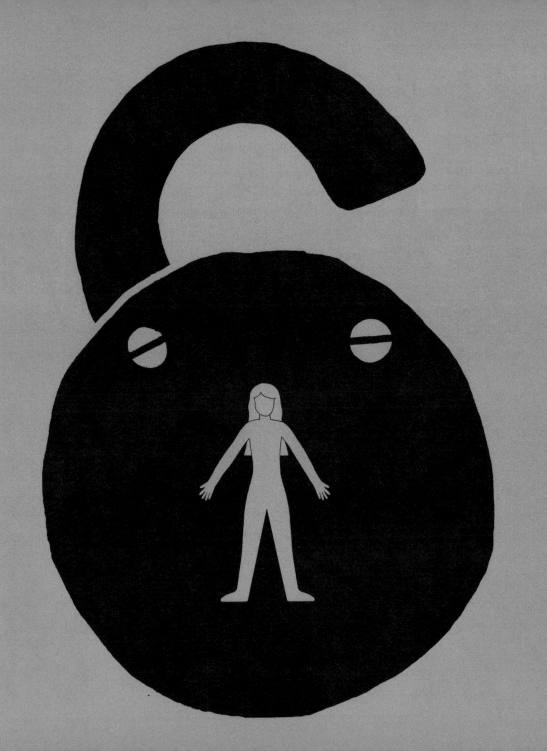

100 CONTROLE DE NATALIDADE

EM CONTEXTO

CITAÇÃO FUNDAMENTAL
Margaret Sanger, 1918

FIGURAS-CHAVE
Margaret Sanger, Marie Stopes

ANTES
1873 O Ato Comstock, nos EUA, torna ilegais a distribuição de literatura sobre controle de natalidade e a venda de contraceptivos, alegando que são "artigos de uso imoral".

1877 Annie Besant e Charles Bradlaugh são levados a julgamento no Reino Unido por publicarem *Fruits of Philosophy*, que defendia o controle de natalidade.

DEPOIS
1965 A Suprema Corte dos EUA dá aos casais legalmente unidos o direito de usar métodos de controle de natalidade, direito que é estendido a pessoas solteiras em 1972.

1970 No Reino Unido, o Movimento pela Libertação Feminina defende a liberação do aborto e o uso de contraceptivos a pedido da mulher.

Até a socialista norte-americana Margaret Sanger relacionar a emancipação das mulheres ao controle de natalidade, na primeira década do século XX, muitas das primeiras compatriotas feministas, como Charlotte Perkins Gilman e Lucy Stone, e a anglo-americana Elizabeth Blackwell, ou se opunham ou tinham suspeitas em relação à contracepção. Longe de verem o controle de natalidade como uma contribuição para a emancipação feminina, elas o viam como um encorajamento para que as mulheres fossem sexualmente ativas, permitindo que os homens tivessem liberdade sexual ilimitada dentro e fora do casamento.

Pedindo limites

As primeiras feministas haviam reconhecido a necessidade das mulheres de limitar o tamanho de suas famílias, mas elas acreditavam que isso deveria ser conquistado através da maternidade voluntária — o direito de uma esposa de recusar as exigências sexuais do marido. A defesa da abstinência masculina foi feita por várias feministas, incluindo a ativista britânica Josephine Butler, que encabeçou uma campanha contra os Atos sobre Doenças Contagiosas, nos anos 1860. Essas leis, que tinham como objetivo controlar doenças

> A mulher deve ter sua liberdade, a liberdade fundamental de escolher se vai ou não ser mãe.
> **Margaret Sanger**

venéreas nas forças armadas, autorizaram exames compulsórios em prostitutas para checar se estavam contaminadas. Na prática, isso colocava a culpa das doenças venéreas nas mulheres e expunha a hipocrisia sexual na Inglaterra Vitoriana.

Uma organização que defendeu ativamente a "limitação da família" foi a Liga Malthusiana. Fundada em 1877, foi batizada em homenagem ao economista britânico Thomas Malthus, sob influência da sua visão sobre a necessidade de controle do crescimento populacional. Muitos radicais apoiavam a Liga, que defendia a contracepção e a limitação da família como solução para a pobreza e o excesso populacional. Por outro lado, alguns socialistas se opunham a essa Liga, pois acreditavam que seu objetivo era

A história da contracepção

Anos 1700
Preservativos feitos de intestino animal

Anos 1880
O diafragma de borracha é projetado para cobrir o colo do útero

1909 É inventado o dispositivo intrauterino (DIU)

Anos 1960 A pílula anticoncepcional é amplamente disponibilizada

Anos 1980
Implantes de hormônio evitam a ovulação

A LUTA POR DIREITOS IGUAIS

Veja também: Prazer sexual 126-127 ▪ A pílula 136 ▪ Sistemas de saúde centrados na mulher 148-153 ▪ Conquistando o direito legal ao aborto 156-159

limitar os direitos naturais das classes trabalhadoras, enquanto a burguesia mantinha o direito de se multiplicar.

Conquistando acesso

A contracepção era rudimentar no final do século XIX. Os métodos mais usados incluíam coito interrompido, esponjas vaginais ensopadas de quinino, injeções de alume e água dentro da vagina, e preservativos. As igrejas católica e protestante, e a sociedade como um todo, viam a contracepção como perigosa, porque encorajava relações sexuais fora do casamento. Apesar de o conhecimento público sobre contracepção ser limitado, famílias de classe média conseguiam obter informações e comprar contraceptivos, disfarçando os produtos como artigos de "higiene feminina". Mulheres da classe trabalhadora, no entanto, tinham pouco acesso à literatura sobre controle de natalidade e não tinham condições de pagar por contraceptivos. Tentativas de evitar a gravidez geralmente envolviam remédios caseiros pouco seguros e sem efeito. Muitas mulheres tentavam abortar por conta própria, ou buscavam ajuda de uma aborteira, o que era ilegal. Outras mulheres estavam quase sempre grávidas ou amamentando, e era comum famílias com doze filhos ou mais.

Começando um movimento

Durante os primeiros anos do século XX, feministas radicais de ambos os lados do Atlântico começaram a mudar sua visão sobre sexualidade e controle de natalidade, e a questão se tornou cada vez mais importante para o movimento feminino. Muitas dessas mulheres também eram socialistas e foram influenciadas por textos de reformistas sexuais britânicas como Havelock Ellis e Edward Carpenter. Nos EUA, apoiadoras incluíam as feministas Crystal Eastman e Ida Rauh, e a anarquista Emma Goldman: essas mulheres moravam em Greenwich Village, Nova York, na segunda década do século XX, e defendiam relações sexuais mais livres, ajuda para mães trabalhadoras e prevenção da gravidez.

Margaret Sanger também morava em Greenwich Village nessa época. Em um artigo para *The Woman Rebel*, a revista radical que havia fundado em 1914, ela incluiu o termo "controle de natalidade", e foi o primeiro uso conhecido da expressão. Sanger — juntamente com a feminista e sufragista Marie Stopes, »

Anos 1990 Surgem as injeções de hormônio

Anos 2000 Adesivos para a pele e géis se tornam alternativas populares à pílula

Nenhuma mulher pode se dizer livre se não é dona do seu próprio corpo, se não tem controle sobre ele.
Margaret Sanger

Margaret Sanger

A ativista pelo controle de natalidade Margaret Sanger nasceu em Nova York, em 1879, a sexta dos onze filhos de uma família católica irlandesa. A morte da mãe, aos 49 anos, depois de dezoito gestações, teve uma profunda influência em Sanger. Ela se qualificou como enfermeira obstétrica, o que confirmou sua visão sobre o impacto de gestações múltiplas na mulher, principalmente nas mais pobres. Envolvida em política radical, Sanger se juntou ao Partido Socialista de Nova York. Em 1916, ela abriu uma clínica de controle de natalidade que teve vida curta e, em 1921, fundou a Liga Americana de Controle de Natalidade. Organizou a primeira Conferência Mundial sobre População em Genebra, na Suíça, e se tornou presidente da International Planned Parenthood Federation. Sanger morreu de falência cardíaca em Tucson, no Arizona, em 1966.

Trabalhos-chave

1914 *Family Limitation*
1916 *What Every Girl Should Know*
1916 *My Fight for Birth Control*

CONTROLE DE NATALIDADE

Uma enfermeira posa junto a uma clínica Marie Stopes em Bethnal Green, Londres, 1928. Essas clínicas móveis podiam ser levadas para onde eram necessárias, como no superpovoado East End de Londres.

na Grã-Bretanha — foi fundamental para o começo de um movimento de controle de natalidade. Disposta a desafiar a Lei de Comstock, segundo a qual a disseminação de informação sobre contracepção era considerada imoral e ilegal, Sanger escreveu artigos explícitos para as mulheres, falando sobre sexo e contracepção, e viajou para discursar para plateias formadas geralmente por mulheres das classes trabalhadoras. Em 1915, para escapar de uma acusação legal, Sanger foi para a Inglaterra, onde já estava em andamento um movimento pelo controle de natalidade. Sanger conheceu ativistas como Stella Browne e Alice Vickery, e também Marie Stopes, que acabaria se tornando a figura mais influente na Grã-Bretanha no que se referia ao movimento pelo controle de natalidade. Sanger descrevia sua ideia particular e pessoal do que deveria significar o feminismo: que as mulheres deveriam primeiro se libertar da escravidão biológica, e a melhor forma para conseguir isso seria através do controle de natalidade. A ênfase de Sanger à palavra "controle" era significativa, porque ela acreditava profundamente que as mulheres, não os homens, deveriam estar à frente da reprodução. Marie Stopes abordava a necessidade das mulheres por contracepção de forma ligeiramente diferente. Ela havia sofrido com um casamento infeliz e não consumado, o que a convenceu de que educação sexual e controle de natalidade eram essenciais se as mulheres quisessem alcançar a plenitude sexual. Em 1918, ela publicou a obra pela qual é mais conhecida, *Amor e casamento*, um dos primeiros livros a explicar sexo e prazer sexual aberta e explicitamente. Médicos denunciaram esse e os livros seguintes de Stopes pelo "crime monstruoso" de disseminar conhecimento sobre controle de natalidade. No entanto, no primeiro ano foram impressas cinco edições de *Amor e casamento*, e Stopes recebeu milhares de cartas de mulheres e

Uma civilização moderna e humana deve controlar a concepção, ou afundar na crueldade bárbara para com os indivíduos.
Marie Stopes

Politizando o controle de natalidade

Mudanças de governo podem afetar a disponibilidade de controle de natalidade. Em 2010, o presidente dos EUA Barack Obama sancionou como lei o Ato de Cuidados Acessíveis, que estipulava que os empregadores precisavam garantir cuidados de saúde aos empregados, incluindo contraceptivos. Quatro anos mais tarde, graças ao lobby da direita religiosa, a Suprema Corte dos EUA estipulou que uma empresa de proprietário cristão, a Hobby Lobby, poderia pedir exceção com base em crença religiosa. Para os liberais, foi um precedente danoso para os empregados de salários mais baixos. A ajuda estrangeira para programas de controle de natalidade em países em desenvolvimento tem gerado controvérsias. Em janeiro de 2017 a administração Trump baniu a ajuda do governo norte-americano para países em desenvolvimento que "promovessem ativamente" o aborto. Muitos argumentam que políticas como essa levam a abortos ilegais e à gravidez indesejada.

A LUTA POR DIREITOS IGUAIS 103

homens expressando gratidão e pedindo conselhos.

Um movimento importante

Em seu retorno aos EUA, em 1916, Margaret Sanger abriu a primeira clínica de controle de natalidade da América, no Brooklyn. Ela também divulgou o recém-desenvolvido "capuz holandês", ou diafragma, que trouxe da Europa. A clínica sofreu uma batida policial apenas nove dias depois de aberta, e Sanger, sua equipe e a irmã foram presas por trinta dias por desrespeitar a Lei de Comstock. A publicidade causada pela prisão foi o pontapé inicial para que um movimento de controle de natalidade se espalhasse por todos os EUA e conseguisse o apoio financeiro de que necessitava. O movimento obteve uma grande vitória em 1918, quando a decisão de um tribunal de Nova York permitiu que médicos prescrevessem contraceptivos. Em 1921, Marie Stopes abriu a primeira clínica permanente de controle de natalidade do Reino Unido, em Londres. Mulheres recebiam aconselhamento e aprendiam como usar um diafragma. Tanto nos EUA quanto no Reino Unido, o nascimento do movimento de controle de natalidade ganhou terreno, conforme a questão da contracepção passava a dizer respeito ao bem-estar da mulher, e não apenas ao feminismo.

Críticos e delatores

A oposição continuou não apenas por parte da Igreja Católica. No entanto, nos anos 1930, o controle de natalidade estava se tornando socialmente mais aceitável, ao menos para mulheres casadas (a defesa de que as solteiras também tivessem acesso a métodos contraceptivos só emergiu no final dos anos 1960). Em 1930, uma Conferência de Controle de Natalidade foi realizada em Londres e, poucos meses depois, o Ministério da Saúde Britânico determinou que as autoridades locais poderiam dar aconselhamento sobre contracepção nos centros de bem-estar para mães e filhos. Militantes do controle de natalidade, incluindo Sanger e Stopes, algumas vezes foram acusadas de eugênicas; no entanto, seu trabalho também mudou a vida das mulheres. A exigência por direitos reprodutivos reemergiu com o surgimento do Movimento pela Libertação das Mulheres, nos anos 1960, e continua a ressoar até hoje. ∎

"**Você seria mais cuidadoso se fosse você que engravidasse?**" Publicado pelo Conselho Britânico de Educação para Saúde em 1969, o cartaz tentou fazer com que os homens assumissem mais responsabilidade pela contracepção. Foi considerado chocante e até mesmo ofensivo.

OS HOMENS SE RECUSAM A VER O POTENCIAL DAS MULHERES
INÍCIO DO FEMINISMO ÁRABE

EM CONTEXTO

CITAÇÃO FUNDAMENTAL
Huda al-Sharaawi, c.1987

FIGURAS-CHAVE
Huda al-Sharaawi, Nawal el-Saadawi, Fatima Mernissi

ANTES
1881 Qasim Amin, futuro fundador do Movimento Nacional Egípcio, publica *A liberdade das mulheres*, que culpa o uso do véu e a falta de acesso à educação pela escravização das mulheres egípcias ao patriarcado.

DEPOIS
2010-2012 Mulheres participam dos protestos da Primavera Árabe contra regimes autoritários na África do Norte e no Oriente Médio.

2013 A Irmandade Muçulmana no Egito determina que a autoridade das mulheres deve ser confinada ao lar e à família.

2016 O Egito endurece as penas para mutilação genital feminina.

O feminismo chegou ao mundo árabe via colonialismo. A exposição aos impérios europeus e ao pensamento pós-iluminista levou islâmicos árabes em terras colonizadas a se perguntarem como haviam chegado à situação de serem governados por estrangeiros e se falhas na sua cultura tinham permitido que o colonialismo acontecesse. Reformistas culpavam a religião, argumentando que a interpretação literal do Corão era incompatível com a era moderna. Essa tensão entre tradição e modernidade, religião e secularismo, foi particularmente marcada no campo dos direitos das mulheres. Mulheres competentes na esfera pública representavam um paradoxo para a sociedade patriarcal. Embora normalmente fossem respeitadas e valorizadas pelos homens, elas eram vistas como exceções e não como modelos de um potencial mais amplo que poderia ameaçar a situação vigente.

Mulheres consistentes
Na primeira metade do século XX, a feminista egípcia Huda al-Sharaawi se tornou ativista durante a luta contra o colonialismo. Depois que o Egito conquistou a independência, em 1922, ela militou pelos direitos das mulheres e pelo acesso à educação. Huda montou uma clínica para mulheres, no Cairo, com ajuda do rei, e participava de círculos teológicos para defender reformas nas leis referentes à família, especialmente para que a poligamia fosse banida. No entanto, Al-Sharaawi era fruto da classe social e do período em que viveu. Ela foi criticada por ver os ricos como guardiães dos pobres, e a classe trabalhadora como passiva e incapaz de provocar mudanças.

Mulheres notáveis às vezes **conseguem se destacar** na sociedade.

Homens colocam essas **mulheres** em um **pedestal** e as veem como **excepcionais**.

Desse modo, homens podem evitar reconhecer o potencial de todas as mulheres.

A LUTA POR DIREITOS IGUAIS 105

Veja também: Educação para mulheres islâmicas 38-39 ▪ Anticolonialismo 218-219 ▪ Feminismo pós-colonial 220-223 ▪ Feminismo islâmico moderno 284-285

Parece haver duas vozes distintas dentro do Islã, e duas compreensões de gênero que competem entre si.
Leila Ahmed
Professora de direito islâmico e feminismo

Depois de Al-Sharaawi, o feminismo no mundo árabe seguiu duas tendências: a secular, inspirada pelas ideias ocidentais; e a teológica, que buscava revelar os direitos dados às mulheres por Deus e que acabaram sendo obscurecidos ou negados pelos homens. Em 1972, Nawal el-Saadawi, médica egípcia e ativista dos direitos das mulheres que se inspirava nos argumentos marxistas, publicou *Woman and sex*, detalhando todas as formas pelas quais as mulheres egípcias eram oprimidas, incluindo a prática de mutilação genital no país.

Mulheres egípcias se unem às multidões em uma demonstração de apoio à Revolução Egípcia de 1919. Essas mulheres ativistas, que se descreviam como "Mães da Nação", opunham-se à ocupação britânica e exigiam mudanças.

Ela fundou a Associação de Solidariedade das Mulheres Árabes, em 1982, e foi presa várias vezes durante a vida. El-Saadawi rejeitava a interpretação que os homens faziam do Islã e acreditava que a liberdade feminina estava clara na teologia islâmica.

Apoio teológico

Outras feministas no mundo muçulmano se basearam na teologia para se opor à opressão cultural feminina. No Marrocos, por exemplo, Fatima Mernissi estudou os Hadith (registros de feitos e dizeres do profeta Maomé) para mostrar como as passagens usadas contra as mulheres muitas vezes eram fabricadas, ou tiradas de fontes não confiáveis. Mernissi desenvolveu uma meticulosa pesquisa histórica para demonstrar essas imprecisões. Da mesma forma,

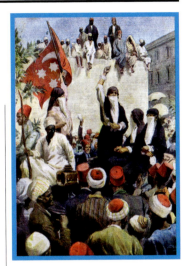

as teólogas Asma Barlas, acadêmica americano-paquistanesa, e Amina Wadud, acadêmica afro-americana, fizeram interpretações do Corão que desafiavam as leituras patriarcais. Ambas acreditavam que os direitos dados por Deus às mulheres haviam se erodido. Na Malásia, Wadud foi cofundadora das *Sisters in Islam*, cujo objetivo era enfrentar leis e práticas discriminatórias aplicadas em nome do Islã. As duas teólogas moldaram o pensamento do feminismo árabe, no qual a luta por igualdade e pluralidade continua. ▪

Huda al-Sharaawi

Huda al-Sharaawi, comumente descrita como a primeira feminista egípcia, nasceu em uma família privilegiada, no Cairo, em 1879. Ela se casou aos treze anos, mas ainda assim conseguiu seguir com seus estudos e viajar, durante uma separação temporária do marido. Mais tarde, Sharaawi se uniu ao marido como ativista anticolonial. Depois de uma temporada na Europa em 1914, ela voltou ao Egito para mobilizar as mulheres contra o domínio britânico. Em 1923, fundou a União Feminista Egípcia. Depois da morte do marido e em uma atitude notória, Sharaawi removeu o véu do rosto pela primeira vez em público (mas manteve o lenço cobrindo a cabeça) na Aliança Internacional pelo Sufrágio Feminino de 1923, em Roma. Sharaawi também escreveu poesia e, em 1925, começou a publicar um periódico chamado *L'Egyptienne*. Ela morreu vítima de um ataque cardíaco em 1947.

Trabalho-chave

1986 *Anos de harém: Memórias de uma feminista egípcia (1879–1924)*

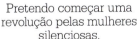

Pretendo começar uma revolução pelas mulheres silenciosas.
Huda al-Sharaawi

NÃO HÁ BARREIRA, FECHADURA OU FERROLHO QUE POSSA SE IMPOR À LIBERDADE DA MINHA MENTE
LIBERDADE INTELECTUAL

EM CONTEXTO

CITAÇÃO FUNDAMENTAL
Virginia Woolf, 1929

FIGURA-CHAVE
Virginia Woolf

ANTES
1854–1862 "O anjo em casa", da poeta inglesa Coventry Patmore, reforça a imagem das esposas como devotadas, domésticas e submissas.

1892 *O papel de parede amarelo*, de Charlotte Perkins Gilman, retrata uma esposa que é levada à loucura pelo cuidado sufocante do marido.

DEPOIS
1949 Em *O segundo sexo*, Simone de Beauvoir discute o tratamento dado às mulheres ao longo da história.

1977 *A Literature of Their Own*, de Elaine Showalter, analisa os trabalhos de mulheres romancistas.

1986 *The Rise of the Woman Novelist*, de Jane Spencer, mapeia as mulheres escritoras do início do século XVIII.

Mulheres jogam tênis no Girton College, em Cambridge, no Reino Unido, por volta de 1900. As palestras de Woolf nas faculdades para mulheres de Girton e Newnham ajudaram a inspirar *Um teto todo seu*.

No início do século XX, o papel das mulheres era amplamente doméstico, seu acesso ao ensino normalmente era mínimo e a maior parte das profissões estava vetada a elas. Como resultado, poucas desfrutavam de alguma liberdade intelectual — o poder de conceber, receber e expressar livremente ideias —, que muitas feministas vieram a valorizar acima de todo o resto. O cânone literário da época era dominado pelos homens, e mulheres escritoras geralmente publicavam com pseudônimos masculinos ou não assinavam suas obras. Em *Um teto todo seu* (1929), Virginia Woolf discute as batalhas que as mulheres escritoras haviam enfrentado para conquistar o mesmo sucesso que seus pares masculinos. Woolf reconhece os feitos de romancistas como Jane Austen e George Eliot, e descreve como o confinamento à domesticidade pode atrapalhar esse trabalho. Na maioria das vezes, mulheres escrevem em áreas comuns da casa, cercadas por distrações, e raramente têm a independência financeira necessária

A LUTA POR DIREITOS IGUAIS   107

Veja também: Ação coletiva no século XVIII 24-27 ▪ Feminismo iluminista 28-33 ▪ Emancipação da domesticidade 34-35 ▪ Feminismo islâmico moderno 284-285

Teria sido impossível…
para qualquer mulher escrever
as peças de Shakespeare,
na época de Shakespeare.
Virginia Woolf

---

para se libertarem dessa rotina. Ela evoca Judith, uma irmã fictícia de William Shakespeare, e se pergunta como teria sido a vida para ela. Mesmo que Judith tivesse sido "tão imaginativa e ansiosa para ver o mundo" quanto o irmão, ainda assim seria esperado dela que se contentasse em ser esposa e mãe. Woolf imagina que, em desespero, Judith se mata, deixando sua genialidade velada.

Outras mulheres escritoras consideraram cenário similar: *My Brillant Career*, de 1901, de [Stella] Miles Franklin, fala de Sybylla, uma jovem australiana impossibilitada de seguir seu sonho de escrever por causa de deveres com a família, da pobreza e da ampla misoginia da sociedade.

Espaço para criatividade

Woolf propõe que as mulheres precisam de "um teto todo seu" a fim de exercer a própria criatividade, livres das amarras domésticas. Para Woolf, conquistar a independência financeira necessária para isso é ainda mais importante do que o direito ao voto. Se as mulheres tivessem espaço para pensar, poderiam experimentar mais, e desenvolver uma linguagem feminina até então ausente da literatura. Woolf sugere que as escritoras mulheres tinham que travar uma batalha interna contra os ideais vitorianos de feminilidade, tão bem representados na esposa e mãe perfeita do poema popular "O anjo em casa". Em 1931, no ensaio "Profissões para mulheres", ela nomeia esse anjo como um "fantasma" que assombra a mente das mulheres escritoras e defende que esse fantasma precisa ser destruído para que elas consigam escrever: "Se eu não o tivesse matado, ele teria me matado".

Um legado modernista

A exigência de Woolf por liberdade intelectual pavimentou o caminho para a segunda onda do feminismo, em meados do século XX. Seu trabalho mais tarde inspiraria a teoria da ginocrítica, de Elaine Showalter, definida como "um referencial feminino para a análise da literatura feminina". Outras feministas usaram *Um teto todo seu* para criticar o feminismo do século XX. Alice Walker, por exemplo, observou que a ausência de um teto só para si era o menor dos impedimentos encarados pelas mulheres negras. ▪

O espaço criativo de Woolf era seu estúdio no amplo jardim da Monk's House, em East Sussex, a casa de campo de Virginia e Leonard, em 1919.

Virginia Woolf

Nascida em 1882, em uma família proeminente, Woolf cresceu em meio a boas relações, mas nunca recebeu educação formal. Durante a adolescência, uma série de mortes na família afetou fortemente sua saúde mental. Ela estudou no King's College de Londres, onde conheceu feministas radicais. Também se juntou ao Grupo Bloomsbury, um círculo de intelectuais, no qual conheceu Vita Sackville-West, sua amiga da vida toda e amante, e também o marido, Leonard Woolf. Em 1917, Virginia e Leonard montaram a Hogarth Press, pequena editora na qual publicou seus trabalhos. Woolf experimentou diversos estilos de prosa narrativa e se tornou figura-chave do movimento modernista. Ela costumava abordar questões feministas e sociais, com monólogos interiores e diversos pontos de vista para discuti-los. Em 1941, profundamente deprimida, Woolf cometeu suicídio por afogamento.

Trabalhos-chave

1928 *Orlando*
1929 *Um teto todo seu*
1931 "Profissões para mulheres"
1937 *Os anos*
1938 *Three Guineas*

A SOLUÇÃO ESTÁ NA REVOLUÇÃO
ANARCOFEMINISMO

EM CONTEXTO

CITAÇÃO FUNDAMENTAL
Lucía Sánchez Saornil, 1935

FIGURAS-CHAVE
Emma Goldman, Lucía Sánchez Saornil

ANTES
1881 A anarquista feminista francesa Louise Michel participa da Conferência Anarquista Internacional, em Londres, e visita Sylvia Pankhurst.

1896 É lançado na Argentina *La Voz de la Mujer*. O lema do jornal é "Nem Deus, nem o chefe, nem o marido".

DEPOIS
1981 Mulheres militantes contra o uso de armas atômicas estabelecem um acampamento pela paz em Greenham Common, no Reino Unido, que permanece ativo por dezenove anos.

2018 Protestos feministas por todo o Chile pedem o fim da cultura e da violência machista.

Em 1897, uma jornalista norte-americana perguntou à jovem e politizada Emma Goldman o que a anarquia prometia às mulheres. Goldman respondeu que a anarquia traria "liberdade, igualdade: tudo o que as mulheres não têm agora". O anarquismo feminista de Goldman significava não apenas combater as relações de exploração entre chefes e empregados, ou entre governos, os militares e a população civil, mas desafiar a submissão que um patriarcado capitalista havia historicamente imposto às mulheres. Ela foi precursora do que hoje é chamado de anarcofeminismo, cujas ideias são a base dos movimentos operários do final do século XIX e do século XX.

"Mulheres livres" revidam

Um dos grupos anarcofeministas mais representativos, o Mujeres Libres (Mulheres Livres), é formado na Espanha em 1936, no começo da Guerra Civil Espanhola. Suas fundadoras, Lucía Sánchez Saornil, Mercedes Camposada e Amparo Poch y Gascón, eram membros da Confederación Nacional del Trabajo (CNT), uma confederação anarcossindicalista que unira forças com os republicanos para lutar contra os fascistas liderados pelo general Franco. Como os homens, as mulheres anarquistas estavam lutando por uma revolução social, mas insistiam que o objetivo não seria alcançado enquanto a CNT permanecesse um território amplamente masculino. O Mujeres Libres exigia que a CNT incluísse rapidamente a discussão sobre a dominação masculina dentro do

A anarquista Emma Goldman nasceu na Lituânia. Ela desafiou as convenções sociais por ter passado a vida escrevendo e palestrando sobre assuntos controversos, nos EUA e na Europa.

A LUTA POR DIREITOS IGUAIS

Veja também: Feminismo marxista 52-55 ▪ Feminismo radical 137 ▪ Remuneração para o trabalho doméstico 147

As classes trabalhadoras confrontam a classe dominante nesse cartaz anarquista de 1933. O anarquismo ganhou força com a criação da anarcossindicalista CNT, uma confederação de sindicatos trabalhistas.

movimento anarquista, que de todas as outras maneiras elas apoiavam. Embora estivessem lutando por igualdade de gênero, o Mujeres Libres rejeitava o rótulo de "feminista"; elas achavam que o feminismo da época era burguês demais em seus valores, promovendo igualdade entre homens e mulheres, mas não criticando o capitalismo e as divisões de classe. Em dois anos, o número de integrantes do Mujeres Libres cresceu para 30 mil. Seus apoiadores viajavam pelo país com duas estratégias-chave: capacitação, empoderando as mulheres para que percebessem seu verdadeiro potencial; e captação, atraindo mulheres para que se juntassem à luta anarquista contra o capitalismo patriarcal, sob o qual elas seriam eternamente escravizadas. Foram lançadas novas iniciativas de educação e treinamento, e criadas creches para permitir que as mães comparecessem às reuniões sindicais. As mulheres foram estimuladas a lutar contra a desigualdade no trabalho. O objetivo era preparar mulheres para atuar em tempo integral em uma nova sociedade, estruturada em bases iguais sociais e de gênero.

Uma batalha adiada

A vitória Nacionalista que acabou com a Guerra Civil Espanhola em 1939 e conduziu a ditadura de Franco ao poder dispersou as aspirações imediatas das mulheres espanholas. No entanto, as ideias do Mujeres Libres também impulsionaram a segunda onda do feminismo no final dos anos 1960, quando as mulheres começaram a desafiar mais determinada e globalmente a dominação masculina em todos os campos da sociedade. Ativistas anarcofeministas continuam a lutar contra patriarcado, capitalismo, militarismo e império. A relação entre essas forças perpetua a contínua perseguição às minorias e às desigualdades sociais que tantas mulheres no mundo ainda precisam encarar. ∎

Lucía Sánchez Saornil

Nascida em 1895, em Madri, Lucía Sánchez Saornil foi criada na pobreza pelo pai viúvo. Sua poesia lhe conquistou um lugar na Academia Real de Artes de San Fernando. Em 1931, ela participou de uma greve da CNT, trazendo à tona seu ativismo político. Mais tarde, Sánchez Saornil ajudou a fundar o Mujeres Libres, criado para lutar pela igualdade de gênero e por uma sociedade sem divisão de classes. Em 1937, enquanto editava um periódico em Valença, Sánchez Saornil conheceu América Barroso, sua parceira para o resto da vida, e fugiu com ela para Paris depois da vitória do General Franco. Elas voltaram a Madri em 1941, mas tiveram que manter seu relacionamento em segredo. Sánchez Saornil continuou a escrever poesia e a trabalhar como editora até morrer de câncer, em 1970.

Trabalhos-chave

1935 "A questão do feminismo"
1996 *Poesia*

O amor à liberdade e o senso de dignidade humana são os elementos básicos do credo anarquista.
Federica Montseny
Anarquista espanhola

O PESS
É POLÍT
1945–1979

OAL
ICO

INTRODUÇÃO

 Na França, Simone de Beauvoir publica *O segundo sexo*, que estuda o **tratamento dado e a definição atribuída** às mulheres ao longo da história.

 Em *A experiência de dar à luz*, a ativista britânica Sheila Kitzinger argumenta que **o parto deve ser uma experiência empoderadora** e não um processo altamente medicalizado ditado por profissionais homens.

 Em Nova York, um grupo feminista radical chamado **Redstockings** interrompe uma **audiência legislativa sobre o aborto** que incluía catorze homens e uma freira católica.

1949   **1962**   **1969**

1960   **1963**   **1970**

 A **pílula contraceptiva oral** é disponibilizada para compra nos EUA.

 Mística feminina, de Betty Friedan, detalha a insatisfação entre as **donas de casa norte-americanas** nos anos 1950.

 Nos EUA, a artista Judy Chicago é cofundadora do **primeiro programa feminista de arte** para expor trabalhos de mulheres e desafiar as desigualdades de gênero nesse meio.

A segunda onda do feminismo, mais radical, floresceu entre os anos 1960 e o início dos anos 1980, influenciada por ideias que haviam começado a se desenvolver depois de 1945. Essa segunda onda via a posição das mulheres em relação aos homens tanto diferente quanto desigual, e analisava todos os aspectos da sociedade, incluindo sexualidade, religião e poder, redefinindo esses aspectos em relação à opressão às mulheres. As feministas desenvolveram ideias sobre como a cultura e a sociedade poderiam ser transformadas para liberar as mulheres. Conforme as novas ideias se intensificavam, o ativismo feminista político e a militância se intensificaram. Um conceito-chave dentro da segunda onda do feminismo era a ideia de que as mulheres não nasciam, eram criadas — o produto de um condicionamento social. Essa distinção entre sexo biológico e gênero como uma construção social, expressa pela primeira vez por Simone de Beauvoir, em 1949, teve um enorme impacto no pensamento da segunda onda feminista. Escritoras feministas, como Betty Friedan e Germaine Greer, argumentavam que a biologia de uma mulher não deve determinar sua vida. Essas escritoras descreveram e desafiaram a imagem da feminilidade idealizada imposta às mulheres pela criação, educação e psicologia e as incentivaram a desafiar o estereótipo.

Política pessoal libertadora

A segunda onda do feminismo, conhecida como Movimento de Libertação das Mulheres (do inglês Women's Liberation Movement, ou WLM), se desenvolveu no contexto do ativismo político dos direitos civis e nos movimentos contrários à Guerra do Vietnã. Suas defensoras viam o feminismo como uma causa para a libertação, mais do que uma luta por direitos iguais. Para elas, as experiências pessoais das mulheres eram políticas e se refletiam nas estruturas de poder que as mantinham oprimidas. Feministas radicais desse período, como a escritora e ativista americana Kate Millett, definiam o patriarcado, o sistema político e social universal de poder do homem sobre a mulher, como a principal fonte de opressão às mulheres. Algumas feministas se concentravam na família nuclear como um mecanismo-chave para preservar o domínio do patriarcado, enquanto outras atacavam o patriarcado e a misoginia da Igreja Católica, defendendo uma forma de religião mais feminina.

Sexo e violência

As feministas da segunda onda exploraram questões de sexualidade mais profundamente do que qualquer outra feminista fizera antes. No ensaio "O mito do orgasmo vaginal", a norte-

O PESSOAL É POLÍTICO 113

A Suprema Corte dos EUA dá o veredicto do caso **Roe vs. Wade**, em que considera o aborto um direito constitucional fundamental.

1973

No ensaio "O sorriso da Medusa", a autora francesa Hélène Cixous **identifica e encoraja uma écriture feminine** (escrita feminina) que é livre das restrições masculinas.

1975

Inspiradas na vida e no trabalho de Mahatma Gandhi, as acadêmicas Madhu Kishwar e Ruth Vanita fundam a **revista feminista indiana** Manushi.

1978

1971

No Reino Unido, a ativista de cuidados com a família Erin Pizzey abre o primeiro **abrigo para mulheres vítimas de violência doméstica**.

1975

A cineasta britânica Laura Mulvey desenvolve **a teoria do "olhar masculino"**, declarando que a mídia e as artes visuais retratam a mulher sob uma perspectiva masculina para agradar ao espectador homem.

---

americana Anne Koedt defendia que eram os homens que moldavam as atitudes e as opiniões em relação à sexualidade feminina, porque os homens definiam a atividade sexual feminina apenas nos termos dos seus próprios desejos. Seu trabalho e a publicação de O relatório Hite, em 1976, um estudo sobre a sexualidade feminina, destruíram as noções adquiridas sobre a sexualidade das mulheres ao apresentar um quadro realista do comportamento sexual feminino. Direitos reprodutivos e a capacidade de controlar a própria fertilidade continuaram a ser uma questão feminista. A nova pílula anticoncepcional garantiu uma resposta, permitindo que as mulheres aproveitassem o sexo sem medo da gravidez. Mas essa foi uma conquista difícil, e as feministas militaram intensamente pelo acesso livre e seguro à contracepção e ao direito legal ao aborto. Relacionado a essas demandas estava o crescimento de um movimento pela saúde da mulher nos EUA e em outros lugares, que as convocava a defenderem o controle dos cuidados com a própria saúde. As feministas de segunda onda também levantaram a questão política do estupro e da violência doméstica, que, segundo elas, os homens usavam como formas de controle e intimidação. No final dos anos 1970, a feminista norte-americana Andrea Dworkin encabeçou um ataque à pornografia, argumentando que a prática não apenas oprimia, como também incitava a violência em relação às mulheres.

Batalhas antigas e novas

Feministas por direitos iguais continuaram o trabalho da primeira onda, concentrando-se em garantir remuneração igual entre homens e mulheres. Na Grã-Bretanha e na Islândia, a legislação por igualdade salarial veio na esteira de greves de mulheres da classe trabalhadora, respectivamente em 1970 e 1976. Relacionada diretamente a isso estava uma campanha global por Remuneração para Trabalhos Domésticos, que começou na Itália, em 1972, e chamou a atenção para o trabalho não remunerado das mulheres como mães e donas de casa. As feministas argumentavam que o trabalho das mulheres para a casa e a família deveria ser pago. No final dos anos 1970, as feministas aplicavam suas ideias a várias áreas da sociedade, sob o argumento de que todas as questões, até comer em excesso, eram questões feministas. Historiadoras como a britânica Sheila Rowbotham destacaram a exclusão das mulheres da história; artistas como a norte-americana Judy Chicago trabalhavam para criar uma arte especificamente feminista; enquanto a acadêmica britânica Laura Mulvey explorou a misoginia no cinema. ■

NÃO SE NASCE MULHER, TORNA-SE MULHER
AS RAÍZES DA OPRESSÃO

EM CONTEXTO

CITAÇÃO FUNDAMENTAL
Simone de Beauvoir, 1949

FIGURA-CHAVE
Simone de Beauvoir

ANTES
1884 O livro *A origem da família, da propriedade privada e do Estado*, de Friedrich Engels, localiza a origem da opressão à mulher na família.

1944 Na França, as mulheres conquistam o direito ao voto, e as leis do século XIX, que davam absoluto controle aos homens sobre suas esposas, são revistas.

DEPOIS
1963 Nos EUA, o livro *Mística feminina*, de Betty Friedan, aborda a opressão às mulheres pelo núcleo familiar suburbano.

1970 *A mulher eunuco*, de Germaine Greer, é publicado no Reino Unido.

O s principais objetivos da primeira onda do feminismo eram conquistar igualdade política, intelectual, social e legal. A segunda onda ampliou essa luta. As exigências por igualdade continuaram, mas as feministas também examinaram experiências pessoais — como as mulheres eram vistas e tratadas em casa e na sociedade. Elas também analisaram as raízes da opressão às mulheres buscando conquistar a libertação.

O segundo sexo, livro pioneiro de Simone de Beauvoir, representou provavelmente a contribuição mais significativa para o pensamento e as bases teóricas da segunda onda do feminismo. Publicado na França em

O PESSOAL É POLÍTICO   115

Veja também: Instituições como opressores 80 ▪ Patriarcado como controle social 144-145 ▪ Inveja do útero 146 ▪ Pós-estruturalismo 182-187 ▪ Linguagem e patriarcado 192-193

O homem é definido como um ser humano e a mulher como uma fêmea — sempre que ela se comporta como um ser humano, dizem que está imitando o homem.
Simone de Beauvoir

1949, surgiu entre o fim da primeira onda feminista e o nascimento da segunda onda, nos anos 1960. O livro é uma exploração profunda e sem precedentes dos mitos, das pressões sociais e das experiências de vida das mulheres e chega a uma conclusão radical. Beauvoir declara que a condição de ser mulher, ou a feminilidade, é uma construção cultural ou social, formada ao longo de gerações. Nessa construção, argumenta ela, moram as causas da opressão às mulheres.

Mulheres como o "Outro"

Beauvoir começa com uma simples pergunta: o que é uma mulher? Ao perceber que os filósofos geralmente definiam as mulheres como homens imperfeitos, ela passa a dizer que as mulheres são o "Outro"; que são definidas apenas em relação aos homens. Ela explica que a mulher é simplesmente o que o homem decreta e é definida e diferenciada tendo como referência o homem, e não a si mesma. A mulher é o "incidental", o "não essencial", em oposição ao "essencial". Ele é o "Sujeito", o "Absoluto"; ela é o "Outro", o "Objeto". Em outras palavras, a sociedade determina o homem como a norma, e a mulher como o sexo secundário.

No primeiro volume de *O segundo sexo*, Beauvoir aborda biologia, psicologia e materialismo histórico em busca de razões para a subordinação das mulheres e descobre que não há nenhuma. Essas várias disciplinas revelam diferenças indiscutíveis entre os dois sexos, mas não oferecem qualquer justificativa para a condição de segunda classe das mulheres. Enquanto reconhece os processos particulares de uma biologia feminina — puberdade, menstruação, gravidez e menopausa —, a autora ainda assim nega que esses processos estabeleçam um destino determinado e inevitável para a mulher.

Beauvoir, então, examina a história, traçando as mudanças sociais desde »

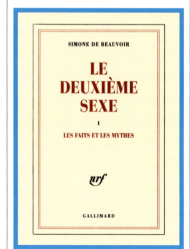

A primeira edição francesa de *O segundo sexo*, publicada pela Gallimard, em 1949, tem duas partes. A primeira, mostrada aqui, foi intitulada "Fatos e mitos"; a segunda "A experiência vivida".

Simone de Beauvoir

Nascida em uma família parisiense burguesa, em 1908, Simone de Beauvoir foi uma das filósofas mais importantes do século XX. Estudou na Sorbonne, onde conheceu Jean-Paul Sartre, seu amante e companheiro por mais de cinquenta anos. Embora o casal tenha tido outros casos amorosos, os dois trabalhavam e viajavam juntos, e essa parceria moldou sua vida pessoal e profissional. A partir de 1944, Beauvoir publicou muitos trabalhos de ficção e não ficção. Ela e Sartre editaram em conjunto o periódico *Les Temps Modernes* e apoiaram várias causas políticas de esquerda, incluindo a independência da Hungria e da Argélia, os protestos estudantis de Maio de 1968 e o movimento contra a Guerra do Vietnã. Simone de Beauvoir morreu em Paris, em 1986, aos 78 anos de idade.

Trabalhos-chave

1947 *Por uma moral da ambiguidade*
1949 *O segundo sexo*
1954 *Os mandarins*
1958 *Memórias de uma moça bem-comportada*
1958 *A cerimônia do adeus*

AS RAÍZES DA OPRESSÃO

As causas da opressão à mulher

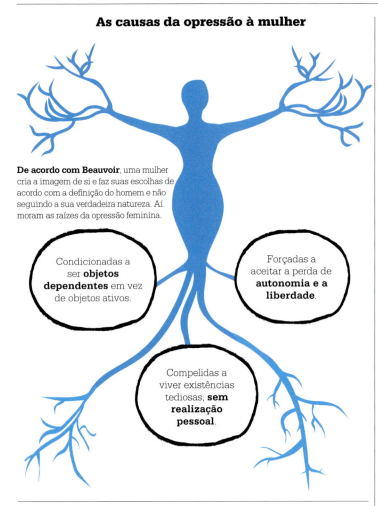

De acordo com Beauvoir, uma mulher cria a imagem de si e faz suas escolhas de acordo com a definição do homem e não seguindo a sua verdadeira natureza. Aí moram as raízes da opressão feminina.

- Condicionadas a ser **objetos dependentes** em vez de objetos ativos.
- Forçadas a aceitar a perda de **autonomia e a liberdade**.
- Compelidas a viver existências tediosas, **sem realização pessoal**.

Emancipar uma mulher é se recusar a confiná-la às relações que ela mantém com o homem, não quer dizer negá-las a ela.
Simone de Beauvoir

os caçadores nômades através dos tempos modernos e passando por mitos e literatura. Em todas as áreas, ela descobre que as mulheres têm sido relegadas a um papel subordinado, mesmo quando estão lutando por seus direitos, como foi o caso na campanha pelo sufrágio. Ela argumenta que os valores masculinos sempre dominam, subordinando as mulheres a tal ponto que toda a história feminina tem sido determinada pelo homem. Beauvoir vê a mulher como cúmplice nesse processo, por causa de sua visível necessidade de aprovação e proteção. Pois considera que, apesar de terem conquistado alguns direitos, as mulheres permanecem em estado de submissão.

Construindo a feminilidade

Na segunda parte de *O segundo sexo*, Beauvoir aborda as experiências vividas pelas mulheres, da infância à idade adulta. Ela coloca a sexualidade, o casamento, a maternidade e a domesticidade sob o microscópio filosófico e intelectual. É nessa parte do livro que a autora apresenta sua tese mais importante: as mulheres não nascem femininas, a feminilidade é construída. E explica que nenhuma sina econômica, psicológica ou biológica determina a figura que a mulher apresenta à sociedade. Em vez disso, argumenta, foi a civilização que criou essa criatura feminina, que a autora considera como um intermediário entre um homem e um eunuco.

De acordo com Beauvoir, até a idade de doze anos uma menina é tão forte quanto os irmãos e mostra exatamente a mesma capacidade intelectual. No entanto, a filósofa descreve em riqueza de detalhes como a menina é condicionada a adotar o que é apresentado a ela como feminilidade e completa dizendo que há um conflito na mulher entre sua existência autônoma e seu *Self objetivo*: ela é ensinada a se tornar o objeto em vez do sujeito para agradar aos outros, em especial aos homens, e a renunciar à própria autonomia. Para Beauvoir, essa postura cria um círculo vicioso: quanto menos a mulher exercita a própria liberdade para dominar o mundo ao seu redor, menos ela tenta se apresentar como o sujeito.

O PESSOAL É POLÍTICO 117

De socialista a feminista

Quando Simone de Beauvoir escreveu *O segundo sexo*, ela não se definiu como feminista. Era uma socialista e acreditava que a revolução socialista libertaria as mulheres. Mas, no final dos anos 1960, quando o feminismo desabrochou, Beauvoir mudou de ideia, comentando em uma entrevista, em 1972, que a situação das mulheres na França não havia mudado ao longo dos últimos vinte anos e que a esquerda deveria se unir ao movimento das mulheres, enquanto esperava o socialismo chegar. Definindo-se como feminista, mas recusando-se a se unir a tradicionais grupos reformistas, Beauvoir se uniu ao Mouvement de Libération des Femmes (MLF) — o movimento francês pela libertação feminina. Em 1971, quando o aborto ainda era ilegal na França, ela foi uma das mais de trezentas mulheres que assinaram um manifesto pró-aborto, mais tarde conhecido como o Manifesto das 343, declarando que havia feito um aborto e exigindo esse direito para todas as mulheres.

Beauvoir reconhece que as jovens são encorajadas a buscar educação e a praticar esportes graças às conquistas do feminismo. No entanto, não sofrerão a mesma pressão que os meninos para ser bem-sucedidas. Em vez disso, uma menina persegue um tipo diferente de realização: ela deve permanecer uma mulher e não perder sua feminilidade. Beauvoir declara que as mulheres reforçam sua própria dependência através do amor, do narcisismo ou do misticismo. Condicionadas a serem dependentes, as mulheres aceitam uma vida de entediantes trabalhos domésticos, maternidade e escravidão sexual — papéis que a autora atacou e rejeitou em sua própria vida.

Libertação e legado

Beauvoir acreditava na habilidade individual de escolher o próprio caminho e tomar as próprias decisões, um princípio central do existencialismo, a teoria filosófica que ela compartilhava com seu companheiro de toda a vida, Jean-Paul Sartre. *O segundo sexo* é um trabalho filosófico, não um brado convocando à ação, mas, mesmo assim, Beauvoir defende que as mulheres podem e devem reconhecer e desafiar a construção social da feminilidade. Elas devem buscar autonomia e liberdade por meio de um trabalho gratificante, de atividade intelectual, de liberdade sexual e mudanças sociais que incluem justiça econômica. *O segundo sexo* foi imensamente influente, por isso é difícil estimar seu impacto a longo prazo. A curto prazo, a análise da opressão à mulher influenciou feministas que vieram depois, como Shulamith Firestone, que dedicou seu livro *A dialética do sexo* (1970) a Simone de Beauvoir. O valor que Beauvoir atribuiu à experiência pessoal das mulheres foi importante para o pensamento feminista e encorajou o aumento da consciência e da noção de irmandade dentro da segunda onda do feminismo. Ela acreditava que as mulheres deveriam se ver como uma classe dentro da sociedade, que precisavam identificar suas experiências e a opressão compartilhadas a fim de se libertarem.

Talvez a contribuição mais importante de Simone de Beauvoir tenha sido a distinção entre sexo e gênero. Ela não escolhe usar a palavra gênero em vez de sexo em sua obra, mas define a diferença. Seu argumento de que a biologia não é destino e sua definição de gênero como algo distinto do sexo ou da biologia ainda ressoam no discurso feminista de hoje. ∎

Beauvoir fala com a imprensa em junho de 1970, depois de ser liberada da custódia da polícia. Ela e Sartre (à sua direita) tinham sido detidos por venderem um jornal de uma organização ilegal que defendia a derrubada do governo francês.

HÁ ALGUMA COISA MUITO ERRADA COM O MODO COMO AS MULHERES NORTE-AMERICANAS ESTÃO TENTANDO VIVER

O PROBLEMA SEM NOME

O PROBLEMA SEM NOME

EM CONTEXTO

CITAÇÃO FUNDAMENTAL
Betty Friedan, 1963

FIGURA-CHAVE
Betty Friedan

ANTES
1792 Mary Wollstonecraft publica *Reivindicação dos direitos das mulheres*, em que desafia a visão de que o papel de uma mulher é agradar aos homens.

1949 Simone de Beauvoir aborda os processos históricos criados pelos homens para negar a humanidade às mulheres em *O segundo sexo*.

DEPOIS
1968 Centenas de feministas fazem uma manifestação no Concurso de Miss América, em Atlantic City, para protestar contra o modo como as mulheres são objetificadas.

1970 Feministas do NOW e de outras organizações fazem um protesto pacífico no *Ladie's Home Journal* para se posicionar contra o que seria uma possível contribuição para a criação de uma mística feminina por seu conselho quase todo masculino.

O feminismo como um movimento vacilou e quase desapareceu durante os anos da Grande Depressão e da Segunda Guerra Mundial. No entanto, os anos 1960 viram emergir um movimento feminista reenergizado. O livro que frequentemente recebe o crédito por esse renascimento é *Mística feminina*, de Betty Friedan, publicado em 1963. Ao abordar a infelicidade vivida por mulheres brancas de classe média, a obra repercutiu em milhões de norte-americanas.

Um anúncio de detergente em 1956 retrata o estereótipo da dona de casa norte-americana como uma esposa e mãe abnegada que incorporava o que Friedan chamava de "mística feminina".

Mística feminina foi um best-seller instantâneo, e Friedan se tornou uma líder, mesmo que, por vezes, controversa; uma porta-voz para o movimento feminista revitalizado.

Estudo dos seus pares
Em 1957, Friedan, já uma jornalista experiente, realizou um estudo intensivo com suas colegas de turma, quinze anos depois de todas terem se formado. Ela já estava se sentindo ligeiramente culpada por, como esposa e mãe de três filhos pequenos, às vezes se ver obrigada a trabalhar fora de casa. Isso a fez questionar sua própria situação e a levou a falar com outras mulheres sobre seus sentimentos e experiências. As mulheres que Friedan entrevistou eram brancas, com formação universitária, casadas e com filhos, normalmente morando em subúrbios arborizados e, para todos os efeitos, economicamente confortáveis. No entanto, em vários momentos, Friedan verificou que essas mulheres eram infelizes, que expressaram suas insatisfações, mas foram incapazes de identificar a causa. As entrevistadas não eram capazes de identificar o problema, em vez disso, diziam ter a sensação de não existir, de se sentir inexplicavelmente cansadas, ou de ter a necessidade de usar tranquilizantes para entorpecer a sensação de

O problema ficou enterrado na mente das mulheres norte-americanas, sem ser discutido por muitos anos.
Betty Friedan

O PESSOAL É POLÍTICO

Veja também: Autonomia feminina em um mundo dominado por homens 40-41 ▪ Casamento e trabalho 70-71 ▪ Direitos para as mulheres casadas 72-75 ▪ As raízes da opressão 114-117 ▪ Estruturas familiares 138-139

descontentamento. Friedan chamou essa sensação de infelicidade de "o problema sem nome".

A mística feminina

Friedan continuou a pesquisar esse paradoxo e entrevistou mais mulheres, além de psicólogos, educadores, médicos e jornalistas. Ela descobriu que essas sensações de descontentamento eram compartilhadas por mulheres em toda a América. Em 1963, Friedan publicou suas descobertas no livro *Mística feminina*, na qual registra que as aspirações das mulheres haviam mudado por volta do final dos anos 1940, por mais que as militantes tenham lutado e conquistado tanto durante a primeira onda do feminismo. Embora mais mulheres tivessem acesso à universidade, apenas um pequeno número delas seguia uma carreira. As mulheres continuavam a ver a "mística feminina", uma imagem idealizada da feminilidade, arraigada no casamento e na família, como o papel disponível mais desejado para elas. Friedan observa como as mulheres estavam se casando mais cedo do que antes, muitas vezes ajudando os maridos a completar a formação universitária e, então, devotando suas vidas a criar os filhos e a montar um lar para a família.

A natureza determinou o destino da mulher através da beleza, do encanto e da doçura… na juventude uma graça adorada e na maturidade uma esposa amada.
Sigmund Freud

Imagem ideal

De acordo com Friedan, no pós-guerra houve enormes pressões sobre as mulheres para corresponder à mística feminina. Revistas femininas como *Ladies' Home Journal* e *McCall's*, que nos anos 1930 haviam apresentado mulheres jovens e independentes, agora estavam cheias de imagens de donas de casa norte-americanas em lares confortáveis, equipados com modernos aparelhos domésticos. Artigos como "A feminilidade começa em casa", "Administração de um lar" e "Como laçar um homem" reforçavam a imagem das mulheres como objetos sexuais e donas de casa, enquanto outros artigos como "Política, na verdade um mundo masculino" insinuavam que a vida fora de casa era para os homens.

Friedan também escreve sobre o impacto do pensamento freudiano na criação de uma mística feminista, lembrando às leitoras que Freud atribuía todos os problemas encarados pelas mulheres à repressão sexual. Ao perceber como os psicólogos haviam adotado as visões de Freud, ela afirma que a psicanálise como terapia não é em si responsável pela mística feminina, mas vinha influenciando escritores, pesquisadores, professores universitários e outros educadores, levando a um efeito de restrição às mulheres. Nas palavras de Friedan, »

Betty Friedan

Nascida Bettye Naomi Goldstein, em Peoria, Illinois (EUA), em 1921, Friedan se formou em psicologia pelo Smith College, uma instituição para mulheres, em 1942. Interessada na ala esquerda da política, ela frequentou a Universidade de Berkeley por um ano antes de escrever para publicações sindicais. Friedan se casou em 1947 e se tornou redatora *freelancer* depois de perder o emprego porque estava grávida. Comprometida com uma maior participação pública das mulheres, em 1966, ajudou a fundar e se tornou a primeira presidente da NOW, National Organization for Women, a maior organização feminista pela igualdade de direitos nos EUA. Em 1971, ajudou a estabelecer a National Women's Political Caucus com outras feministas, incluindo Gloria Steinem e Bella Abzug. No fim da vida, Friedan criticou o extremismo do movimento feminista. Ela morreu em 2006.

Trabalhos-chave

1963 *Mística feminina*
1982 *The Second Stage*
1993 *The Fountain of Age*
1997 *Beyond Gender*
2000 *Life So Far*

122 O PROBLEMA SEM NOME

As razões para os males femininos

Psicanálise freudiana, que **infantiliza** as mulheres.

O ensino de **matérias específicas de gênero** nas instituições de ensino.

"O problema sem nome", um senso de descontentamento feminismo com várias causas

Revistas **femininas** e imagens de donas de casa felizes, que idealizam **a condição feminina**.

A **negação de uma carreira profissional** a fim de dedicar tempo a ser esposa e mãe.

A **teoria do funcionalismo**, que diz que as mulheres têm uma **função sexual e biológica** para se realizar como esposas e mães.

Quem sabe o que as mulheres podem ser quando finalmente tiverem liberdade para se tornarem elas mesmas?
Betty Friedan

"A mística feminina elevada pela teoria freudiana a uma religião científica, apresentava às mulheres uma única perspectiva superprotetora, cerceadora e negadora do futuro".

Friedan também critica a teoria social do funcionalismo, que estabelece que cada parte da sociedade contribui para a estabilidade do todo, uma visão que era popular nas ciências sociais da época. Friedan argumenta que essa teoria também contribui para a mística feminina ao sugerir que a função da mulher deve ser confinada aos seus papéis sexual e biológico, como esposas e mães. E também declara que os antropólogos haviam aplicado suas descobertas a outras culturas para chegar à mesma conclusão. E se refere à antropóloga norte-americana Margaret Mead — que contribuiu para a mística feminina ao glorificar a capacidade reprodutiva das mulheres — para apontar a contradição inerente em suas visões, já que a própria teve uma vida profissional e plena.

Friedan descobriu que o ensino reforçava a mística feminina. Jovens universitárias eram reféns do que ela descreve como "educadores orientados pelo sexo", que garantiram o que foi considerado como "matérias específicas para gêneros", ao longo dos anos 1950 e 1960. Houve até, diz ela, uma tentativa de colocar um viés científico nisso, ao sugerir que as meninas eram mais adequadas à "ciência doméstica" do que à física e à química. Para Friedan, a mística feminina era um ideal impossível. Por quinze anos ela observou mulheres tentando se adaptar a uma imagem que as fazia "negar sua inteligência". Depois de analisar as causas, Friedan produziu o que chama de um "novo plano de vida para mulheres" e as instigou a se livrar da mística feminina e a procurar um trabalho significativo que lhes garantisse satisfação. Ela reconhece que isso pode ser difícil, mas cita mulheres que foram bem-sucedidas. Para Friedan, educação e trabalho remunerado eram o caminho para escapar da armadilha da mística feminina.

Novo apoio

O livro de Betty Friedan causou uma forte impressão na sociedade norte-americana e apresentou milhares de mulheres brancas de classe média ao feminismo. Em um ano, 300 mil cópias já tinham sido vendidas, número que chegou a mais 3 milhões em três anos, com tradução para treze idiomas. Mulheres nos EUA, no Reino Unido e em muitos outros países reconheceram suas próprias frustrações nas descrições do livro e se voltaram na direção do feminismo em busca de maneiras de superar essa situação.

Houve críticas, principalmente por Friedan ter se concentrado na vida de mulheres brancas de classe média moradoras dos subúrbios norte-americanos e ter ignorado as mulheres da classe trabalhadora, as afro-americanas e outros grupos étnicos dentro dos EUA. Também foi sugerido que as mulheres já haviam começado a romper as restrições descritas por Friedan, e passavam a ter profissões ou trabalhar fora de casa. Mais tarde, as feministas criticaram Friedan por incluir os homens em suas propostas de mudança. Finalmente, algumas de suas leitoras ficaram ofendidas pelo que viram como ataques aos papéis de esposa e mãe, uma preocupação comumente verbalizada nos debates da segunda onda do feminismo.

O legado de Friedan

Apesar das críticas, os textos de Friedan tocaram em um ponto sensível para a grande maioria das mulheres. O fato de ela dar importância às experiências pessoais repercutiu tanto quanto as ideias do livro. *Mística feminina* ajudou a desencadear o Movimento de Libertação das Mulheres e o surgimento da segunda onda do feminismo — poucos anos depois da publicação do livro, as mulheres estavam se organizando e desafiando o sexismo na mídia, nas escolas e universidades, e em toda parte na sociedade.

Houve também resultados políticos práticos. Poucos meses depois da publicação do livro, houve o Ato de Igualdade Salarial nos EUA, estipulando que homens e mulheres deveriam receber remuneração igual pelo mesmo trabalho. Três anos mais tarde, em 1966, Friedan e outras feministas fundaram a NOW, National Organization for Women, baseadas na afirmação de que, "primeiro e antes de mais nada, as mulheres são seres humanos que [...] devem ter a oportunidade de desenvolver plenamente seu potencial humano". ∎

Mulheres caminham pela Quinta Avenida, Nova York, na Marcha das Mulheres pela Igualdade, em agosto de 1970, num evento reproduzido em outras cidades dos EUA. A marcha foi liderada pela NOW, da qual Friedan foi cofundadora.

EM BRIGA DE MARIDO E MULHER SE METE A COLHER
LUTAS FEMINISTAS NO BRASIL

EM CONTEXTO

CITAÇÃO FUNDAMENTAL
Maria da Penha, 1983

FIGURA-CHAVE
Maria da Penha

ANTES
1940 É lançado o Código Penal brasileiro, definindo noções de crime e violência. O CP foi alterado ao longo do tempo, mas é duramente criticado no que tange ao direito das mulheres.

1945 A igualdade de direitos entre homens e mulheres é reconhecida em documento internacional, a Carta das Nações Unidas.

1977 É aprovada no Brasil a Lei do Divórcio. Antes, mulheres "desquitadas" eram malvistas, e muitas se viam em relacionamento abusivo sem a opção de pedir o divórcio.

DEPOIS
1985 Criação da 1ª Delegacia de Defesa da Mulher (DDM), em São Paulo – a primeira delegacia no mundo especializada no atendimento a mulheres.

Em 1975, a Organização das Nações Unidas (ONU) elegeu o 8 de março como Dia Internacional da Luta pelos Direitos das Mulheres. O ano não é fortuito; foi a partir do final da década de 1960 e do início da década seguinte que o feminismo se tornou um movimento social de alcance mundial. E no Brasil não foi diferente. Desde esse período, a atuação e as demandas feministas ganharam visibilidade e se tornaram mais conhecidas.

A principal pauta que orientou o feminismo brasileiro nos anos 1970 visava chamar a atenção da população, do sistema judiciário, da mídia e do Estado para a violência doméstica contra mulheres. Para as ativistas, o assunto, muitas vezes tratado como questão privada pertinente apenas às famílias, deveria ser entendido como um sério problema social que refletia uma moralidade machista e expunha a debilidade da justiça. A gravidade se traduzia em estatísticas alarmantes e na notoriedade de casos de assassinatos de mulheres. A violência vivida pela cearense Maria da Penha Fernandes e a ausência de punições ao seu agressor levaram o Brasil a sanções internacionais relacionadas a direitos humanos. Contra os argumentos que identificavam o comportamento das vítimas como causa da violência e que desculpavam valores machistas

Primeiro Congresso da Mulher Paulista (1979): No Brasil da época, lutas pelos direitos das mulheres era um desafio ainda maior, uma vez que o país vivia um governo não democrático.

O PESSOAL É POLÍTICO

Veja também: Instituições como opressores 80 ▪ Anticolonialismo 218-219 ▪ Feminismo pós-colonial 220-223 ▪ Interseccionalidade 240-245 ▪ Teologia da libertação 275 ▪ Feminismo contemporâneo no Brasil 321

> Meu sofrimento se transformou em luta.
> **Maria da Penha Fernandes**

acerca da sexualidade feminina, as feministas brasileiras encamparam uma luta de décadas que trouxe como resultado uma série de políticas públicas e leis na direção da defesa da integridade das mulheres, salientando sempre que não há justificativas para a violência doméstica. O ativismo feminista também ajudou a iluminar as dificuldades enfrentadas pelas mulheres que buscavam ajuda.

Pioneirismo brasileiro

O lema "o pessoal é político" orienta muitos dos clamores feministas pelo mundo, e a reflexão, a militância e a produção de saberes e ações sobre a condição das mulheres brasileiras trazem soluções inéditas e regionais, como a criação das Delegacias de Defesa da Mulher, em meados da década de 1980, primeiro órgão policial especializado no atendimento a mulheres em situação de violência.

Durante esse mesmo período, o Brasil vivia um regime não democrático, e as feministas brasileiras foram centrais na luta pela redemocratização do Estado e pela garantia de direitos. A Constituição de 1988, também conhecida como "Constituição Cidadã", foi influenciada pela articulação de vários movimentos sociais e determinou pela primeira vez na legislação brasileira que "homens e mulheres são iguais em direitos e obrigações" (Capítulo I). ∎

O corpo é nosso: em 2015 as mulheres brasileiras tomaram as ruas com manifestações políticas que são heranças das primeiras lutas feministas no Brasil.

Maria da Penha Fernandes (1945–)

Nascida em Fortaleza, em 1945, Maria da Penha, como é mais conhecida, é uma farmacêutica brasileira que foi vítima de violência doméstica, perpetuada por seu então marido, e cuja luta por justiça e pela condenação do agressor se tornou um símbolo para o ativismo feminista no país. Seu nome acompanha a Lei nº 11.340, promulgada em 2006, que tem como objetivos prevenir e punir todas as formas de violência doméstica e familiar contra mulheres.

Em 1983, Maria da Penha sofreu duas tentativas de assassinato. Em uma delas levou um tiro e passou a ser cadeirante. A ausência de punições ao seu agressor fez Maria da Penha denunciar o Brasil em órgãos internacionais, causando a sanção que obrigou o Estado brasileiro a criar mecanismos específicos para lidar com esse tipo de violência contra a mulher.

Trabalho-chave

2010 *Sobrevivi... posso contar*

NOSSA PRÓPRIA BIOLOGIA NÃO TEM SIDO DEVIDAMENTE ANALISADA
PRAZER SEXUAL

EM CONTEXTO

CITAÇÃO FUNDAMENTAL
Anne Koedt, 1968

FIGURA-CHAVE
Anne Koedt

ANTES
1897 Havelock Ellis, um dos primeiros sexólogos britânicos, examina a sexualidade masculina em *Inversão sexual*.

1919 O pesquisador Magnus Hirschfeld abre o Instituto para Ciência Sexual em Berlim. Hirschfeld declara que há muitas variações sexuais na raça humana.

DEPOIS
1987 Baseada em avaliações da reação sexual feminina, a sexóloga americana Beverly Whipple declara que as mulheres também são capazes de atingir o orgasmo apenas através da imaginação.

2005 A urologista australiana Helen O'Connell declara que a estrutura interna de um clitóris se espalha por uma área mais ampla do que se imaginava.

As feministas da segunda onda desafiaram a ideia dominante de que a sexualidade das mulheres devia ser ditada pelos homens. Elas afirmaram que a dominação masculina era a causa da ausência de prazer sexual feminino. A sexualidade, enfatizaram elas, é política. Em 1905, o psicanalista austríaco Sigmund Freud havia teorizado que o orgasmo clitoriano era "imaturo". Mulheres "maduras", alegava ele, tinham orgasmos vaginais. Freud considerava as mulheres que não atingiam o orgasmo via penetração vaginal como disfuncionais ou frígidas.

As ideias de Freud ainda eram influentes nos anos 1950, mas as feministas estavam começando a desafiá-las. Em 1949, Simone de Beauvoir argumentou que o ato sexual é movido pelo desejo do macho de objetificar e penetrar a fêmea. Ela considerava que o papel sexual da mulher era altamente passivo, e que "o ressentimento é a forma mais comum de frigidez feminina".

Os sexólogos

Estudos científicos da sexualidade humana começam a tomar impulso depois da Segunda Guerra Mundial, conforme a sociedade se tornou mais aberta em relação ao sexo, ao menos dentro do contexto do casamento. Depois do sucesso do relatório de 1948 sobre a sexualidade masculina, o biólogo americano Alfred Kinsey publicou *Sexual Behavior in the Human Female* (1953). Juntos, os textos ficaram

---

Homens e mulheres têm orgasmos de **formas diferentes**.	→	Os homens veem as **mulheres** que não conseguem atingir o orgasmo vaginal como **"frígidas"**.

| A biologia das mulheres não foi devidamente analisada. | ← | Mulheres são **definidas sexualmente** apenas em termos do que dá prazer ao homem. |

O PESSOAL É POLÍTICO   127

Veja também: Dupla moral sexual 78-79 ▪ Conquistando o direito legal ao aborto 156-159 ▪ Lesbianismo político 180-181 ▪ Positividade sexual 234-237 ▪ Cultura raunch 282-283 ▪ Consciência do abuso sexual 322-327

Mulheres sexualmente libertas, como Emmanuelle, no filme "pornô-soft" de 1974, foram um tema popular na mídia da época.

conhecidos como Relatórios Kinsey, que discordavam da visão de Freud de que os orgasmos vaginais são "superiores". O clitóris, dizia Kinsey, é o principal local de estimulação. Os pesquisadores norte-americanos William Masters e Virginia Johnson também examinaram disfunção sexual, reação e orgasmo. No estudo *A resposta sexual humana* (1966), eles defendiam que tanto a estimulação clitoriana quanto a vaginal poderiam levar ao orgasmo. No final dos anos 1960, a postura diante do sexo havia mudado significativamente, considerando que o ato sexual fora do casamento havia se tornado mais aceitável. Em 1968, Anne Koedt escreveu o ensaio "O mito do orgasmo vaginal", publicado como livro em 1970. De acordo com Koedt, apenas a estimulação vaginal não era o bastante para as mulheres atingirem o orgasmo, e como as posições sexuais convencionais não estimulavam o clitóris, as mulheres eram deixadas "frígidas". Esse termo, diz ela, colocava a culpa nas mulheres e não nos homens. Koedt argumenta que as mulheres que alegavam atingir orgasmos vaginais estavam confusas pela ausência de conhecimento da própria anatomia, ou estavam "fingindo", e que os homens mantinham esse mito por muitas razões, incluindo o desejo predominante pela penetração e o medo de se tornar dispensáveis. O ensaio de Koedt desafiou visões sobre sexo heterossexual e a sexualidade feminina. Algumas mulheres usaram seu trabalho para promover a lesbianidade; outras fizeram objeções à sugestão de que estavam fingindo orgasmos. Em 1976, a escritora norte-americana Shere Hite publicou um relatório sobre a sexualidade feminina baseado em uma pesquisa com 100 mil mulheres. As respostas indicaram que a maior parte não atingia o orgasmo através da penetração vaginal. Hite ligou isso ao papel subordinado das mulheres no sexo e exigiu prazer sexual como um direito. ▪

A autora Shere Hite segura um exemplar de *O relatório Hite*. O estudo concluiu que a sexualidade era culturalmente, não biologicamente, criada e portanto posturas precisavam ser desafiadas.

Anne Koedt

Artista baseada nos EUA, Anne Koedt nasceu na Dinamarca, em 1941. Seu trabalho "O mito do orgasmo vaginal" (1968) foi publicado pela primeira vez no periódico *Radical Women's*, de Nova York, em uma coletânea de ensaios intitulada *Notes from the First Year*. Em 1968, ela fez o famoso discurso em que convocava as ativistas feministas a aprender com outras revoluções. Mais tarde, naquele ano, ajudou a fundar o grupo separatista The Feminists com a feminista radical e filósofa Ti-Grace Atkinson, mas deixou esse grupo em 1969 para formar o NYRF (sigla em inglês para "Feministas Radicais de Nova York") com Shulamith Firestone. Em 1978, Koedt se associou ao Women's Institute for Freedom of the Press.

Trabalhos-chave

1968 "O mito do orgasmo vaginal"
1973 *Radical Feminism*

Alimentamos o mito da mulher livre e de seu orgasmo vaginal — um orgasmo que na verdade não existe.
Anne Koedt

COMECEI A CONTRIBUIR
ARTE FEMINISTA

EM CONTEXTO

CITAÇÃO FUNDAMENTAL
Judy Chicago, 1999

FIGURAS-CHAVE
Carolee Schneemann, Yoko Ono, Marina Abramović, Judy Chicago, Miriam Schapiro, Barbara Krueger

ANTES
Dos anos 1930 aos anos 1960
Frida Kahlo usa suas próprias experiências como principal tema de sua arte.

DEPOIS
2007 *WACK!* No Museu de Arte Contemporânea em Los Angeles é a primeira grande retrospectiva de arte feminista.

2017-2018 *Raízes de "The Dinner Party"*, no Brooklyn Museum's Center for Feminist Art, em Nova York, examina o trabalho fundamental de Judy Chicago.

Nos anos 1960, mulheres artistas começaram a produzir um novo tipo de arte "feminista". Parte das obras celebrava o corpo feminino, algumas expressavam raiva diante das desigualdades que as mulheres enfrentavam, mas tudo o que era produzido destacava as realidades femininas, rejeitando as atitudes tradicionais em relação às mulheres. Houve precursoras — como a artista mexicana Frida Kahlo — muitas vezes desconhecidas em sua época, mas reconhecidas mais tarde por suas descrições vívidas das experiências femininas. As artistas da nova era eram mais diretas. Elas desafiavam abertamente o cânone dos "grandes" artistas, basicamente homens, e seu meio tradicional de expressão através da pintura e da escultura. Elas encontraram novos modos de trabalhar

O PESSOAL É POLÍTICO 129

Veja também: Autonomia feminina em um mundo dominado por homens 40-41 ▪ Liberdade intelectual 106-107 ▪ As modernas publicações feministas 142-143 ▪ Inserindo as mulheres na história 154-155 ▪ Protesto do Guerrilla 246-247

Frida Kahlo explorou questões como gênero e raça, combinando influências modernas e arte popular mexicana. Sua primeira mostra individual foi em Nova York, em 1938, e a segunda em Paris, em 1939.

tradicional como um objeto a ser observado. Um dos primeiros projetos desse tipo foi *Eye Body: 36 Transformative Actions*, de Carolee Schneemann (1963). Ela usou o próprio corpo como um "material integral", cobriu-se de tinta, graxa, giz e plástico e posou nua em seu loft em Nova York para um filme em preto e branco, dirigido pelo artista islandês Erró. Em *Interior Scroll*, a peça mais chocante e controversa de Schneemann, ela ficou de pé sobre uma mesa, nua, e começou a extrair lentamente uma fita de papel da vagina, enquanto lia trechos de textos feministas escritos ali.

Outras artistas, como Yoko Ono e Marina Abramović, usaram a performance para explorar temas de passividade e submissão. Em *Cut Piece*, Ono fica sentada imóvel, enquanto pessoas da plateia cortam pedaços de sua roupa até restar apenas a roupa de baixo. Em *Rhythm 0* (1974),

> Estou tentando fazer uma arte que se relacione com os conceitos mais profundos e mais míticos da raça humana, e acredito que, nesse momento da história, o feminismo é humanismo.
> **Judy Chicago**

Abramović apresentou ao público 72 objetos, que iam de uma pena a um revólver, e convidou-os a usar os objetos nela para lhe dar prazer ou infligir dor. Bea Nettles estava entre as que parodiaram e desafiaram representações anteriores das mulheres na arte. Sua obra *Suzanna... Surprised* (1970) é uma nova e desafiadora abordagem da história bíblica de Susana, surpreendida por dois velhos lascivos enquanto se banhava — um »

e novos tipos de espaços que contornavam o mundo da arte convencional. Adotando formas de expressão e materiais modernos, essas artistas usaram a performance e a arte corporal, vídeos, fotografias e instalações.

Extravasando a arte

A performance permitiu que artistas explorassem o relacionamento entre o corpo como um agente ativo em um trabalho de arte e seu papel mais

Mulheres artistas esquecidas

Há incontáveis artistas cujos nomes não são mais amplamente conhecidos. No início dos anos 1900, por exemplo, a sueca Hilma af Klint produziu pinturas abstratas, antecedendo as de Wassily Kandinsky e Piet Mondrian. Nos anos 1920 e 1930, Hannah Höch, precursora do dadaísmo alemão, foi uma das primeiras a usar fotomontagem, enquanto a pintora expressionista abstrata ucrano-americana Janet Sobel, que trabalhou em Nova York nos anos 1940, influenciou Jackson Pollock. Em 1968, Nancy Graves se tornou a primeira artista mulher a ter uma mostra individual no Whitney Museum of American Art, em Nova York, e em 1972, a exposição da pintora abstrata Alma Thomas no Whitney foi a primeira de uma mulher afro-americana.

Altarpiece nº 1 foi uma das três obras que Klint criou em 1915 para concluir suas *Pinturas do templo*. A pirâmide em arco-íris e o sol refletem a espiritualidade da artista.

ARTE FEMINISTA

The Dinner Party, de Judy Chicago mostra uma mesa de jantar posta com os maiores mitos e figuras femininas da história. Para ser incluída, cada convidada tinha que preencher certos critérios estabelecidos pela artista.

Tentou **melhorar** as **vidas das mulheres**

Legou uma **contribuição de valor** para a sociedade

O trabalho **iluminou a história das mulheres**

Modelo para um futuro mais **igualitário**

tema comum na pintura renascentista. Combinando materiais fotográficos, costura em retalhos e pintura, Nettles cria uma Susana poderosa, nua no fundo difuso de um jardim, com um olhar desafiador. Em *Some Living American Women Artists* (1972), Mary Beth Edelson pega uma reprodução do afresco da *Última Ceia*, de Leonardo da Vinci, e faz uma colagem da cabeça de artistas vivas, incluindo Georgia O'Keeffe, Lee Krasner e Yoko Ono, sobre as figuras de Cristo e dos doze apóstolos. É um comentário irônico a respeito da exclusão das mulheres dos altos escalões tanto da sociedade quanto da religião organizada. Em uma nota pessoal, Louise Bourgeois exorcizou as lembranças do pai dominador com sua instalação *The Destruction of the Father* (1974), em que formas arredondadas emolduram um espaço semelhante a uma caverna, que guarda uma mesa posta coberta de objetos cor de carne. O vídeo de Martha Rosler, *Semiotics of the Kitchen* (1975), faz uma paródia a um programa de culinária na televisão para atacar a opressão doméstica. Nomeando lentamente e demonstrando um alfabeto de utensílios de cozinha, que às vezes parecem se tornar armas, ela transforma o significado cotidiano desses utensílios em "um léxico de fúria e frustração", e termina brandindo uma faca no ar para formar a letra z.

Abaixo as hierarquias

Em janeiro de 1971, a historiadora de arte Linda Nochlin argumenta em seu ensaio "Por que não houve grandes artistas mulheres?" que a ausência de mulheres artistas na história da arte se deve não a uma capacidade inata de criar boa arte, mas à exclusão dessas artistas das possibilidades de formação, patrocínio e exposição em um meio dominado pelos homens. Em 1976, Nochlin coorganizou o *Women Artists: 1550–1950* no Los Angeles County Museum of Art, a primeira

Judy Chicago

Nascida Judith Sylvia Cohen, em 1939, em Chicago, formou-se como pintora na Universidade da Califórnia, em Los Angeles, onde seus professores a criticavam por usar imagens femininas. Frustrada com o mundo da arte dominado pelos homens, ela criou o primeiro Programa de Arte Feminista, em 1973, e abriu a Feminist Studio Workshop, oficina feminista. Seu livro *Through the Flower: My Struggles as a Woman Artist* foi publicado em 1975. Depois de seu épico *The Dinner Party*, Judy diversificou os temas, enquanto continuava a ensinar, escrever e trabalhar com outras artistas. Dois trabalhos colaborativos posteriores — *Holocaust Project* e *Resolutions* — empregam uma variedade de habilidades e meios artísticos. Em 2018, a revista *Time* elegeu Chicago como uma das cem pessoas mais influentes do mundo.

Trabalhos-chave

1969–1970 *Pasadena Lifesavers*
1975–1979 *The Dinner Party*
1980–1985 *Birth Project*
1985–1993 *Holocaust Project: From Darkness into Light*
1995–2000 *Resolutions: A Stitch in Time*

O PESSOAL É POLÍTICO 131

A arte feminista não é nem um estilo, nem um movimento, mas… um sistema de valor, uma estratégia revolucionária, um modo de vida.
Lucy Lippard
Curadora de arte e crítica americana

Este frame da animação *A canção do Sul* (2005), da artista Kara Walker, toca questões como gênero, igualdade e raça.

exposição internacional desse tipo nos EUA. Judy Chicago fundou o primeiro curso de arte feminista de nível universitário, na Universidade do Estado da Califórnia, em 1970. Um ano mais tarde, ela transferiu o curso para o California Institute of the Arts, com Miriam Schapiro. Daí nasceu o *Womanhouse* (1972), um projeto colaborativo no qual 28 artistas transformavam cada cômodo de uma velha casa em Hollywood em uma instalação feminista.

Incorporando artesanato

Miriam Schapiro se tornou uma líder do movimento P&D (Pattern and Decoration, ou Padronagens e Decoração). Seus membros se opunham a divisões entre as belas-artes e a arte comercial, e Schapiro fez colagens com tintas e tecidos em trabalhos que chamou de "femmages". Em 1975, Chicago criou o *The Dinner Party*. Uma das peças mais icônicas da arte feminista, a instalação multimídia incorpora cerâmica, trabalhos de agulha, trabalho em metal e material têxtil. Mais de cem artistas contribuíram para o trabalho, destacando artesanatos em vez das belas-artes dominadas pelos homens e rejeitando a noção de um único artista. Todos os pratos, menos um, são decorados com o desenho elaborado de uma vulva; o perfil das imagens foi mais tarde criticado por algumas feministas que achavam que isso diminuía as mulheres no trabalho, em vez de honrar.

Desafiando estereótipos

Durante os anos 1980, mulheres produziram trabalhos artísticos que desafiavam diretamente as noções tradicionais de feminilidade, especialmente as retratadas pelos meios de comunicação de massa. Elas

Arte feminista… é, de uma forma absolutamente espetacular, eu acho, uma arte que não é baseada na submissão de uma metade da espécie.
Andrea Dworkin

caracterizavam tais representações como construções artificiais de uma sociedade dominada pelos homens. Em *Untitled Film Stills* (1977–1980), a fotógrafa Cindy Sherman explora a ideia de que a feminilidade é uma série de poses que as mulheres assumem para atender às expectativas da sociedade. As colagens e a arte conceitual de Barbara Krueger também mostram como o design gráfico e a publicidade reforçam estereótipos femininos. Em 1985, o grupo artístico ativista Guerrilla Girls foi formado para chamar a atenção para o sexismo e o racismo no mundo da arte. Nos anos 1990, mulheres artistas se concentraram mais em preocupações individuais, nas mais variadas formas. Esse movimento abrangeu desde peças autobiográficas da artista britânica Tracey Emin até trabalhos da iraniana Shirin Neshat como *Mulheres de Alá*, que investiga questões de gênero, identidade e sociedade no mundo muçulmano. ∎

CHEGA DE MISS AMÉRICA!
A POPULARIZAÇÃO DA LIBERTAÇÃO FEMININA

EM CONTEXTO

CITAÇÃO FUNDAMENTAL
New York Radical Women, 1968

FIGURA-CHAVE
Robin Morgan

ANTES
1949 Simone de Beauvoir usa o termo "libertação" em *O segundo sexo*, estimulando as mulheres a se libertarem das expectativas sociais opressoras.

1966 É fundado em Washington, D.C., o grupo feminista por direitos iguais NOW, National Organization of Women.

DEPOIS
1970 Feministas britânicas protestam no concurso de beleza Miss Mundo no Albert Hall de Londres.

1973 É fundada em Nova York a Organização Nacional Feminista Negra, sob o argumento de que ativistas de direitos civis e feministas brancas não defendem as necessidades específicas de mulheres negras.

O Movimento de Libertação Feminina explode no cenário nacional dos EUA em 7 de setembro de 1968. Nesse dia, cerca de quatrocentas feministas organizaram um dramático protesto no Miss América, concurso anual de beleza, em Atlantic City, na Georgia. O objetivo era expor as muitas formas como as mulheres eram objetificadas pelos homens e denunciar o racismo do concurso. O protesto ganhou as manchetes na mídia, e a expressão "libertação da mulher" se tornou conhecida.

A irmandade é poderosa

O protesto foi organizado pelo NYRW, New York Radical Women, a primeira organização feminista da cidade, formada no outono de 1967. Suas fundadoras incluíam Shulamith Firestone (que mais tarde ajudou a fundar a Redstockings), Pam Allen, Carol Hanisch e Robin Morgan. Muitas integrantes já tinham experiência com o ativismo de direitos civis e contra a Guerra do Vietnã, e estavam frustradas com as atitudes dos ativistas homens em relação a elas e às mulheres em geral. A princípio, o NYRW tinha apenas cerca de uma dúzia de integrantes. Seu primeiro protesto público tinha sido em Washington, D.C., em janeiro de 1968.

Uma marionete acorrentada, usando os obrigatórios saltos altos, pouca roupa e cabelos armados — tão detestados pelas feministas —, é carregada durante o protesto contra o Miss América de 1968.

Enquanto 5 mil mulheres se juntaram a uma marcha contrária à Guerra do Vietnã, organizada pela política e pacifista Jeannette Rankin, o NYRW tinha programado um contraevento para chamar atenção para as preocupações feministas. Carregando

O PESSOAL É POLÍTICO

Veja também: Feminismo radical 137 ▪ Protesto do Guerrilla 246-247

cartazes com *slogans* como "Não chore, resista", elas fizeram uma simulação de enterro da "feminilidade tradicional" e distribuíram folhetos com a frase "A irmandade é poderosa", famosa nos primeiros anos do movimento de libertação feminina.

Teatro de rua

Foi o protesto Miss América que chamou a atenção da opinião pública. Robin Morgan compreendeu que o evento precisava ser sensacional. Feministas foram em massa para Atlantic City, onde desfilaram com faixas e coroaram uma ovelha como Miss América, enquanto imitavam o som do animal. Elas montaram uma "Lata de lixo da liberdade", onde jogavam fora uma variedade de itens associados à feminilidade estereotipada e "instrumentos de tortura para mulheres", incluindo sutiãs, cintas, sapatos de salto alto e exemplares da revista *Playboy*. A intenção era colocar fogo na lata de lixo — a permissão para isso não foi concedida, mas as manchetes de jornal construíram um mito que durou muito tempo de que as feministas

Somos as mulheres contra quem os homens alertaram.
Robin Morgan

eram "queimadoras de sutiã". O protesto do Miss América terminou com um grupo desenrolando uma faixa na qual se lia "Libertação das Mulheres". Praticamente ao mesmo tempo, um segundo protesto em Atlantic City visava ao evento de Miss América por seus padrões racistas de beleza. Mulheres negras ativistas, que declaravam que o desfile mantinha a pele branca como critério exclusivo, realizaram um concurso alternativo. Depois de atravessar a cidade em um comboio, participantes subiram ao palco no hotel Ritz--Carlton, onde Saundra Williams, da

Filadélfia, de dezenove anos, foi coroada. Ela usou a tiara convencional e um vestido branco, os cabelos em estilo afro e apresentou uma dança africana. Saundra declarou aos repórteres presentes que mulheres negras eram lindas.

Contando ao mundo

Os dois protestos ganharam as manchetes dos jornais, e os eventos foram transmitidos ao vivo para milhões de espectadores. O impacto de ambos foi enorme. O protesto Miss América trouxe o Movimento de Libertação das Mulheres para a ordem do dia e ressaltou a opressão social e comercial e a sexualização das mulheres que as ativistas do NYRW tanto abominavam. Da mesma forma, o Miss América Negra revelou o padrão duplo de sexismo e racismo sofrido pelas mulheres negras. O ativismo pela emancipação feminina havia tomado força e outros protestos e manifestações se seguiram. Em 1973, havia mais de 2 mil grupos de Libertação das Mulheres apenas nos EUA, e o movimento se espalhou mundo afora. ■

Robin Morgan

Nascida na Flórida, em 1941, Robin Morgan foi atriz-mirim. Estudou na Universidade Columbia, se tornou cliente da agência literária Curtis Brown e publicou sua própria poesia. Politicamente ativa nos anos 1960, radicalizou sua atuação e formou a W.I.T.C.H., Women's International Terrorist Conspiracy from Hell (algo como Conspiração Internacional das Infernais Mulheres Terroristas), em 1968. Em 1970, Morgan organizou *Sisterhood is Powerful*, uma antologia de textos sobre a libertação das mulheres. Em 1984, uniu forças com Simone de Beauvoir e com outras feministas para fundar a SIGI,

Sisterhood is Global Institute, catalisadora internacional de ideias feministas. Entre outras honrarias, Morgan recebeu em 2002 o prêmio Equality Now de contribuição em vida, que promove os direitos humanos de meninas e mulheres por todo o mundo.

Trabalhos-chave

1972 *Monsters*
1977 *Going Too Far*
1982 *The Anatomy of Freedom*
1984 *Sisterhood is Global*
2003 *Sisterhood is Forever*

NOSSOS SENTIMENTOS GUIARÃO NOSSAS AÇÕES
CONSCIENTIZAÇÃO

EM CONTEXTO

CITAÇÃO FUNDAMENTAL
Kathie Sarachild, 1968

FIGURA-CHAVE
Kathie Sarachild

ANTES
1949 Em *O segundo sexo*, Simone de Beauvoir identifica as mulheres como uma classe, compartilhando experiências comuns.

1963 *Mística feminina*, de Betty Friedan, analisa a infelicidade e o isolamento das mulheres norte-americanas brancas de classe média.

DEPOIS
1975 A feminista norte-americana Susan Brownmiller publica *Against Our Will*, em que afirma que os homens usam o estupro para dominar as mulheres.

2017 O movimento #MeToo usa as mídias sociais para despertar a consciência nas mulheres a respeito do assédio sexual em muitas áreas da vida.

Um dos principais artifícios que o Movimento de Libertação das Mulheres (WLM) usou foi a conscientização, ou CRS (sigla do inglês para *consciousness-raising*). Grupos só de mulheres se encontravam em cafés ou na casa de alguma das integrantes para conversar sobre aspectos das experiências que viveram, da infância até o casamento, e sobre sexualidade. O objetivo era mostrar como dificuldades pessoais estavam arraigadas em questões políticas que precisavam ser mudadas. O conceito de conscientização emergiu em 1967, quando um grupo de mulheres, algumas delas já de esquerda ou ativistas dos direitos civis, formou o New York Radical Women (NRYW),

Mulheres se dão as mãos na Conferência Nacional das Mulheres, em Houston, no Texas, em 1977. O propósito do evento era montar um plano de ação para apresentar ao presidente Jimmy Carter.

O PESSOAL É POLÍTICO   135

Veja também: As raízes da opressão 114-117 ▪ Patriarcado como controle social 144-145 ▪ Estupro como abuso de poder 166-171 ▪ Feminismo radical transexcludente 172-173 ▪ Linguagem e patriarcado 192-193

O fato de vivermos tão intimamente com nossos opressores evitou que víssemos nosso sofrimento pessoal como uma condição política.
O manifesto do Redstockings

primeiro grupo de libertação feminina na cidade e um dos primeiros nos EUA. Certa noite, Anne Forer, uma das integrantes, pediu a outras no grupo que dessem exemplos de como tinham sido oprimidas em sua própria vida. Argumentou que precisava ouvir esses depoimentos para despertar a própria consciência. Em 1968, Kathie Sarachild, também membro fundadora do NYRW e integrante do grupo feminista radical Redstockings, escreveu e apresentou "Um programa para o despertar da consciência feminista", na primeira Conferência Nacional de Libertação das Mulheres, que aconteceu perto de Chicago. Sarachild declarou que um movimento de emancipação em massa aconteceria quando um número maior de mulheres começasse a perceber a realidade da própria opressão. A principal tarefa das feministas, ela acreditava, era despertar uma "consciência de classe" entre as mulheres.

O movimento de conscientização ganha força

Em 1970, a frase "o pessoal é político" aparece impressa para sintetizar a importância de se reconhecer e compartilhar as experiências das mulheres para despertar consciência. A frase foi usada como título de um artigo de Carol Hanisch, integrante do NYRW, em *Notes from the Second Year*. Em 1973, cerca de 100 mil mulheres estavam em grupos CR por todos os Estados Unidos. Cada um desses encontros normalmente reunia não mais de doze mulheres. Os temas eram decididos com antecedência e uma mulher falava de cada vez, compartilhando suas experiências de opressão no trabalho, em casa e em relações íntimas. O objetivo era a compreensão, não o aconselhamento ou críticas — cada experiência era vista como igualmente válida.

Moldando o movimento

Oponentes banalizavam as reuniões CR, descrevendo-as como sessões de fofoca ou de terapia, ou alegando que não eram suficientemente políticas. O movimento também foi criticado por excluir homens. No entanto, apoiadores da conscientização feminina acreditavam que os objetivos da libertação deveriam ser moldados pela realidade da vida das mulheres.

A ideia de que o pessoal é político se tornou um dos conceitos mais importantes no WLM, que sustenta que o patriarcado define e molda a vida da família, e que o ato sexual é político. E argumenta que descartar os problemas compartilhados como pessoais confina as mulheres a um papel de subordinação, e essa é apenas outra forma de opressão por parte de homens. O poder masculino é reforçado através da violência (na sociedade e em casa), do casamento e do cuidado com os filhos, e do amor e do sexo. Então, uma vez que a vida pessoal das mulheres passar a ser vista como política, será possível encontrar a base do sexismo, desafiá-la e mudá-la. ▪

Kathie Sarachild

A feminista norte-americana Kathie Sarachild nasceu Kathie Amatniek, em 1943. Em 1968, ela abandonou o sobrenome do pai e começou a usar o nome da mãe. Sarachild foi a primeira a usar o *slogan* "A irmandade é poderosa" na marcha das mulheres pela paz, em Washington, D.C., em 1968.

Em 1969, Sarachild se tornou uma das primeiras integrantes do grupo feminista radical Redstockings; muito mais tarde, em 2013, ela editou a antologia do Redstockings. Também em 2013, junto com Carol Hanisch, Ti-Grace Atkinson e outras, contribuiu para uma declaração aberta que questionava o silenciamento dos que buscavam debater as questões de gênero.

Trabalhos-chave

1968 "Um programa para o despertar da consciência feminina"
1973 "Despertar de consciência: uma arma radical"
1979 *Feminist Revolution*

Os grupos de conscientização são a espinha dorsal do Movimento de Libertação das Mulheres.
Coletivo Black Maria

NIVELADORA, LIBERTADORA
A PÍLULA

EM CONTEXTO

CITAÇÃO FUNDAMENTAL
Letty Cottin Pogrebin, 2010

FIGURAS-CHAVE
Margaret Sanger, Gregory Pincus

ANTES
1918 Marie Stopes publica *Amor e casamento*, em que debate o desejo sexual e o controle de natalidade dentro do casamento.

1921 Margaret Sanger forma a Liga Americana para Controle de Natalidade, mais tarde chamada de Planned Parenthood (Planejamento Familiar).

DEPOIS
1967 Mais de 12,5 milhões de mulheres no mundo todo usam a pílula.

1970 Em audiências no Congresso dos EUA, feministas questionam a segurança da pílula. Sua fórmula é mudada.

1973 O caso *Eisenstadt vs. Baird*, na Suprema Corte dos EUA, dá às mulheres solteiras o direito de usar contraceptivos.

A chegada da pílula anticoncepcional, um contraceptivo oral, em 1960, foi um avanço científico decisivo e, para as mulheres, o início de uma nova era de liberdade sexual e social sem precedentes. A pílula, como logo se tornou conhecida, é composta por hormônios sintéticos que oferecem uma proteção muito maior contra a gravidez indesejada do que os métodos contraceptivos anteriores.

O advento da pílula foi um triunfo para a ativista do controle de natalidade Margaret Sanger, que havia ajudado o biólogo Gregory Pincus a angariar fundos para pesquisar o medicamento. Em poucos anos, Pincus, o cientista reprodutivo Min Chueh Chang e o ginecologista John Rock tinham desenvolvido a primeira pílula, a Enovid. Testes clínicos aconteceram nos EUA e em Porto Rico.

Uma nova liberdade
Dois anos depois de sua aprovação, a pílula já estava sendo tomada por 1,2 milhão de mulheres norte-americanas, embora os estados pudessem vetar seu uso. Na Grã-Bretanha, ela começou a

Permitiu que eu escolhesse que vida levar. Permitiu que eu começasse a universidade e uma carreira.
Gloria Feldt
Antiga CEO da Planned Parenthood

ser prescrita pelo Serviço Nacional de Saúde em 1961, mas até 1967 esteve disponível apenas para mulheres casadas. Enquanto conservadores a consideravam uma autorização para a promiscuidade, feministas como Sanger sabiam que ela anunciava mais do que a possibilidade de aproveitar o sexo sem preocupações. A pílula deu às mulheres controle sobre a gravidez, permitindo que limitassem o tamanho de suas famílias e se dedicassem a uma carreira. Embora seu potencial risco para a saúde ainda precisasse ser resolvido, a pílula foi libertadora — e chegou para ficar. ■

Veja também: Controle de natalidade 98-103 ▪ Conquistando o direito legal ao aborto 156-159 ▪ Justiça reprodutiva 268

O PESSOAL É POLÍTICO

VAMOS ATÉ O FIM
FEMINISMO RADICAL

EM CONTEXTO

CITAÇÃO FUNDAMENTAL
O manifesto do Redstockings, 1969

ORGANIZAÇÃO-CHAVE
Redstockings

ANTES
1920 Com a luta de feministas como Alexandra Kollontai, a União Soviética legaliza o aborto.

DEPOIS
1973 A Suprema Corte dos EUA decide a favor do direito ao aborto até o terceiro trimestre de gravidez.

1989 Integrantes do Redstockings fazem um pronunciamento em Nova York para marcar o vigésimo aniversário de seu primeiro evento.

2017 O presidente dos EUA, Donald Trump, assina uma ordem executiva que proíbe que organizações de saúde aprovadas pelo estado ofereçam cobertura para o aborto.

Fundado por Shulamith Firestone e Ellen Willis em 1969, o Redstockings, ou "Meias Vermelhas" (nome que indica simpatia tanto pela extrema esquerda quanto pelo feminismo), emergiu quando o NYRW rachou e se dispersou. Grupos similares incluíam a W.I.T.C.H. (sigla em inglês para Conspiração Internacional das Infernais Mulheres Terroristas). O objetivo desse braço radical do feminismo era acabar com a opressão às mulheres reivindicando sua soberania sobre o próprio corpo e pondo em prática uma mudança social radical. As táticas dos Redstockings consistiam em "pegadinhas" e teatro de rua. Baseado principalmente em Nova York, também tinha um braço na Flórida, enquanto o Redstockings West de São Francisco operava de forma independente.

Pelo direito ao aborto

Em fevereiro de 1969, um protesto do Redstockings tumultuou uma audiência no estado de Nova York sobre a reforma em relação ao aborto. Ao perceber que dos quinze representantes a única mulher era uma freira, o grupo defendeu que as mulheres tivessem o direito de testemunhar sobre o assunto, citando suas próprias experiências. Um mês depois, ativistas do Redstockings organizaram um ato na Igreja Metodista da Washington Square, em Nova York. Nesse evento, doze mulheres falaram sobre seus próprios abortos ilegais e a dor extrema, o medo, o perigo e os custos exorbitantes envolvidos. Gloria Steinem, que cobriu o ato para a imprensa, disse que o evento foi responsável por transformá-la de uma jornalista objetiva em uma ativista. ∎

Integrante do W.I.T.C.H. desce de motocicleta uma rua de São Francisco, em 1974. A W.I.T.C.H. era a gêmea mais extremista do Redstockings.

Veja também: Feminismo marxista 52-55 ▪ Anarcofeminismo 108-109 ▪ Inveja do útero 146 ▪ Conquistando o direito legal ao aborto 156-159

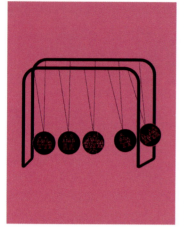

O FEMINISMO VAI SE INFILTRAR PELAS RACHADURAS DAS ESTRUTURAS MAIS BÁSICAS DA SOCIEDADE
ESTRUTURAS FAMILIARES

EM CONTEXTO

CITAÇÃO FUNDAMENTAL
Shulamith Firestone, 1970

FIGURAS-CHAVE
Shulamith Firestone, Gayle Rubin

ANTES
Anos 1950 Depois da Segunda Guerra Mundial, mulheres na América do Norte e na Grã-Bretanha são encorajadas a deixar suas carreiras dos tempos de guerra e retornar à esfera doméstica.

1963 *Mística feminina*, de Betty Friedan, identifica a insatisfação entre as donas de casa brancas de classe média como "o problema sem nome".

DEPOIS
1989 A Convenção das Nações Unidas sobre os Direitos das Crianças inclui o direito a ser livre de toda discriminação.

2015 A gigante varejista norte-americana Target anuncia que não vai mais dividir brinquedos e roupas de cama de crianças por gênero.

Nos anos 1950, famílias norte-americanas brancas de classe média aproveitaram o *boom* econômico do pós-guerra para se mudar em massa para os subúrbios. A imagem de sucesso que criaram levou à idealização da família nuclear branca heterossexual, na qual os homens eram responsáveis por prover uma renda e a mulher desempenhava um papel menor. A subordinação das mulheres contrastou com a independência que

Uma mulher prepara o almoço enquanto a família relaxa na imagem dos anos 1950 de uma família norte-americana branca em casa, nos subúrbios. Essa estrutura patriarcal de família era o "ideal" nacional.

muitas delas tinham conquistado nos tempos de guerra.

Em *A dialética do sexo* (1970), a feminista radical Shulamith Firestone argumenta que a desigualdade entre homens e mulheres é a base de todas as outras

O PESSOAL É POLÍTICO

Veja também: Emancipação da domesticidade 34-35 ▪ As raízes da opressão 114-117 ▪ O problema sem nome 118-123 ▪ Patriarcado como controle social 144-145

> A menos que uma revolução destrua a raiz da organização social básica, a família biológica,... o parasita da exploração nunca será aniquilado.
> **Shulamith Firestone**

formas de opressão na sociedade e está intimamente ligada à noção de família nuclear. Ela se coloca contra a teoria dos filósofos Karl Marx e Friedrich Engels de que a origem da opressão à mulher data do estabelecimento da propriedade privada. Em vez disso, Firestone afirma que a opressão dos homens sobre as mulheres vem de muito antes "do que está gravado na história", da desigualdade sexual no reino animal e na família biológica.

O fardo de dar à luz

Ao localizar a desigualdade na reprodução, Firestone afirma que a posição inferior das mulheres na sociedade pode ser ligada à sua vulnerabilidade durante a gravidez e à sua responsabilidade pelos filhos. Firestone desafia essas limitações e declara que "Não somos mais apenas animais", propondo uma variedade de mudanças radicais na sociedade. Ela defende a criação dos filhos em neutralidade de gênero, o que tornaria as diferenças sexuais culturalmente irrelevantes, e também imagina a invenção de novas tecnologias que

Shulamith Firestone

Nascida em Ottawa, no Canadá, em 1945, filha mais velha de mãe alemã e pai norte-americano, Shulamith Firestone cresceu em um lar judeu ortodoxo. A família se mudou para St. Louis, no Missouri, quando ela era criança.

O pai de Firestone exercia o controle patriarcal sobre o lar, o que Shulamith combatia. Ela conquistou dois diplomas universitários antes de se mudar para a cidade de Nova York em 1967, onde ajudou a fundar o NYRW. Também formou a União de Libertação Feminina de Chicago, com a feminista Jo Freeman, como uma coalizão anticapitalista, multitarefa; e o grupo Redstockings, com Ellen Willis.

Feminista revolucionária, Firestone defendeu em *A dialética do sexo* (1970) que as mulheres deveriam subverter a estrutura familiar nuclear. Ela se afastou da vida política nos anos 1970 e se tornou pintora. Firestone lutou por décadas contra a esquizofrenia, antes de morrer, em 2012, aos 67 anos.

permitiriam aos filhos nascerem fora do corpo das mulheres. Firestone defende ainda a abolição completa da família nuclear heterossexual e sua substituição por casais igualitários, não casados, e coletivos de pessoas que criariam os filhos juntas. Os filhos, ela enfatiza, também deveriam ter mais direitos e liberdade de expressão. A base das ideias de Firestone para uma sociedade igualitária no futuro é o feminismo socialista. Ela defende que os avanços tecnológicos terão o potencial de eliminar o trabalho intelectualmente embotador, liberando a força de trabalho para funções que as pessoas achem recompensadoras. Firestone sugere que as mulheres também devem ser libertadas dos papéis limitados à esfera doméstica.

Crítica à família nuclear

Outras feministas além de Firestone criticaram a estrutura familiar nuclear heterossexual, incluindo Gayle Rubin, no artigo "O tráfico de mulheres: notas sobre a 'economia política' do sexo" (1975). Rubin escreve que a história do casamento ocidental é basicamente a história de homens comercializando mulheres como produtos. Ela também afirma que o confinamento das mulheres à esfera doméstica tem como resultado as mulheres realizando vários tipos de trabalho para apoiar o homem trabalhador (cozinhar, criar filhos, lavar roupas, limpar a casa, por exemplo). Mas, como esse tipo de trabalho não é remunerado, as mulheres se tornam incapazes de conquistar o mesmo capital econômico que resulta do trabalho do homem. ∎

> Mulheres são dadas em casamento, tomadas em batalha, trocadas por favores, enviadas como tributo, comercializadas, compradas e vendidas.
> **Gayle Rubin**

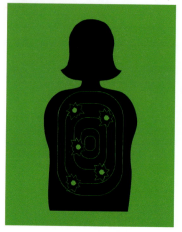

AS MULHERES TÊM MUITO POUCA IDEIA DE COMO OS HOMENS AS ODEIAM

CONFRONTANDO A MISOGINIA

EM CONTEXTO

CITAÇÃO FUNDAMENTAL
Germaine Greer, 1970

FIGURA-CHAVE
Germaine Greer

ANTES
1792 Em *Reivindicação dos direitos das mulheres*, a reformista britânica Mary Wollstonecraft descreve como o condicionamento social em uma sociedade patriarcal banaliza as mulheres.

1963 A feminista norte-americana Betty Friedan define a "mística feminina" como uma feminilidade idealizada, impossível de ser alcançada pelas mulheres.

DEPOIS
1975 Em *Against Our Will*, a feminista norte-americana Susan Brownmiller afirma que os homens usam o estupro como um instrumento para manter as mulheres oprimidas e com medo.

1981 A feminista radical norte-americana Andrea Dworkin declara que a pornografia desumaniza a mulher.

O Movimento de Libertação das Mulheres dos anos 1960 e 1970 viu uma efusão de publicações feministas. Uma das obras mais dinâmicas e provocativas foi *A mulher eunuco*, de Germaine Greer (1970), que se tornou best-seller e um dos textos-chave da segunda onda do feminismo. A principal tese de Greer é que as mulheres são efetivamente castradas social, sexual e culturalmente — daí o título do livro. Greer defende que as mulheres precisam aprender a questionar as suposições básicas sobre a "normalidade" feminina e começa olhando para o "Corpo", das células até as curvas, o sexo e "o ventre perverso" — a fonte do sangue menstrual. Ela declara que as mulheres são vistas como objetos sexuais para uso de outros seres sexuais, especificamente os homens, e que a sexualidade das mulheres está mal representada como passiva. As qualidades valorizadas nas mulheres são as dos castrados: timidez, langor e delicadeza.

Ao passar para a "Alma", Greer explora os estereótipos que moldam as mulheres do nascimento, passando pela puberdade até a vida adulta. Ela argumenta que as mulheres são condicionadas a evitar pensamentos e comportamentos independentes, e encorajadas a se verem como "ilógicas, subjetivas e, de um modo geral, tolas". Para Greer, a castração das mulheres acontece em termos de uma polaridade masculino-feminino, na qual os homens se apossaram de toda a energia e a canalizaram em uma "força

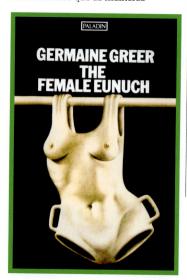

Essa capa impressionante, criada pelo artista britânico John Holmes para a edição de 1971, foi descrita pela escritora Monica Dux como "uma obra de arte que se tornou icônica por si só".

O PESSOAL É POLÍTICO

Veja também: Prazer sexual 126-127 ▪ Estruturas familiares 138-139 ▪ O olhar masculino 164-165 ▪ Estupro como abuso de poder 166-171 ▪ Feminismo trans 286-289 ▪ O sexismo está por toda parte 308-309

As mulheres foram, de certa forma, separadas de suas libidos, de sua faculdade do desejo, de sua sexualidade.
Germaine Greer

agressiva e conquistadora", que reduz a heterossexualidade a um padrão sadomasoquista. Greer declara que o amor em si tem sido pervertido e distorcido ou por sua apresentação como um mito romântico, ou pela criação pornográfica de mulheres como fantasias sexuais masculinas.

Greer faz um ataque violento à família nuclear, que, segundo ela, não é opressiva apenas para as mulheres, mas também danosa ao bem-estar dos filhos, considerando as tensões dentro da família. Ela propõe que os filhos devem ser criados mais livremente, em comunidade.

Odiadores de mulheres

No que talvez seja uma das declarações mais provocativas em *A mulher eunuco*, Greer afirma que o amor foi tão pervertido que se transformou em ódio, repugnância e desprezo. Ela declara que, no fundo, os homens odeiam as mulheres, ressentem-se delas e as desprezam, particularmente durante o sexo. Para provar seu ponto de vista, Greer cita exemplos de ataques criminosos a mulheres, abuso doméstico, estupros coletivos e os muitos e variados insultos usados pelos homens para descrever as mulheres. Na última parte do livro, Greer sugere que as mulheres devem se recusar a entrar em relações patriarcais como o casamento — e que se entrarem em uma relação assim e se sentirem infelizes, devem sair dela. Devem se recusar a trabalhar sem remuneração e devem questionar todas as presunções estereotipadas sobre as mulheres. Acima de tudo, ela defende que as mulheres devem reivindicar sua sexualidade, sua energia e seu poder.

Ao se libertarem dos processos de uma sociedade misógina, declara Greer, as mulheres podem se dedicar a conquistar a própria liberdade social e sexual. Greer queria que *A mulher eunuco* fosse subversivo, mas o livro acabou se destacando como um texto feminista radical sem se encaixar em nenhuma perspectiva feminista em particular. Com uma linguagem sexual explícita, seu chamado provocativo à libertação influenciou um incontável número de mulheres. ▪

O poder da mulher é a liberdade de escolha… toda a bagagem da sociedade paternalista terá que ser lançada ao mar.
Germaine Greer

Germaine Greer

Nascida em Melbourne, na Austrália, em 1939, Germaine Greer frequentou uma escola católica, antes de conseguir uma bolsa de estudos em 1964 para estudar literatura inglesa na Universidade de Cambridge, no Reino Unido. De 1968 a 1972, foi professora assistente na Universidade de Warwick e contribuiu para a revista alternativa *Oz*. Com o sucesso de *A mulher eunuco*, Greer se tornou uma importante figura pública, participou de programas de entrevistas e escreveu artigos. Ela fundou o jornal *Tulsa Studies in Women's Literature*, nos EUA, abriu uma editora e voltou à Universidade de Warwick como professora de inglês. Em 2018, enfureceu muitas feministas ao criticar aspectos do movimento #MeToo e ao sugerir que as sentenças por estupros deveriam ser menores em certos casos.

Trabalhos-chave

1970 *A mulher eunuco*
1979 *The Obstacle Race*
1984 *Sexo e destino — a política da fertilidade humana*
1991 *Mulher, maturidade e mudança*
1999 *A mulher total*

AS AUTORAS DE *MS.* TRADUZIRAM UM MOVIMENTO EM UMA REVISTA
AS MODERNAS PUBLICAÇÕES FEMINISTAS

EM CONTEXTO

CITAÇÃO FUNDAMENTAL
Letty Cottin Pogrebin, 1999

FIGURAS-CHAVE
Gloria Steinem, Florence Howe, Carmen Callil

ANTES
1849 A primeira revista feminina da América começa a ser publicada em edições mensais.

1910 É lançada no Japão a *Seito* ("Meias Azuis"), revista literária mensal para mulheres.

1917 É lançada nos EUA a *The Woman Citizen*; seu foco é a educação política das mulheres.

DEPOIS
1996 A revista *Bitch* é lançada em Portland (EUA), para garantir uma resposta feminista ponderada à cultura popular.

2011 É fundada em Nova York a Emily Books, por Emily Gould e Ruth Curry. A cada mês, a editora envia e-books selecionados para os assinantes (a maioria mulheres).

Revistas e jornais para mulheres prosperaram no século XIX, especialmente nos EUA, onde conquistar o direito ao voto era um dos grandes objetivos das mulheres. Com o sufrágio garantido em ampla escala no final dos anos 1920, em ambos os lados do Atlântico (embora na França apenas em 1944), o número de publicações feministas começou a minguar. Algumas poucas escritoras, como Virginia Woolf e Simone de Beauvoir, permaneceram como vozes potentes. *O segundo sexo* (1949), de Simone de Beauvoir, revelava e criticava a subordinação histórica das mulheres, e recebeu o crédito por inspirar a segunda onda do feminismo. As publicações feministas que emergiram por volta dos anos 1970 destacavam assuntos que perturbavam as mulheres contemporâneas. A domesticidade sufocante, como descrita por Betty Friedan no best-seller *Mística feminina* (1963), foi um dos primeiros estímulos à ação, assim como o relato feito pela jornalista e ativista Gloria Steinem, e também publicado naquele ano, da exploração degradante que sofreu como Coelhinha da Playboy. Publicações de e para mulheres eram parte da "revolução" de que Steinem falava a respeito em seus discursos, defendendo que as mulheres não deveriam meramente buscar por melhorias de condições: o mundo — e em especial a política — precisava de uma mudança fundamental.

Encarando o desafio

Off our Backs foi o título combativo de um dos primeiros jornais feministas americanos, editado por um coletivo de

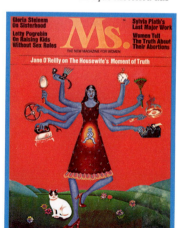

A revista *Ms.* foi lançada na primavera de 1972. A capa da primeira edição mostra a deusa indiana Durga com oito braços, representando os muitos papéis que uma mulher desempenha, incluindo passar roupa, dirigir, cozinhar e trabalhar.

O PESSOAL É POLÍTICO

Veja também: Liberdade intelectual 106-107 ▪ As raízes da opressão 114-117 ▪ Conscientização 134-135 ▪ Inserindo as mulheres na história 154-155 ▪ Feminismo digital 294-297

Gloria Steinem

Nascida em 1934, Gloria Steinem se tornou talvez a mais conhecida das feministas da segunda onda americana. Depois de se formar no Smith College, nos EUA, em 1956, ela passou dois anos estudando na Índia, e lá assimilou os princípios de Gandhi, que guiaram seu ativismo. Logo Steinem se tornou uma das escritoras mais produtivas e uma das mais articuladas defensoras do WLM. Em 1963, seu relato em primeira pessoa da vulnerabilidade das jovens que trabalhavam como Coelhinhas da Playboy deu combustível à causa feminista, ajudou a melhorar as condições das boates e ainda hoje é usado nas aulas de jornalismo. Em 1972, ela ajudou a fundar a revista *Ms.* e militou pelos direitos das mulheres durante o resto da vida. Em 2013, Steinem recebeu a Medalha Presidencial da Liberdade, a mais alta honra civil nos EUA.

Trabalhos-chave

1983 *Memórias da transgressão*
1992 *Revolution from Within*
1994 *Moving Beyond Words*
2015 *Minha vida na estrada*

---

mulheres e publicado em 1970. Na Grã-Bretanha, *Spare Rib* (1971) dava voz a ideias e preocupações do Movimento de Libertação das Mulheres (WLM), examinando tópicos como imagem corporal, raça, classe e sexualidade. Um ano mais tarde, *Broadsheet* se tornou a primeira revista feminista da Nova Zelândia, concentrando-se em questões femininas tanto nacionais quanto internacionais. Em 1972, Steinem e Dorothy Pitman Hughes fundaram a revista *Ms.* — a edição-teste inicial vendeu 300 mil cópias em todo o país em oito dias. Foi a primeira revista norte-americana a publicar mulheres proeminentes falando sobre assuntos controversos, incluindo o aborto criminalizado, a violência doméstica, pornografia, assédio sexual e estupro cometido por homens conhecidos da vítima.

Casas editoriais feministas

Na Grã-Bretanha e nos EUA, a publicação de livros feministas também voltou a desabrochar no início dos anos 1970. Florence Howe, escritora e editora norte-americana, e seu marido, Paul Lauter, lançaram a editora The Feminist Press, em 1970, para republicar clássicos feministas, assim como livros acadêmicos para o novo campo de estudo das mulheres. A editora britânica Carmen Callil fundou a Virago Press em 1973 — o nome significa "uma mulher guerreira" e a maçã em sua logomarca se refere ao fruto proibido do conhecimento experimentado por Eva na passagem bíblica. Em 1978, a Virago começou sua série Clássicos Modernos, que reviveu o trabalho de centenas de escritoras. Em meados dos anos 1980, havia pelo menos sete editoras feministas no Reino Unido, assim como editoras convencionais que tinham seus próprios catálogos feministas. Nos EUA, a Aunt Lute Books começou a publicar trabalhos feministas multiculturais em 1982.

Novas escritoras

O movimento de publicação de mulheres ganhou ainda mais força com uma onda de novas escritoras, como Alice Walker, Margaret Atwood, Alice Munro e Toni Morrison, e um público feminino faminto por suas histórias e visões de mundo. Surgiram livrarias feministas — pelo menos cem na Grã-Bretanha e América do Norte nos anos 1980 —, tornando os trabalhos dessas autoras e a discussão de questões femininas acessíveis a um público mais amplo. No entanto, o crescimento de enormes cadeias de livrarias custou caro às livrarias independentes. Muitas editoras e revistas feministas faliram, embora das 64 editoras femininas abertas nos EUA entre 1970 e 1991, 21 ainda estivessem no negócio na década seguinte. ■

O ensaio fundamental de Steinem ["A Bunny's Tale"] marcou uma das primeiras vezes em que uma mulher desafiou publicamente a postura da sociedade sobre os padrões de beleza femininos.
Vogue (setembro de 2017)

PATRIARCADO, REFORMADO OU NÃO, AINDA É PATRIARCADO
PATRIARCADO COMO CONTROLE SOCIAL

EM CONTEXTO

CITAÇÃO FUNDAMENTAL
Kate Millett, 1970

FIGURA-CHAVE
Kate Millett

ANTES
1895 A sufragista norte-americana Elizabeth Cady Stanton desafia a ortodoxia religiosa da supremacia masculina em *A bíblia da mulher*.

1949 Simone de Beauvoir descreve as raízes psicológicas, sociais e históricas da opressão à mulher em *O segundo sexo*.

DEPOIS
1981 Nos EUA, a feminista radical Andrea Dworkin defende em *Pornography: Men Possessing Women* que a pornografia está ligada à violência contra as mulheres.

1986 A historiadora e feminista americana Gerda Lerne publica *The Creation of Patriarchy*.

O patriarcado — sistema social e político de poder do homem sobre as mulheres — foi um alvo-chave para feministas radicais nos anos 1960 e 1970. Suas teorias sobre o assunto foram expostas em *Política sexual*, da escritora e ativista norte-americana Kate Millett. Publicado em 1970, o livro define e analisa o patriarcado, e examina as múltiplas formas pelas quais ele oprime as mulheres. O título reflete o argumento de Millett de que o sexo, como outras áreas da vida que costumam ser consideradas pessoais, tem uma dimensão política que

Para feministas radicais como Kate Millet, a família era inerentemente patriarcal, em que as meninas aprendiam a ser passivas e os meninos assumiam papéis mais assertivos logo depois do nascimento.

O PESSOAL É POLÍTICO

Veja também: Estruturas familiares 138-139 ▪ Estupro como abuso de poder 166-171 ▪ Linguagem e patriarcado 192-193

Sexo é uma categoria de *status* com implicações políticas.
Kate Millett

frequentemente é ignorada. Se política se refere a relações baseadas em poder, em que um grupo de pessoas controla o outro, então as relações sexuais são, por sua própria natureza, políticas. Para Millett, a política sexual se refere ao controle do homem sobre as mulheres e fortalece uma sociedade patriarcal na qual todas as áreas de poder — incluindo governo, cargos públicos, religião, forças armadas, indústria, ciência, finanças e a área acadêmica — estão totalmente nas mãos dos homens.

O patriarcado começa em casa

Como outras feministas radicais, Millett não vê razão biológica para a dominação masculina. Na verdade, declara, as identidades de gênero de homens e mulheres são formadas bem cedo, através das noções de gênero culturais e dos pais. A família é a "principal instituição do patriarcado" porque espelha e reforça as estruturas patriarcais na sociedade, e o comportamento dentro da família é determinado e controlado pelos homens. Ela acredita que a formação educacional reforça o patriarcado, criando um desequilíbrio ao dirigir as jovens na direção das ciências humanas e sociais, enquanto os rapazes são encaminhados para a ciência, tecnologia, engenharia, profissões liberais e negócios. O controle nesses campos é político, e serve aos interesses do patriarcado na indústria, no governo e nas forças armadas.

Força e hábito

Millett diz que a socialização, ou o processo de adquirir comportamentos ensinados, é tão eficiente dentro do patriarcado que raramente é necessário o uso da força. No entanto, ela aponta que o poder do patriarcado realmente se apoia na força sexual: o estupro, no qual agressão, ódio, desprezo e desejo de violar se combinam, em uma forma particularmente misógina de patriarcado. Para Millett, o patriarcado está tão entranhado na psicologia de homens e mulheres que a estrutura de caráter que cria em ambos os sexos se torna "mais um hábito mental e um modo de vida do que um sistema político". Ela diz que as mudanças na condição legal, social e sexual das mulheres conquistadas pelas feministas desde os anos 1830 não fizeram nada para mudar o patriarcado. Mesmo a conquista do direito ao voto feminino não causou qualquer dano ao patriarcado, porque o sistema político ainda é definido por homens. ∎

Uma revolução sexual começa com a emancipação das mulheres, que são as principais vítimas do patriarcado.
Kate Millett

Kate Millett

A feminista norte-americana Kate Millett nasceu em St. Paul, Minnesota, em 1934. Estudou na Universidade de Minnesota, nos EUA; na St. Hilda's College, em Oxford, no Reino Unido; e na Universidade Columbia, em Nova York. Millett se tornou membro do comitê da NOW, National Organization for Women (Organização Nacional das Mulheres), quando a instituição foi formada, em 1966, embora seu feminismo tenha se provado mais radical. A publicação de *Política sexual* (1970) foi seguida por outros trabalhos feministas, incluindo o documentário *Three Lives* (1971). Millett, também escultora, casou-se com um colega escultor em 1965. Atormentada pela doença mental desde os anos 1970, ela acrescentou a saúde mental a sua política e seu ativismo. Depois do divórcio, Millett se assumiu lésbica e se casou com a fotógrafa Sophie Keir. O casal permaneceu junto até a morte de Millett em 2017.

Trabalhos-chave

1970 *Política sexual*
1974 *Flying*
1990 *The Loony-bin Trip*
1994 *The Politics of Cruelty*
2001 *Mother Millett*

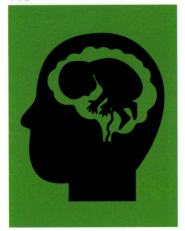

A INVEJA DO ÚTERO ATORMENTA O INCONSCIENTE MASCULINO
INVEJA DO ÚTERO

EM CONTEXTO

CITAÇÃO FUNDAMENTAL
Antoinette Fouque, 2004

ORGANIZAÇÃO-CHAVE
Psychanalyse et politique ("Psicanálise e política")

ANTES
1905 Sigmund Freud apresenta o conceito de "inveja do pênis" em *Três ensaios para a teoria da sexualidade*.

1970–1971 Jacques Lacan desenvolve a teoria de que "a Mulher não existe" dentro do conceito de que "não existe isso de Mulher".

DEPOIS
1979 Antoinette Fouque registra o nome Mouvement de Libération des Femmes como uma marca comercial da "Psych et po", o que impede outras feministas de usar a denominação.

1989 Sob influência de Fouque, são fundadas na França a AFD, Women's Alliance for Democracy e o Observatório de Misoginia.

Formado na França em 1968, o Mouvement de Libération des Femmes (MLF) foi uma organização guarda-chuva feminista que se orgulhava de sua diversidade e do desprezo pelos conceitos "masculinos" de hierarquia. A organização se tornou proeminente em 1970, quando suas integrantes depositaram uma coroa de flores para a Esposa do Soldado Desconhecido, perto do Túmulo do Soldado Desconhecido, no Arco do Triunfo, em Paris. Um grupo dentro do MLF era o Psychanalyse et politique (Psych et po), liderado pela psicanalista Antoinette Fouque. Enquanto a maior parte das feministas francesas ligava a diferença biológica das mulheres a sua opressão, o Psych et Po afirmava que essa diferença, abafada pela "ordem fálica" do patriarcado, era a fonte da potencial libertação da mulher. Fouque acreditava que a misoginia era causada pela inveja masculina da capacidade feminina de dar à luz. Influenciada por ideias do psicanalista Jacques Lacan, Fouque disse que apenas através da exploração psicanalítica do inconsciente as mulheres poderiam "retornar à mãe", rejeitar o pai e produzir uma consciência feminina nova, autêntica, um poder simbólico e sexual que não fosse construído pelo homem. Ela criticava fortemente o restante do feminismo francês como "feminismo fálico", e o declarava tão inimigo quanto o patriarcado. Em 1972, Fouque abriu a Editions des femmes, editora fundada para distribuir textos de mulheres que eram "reprimidas, censuradas e rejeitadas" pelos editores burgueses. ■

O feminismo da não diferença — sexual, econômica e política — é o grande trunfo do generocídio.
Antoinette Fouque

Veja também: As raízes da opressão 114-117 ▪ O olhar masculino 164-165 ▪ Pós-estruturalismo 182-187 ▪ Gênero é performativo 258-261

O PESSOAL É POLÍTICO **147**

SOMOS SEMPRE A INDISPENSÁVEL FORÇA DE TRABALHO DELES
REMUNERAÇÃO PARA O TRABALHO DOMÉSTICO

EM CONTEXTO

CITAÇÃO FUNDAMENTAL
Selma James, 1975

ORGANIZAÇÃO-CHAVE
Wages for Housework ("Remuneração para o Trabalho Doméstico")

ANTES
1848 Em *O manifesto comunista*, Karl Marx e Friedrich Engels declaram que as mulheres na sociedade burguesa são exploradas como "instrumentos de produção".

1969 Na Itália, estudantes de esquerda se manifestam por reformas sociais, culminando no "Outono Quente", um período de greves.

DEPOIS
1975 Margaret Prescod e Wilmette Brown fundam a Black Woman for Wages for Housework, em Nova York.

1981 Ruth Taylor Todasco estabelece a coalisão *No Bad Women, Just Bad Laws*, em Tulsa, Oklahoma, concentrada na descriminalização do trabalho sexual.

A ideia de que o Estado deveria remunerar as mulheres pelo trabalho doméstico que executavam para suas famílias foi levantada pela primeira vez na Itália, em 1972. O conceito capturou a atenção da mídia e se transformou em uma campanha internacional, a Wages for Housework (Remuneração para o Trabalho Doméstico). Suas líderes Selma James, Mariarosa Dalla Costa, Silvia Federici e Brigitte Galtier eram integrantes do movimento intelectual italiano Operaismo, que usava as teorias marxistas para defender que o trabalho era o centro de uma base de poder na sociedade e que uma remuneração justa era essencial para o trabalho ser reconhecido como socialmente valioso. O Wages for Housework defendia que o trabalho doméstico, o cuidado com os filhos e até mesmo o sexo formavam a base de poder das mulheres e que elas deveriam exigir o pagamento por seus serviços e reivindicar melhores condições de trabalho. As ativistas afirmavam que o trabalho feito pelas mulheres em casa — que incluía manter a saúde da família e produzir futuros trabalhadores — sustentava a indústria e o lucro. Elas viam a assistência do Estado e o subsídio por cada filho como remunerações devidas. Também criticavam as feministas que viam o trabalho das mulheres fora de casa como mais valioso e libertador. A partir de 1975, a campanha se expandiu para incluir grupos como Wages Due Lesbians (Remuneração devida às Lésbicas), com objetivos semelhantes. ■

Uma esposa dos anos 1950 lava a roupa da casa com um torcedor de roupa. Sem remuneração e sem visibilidade, esse trabalho era, argumentavam as feministas, a base da impotência feminina.

Veja também: Sindicalização 46-51 ▪ Feminismo marxista 52-55 ▪ Produto Interno Bruto 217 ▪ Feminismo do colarinho-rosa 228-229

A SAÚDE DEVE SER DEFINIDA POR NÓS

SISTEMAS DE SAÚDE CENTRADOS NA MULHER

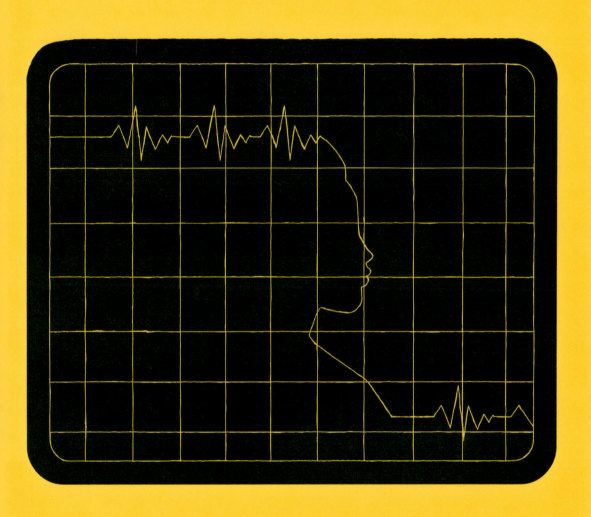

150 SISTEMAS DE SAÚDE CENTRADOS NA MULHER

EM CONTEXTO

CITAÇÃO FUNDAMENTAL
The Doctor's Group, 1970

ORGANIZAÇÃO-CHAVE
Boston Women's Health Book Collective

ANTES
1916 A ativista norte-americana Margaret Sanger abre a primeira clínica de controle de natalidade no Brooklyn, em Nova York.

Início dos anos 1960 A FDA (Food and Drug Administration) aprova o uso da pílula, que logo é amplamente disponibilizada, mas apenas para mulheres casadas.

DEPOIS
1975 É estabelecida a Federation of Feminist Women's Health Centers, com braços na maior parte das cidades dos EUA.

1975 A National Women's Health Network — o "braço de ação" do movimento norte-americano pela saúde das mulheres — organiza a sua primeira manifestação.

Quando as mulheres dão à luz, são controladas por um sistema médico masculino, hierárquico e autoritário.
Sheila Kitzinger

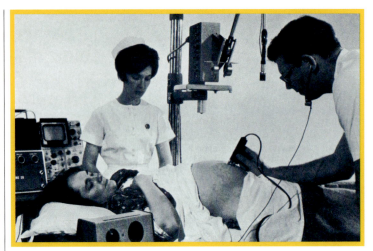

Até os anos 1970, a saúde sexual e reprodutiva das mulheres raramente era discutida ou até mesmo compreendida pelas próprias mulheres. Os médicos costumavam dar os diagnósticos para os maridos das mulheres que examinavam, e as experiências das próprias mulheres não eram levadas em consideração. O acesso a métodos contraceptivos era restrito e na maioria das vezes o parto era um procedimento cirúrgico, com uso de medicamentos.

A segunda onda do feminismo e a pílula anticoncepcional mudaram a relação das mulheres com a gravidez e o sexo. Nesse contexto, ergueu-se um movimento pela saúde da mulher: uma revolução que desafiou o controle dos médicos e dos homens sobre as mulheres. O objetivo desse movimento era possibilitar às mulheres ter conhecimento de seu próprio corpo e poder sobre ele.

Conhecimento do corpo

Em 1969, em um seminário de saúde sexual em uma conferência do Movimento de Libertação das Mulheres, em Boston, doze mulheres com idades entre 23 e 39 anos debateram seus esforços para conseguir bons

Grávida faz ultrassom no Winnipeg General Hospital, no Canadá. Muitas se beneficiaram de cuidados pré-natais de alta tecnologia nos anos 1970, mas algumas se sentiram "exageradamente medicadas".

tratamentos de saúde. Isso as levou a formar o Doctor's Group e a publicar uma cartilha de 193 páginas intitulada "Mulheres e seus corpos: um curso". O objetivo era educar as mulheres a respeito do seu corpo, combatendo sentimentos como vergonha e culpa, e melhorando o relacionamento delas com profissionais da medicina. O texto foi distribuído de mão em mão e continha informações francas sobre anatomia feminina, menstruação, sexualidade e relacionamentos, saúde sexual, nutrição, gravidez, parto e contracepção.

Em 1971, o título da cartilha mudou para *Our Bodies, Ourselves* (OBOS), ou *Nossos corpos, nós mesmas*, e o Doctor's Group se tornou o Boston Women's Health Book Collective. Em 1973, a primeira edição especial e expandida do OBOS foi posta à venda. Seus conselhos francos sobre lesbianidade, masturbação e aborto chocaram o público. O livro foi atualizado muitas vezes ao longo dos

O PESSOAL É POLÍTICO 151

Veja também: Tratamento médico melhor para as mulheres 76-77 ▪ Controle de natalidade 98-103 ▪ Conquistando o direito legal ao aborto 156-159 ▪ Justiça reprodutiva 268 ▪ Campanha contra a mutilação genital feminina 280-281

anos. As primeiras edições se concentravam na ideia das pacientes como vítimas do sistema médico estabelecido. Muitos textos do movimento pela saúde das mulheres enfatizaram o desequilíbrio inerente de poder nas relações médico-paciente e defenderam o direito das mulheres de terem mais conhecimento para mudar esse cenário. A acessibilidade foi um aspecto-chave do movimento pela saúde das mulheres. De acordo com o OBOS, os médicos usavam o jargão médico para manter seu poder. Uma característica fundamental do texto do OBOS era estar cheio de experiências pessoais e relatos, o que se tornou tão importante para o movimento quanto os dados médicos e científicos. Ecoando o famoso brado de convocação em *A mulher eunuco* (1970) para que as feministas experimentassem seu sangue menstrual, as autoras disseram aos leitores: "Você é o seu corpo e você não é obscena". As primeiras versões do OBOS eram mais concentradas em política, enfatizando a ligação entre a saúde das mulheres e seu cenário socioeconômico. O conhecimento do corpo, defendia o texto, exigia conhecimento do ambiente social e

Foi empolgante conhecer mais sobre nosso corpo, e ainda mais empolgante foi conversar sobre como nos sentimos em relação a ele.
Nossos corpos, nós mesmas

Quase toda experiência física que temos como mulheres é tão alienante que acabamos cheias de sensações de desprezo e repugnância por nossos próprios corpos.
Nossos corpos, nós mesmas

político em que as mulheres circulavam. Elas não precisavam aprender apenas sobre seu próprio corpo, tinham também que usar esse conhecimento para questionar e pressionar o sistema médico estabelecido por maior acesso à saúde para todo o estrato social.

Controle de natalidade

A relevância política do movimento pela saúde das mulheres ficou mais evidente no que se referia às escolhas reprodutivas. O capítulo do OBOS sobre controle de natalidade abre com a declaração de que as mulheres devem ter o direito de tomar suas próprias decisões a respeito de ter filhos, incluindo se e quando terão, e se tiverem, quantos querem ter. Essa declaração reafirmava a relação próxima entre controle de natalidade e direitos das mulheres que existiu ao longo do século xx. Além de aconselhar as mulheres a entrarem em contato com a Planned Parenthood — organizações de planejamento familiar sem fins lucrativos, para cuidado sexual e reprodutivo das mulheres — mais próxima de onde moravam, o livro também detalha a segurança »

O caminho para uma assistência médica específica para a mulher

Mulheres se consultam com **médicos homens**.

São tratadas de forma **sexista** e **condescendente**.

Começam a compartilhar suas experiências e a se **conscientizar**.

Desafiam o sistema médico estabelecido, gerando suas próprias fontes de pesquisa.

Declaram: "a saúde deve ser definida por nós".

SISTEMAS DE SAÚDE CENTRADOS NA MULHER

Sheila Kitzinger

Nascida em Somerset, no Reino Unido, em 1929, filha de uma parteira e militante pelo controle de natalidade, Sheila Kitzinger promoveu uma grande mudança nas atitudes em relação ao parto. Depois de estudar antropologia social em Oxford, ela se casou e deu à luz a primeira de cinco filhas em casa — uma experiência que achou incrivelmente positiva. Defensora do parto concentrado na mulher e de partos em casa para gestações de baixo risco, em 1958, Kitzinger ajudou a fundar o Natural Childbirth Trust (como se tornou conhecido a partir de 1961), ou Fundo para o Parto Natural. Ela escreveu muitos livros sobre gravidez e criação de filhos e fez palestras por todo o mundo. Kitzinger acreditava que o parto deve ser visto como um evento natural e até mesmo alegre. Em 1982, Kitzinger foi feita MBE (sigla em inglês para Membro do Império Britânico) em reconhecimento aos seus serviços para o parto. Ela morreu em 2015.

Trabalhos-chave

1962 *A experiência de dar à luz*
1979 *The Good Birth Guide*
2005 *The Politics of Birth*
2015 *A Passion for Birth*

e eficácia dos métodos de controle de natalidade, como a pílula, o DIU, o diafragma e os espermicidas. Ainda inclui alertas sobre o método do coito interrompido e sobre os possíveis efeitos colaterais da pílula.

Muitos textos feministas sobre controle de natalidade enfatizam seu impacto psicológico nas mulheres: são elas que ficam grávidas se o método de controle falhar e elas que se ressentem por precisar assumir sozinhas essa responsabilidade. Até os homens levarem uma gravidez indesejada tão a sério quanto as mulheres, argumenta o OBOS, eles vão continuar a considerar a contracepção um problema feminino. "O que vai ser necessário", pergunta o texto, "para que tenhamos relações sexuais mais plenas, prazerosas e livres de culpa? Muito mais do que apenas bons métodos de controle de natalidade. Mas, pelo menos, esso é um começo."

Ter filhos

Era amplamente aceito em meados do século XX, na América e em toda parte, que a gravidez e a maternidade eram o segredo da realização das mulheres. Em *O segundo sexo* (1949), Simone de Beauvoir diz que na gravidez e na maternidade as mulheres perdem a noção do eu e se tornam "instrumentos

Temos ignorado o modo como nossos corpos funcionam, e isso permite que os homens, em particular os profissionais... nos intimidem nos consultórios médicos e clínicas de todo tipo.
Nossos corpos, nós mesmas

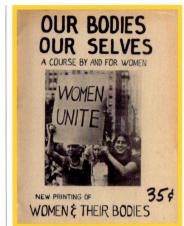

Our Bodies, Ourselves (*Nossos corpos, nós mesmas*) passou por diferentes versões desde 1970 e já tinha sido publicado em 31 línguas até 2017. Essa capa é da edição de 1971.

passivos". Ela escreve que a maternidade deixa a mulher "impressionada com o próprio corpo", como um animal, vulnerável à dominação dos homens e da natureza. Alguns anos mais tarde, a escritora e pesquisadora Sheila Kitzinger começou a promover uma abordagem contrastante na direção da gravidez e do parto, encorajando as mulheres a verem o processo do parto como um evento positivo. O popular *A experiência de dar à luz* (1962) foi um manifesto pela ideia de um parto centrado na mulher, encorajando as mães a terem autonomia em relação à gravidez e ao parto e a resistirem à medicalização forçada e ao domínio dos médicos homens. Os capítulos do OBOS sobre gravidez e maternidade ficam entre a visão de Beauvoir e a de Kitzinger, e declaram que é muito melhor para as mulheres e os filhos quando a concepção é escolhida livremente. Com descrições detalhadas da fertilização, dos sintomas físicos, da gravidez, do trabalho de parto e do pós-

O PESSOAL É POLÍTICO   153

Cher Sivey se prepara para dar à luz o bebê Wilde em Stroud, no Reino Unido, em 2011. Durante o trabalho de parto na água, ela afirmou que seu corpo e seu bebê não precisavam de ajuda externa no processo.

parto, o OBOS encoraja as mulheres a se tornarem participantes ativas na concepção. Como Kitzinger, o OBOS questiona o relacionamento entre o médico e a mulher grávida e, como Beauvoir, enfatiza que a gravidez envolve um esforço para mudança de identidade. Elas acreditam ser esse esforço que pode provocar depressão pós-parto, porque as mulheres não têm uma linguagem para expressar como se sentem, ou se culpam por seus sentimentos. Como Kitzinger, o OBOS defende que é necessário chegar a um consenso sobre o processo de gravidez e maternidade. Elas destacam relatos sobre avaliação médica e questionam a culpa das mulheres por seus sentimentos "não maternais". Lido por milhares em todo o mundo, o OBOS continua a ser atualizado e reeditado, e reflete as mudanças de comportamento. Por mais que o texto tenha se tornado menos político conforme as alterações, seu impacto geral não pode ser subestimado. ∎

Nós mulheres estamos redefinindo a competência: um médico que se comporta de um modo machista não é competente, mesmo que seja um médico hábil.
Nossos corpos, nós mesmas

Dores do parto

As feministas se dividem sobre como lidar com a dor do parto. Algumas acreditam que a preferência de Sheila Kitzinger pelo parto em casa e sua insistência por uma abordagem sem uso de medicamentos negam à mulher o direito ao alívio da dor. Elas declaram que não há nada de nobre nas dores do parto e que suportá-las estoicamente apenas reforça a visão bíblica de que as dores são um castigo às mulheres por Eva ter comido o fruto da Árvore do Conhecimento. Essas feministas veem a crítica da segunda onda do feminismo à medicalização como um retrocesso em relação ao desejo das mulheres da primeira onda de se verem livres da tirania da própria biologia. Outras defendem ardorosamente uma visão oposta, dizendo que as dores servem a um propósito durante o parto. Elas descrevem as mulheres que escolhem parir seus filhos através de uma cesariana — a mais extrema forma de medicalização — como sendo "too posh to push" ("elegantes demais para fazer força").

O FEMINISMO NÃO TEM COMEÇO, MEIO OU FIM
INSERINDO AS MULHERES NA HISTÓRIA

EM CONTEXTO

CITAÇÃO FUNDAMENTAL
Sheila Rowbotham, 1972

FIGURA-CHAVE
Sheila Rowbotham

ANTES
1890 É organizada a primeira assembleia Filhas da Revolução Americana, depois que os homens se recusaram a permitir que mulheres se juntassem à sociedade patriótica Filhos da Revolução Americana.

1915 A historiadora britânica Barbara Hutchins publica *Women in Modern Industry*, um dos primeiros livros a promover uma visão feminista da história.

DEPOIS
1977 É fundada nos EUA a Associação Nacional dos Estudos das Mulheres, a primeira associação acadêmica de historiadores da história da mulher.

1990 O primeiro programa PhD em estudos das mulheres é estabelecido na Universidade Emory, na Geórgia, EUA.

Os historiadores têm ignorado ou banalizado o papel das mulheres em quase todos os campos da atividade humana, incluindo aqueles motivados por princípios igualitários, como luta da classe trabalhadora e movimentos revolucionários. A historiadora britânica Sheila Rowbotham buscou contestar essa injustiça em *Hidden from History: 300 Years of Women's Opression and the Fight Against It*. Publicado em 1973, o livro se propôs a registrar o papel essencial das mulheres na história.

Historiadoras amadoras
No entanto, a primeira tentativa mais consistente de expor a história silenciada das mulheres não foi de historiadores profissionais, e sim de integrantes de organizações de mulheres norte-americanas fundadas no final do século XIX — tais como Filhas Unidas da Confederação, Damas Coloniais da América e Filhas da Revolução Americana. Essas mulheres buscaram registrar o papel exercido pelas mulheres em dois grandes conflitos na história dos EUA: a Guerra de Independência (1775–1783) e a Guerra Civil (1861–1866). Essas organizações não apenas serviram como exemplos poderosos da habilidade das mulheres de alterar a narrativa da história norte-americana, até então dominada apenas pelos homens, mas também desafiaram a visão oitocentista de "esferas separadas", baseada nas diferenças biológicas entre os sexos.

Disciplina acadêmica
Com o despertar da segunda onda do feminismo nos anos 1960, Sheila Rowbotham encorajou a distinção da história da mulher como uma disciplina acadêmica por si só. Em 1969, o primeiro curso de estudos da mulher foi ministrado na Universidade Cornell, nos EUA. Várias associações profissionais foram criadas, assim como um bom número de publicações acadêmicas, tais como *The Journal of Women's History* e *Women's History*

Valores se apoiam na estrutura social que os concebeu.
Sheila Rowbotham

O PESSOAL É POLÍTICO   155

Veja também: Feminismo iluminista 28-33 ▪ Feminismo na classe trabalhadora 36-37 ▪ Feminismo marxista 52-55 ▪ As raízes da opressão 114-117

A história das mulheres é o principal instrumento para a emancipação das mulheres.
Gerda Lerner

Review, ambas fundadas em 1989. O crescimento dos estudos das mulheres nos anos 1970 e 1980 coincidiu com o despertar da história social, que pretende recuperar as vidas de grupos de indivíduos não articulados historicamente, silenciados em narrativas históricas. Na intenção de escrever a história de baixo para cima, o objetivo dos historiadores sociais repercutiu nos que pesquisavam a história das mulheres e garantiu uma metodologia não apenas para recuperar vozes femininas, mas também para mostrar como o papel das mulheres na história tinha sido socialmente construído, com a intenção de manter o controle patriarcal e a situação vigente. Foi demonstrado que a história era mais um caminho para a opressão feminina. Entre as pioneiras durante esse período estavam as acadêmicas norte-americana Carroll Smith-Rosenberg, Natalie Zemon-Davis, Mary Beth Norton, Linda Kerber e Gerda Lerner. O campo de estudos de mulheres e gênero continua a crescer e confirma a longa militância para defender e celebrar o papel que as mulheres vêm representando através dos tempos. ■

A Universidade Cornell ofereceu o primeiro curso de estudos da mulher nos EUA. Chamado Estudos Feministas, de Gênero e de Sexualidade, o curso incluiu a teoria queer e questões de gênero.

Sheila Rowbotham

Uma das fundadoras do Movimento de Libertação das Mulheres, a escritora, teórica feminista e socialista Sheila Rowbotham nasceu em Leeds, no Reino Unido, em 1943. Depois de estudar no St. Hilda's College, em Oxford, ela conseguiu seu primeiro cargo relacionado à política de gênero na Universidade de Amsterdã, na Holanda. Como membro da Real Sociedade de Artes e professora de história do gênero e do trabalho na Universidade de Manchester, Rowbotham conquistou reconhecimento internacional como historiadora do feminismo e dos movimentos sociais radicais. Fortemente influenciada pelo pensamento marxista, ela defende que a opressão às mulheres deve ser examinada através de categorias de análise tanto econômicas como culturais.

Trabalhos-chave

1973 *Hidden from History: 300 Years of Women's Oppression and the Fight Against it*
1997 *A Century of Women: The History of Women in Britain and the United States*
2010 *Dreamers of a New Day: Women Who Invented the Twentieth Century*

A LIBERDADE DA MULHER ESTÁ EM JOGO

CONQUISTANDO O DIREITO LEGAL AO ABORTO

EM CONTEXTO

CITAÇÃO FUNDAMENTAL
Juízas O'Connor, Kennedy, e Souter, 1992

ORGANIZAÇÕES-CHAVE
Our Bodies, Ourselves; Planned Parenthood

ANTES
1967 O Reino Unido legaliza o aborto na Grã-Bretanha para gestações até 28 semanas (prazo que foi reduzido para 24 semanas em 1990).

1971 Simone de Beauvoir publica o "Manifesto das 343" — uma lista de mulheres francesas que admitiram ter feito abortos ilegais.

DEPOIS
1976 Nos EUA, a Emenda Hyde acaba com o fundo federal para o aborto para a maior parte das mulheres no Medicaid.

2018 Na Irlanda, a 8ª Emenda restringindo o aborto é revogada.

A luta pelo acesso ao aborto legal e seguro nos anos 1960 e 1970 foi uma parte vital do Movimento de Libertação das Mulheres (WLM), que via o assunto mais como uma questão de direitos humanos do que como uma questão moral. As restrições legais faziam com que as mulheres morressem ou tivessem sérios problemas de saúde como resultado de abortos ilegais. As feministas se concentraram no direito de as mulheres controlarem seu próprio corpo e suas escolhas reprodutivas, e defendiam que apenas as mulheres tinham o direito de decidir se uma gravidez seria ou não interrompida. No século XIX e no início do século XX, as feministas tinham visões conflitantes sobre o assunto. Enquanto algumas discordavam do aborto em bases

O PESSOAL É POLÍTICO 157

Veja também: Dupla moral sexual 78-79 ▪ Controle de natalidade 98-103 ▪ Sistemas de saúde centrados na mulher 148-153 ▪ Positividade sexual 234-237

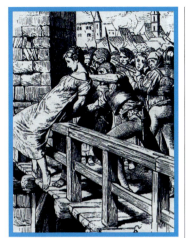

O aborto era punido com afogamento no império Habsburgo de Carlos V, como prescrito no *Constitutio Criminalis Carolina*, de 1532, o primeiro livro de legislação criminal alemão.

A causa da legalização do aborto

- O aborto **protege as mulheres** mental e fisicamente.
- Não se reconhece o feto como **uma pessoa** até ele ser viável.
- Apenas um **interesse coercitivo do Estado** justifica a regulação.
- A mulher deve ter **os mesmos direitos que o homem**, que não experimenta a gravidez.
- A mulher tem **direito à privacidade**.
- O **corpo e as escolhas** da mulher pertencem a ela.

---

morais, muitas achavam que era um mal necessário. *The Revolution*, jornal feminista da cidade de Nova York, publicou um artigo anônimo em 1869 que se colocava contra as leis antiaborto porque puniam as mulheres, não os homens, a quem as autoras do artigo culpavam pelas gestações indesejadas. Margaret Sanger, fundadora da primeira liga de controle de natalidade, em 1916, era moralmente contra o aborto. Seu objetivo principal era garantir contracepção para evitar que as mulheres recorressem a aborteiras que colocavam suas vidas em risco.

Uma questão feminista

O aborto se tornou uma questão central no movimento feminista no final dos anos 1960, com o WLM fazendo do "aborto como exigência" um de seus objetivos-chave. O Ato do Aborto de 1967 legalizou a interrupção da gravidez para mulheres com até 28 semanas de gestação na Inglaterra, na Escócia e no País de Gales, mas dois médicos tinham que atestar que a gravidez causaria dano à saúde física ou mental da mulher. Nos EUA, enquanto Betty Friedan, autora de

Ser mãe sem desejar é o mesmo que viver como escrava ou como um animal doméstico.
Germaine Greer

Mística feminina, geralmente recebe o crédito por ter ligado a libertação da mulher ao direito ao aborto, o livro *A Matter of Choice: Women Demand Abortions Rights*, de Rachel Fruchter, enfatizava que as leis restringindo o acesso ao aborto afetavam desproporcionalmente mulheres pobres e não brancas. Em 1971, o importante livro sobre saúde da mulher *Our Bodies, Ourselves* afirmou que as leis antiaborto eram movidas pela noção de que o sexo por prazer era algo negativo, e o medo da gravidez reforça a moralidade sexual convencional. Por mais que a maior parte das feministas reconhecesse o trauma do aborto, a ausência de controle sobre o próprio corpo era considerada um dano ainda maior para as mulheres. »

O Coletivo Jane

Antes que as leis do aborto mudassem em nível federal nos EUA, alguns grupos ajudaram as mulheres a terem acesso seguro — embora ainda ilegal — ao aborto, em um esforço para combater os procedimentos caros e perigosos. O Jane Collective (Coletivo Jane) foi estabelecido em Chicago, Illinois, em 1965, por Heather Booth, na época uma estudante de dezenove anos. Booth teve consciência dos problemas que enfrentavam as mulheres que queriam fazer um aborto quando uma amiga engravidou. As integrantes do coletivo Jane fizeram treinamento para elas mesmas realizarem abortos seguros. O coletivo nunca se promoveu — as mulheres o descobriam pelo boca a boca, então telefonavam e pediam para falar com a Jane. O grupo cobrava cem dólares por um aborto, valor que a maior parte das mulheres não podia pagar, por isso também garantiam empréstimos sem juros. Por volta de 1973, quando o aborto foi legalizado em todos os Estados Unidos, o coletivo já havia feito cerca de 11 mil procedimentos. Nenhuma morte foi registrada.

O aborto é um direito nosso... como mulheres, de controlar o nosso corpo. A existência de qualquer lei de aborto (por mais "liberal" que seja) nega esse direito às mulheres.
Nossos corpos, nós mesmas

Canadenses protestam em apoio ao ativista pró-escolha, dr. Henry Morgentaler, em 1975. O médico foi preso várias vezes por fazer abortos não autorizados.

Mudando leis

A lei inglesa do aborto originalmente se aplicava também aos EUA, e permitia que as mulheres abortassem antes que o feto começasse a se mexer (por volta da 15ª semana). Depois que o aborto foi declarado ilegal na Grã-Bretanha, em 1802, a legislação antiaborto também foi posta em prática nos EUA, em 1821. As características das mulheres que buscavam interromper a gravidez no Reino Unido e nos EUA também mudou: antes do século XIX, a maior parte era de mulheres solteiras, mas, por volta dos anos 1880, mais da metade era casada e com filhos. Os médicos e o governo colocavam a culpa no despertar dos movimentos pelos direitos das mulheres. No Reino Unido, o Ato Ofensa contra a Pessoa, de 1861, criminalizou o aborto até no caso de razões médicas. Nos EUA, a Lei de Comstock, de 1873, proibiu a publicação de informação sobre o aborto. Por volta de 1900, todos os estados norte-americanos consideravam o aborto um crime em qualquer circunstância. A Associação pela Reforma da Lei do Aborto, formada em 1936, conquistou o direito para as mulheres britânicas de fazer um aborto se sua saúde mental estivesse em risco. No entanto, isso só incluía mulheres que pudessem pagar por um psiquiatra. O número de abortos ilegais e de mortes como resultado continuou a aumentar. Por volta dos anos 1960, as mulheres militavam em grande número para revogar as leis de aborto. Nos EUA, em 1964, uma mulher chamada Gerri Santoro morreu em um motel de Connecticut, vítima de um aborto autoinduzido. A fotografia impactante do cadáver de Gerri Santoro se tornou um catalisador na campanha pelo aborto legal. A influência da militante veterana Margaret Sanger sobre a Liga de Controle de Natalidade de Connecticut levou ao caso *Griswold vs. Connecticut* quando, em 1965, Estelle T. Griswold, da Liga Planned Parenthood de Connecticut desafiou com sucesso a Lei de Comstock que bania a venda ou compra de drogas ou dispositivos contraceptivos. Dois anos mais tarde, em 1967, o Colorado

O PESSOAL É POLÍTICO

> O direito à privacidade é amplo o bastante para abranger a decisão de uma mulher sobre querer ou não interromper a gravidez.
> **Roe vs. Wade**

se tornou o primeiro estado norte-americano a legalizar o aborto em casos de estupro, incesto ou risco à saúde da mãe, e treze outros estados se seguiram a ele. O Havaí se tornou o primeiro estado a legalizar o aborto a pedido da mulher, em 1970. E Washington, o primeiro estado a legalizar o aborto através de um referendo. Por volta de 1973, o aborto havia sido parcialmente legalizado em vinte estados.

Roe vs. Wade

O caso *Roe vs. Wade*, em 1973, levou à legalização do aborto em nível federal. Norma McCorvey havia engravidado do terceiro filho em junho de 1969, e como o aborto era legal no Texas em caso de estupro, ela alegou falsamente que havia sido estuprada. O pedido foi negado, porque ela não tinha registro do estupro na polícia. Então, Norma tentou um aborto ilegal, mas descobriu que as clínicas tinham sido fechadas pela polícia. Em 1970, duas advogadas, Linda Coffee e Sarah Weddington, abriram um processo em favor de Norma, sob o codinome Jane Roe, contra o advogado do distrito do condado de Dallas, Henry Wade. Naquele ano (tarde demais para McCorvey, que já havia dado à luz), uma bancada de três juízes declarou a lei do Texas inconstitucional, porque violava a 9ª Emenda, de direito à privacidade. O caso chegou à Suprema Corte que, em janeiro de 1973, deliberou em favor de Roe, com uma maioria de sete a dois, declarando inconstitucionais as leis contra o aborto do Texas. A corte determinou que, sob os estatutos dos EUA, "o não nascido nunca foi reconhecido... como uma pessoa em um sentido pleno", e o aborto se encaixava nos parâmetros do direito à privacidade. Depois de *Roe vs. Wade*, os estados não poderiam mais proibir o aborto para gestações com menos de doze semanas. No entanto, em

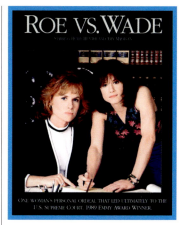

O caso *Roe vs. Wade* inspirou um filme em 1989. A atriz Holly Hunter (à direita), fez o papel de Norma McCorvey, ou "Jane Roe".

1992, outro caso memorável, *Planned Parenthood vs. Casey*, restaurou o direito de os estados regularem os abortos no primeiro trimestre. Os norte-americanos hoje permanecem quase igualmente divididos entre "pró-vida" e "pró-escolha", e a insatisfação com as leis do aborto se espalha. Enquanto isso, há mais de sessenta países no restante do mundo onde o aborto é ilegal. ∎

Simone Veil

Simone Veil é conhecida por defender os direitos da mulher na França, em particular por seu trabalho em relação à legalização do aborto. Nascida Simone Jacob, em Nice, em 1917, ela estava com apenas dezessete anos quando foi mandada para Auschwitz pelos nazistas. Veil sobreviveu ao Holocausto e estudou ciência política e direito. Depois de praticar o direito, ela trabalhou como magistrada, melhorando o tratamento a detentas.

Em 1974, Veil assumiu como Ministra da Saúde — a primeira ministra mulher no governo francês. Nessa época, as mulheres na França estavam exigindo o acesso legal ao aborto. Depois da publicação do Manifesto das 343 (1971), 331 médicos assinaram um manifesto semelhante, declarando seu apoio ao direito de escolha da mulher. Logo sem seguida, em 1975, Veil criou e conseguiu aprovar a Lei Veil, que legalizou o aborto durante o primeiro trimestre — apesar dos violentos ataques que sofreu da extrema-direita. Em 1979, Veil se tornou a primeira mulher presidente do Parlamento Europeu. Ela morreu em 2017, aos 89 anos.

VOCÊS PRECISAM PROTESTAR, PRECISAM FAZER GREVE
ORGANIZANDO SINDICATOS DE MULHERES

EM CONTEXTO

CITAÇÃO FUNDAMENTAL
Gwen Davis, 2013

FIGURAS-CHAVE
Esther Peterson, Rose Boland, Eileen Pullen, Vera Sime, Gwen Davis, Sheila Douglass

ANTES
1900 Surge em Nova York a International Ladies Garment Workers Union, sindicato de mulheres na indústria do vestuário.

1912 A ação de mulheres que trabalhavam na indústria têxtil, em Massachusetts, nos EUA, leva à lei do salário mínimo no país.

DEPOIS
1993 Nos EUA, o Ato de Licença Médica e Familiar garante aos empregados a proteção do emprego no caso de licença para cuidar de um filho ou outro membro da família.

2012 Sindicatos na Islândia ajudam a rascunhar o Padrão de Igualdade de Remuneração, para encorajar os patrões a remunerar igualmente mulheres e homens.

O emprego para as mulheres na indústria da defesa durante a Segunda Guerra Mundial levou as preocupações feministas em relação ao trabalho ao debate público. Em princípio, os sindicatos nos países combatentes estavam mais interessados em proteger os empregos dos soldados que voltassem da guerra do que em lidar com os direitos das mulheres. No entanto, nos anos 1950, com o crescimento econômico e o aumento da demanda no mercado de trabalho, alguns sindicatos começaram a denunciar as desigualdades salariais baseadas no sexo dos empregados. Nos EUA, depois de tentativas de aprovar uma legislação de remuneração igualitária, a persistência política e a agitação feminista finalmente resultaram na aprovação, em 1963, do Ato de Remuneração Igual,

Operárias em greve em Dagenhan levam seu protesto para o Whitehall, em Londres, em 28 de junho de 1968. Demorou dezesseis anos — e outra greve — para o trabalho ser reconhecido como "qualificado".

O PESSOAL É POLÍTICO

Veja também: Sindicalização 46-51 ▪ Feminismo marxista 52-55 ▪ Casamento e trabalho 70-71 ▪ Feminismo do colarinho-rosa 228-229 ▪ Disparidade salarial 318-319

defendido pela ativista sindical e do trabalho Esther Peterson, e encorajado pelo presidente John F. Kennedy. Já na Europa, foi preciso uma ação de greve colaborativa de mulheres para dar andamento à regra da remuneração igual nas esferas de poder.

Impondo resistência

No Reino Unido, o que acelerou a legislação foi a greve das operadoras de máquinas de costura da fábrica de Dagenhan da Ford Motor, em Londres, em 1968. O estopim da paralisação foi a decisão da Ford de rebaixar o trabalho das mulheres (fazer a forração dos assentos dos carros) para a categoria "B" (semiqualificado), em vez de categoria "C" (qualificado), e pagar às mulheres na categoria "B" 15% menos do que aos homens na mesma posição. Em 7 de junho de 1968, as operadoras das máquinas de costura marcharam, lideradas por Rose Boland, Eileen Pullen, Vera Sime, Gwen Davis e Sheila Douglass. A greve de três semanas parou toda a produção de carros. Para persuadir as operárias a voltarem ao trabalho, Barbara Castle, a Secretária de Estado para Emprego e Produtividade, negociou um aumento que elevava os salários a 92% do que os homens ganhavam e estimulou o governo a rever a questão da "igualdade salarial". Um ano depois, inspiradas pela greve da Ford, mulheres sindicalistas formaram o Comitê de Campanha de Ação Conjunta Nacional por Direitos Iguais para as Mulheres. Em 1970, seguindo a legislação europeia, o Ato de Remuneração Igual da União Europeia proibiu tratamento desigual entre homens e mulheres no trabalho.

Ilha solidária

Na Islândia, em todo 24 de outubro, mulheres trabalhadoras celebram o "Dia de folga das mulheres". A data remete à greve nacional de 1975, quando 25 mil mulheres, quase 90% da força de trabalho, pararam. Elas se reuniram em Reykjavík para protestar contra condições econômicas desiguais, exigindo equiparação salarial no local de trabalho e compensações pelo trabalho doméstico e cuidados com os filhos em casa. O principal grupo feminista da Islândia, o Redstockings, organizou o protesto e decidiu que uma greve seria a ação mais poderosa e eficiente. Como resultado do "Dia de folga", muitas indústrias e serviços que dependiam do trabalho das mulheres foram forçados a fechar as portas, incluindo escolas, bancos, serviços telefônicos, jornais e cinemas. A greve durou até a meia-noite e atingiu seu objetivo de demonstrar a todo o país que as mulheres trabalhadoras tinham o mesmo valor para a sociedade que os homens. Um ano depois da greve, a Islândia aprovou o Ato de Igualdade de Gênero, que garantiu direitos iguais para homens e mulheres. Em 2018, a Islândia foi o primeiro país no mundo a aprovar uma legislação com o objetivo de forçar os empregadores a pagarem a remuneração igual a homens e mulheres. ■

Havia um poder tremendo… e uma grande sensação de solidariedade e força entre aquelas mulheres paradas na praça, sob a luz do sol.
Vigdís Finnbogadóttir
Ex-presidente da Islândia

Greve das mulheres espanholas, 2018

Enquanto 170 países planejavam protestos públicos em março de 2018 (no Dia Internacional da Mulher), a Espanha foi o único onde uma greve geral conseguiu apoio do sindicato. Mais de 5 milhões de trabalhadores, a maior parte mulheres, uniram-se a uma "greve feminista", organizada pela Comissão 8M, um coletivo de grupos feministas inspirado pelo "Dia de folga das mulheres" da Islândia, em 1975. Sob o *slogan* "Se nós pararmos, o mundo para", centenas de milhares de mulheres participaram de 24 horas de manifestações e outras ações em cerca de duzentas cidades e municípios espanhóis, parando trabalho, estudo e serviços domésticos. Os manifestantes também denunciaram as desigualdades sofridas pelas mulheres dentro de casa e o aumento da quantidade de crimes violentos contra mulheres. Uma pesquisa encomendada pelo jornal *El País* sugeriu que 82% da população espanhola foi a favor da greve. Enquanto muitos sindicados apoiaram as 24 horas de ação, os dois maiores sindicatos da Espanha, o UGT e o CCOO, limitaram seu apoio a duas horas de greve.

GRITE BAIXINHO
PROTEÇÃO CONTRA A VIOLÊNCIA DOMÉSTICA

EM CONTEXTO

CITAÇÃO FUNDAMENTAL
Erin Pizzey, 1974

FIGURAS-CHAVE
Erin Pizzey, Anne Summers

ANTES
1878 Mulheres britânicas podem se separar legalmente de maridos agressivos sob o Ato das Causas Matrimoniais.

1973 O termo moderno "violência doméstica" é usado pela primeira vez no parlamento britânico.

DEPOIS
1994 Nos EUA, é sancionado o Ato da Violência Contra Mulheres.

2012 O Programa de Abertura sobre a Violência Doméstica (Lei Clare) dá à polícia britânica maiores poderes para revelar atos de violência do passado de alguém.

2017 A Human Rights Campaign, uma organização LGBTQ nos EUA, denuncia o abuso doméstico na comunidade LGBTQ.

Até os anos 1970, o drama das mulheres que sofriam violência de seus parceiros raramente era discutido em público, embora as feministas viessem lutando contra violência doméstica desde o início do século XIX. No Reino Unido, o Ato de Causas Matrimoniais, de 1937, havia incluído crueldade como base para o divórcio, mas o processo para provar essa condição era difícil e caro. Apenas depois que as mulheres começaram a compartilhar suas experiências pessoais nos grupos de conscientização, no final dos anos 1960 e início dos anos 1970, é que elas começaram a perceber que o abuso enfrentado não era um problema individual, e sim coletivo, exigindo uma reparação política.

Abrigos para mulheres
Erin Pizzey, uma das primeiras integrantes do Movimento de

Mulheres e crianças se aglomeram no primeiro abrigo para mulheres em Chiswick, em West London, em 1974. Uma campanha de conscientização fez disparar o número de mulheres em busca de proteção.

O PESSOAL É POLÍTICO   163

Veja também: Direitos para as mulheres casadas 72-75 ▪ Conscientização 134-135 ▪ Estupro como abuso de poder 166-171 ▪ Combatendo a agressão sexual nos *campi* 320

> Temos que estimular a consciência de que a violência doméstica é vergonhosa e indigna a um homem.
> **Anne Summers**

Libertação das Mulheres do Reino Unido, abriu o primeiro abrigo para mulheres em Chiswick, em Londres, em 1971. Foi um passo importante para expor a realidade do que significava ser uma "esposa espancada", como eram chamadas na época as sobreviventes da violência doméstica. O abrigo oferecia às vítimas apoio emocional e material, e a publicidade que essa ação gerou expôs um problema visto até ali como uma questão puramente matrimonial. O livro de Pizzey, *Scream Quietly or the Neighbours Will Hear* (1974), chama a atenção para as histórias pessoais de mulheres, dando ainda mais destaque à questão. A estratégia de Pizzey de abrir novos abrigos invadindo prédios abandonados enfureceu as autoridades locais, mas seu trabalho também foi amplamente elogiado, inclusive por membros do parlamento, e por lorde Hailsham, chefe do judiciário, que declarou que ela estava garantindo um serviço único.

Outras iniciativas

Na Austrália, a escritora feminista Anne Summers, que formou um grupo do WLM em Adelaide, em 1969, também criou abrigos para mulheres. Depois de se mudar para Sydney, em 1970, ela e outras feministas ocuparam dois prédios abandonados de propriedade da Igreja Anglicana e ali abriram o Abrigo Elsi, em 1974. Elas receberam financiamento do governo um ano mais tarde. Em 1972, o Comitê de Ação Nacional (NAC) do Canadá, formado por uma coalizão de 23 grupos feministas, fez pressão por proteção explícita para as mulheres na lei. As mudanças exigidas nas leis federais finalmente foram incluídas na Carta de Direitos e Liberdades de 1985. A campanha White Ribbon, criada por homens no Canadá para cultivar uma masculinidade saudável, livre de misoginia, é agora ativa em mais de sessenta países. Em 1993, as Nações Unidas publicaram *Estratégias para confrontar a violência doméstica*, em uma tentativa de pressionar países ao redor do mundo a repensarem suas abordagens em relação à violência contra as mulheres. Nos EUA, Austrália e Reino Unido, leis novas ou atualizadas foram aprovadas para proteger as mulheres do abuso. A violência doméstica continua, mas hoje é um problema que cada vez menos nações podem ignorar. ∎

> Ao menos uma em cada três mulheres é espancada, coagida ao sexo ou abusada por um parceiro íntimo ao longo da vida (globalmente).
> **Dado de 2008 do Departamento de Informação Pública das Nações Unidas**

Erin Pizzey

Nascida em Qingdao, na China, em 1939, Erin Pizzey era filha de diplomatas ocidentais e morou em muitos países quando criança, incluindo África do Sul, Líbano, Canadá, Irã e o Reino Unido. Ela cresceu em um lar física e emocionalmente abusivo, em que tanto o pai quanto a mãe cometiam *bullying*. Mais tarde, Pizzey irritou grupos feministas radicais com sua alegação de que as mulheres eram tão responsáveis por perpetuar a violência quanto os homens. As opiniões controversas de Pizzey provocaram protestos e ameaças de morte vindas de militantes feministas. Ela se mudou para Santa Fé, no Novo México; para as Ilhas Cayman; e para a Itália, para escrever, antes de voltar a Londres, nos anos 1990. O Chiswick Women's Aid (atualmente Refuge), que Pizzey fundou em 1971, é a maior organização contra a violência doméstica no Reino Unido.

Trabalhos-chave

1974 *Scream Quietly or the Neighbours Will Hear*
1998 *The Emotional Terrorist and the Violence-Prone*
2005 *Infernal Child: World without Love*

O OLHAR PROJETA A FANTASIA DO HOMEM NA MULHER
O OLHAR MASCULINO

EM CONTEXTO

CITAÇÃO FUNDAMENTAL
Laura Mulvey, 1975

FIGURAS-CHAVE
Laura Mulvey, bell hooks

ANTES
1963 O teórico e crítico francês Michel Foucault usa o termo "olhar médico" para o foco estreito do médico na biomedicina em vez de no paciente.

1964 Influenciado pelo conceito do "olhar", do filósofo francês Jean-Paul Sartre, o psicanalista também francês Jacques Lacan começa a teorizar sobre o "olhar" do "Outro".

1975 Foucault desenvolve a teoria do panopticismo: como prisioneiros, nós nos policiamos quando estamos sob constante escrutínio.

DEPOIS
2010 O romancista norte-americano Brett Easton Ellis declara que falta às mulheres diretoras o olhar masculino que gera grandes filmes.

Nos filmes, o **ponto de vista da câmera** é **masculino** e **ativo**, enquanto **a mulher na tela** é **passiva**; está sendo vista.

O olhar masculino determina e projeta sua fantasia na figura feminina, que é moldada de acordo com esse olhar.

A **mulher**, portanto, se torna um **objeto erótico de desejo**: tanto para os personagens masculinos no filme quanto para o público.

Em última instância, o **homem detém** o **poder**.

Desde que a teórica, feminista e crítica de cinema Laura Mulvey cunhou a expressão "o olhar masculino", em 1975, o conceito se tornou parte do léxico feminista regular. Amplamente usado para se referir ao sexismo e à objetificação das mulheres na cultura popular, o argumento original de Mulvey sobre o olhar masculino levou a psicanálise a examinar representações de mulheres no cinema clássico de Hollywood.

Objetos do desejo
Em seu ensaio "Prazer visual e cinema narrativo", Mulvey afirma que nos filmes de Hollywood o cineasta (homem) usa a câmera para refletir o desejo masculino pelas mulheres e presume um espectador homem (heterossexual). Mulvey analisa como a apresentação das tomadas de câmera — segmentando os corpos das mulheres em vez de mostrá-los como um todo, aproximando mais a câmera de determinadas partes e fazendo uma panorâmica lenta do corpo de maneira sexualizada — acaba mostrando as mulheres na tela como objetos do desejo masculino. Enquanto os homens são apresentados como protagonistas ativos, orientando a narrativa, as mulheres são vistas como

O PESSOAL É POLÍTICO   165

Veja também: As raízes da opressão 114-117 ▪ O problema sem nome 118-123 ▪ Feminismo antipornografia 196-199 ▪ Positividade sexual 234-237 ▪ O mito da beleza 264-267 ▪ Consciência do abuso sexual 322-327

Esse cartaz francês de *O destino bate a sua porta* (1946) destaca o olhar masculino. Cora Smith, a protagonista, é vista primeiro através de uma série de *closes*, forçando o espectador a enxergá-la de forma voyeurística.

apoios passivos para temas masculinos e como fetiches passivos para as fantasias sexuais dos homens. Mulvey usa a teoria da escopofilia — ou o prazer através do olhar —, do psicanalista Sigmund Freud, para desenvolver a teoria de que "o foco do olhar" nas mulheres no cinema é uma forma de voyeurismo. Está instalado o problema: se o público deve se identificar com o sujeito masculino do filme, como as espectadoras mulheres vão conseguir se relacionar com o que veem na tela?

O olhar oposicionista

Em *Olhares negros: raça e representação* (1992), a feminista e teórica negra bell hooks contesta a tese de Mulvey, examinando criticamente a predominância branca no cinema de Hollywood e questionando como as mulheres negras podem se identificar com o cinema. Ao se verem limitadas na tela aos estereótipos racistas americanos da "Mammy", a mãe preta dos brancos, ou da "Jezebel", a negra devoradora de homens, as mulheres negras têm duas estratégias-chave para lidar com a escopofilia sobre a qual escreve Mulvey. Ou suprimem sua negritude e tentam se identificar com as mulheres brancas na tela para conseguir algum grau de representação, ou desenvolvem um prazer visual de assistir a filmes com o olhar crítico. Desconstruir o racismo e o sexismo nos filmes, sugere hooks, pode ser um modo de contestar não apenas o olhar masculino, mas a exclusão das mulheres negras no cinema, e ainda ganhar no processo uma alegria escopofólica. Ao teorizar sobre maneiras de mulheres negras encontrarem prazer nos filmes, hooks cunha a expressão "o olhar oposicionista" — um olhar crítico que avalia o olhar dominante e devolve o próprio olhar. Para hooks, um olhar oposicionista feminista negro pode ser encontrado em um filme independente feminista negro, um meio que cria uma poderosa representação de mulheres negras em vez de reagir apenas criticando a exclusão das mulheres negras da tela.

Olhar queer

Acadêmicos também têm defendido a ideia de ver um filme através de um olhar queer. O livro *White's UnInvited: Classical Hollywood Cinema and Lesbian Representability* (1999), de Patricia White, pergunta o que significa para o olhar masculino se o público feminino queer também consumir filmes feitos para excitar homens heterossexuais. ∎

Mulheres vivem o próprio corpo como visto por outro, por um Outro anônimo e patriarcal.
Sandra Lee Bartky
Professora de estudos de gênero

Laura Mulvey

Nascida em Oxford, em 1941, Laura Mulvey estudou no St. Hilda's College, na Universidade de Oxford. Ela se tornou conhecida como feminista e crítica de cinema nos anos 1970 com seu artigo "Prazer visual e cinema narrativo", o primeiro no campo da crítica cinematográfica feminista. Entre 1974 e 1982, Mulvey atuou como corroteirista e codiretora de seis filmes com o marido Peter Wollen — a maior parte deles abordava temas feministas, principalmente *Penthesilea: Queen of the Amazons* (1974) e *Riddles of the Sphinx* (1977). Em 1991, ela também codirigiu *Disgraced Monuments*. Mulvey foi escolhida como membro da Academia Britânica em 2000 e é professora de teoria do cinema em Birkbeck, na Universidade de Londres.

Trabalhos-chave

1975 "Prazer visual e cinema narrativo"
1989 *Visual and Other Pleasures*
1996 *Fetishism and Curiosity*

O ESTUPRO
É UM PROCESSO CONSCIENTE DE
INTIMIDAÇÃO
ESTUPRO COMO ABUSO DE PODER

ESTUPRO COMO ABUSO DE PODER

EM CONTEXTO

CITAÇÃO FUNDAMENTAL
Susan Brownmiller, 1975

FIGURAS-CHAVE
Susan Brownmiller, Antonia Castañeda

ANTES
1866 Nos EUA, Frances Thompson, Lucy Smith e outras mulheres negras testemunham diante do Congresso sobre o estupro coletivo de mulheres negras por policiais brancos durante os tumultos de Memphis.

1970 O Mulheres de Chicago contra o Estupro publica uma declaração de propósito, ligando o estupro à desigualdade de poder na sociedade.

DEPOIS
1933 Após décadas de luta, o estupro marital é tornado ilegal em todos os cinquenta estados norte-americanos.

2017 O movimento feminista #MeToo, para denunciar responsáveis por cometer violência sexual, se espalha internacionalmente.

Quando Susan Brownmiller escreveu *Against Our Will: Men, Women and Rape*, em 1975, o estupro era considerado um assunto velado, porque dificilmente era denunciado. Quando se discutia o estupro, era sempre em tons sussurrados, e a culpa com frequência era posta nas vítimas, sendo a lógica defender que os homens eram movidos pela própria biologia a "precisar" de sexo. De acordo com o entendimento que prevalecia na época, era responsabilidade da mulher controlar, ou ao menos limitar, o desejo sexual masculino.

O estupro é político

Nos anos 1970, as feministas começaram a desafiar a reação da sociedade à violência sexual contra as mulheres ao introduzir o conceito de estupro motivado por poder. O livro de Brownmiller serviu como um catalisador. Baseado em quatro anos de pesquisa, o livro afirma que, desde a pré-história, o estupro tem sido o mecanismo primário através do qual os homens reafirmam seu domínio sobre a mulher. Ela defende que, longe de ser um crime passional, movido pelo desejo sexual, o estupro é um instrumento usado de forma consciente e calculada

> O estupro entrou na lei pela porta dos fundos... como um crime de propriedade de homem contra homem.
> **Susan Brownmiller**

pelos homens para reivindicar poder sobre o corpo das mulheres. Esse é o caso do estupro doméstico, do estupro por estranhos e dos estupros durante atos de terror de ampla escala, como escravidão, guerras e genocídio. Dessa forma, o estupro precisa ser considerado em termos políticos. Aos homens é dada a permissão de estuprar, escreve Brownmiller, em parte por causa da crença predominante de que o homem tem direito a possuir o corpo da mulher e, por outro lado, pela discriminação sistêmica, que força as mulheres a posições subordinadas. Ela revela que o conceito antiquado de que o corpo da mulher é propriedade do homem ainda assombra a percepção do estupro nos dias de hoje. Brownmiller

---

Susan Brownmiller

A jornalista e feminista Susan Brownmiller nasceu no Brooklyn, em Nova York, em 1935. Ela cresceu em um lar de judeus da classe operária e atribuía sua motivação para confrontar a violência contra as mulheres a tudo o que aprendeu, muito cedo, sobre o Holocausto e o tratamento histórico dado aos judeus. Em 1964, Brownmiller se envolveu com o Movimento dos Direitos Civis e, em 1968, se interessou pelo feminismo, depois de participar de grupos de conscientização promovidos pelo Radical Women de Nova York. Apesar de seu livro *Against Our Will: Men, Women and Rape* (1995) ter sido recebido com reservas, a tese dela — de que o estupro sempre foi um modo fundamental de o homem exercer poder sobre as mulheres — teve uma profunda influência sobre a abordagem do movimento feminista em relação à violência sexual.

Trabalhos-chave

1975 *Against Our Will: Men, Women, and Rape*
1984 *Femininity*
1989 *Waverly Place*
1990 *In Our Time: Memoir of a Revolution*

O PESSOAL É POLÍTICO   169

Veja também: Proteção contra a violência doméstica 162-163 ▪ Feminismo indiano 176-177 ▪ Sobrevivente, não vítima 238 ▪ Mulheres em zonas de guerra 278-279 ▪ O sexismo está por toda parte 308-309 ▪ Homens machucam mulheres 316-317 ▪ Combatendo a agressão sexual nos *campi* 320 ▪ Consciência do abuso sexual 322-327

também foi uma das primeiras jornalistas a chamar a atenção para o abuso sexual de crianças, afirmando que o estupro de mulheres adultas e a violência sexual contra crianças em geral são cometidos por homens aparentemente honrados e bem-ajustados, conhecidos de suas vítimas e, muitas vezes, da mesma família. Esses crimes, diz ela, não se limitam a um pequeno grupo de "pervertidos", como a sociedade costuma afirmar.

Estupro como violência de massa

Trabalhos acadêmicos feministas posteriores olharam para o uso do estupro contra as mulheres como um método tanto de humilhar grupos aterrorizados quanto de estabelecer o domínio sobre a população. No ensaio "Violência sexual na política e políticas de conquista" (1993) a feminista chicana (mexicano-americana) Antonia Castañeda examina como o estupro de massa foi usado para subjugar populações nos séculos XVIII e XIX. Estuprar mulheres e crianças indígenas no que hoje é a Califórnia, diz ela, foi um modo de os soldados espanhóis reivindicarem a terra e os corpos das pessoas que conquistaram. Embora alguns padres católicos se opusessem à violência sexual em massa, a conquista militar em nome da monarquia espanhola católica permitiu que o sistema de missões se espalhasse naquela região. Os estudos da acadêmica e feminista indígena norte-americana Andrea Smith levam esse argumento adiante. No livro *Conquest: Sexual Violence and American Indian Genocide* (2005), ela afirma que o estupro em massa de mulheres indígenas na América do Norte representou uma extensão da crença dos colonizadores brancos de que a terra na qual o povo indígena vivia era basicamente suscetível e propensa à invasão.

Estupro sob regime de escravidão

No ensaio "A 'economia sexual' da escravidão americana" (2009) e em outros trabalhos, a acadêmica e feminista afro-americana Adrienne Davis afirma que, nos EUA, escravizadores brancos costumavam estuprar rotineiramente para aterrorizar mulheres negras e lembrar aos homens negros que eles não tinham poder para protegê-las. Além disso, diz ela, quando o país deixou de traficar escravos do exterior, depois de 1808, os estados do Sul se »

Mitos e verdades sobre estupro

✗ Mito	✓ Verdade
A **sexualidade feminina convida** ao estupro.	Homens usam o estupro para **exercer poder** sobre as mulheres.
O estupro é **motivado pelo desejo sexual**.	O estupro é **motivado por poder e violência**.
O estupro deve ser raro porque **nunca se fala a respeito**.	A **cultura do silêncio cerca o estupro**, o que significa que as pessoas ficam assustadas ao falar sobre o assunto.
O estupro é sempre **cometido por estranhos**.	É mais provável o estupro ser cometido por **alguém conhecido** da vítima.
As mulheres "alegam estupro" e **fazem falsas acusações**.	Os registros de falsas alegações **não são maiores do que para outros crimes** — entre 2 e 6%.

O estupro tornou-se não apenas uma prerrogativa masculina, mas uma arma de força contra a mulher; é o agente principal da vontade dele e do medo dela.
Susan Brownmiller

adaptaram à nova situação expandindo o comércio doméstico de escravos na América. As mulheres negras sustentaram a economia branca do Sul produzindo novas gerações de pessoas escravizadas, com frequência concebidas através do estupro. A violência sexual contra as mulheres negras, afirma Davis, foi primordial para o desenvolvimento histórico da economia na América.

Ativismo feminista

A criação de centros de acolhimento foi uma parte-chave do ativismo feminista da segunda onda. As mulheres que os estabeleceram, e algumas tendo sofrido elas mesmas

Maior centro na Nova Inglaterra, o Rape Crisis Center da área de Boston foi criado em 1973 e garante atendimento gratuito para sobreviventes de violência sexual, não importando a data da ocorrência.

violência sexual, queriam garantir abrigo e apoio às vítimas. Foi importante os centros terem sido criados por e para mulheres. As vítimas que reportavam estupro geralmente desconfiavam do policial que registrava detalhes do crime. Na maior parte homens, os policiais eram reconhecidamente pouco solidários com as vítimas e conhecidos por constrangê-las e desacreditar suas histórias. Além de querer garantir às mulheres estupradas um lugar seguro a que pudessem recorrer para obter apoio e recursos, as ativistas do centro de acolhimento queriam mudar as leis que cercavam o estupro e garantir que os estupradores fossem sempre responsabilizados pelo crime. Em 1972, feministas radicais em Washington, D.C., publicaram o panfleto "Como montar um centro de acolhimento". Logo foram formados grupos por todo o país. Em 1973, a organização SFWAR, sigla em inglês para Mulheres de São Francisco Contra o Estupro, estabeleceu um número de ajuda para

Estupro no casamento

No século XVII, o juiz inglês Sir Matthew Hale determinou que o estupro marital não podia existir aos olhos da lei. Ele decretou que, ao entrar em um casamento, a mulher consentia no sexo com o marido pelo resto da vida. Essa visão era comum em outros países de língua inglesa, embora, durante o século XIX, as sufragistas norte-americanas Elizabeth Cady Stanton, Lucy Stone e Victoria Woodhull defendessem que as mulheres determinariam quando fariam sexo com os maridos, assim como a feminista britânica, Harriet Taylor Mill. O estupro no casamento só se tornou ilegal no Reino Unido em 1991. Nos Estados Unidos, foi declarado ilegal em todos os cinquenta estados em 1993, mas o estupro marital foi tratado da mesma maneira que o não marital apenas em dezessete estados. O Alto Comissariado das Nações Unidas pelos Direitos Humanos também estabeleceu que o estupro no casamento é uma violação dos direitos humanos internacionais.

casos de estupro durante vinte horas semanais, que, no início dos anos 1980, se tornou uma linha direta 24 horas, além de garantir apoio a grupos e aconselhamento individual.

Iniciativas internacionais

O mesmo tipo de iniciativa se espalhou por outros países ao longo dos anos 1970 e início dos anos 1980. No Reino Unido, o LRCC, sigla em inglês para Centro de Crise de Estupro de Londres, foi aberto em 1976, oferecendo uma linha direta 24 horas para casos de estupro, assim como ajuda individual e referências médicas. Seu objetivo era dar apoio às vítimas sem fazer julgamentos, garantir recursos para que se reportasse a violência sexual à polícia e proporcionar ajuda para lidar com o sistema legal àquelas que escolhessem levar o caso aos tribunais. O centro também providenciava acompanhamento psicológico. Na Austrália, a organização Women Against Rape abriu o primeiro centro de acolhimento em Sydney, em 1974. O WAVAW/RCC, sigla em inglês para Mulheres do Canadá Contra a

O PESSOAL É POLÍTICO

E tem mais: igualdade não pode coexistir com o estupro.
Andrea Dworkin

Violência Contra a Mulher, foi formado em Vancouver, em 1982. Durante os anos 1970, as feministas também começaram a usar o termo "cultura do estupro" para descrever como o estupro é encarado como normal e rotineiro nas sociedades misóginas. O documentário norte-americano *Rape Culture* (1975) se colocou contra a crença prevalecente de que o estupro é um ato individual, cometido por uma pessoa perturbada, e enfatizou a ligação entre estupro, sexismo e violência contra as mulheres. O filme foi importante para a mudança da visão da sociedade sobre estupro e o crescimento do combate à violência sexual contra a mulher. Em 1978, o filme foi mencionado no Congressional Record dos EUA, registro do congresso norte-americano, e foi a primeira vez de que se teve notícia da menção ao conceito da cultura do estupro na política dos EUA em nível nacional. Desde os anos 1970, em muitos países houve numerosas tentativas de prevenção para impedir que a culpa seja colocada na sobrevivente, com ênfase na educação pública sobre consentimento e na melhoria das práticas em hospitais, nos tribunais e na mídia. A terminologia ao redor do estupro também mudou, e a pessoa que sofreu a violência sexual passou a ser identificada como "sobrevivente" e não "vítima". Muitos grupos fundados nos anos 1970 ou 1980 continuam a operar até hoje. O SFWAR se tornou uma organização oficial sem fins lucrativos em 1990 e continua a ter êxito em seu trabalho. O grupo original de acolhimento na Austrália acabou se ampliando para quinze centros patrocinados pelo governo conhecidos como CASA, sigla em inglês para Centros Contra Agressão Sexual. Nos Estados Unidos, a RAINN, sigla em inglês para Rede Nacional Contra Estupro, Abuso e Incesto, foi fundada em 1994 e oferece uma linha direta para denúncia de agressão sexual em nível nacional. O Ato de Violência Contra as Mulheres de 1994 determinou que o orçamento do governo norte-americano patrocinasse esforços no combate à cultura do estupro. Em alguns países, conseguir financiamento para esses grupos é um desafio. Em 1984, por exemplo, havia 68 centros de acolhimento operando em cidades do Reino Unido. No entanto, em 2010, esse número havia caído para 39, e há a estimativa de que apenas um em cinco centros receba todo o financiamento necessário.

A violência persiste

Apesar de alguns passos positivos, a violência sexual permanece não reconhecida como um problema em muitos países. Depois de décadas de militância, apenas em 2013 o governo irlandês admitiu o papel ativo do governo em mandar "mulheres estragadas", incluindo as que haviam ficado grávidas através de um estupro, para as conhecidas lavanderias Magdalene, campos de trabalho forçado supervisionados pelas Sisters of Mercy, uma ordem de freiras que tratava as jovens de forma punitiva e vendia seus bebês para famílias ricas. A prática continuou na Irlanda do século XVIII até 1996. No Japão, o documentário *Japan's Secret Shame* (2018) contou a luta de uma mulher para levar ao tribunal o homem que a estuprara, um jornalista renomado, em um país onde falar sobre estupro e outras formas de violência sexual ainda é tabu. ∎

Mulheres em Mumbai acendem velas para marcar o estupro coletivo e assassinato de Jyoti Singh Pandey, de 23 anos, em um ônibus, no sul de Déli, em dezembro de 2012.

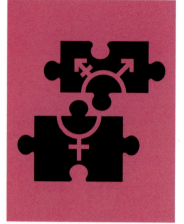

NASCER MULHER É UMA EXPERIÊNCIA VIVIDA
FEMINISMO RADICAL TRANSEXCLUDENTE

EM CONTEXTO

CITAÇÃO FUNDAMENTAL
Lisa Vogel, 2013

FIGURAS-CHAVE
Janice Raymond, Sheila Jeffreys, Germaine Greer, Lisa Vogel

ANTES
1973 Na Califórnia, a coorganizadora da Conferência Lésbica da Costa Oeste, Beth Elliot, vai embora depois de ser atacada pelo grupo separatista lésbico The Guter Dykes por ser trans.

1977 Gloria Steinem sugere que o transexualismo é uma distração de questões feministas mais relevantes.

DEPOIS
2008 A escritora e blogueira Viv Smythe, uma mulher cisgênero, cunha a expressão "feminismo radical transexcludente" para diferenciar a comunidade feminista radical transinclusiva à qual pertence.

Desde os anos 1970, houve um subgrupo bem atuante de feministas que acreditava que suas vidas e experiências de opressão são inteiramente diferentes do que viveram e experimentaram as mulheres trans porque foram designadas "mulheres" ao nascer, e sempre se identificaram como mulheres (cisgênero). Essas mulheres agora são chamadas de TERFS, sigla em inglês para Feministas Radicais Transexcludentes, embora essa normalmente não seja uma denominação usada por elas mesmas. Nos anos 1970, durante o levante da segunda onda do feminismo, algumas feministas radicais como Mary Daly, Janice Raymond e Sheila Jeffreys consideraram as mulheres trans como "intrometidas". Essas feministas tinham visões fortes e hostis sobre quem deveria ser vista como mulher e desenvolveram seus próprios argumentos contra a validade da identidade de pessoas trans. Algumas delas — embora não todas — também acreditavam no "lesbianismo político", a ideia de que todas as feministas deveriam desistir dos homens e viver uma vida separatista. Janice Raymond publicou o primeiro texto feminista abertamente transexcludente radical: *The Transexual Empire: The Making of the She-Male* (1979). No livro, Raymond acusa as mulheres trans de serem homens mentalmente doentes que querem invadir os espaços das mulheres graças ao seu senso de direito. Ela cita especificamente a companheira feminista lésbica, Sandy Stone, engenheira de som do selo de música feminino Olivia Records, como sendo uma impostora trans na cena musical feminina. Sheila Jeffreys

Ativistas marcham pelos direitos trans em Chicago, nos EUA, em 2017. Eles estão protestando contra a suspensão de políticas que haviam permitido a estudantes trans usarem os banheiros adequados as suas identidades de gênero.

O PESSOAL É POLÍTICO   173

Veja também: Confrontando a misoginia 140-141 ▪ Lesbianismo político 180-181 ▪ Privilégio 239 ▪ Interseccionalidade 240-245 ▪ Gênero é performativo 258-261 ▪ Feminismo trans 286-289

Germaine Greer se dirige à plateia no NSW Teachers' Conference Centre, em Sydney, na Austrália, em 2008. Atualmente uma TERF muito eloquente, Greer tem sido retirada da lista de palestrantes de muitas universidades.

expandiu esses pontos de vista nos anos 1990 e mais tarde declarou que as pessoas trans confirmam estereótipos danosos sobre o gênero binário. Ela alega que as mulheres trans femininas compram as ideias danosas do patriarcado de como uma mulher deve parecer e se comportar. Jeffreys também argumenta que o sistema médico dominante prejudica os corpos "das mulheres" ao garantir aos homens trans acesso à cirurgia. A transição médica de homens trans que haviam sido previamente identificados como lésbicas masculinas têm, diz ela, levado a uma crise na comunidade lésbica. Germaine Greer é hoje uma das TERFS mais conhecidas. Ela defende que as mulheres trans não têm uma razão autêntica para a transição; do seu ponto de vista, alguém que nasce com uma genitália masculina é, e sempre será, apenas um homem.

Feminismo transinclusivo

Críticas às visões TERF são ao mesmo tempo amplas e violentas. As feministas transinclusivas questionam se um feminismo que endossa a exclusão e a intimidação de grupos marginalizados merece ser chamado de feminismo. Críticas como Julia Serano afirmam que as TERFS violam seus próprios princípios feministas, que há muito buscam compreender as mulheres como sujeitos complexos em vez de meros corpos. Críticas interseccionais apontam que a raça e a classe também impactam fortemente na experiência do indivíduo antes, durante e depois da transição médica. As TERFS são rotineiramente acusadas de se recusarem a respeitar a identidade das pessoas trans e a contribuir para a percepção danosa de que as mulheres trans são "homens de vestido", saqueando as mulheres com sua "energia masculina". Oponentes à ideologia TERF dizem que essa retórica desumanizante contribui para a alta taxa de assassinatos de mulheres trans. ∎

Todos as transexuais estupram os corpos das mulheres ao reduzir a forma feminina real a um artefato, apropriando-se desse corpo para si mesmas.
Janice Raymond

Festival feminino de música de Michigan

A batalha para proibir mulheres trans em espaços femininos estourou no festival de música Michigan Womyn's, ou MichFest, que acontecia em Michigan (EUA), desde 1976. Como muitas outras organizações feministas da época, o festival usava a palavra "womyn" para designar mulheres, em vez de "women", para evitar a última sílaba "men", que, em inglês, significa "homens". O festival reforçou uma posição controversa "womyn-born-womyn" (mulheres identificadas como mulheres desde o nascimento) que resultou no confronto e expulsão da trans Nancy Burkholder, na edição de 1991. Nos muitos anos de protesto que se seguiram, no início da década de 1990, o Camp Trans foi estabelecido como um evento alternativo, enquanto uma iniciativa chamada Mulheres Trans Pertencem a Este Lugar tentou mudar o festival. Quando a fundadora Lisa Vogel se recusou a mudar a posição radical do evento, a frequência ao festival caiu e atrações cancelaram suas apresentações. O MichFest foi encerrado em 2015.

SER GORDA É UMA FORMA DE DIZER "NÃO" À FALTA DE PODER
POSITIVIDADE GORDA

EM CONTEXTO

CITAÇÃO FUNDAMENTAL
Susie Orbach, 1978

FIGURAS-CHAVE
Susie Orbach, Marilyn Wann

ANTES
1969 É fundada nos EUA a Associação Nacional para o Avanço na Aceitação dos Gordos.

1972 É formado o grupo Fat Underground no Centro Radical de Psiquiatria em Berkeley, na Califórnia.

1973 As ativistas norte-americanas dra. Sara Fishman e Judy Freespirit publicam o *Fat Liberation Manifesto*.

DEPOIS
2003 A Associação para Diversidade de Tamanhos defende o modelo de Saúde para Todos os Tamanhos, para a política de assistência médica nos EUA.

2012 É publicada nos EUA a primeira edição de *Fat Studies: An interdisciplinary Journal of Body Weight and Society*.

Positividade gorda diz respeito ao direito que as pessoas gordas têm de amar e aceitar seus corpos como eles são. O conceito rejeita a visão de que corpos gordos são inerentemente não saudáveis e critica as visões ocidentais do corpo que muitas vezes equiparam saúde a virtude moral. A psicanalista britânica Susie Orbach, e outras defensoras da positividade gorda, afirma que mulheres gordas são socialmente patrulhadas para se adequarem a padrões de beleza sexistas, eurocêntricos, heterossexistas e cissexistas (discriminação contra pessoas transgênero) que punem seus corpos gordos. Ela insiste que essa hierarquia de valor corporal deve ser superada. Seu livro *Gordura é uma questão feminista* (1978) foi uma das primeiras contribuições intelectuais aos movimentos feministas de positividade gorda.

Corpos incontroláveis

As atitudes ocidentais sobre o corpo foram moldadas pela visão cristã de que os corpos são pecaminosos e que os corpos das mulheres em particular são suscetíveis à tentação. Os conceitos do Iluminismo sobre o corpo também foram de grande influência, especialmente a ideia do dualismo corpo-mente, que afirma que a mente racional deve governar o corpo libidinoso. Acadêmicos do campo de Estudos da Gordura criticam essas ideias-base, afirmando que ambas têm responsabilidade no fato de as sociedades julgarem alguns corpos como inferiores e por verem essas comunidades marginalizadas (mulheres, negros, pobres, LGBTs e portadores de deficiência), como particularmente incontroláveis e carentes de controle social.

Desafiando a ideologia

Nos anos 1960, as feministas identificaram pela primeira vez o estigma antigordo como uma forma de discriminação a ser combatida. Elas se

A única coisa que ninguém consegue diagnosticar... ao olhar para uma pessoa gorda é seu próprio nível de estereótipo e preconceito em relação a pessoas gordas.
Marilyn Wann

O PESSOAL É POLÍTICO   175

Veja também: O problema sem nome 118-123 ▪ O olhar masculino 164-165 ▪ Positividade sexual 234-237 ▪ O mito da beleza 264-267 ▪ O movimento Riot Grrrl 272-273

Mulheres fazem a dança do ventre na convenção da Associação Nacional para Promover a Aceitação da Gordura, em Boston (EUA), divulgando o movimento de positividade gorda pela imagem positiva do corpos.

uniram aos movimentos de aceitação dos gordos que surgiam e faziam objeção à opressão sistêmica que as pessoas gordas sofriam na época, quando modelos ultramagras como Twiggy eram elevadas à categoria de ícones. Nos anos 1980, emergiram mais organizações desafiando a gordofobia e, na década de 1990, os movimentos Fat Liberation e Riot Grrrl lançaram zines (revistas de pequena circulação) feministas para gordas. A *FAT!SO?*, da ativista Marilyn Wann, foi publicada como zine em 1994 e transformada em livro em 1998. Na mesma época, organizações como o Conselho sobre Discriminação de Tamanho e Peso, de 1991, relatavam que mulheres gordas não só ganhavam menos do que mulheres magras, como recebiam menos aumentos salariais de seus empregadores, enquanto os médicos costumavam presumir que os problemas de saúde eram devido ao excesso de peso, sem sequer fazerem exames diagnósticos. A positividade gorda se expandiu na internet, com uma maior consciência do estigma em relação aos gordos, a proliferação da "fatshion", a moda para gordos, e de modelos *plus size*. O movimento feminista interseccional da poeta e ativista Sonya Renee Taylor e seu livro *The Body is Not An Apology* (2018) buscam "desmantelar os sistemas de opressão baseados no corpo". Do movimento de positividade gorda nasceu o de positividade corporal, enfatizando o valor e a beleza de todos os corpos. No entanto, alguns defensores da positividade gorda criticam o movimento de positividade corporal, dizendo que os mais marginalizados, como as pessoas "supergordas" e as negras, são sub-representados no movimento. ■

Susie Orbach

Nascida em uma família judia, em Londres, em 1946, Susie Orbach é escritora feminista, psicanalista e crítica social. Em 1978, publicou *Gordura é uma questão feminista*, que olha para a problemática relação das mulheres com seus corpos, as razões emocionais por que as mulheres comem demais e, o mais crucial, os modos como a magreza foi elevada à categoria de ideal. Orbach publicou trabalhos em áreas similares, incluindo *Fat is a Feminist Issue II*, *Hunger Strike*, *On Eating* e *Bodies*. Ela escreve sobre as dinâmicas dos relacionamentos, principalmente de casais heterossexuais. Orbach trabalhou com a Unilever e foi uma das cocriadoras da Campanha Dove pela Real Beleza (com mulheres de todas as idades e tamanhos no lugar de modelos profissionais) e está no comitê de direção da Campaign for Body Confidence, no Reino Unido. Orbach é casada com a escritora Jeanette Winterson.

Trabalhos-chave

1978 *Gordura é uma questão feminista*
1983 *What do Women Want* (com Luise Eichenbaun)
2005 *A impossibilidade do sexo*

A LIBERTAÇÃO DAS MULHERES É A LIBERTAÇÃO DE TODO MUNDO

FEMINISMO INDIANO

EM CONTEXTO

CITAÇÃO FUNDAMENTAL
Kavita Krishnan, 2014

FIGURA-CHAVE
Madhu Kishwar

ANTES
1850–1915 Esforços coloniais para banir práticas como o *sati* (imolação da viúva) e o casamento infantil e aumentar a maioridade formam a "primeira fase" do feminismo na Índia.

1915–1947 Questões femininas se tornam uma parte dos movimentos nacionalista e anticolonialista na "segunda fase".

DEPOIS
2012 Mobilizações na sequência do estupro coletivo fatal de uma estudante em Déli forçam o governo a adotar punições mais duras.

2017 O movimento #MeToo contra o assédio e a agressão sexual é limitado na Índia, onde apenas 25% da população tem acesso à internet.

Antes da independência, em 1947, o feminismo foi introduzido na Índia por homens indianos de altas castas que levantaram o assunto do *status* das mulheres dentro do movimento anticolonial e, antes disso, pelos britânicos, que queriam banir certas práticas culturais. Depois de 1947, uma "terceira fase" do feminismo (liderada por mulheres) se desvencilhou da agenda anticolonial para se concentrar apenas nas questões femininas. Ainda assim, por volta de 1970, quando Indira Gandhi foi a primeira mulher a se tornar primeira-ministra, havia muito poucas mulheres na política, e a maioria delas tinha pouca ou nenhuma voz no cotidiano. Ficou a cargo dos grupos feministas enfrentar assuntos como a inclinação dos sistemas social e legal a favor dos homens, a desigualdade dos direitos de propriedade e a baixa remuneração.

Novas iniciativas

Em 1972, o estupro coletivo de Mathura, uma menina órfã de uma tribo, por policiais que mais tarde foram absolvidos, desencadeou um movimento para combater a violência policial contra as mulheres. Em 1983, o movimento acabou tendo sucesso em retificar a lei para que a alegação da vítima de que não havia consentido a relação sexual seja aceita, a menos que haja prova em contrário. Leis adicionais tornaram o estupro um crime legalmente punível. Como o feminismo indiano teve que considerar a desigualdade de gênero dentro das estruturas de poder de acordo com casta, tribo, idioma, região e classe, as ativistas relutaram em aceitar o conceito ocidental de

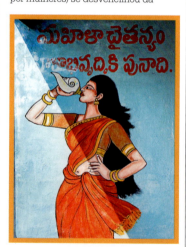

Um mural no estado indiano de Andhra Pradesh, onde há um alto índice de crimes contra mulheres, declara que "O empoderamento é a base do desenvolvimento das mulheres".

O PESSOAL É POLÍTICO

Veja também: O movimento global pelo sufrágio 94-97 ▪ Anticolonialismo 218-219 ▪ Feminismo pós-colonial 220-223 ▪ Feminismo indígena 224-227 ▪ Feminismo digital 294-297

Madhu Kishwar

Nascida em 1951, Madhu Purnima Kishwar estudou na Miranda House e na Universidade Jawaharlal Nehru, em Nova Déli. Acadêmica, escritora e ativista dos direitos humanos e dos direitos das mulheres, ajudou a fundar a *Manushi*, uma revista pioneira sobre mulher e sociedade. Kishwar é pesquisadora sênior no Centre for the Study of Developing Societies (CSDS), em Nova Déli, e diretora do Projeto Estudos Índicos, baseado no CSDS. Ela também é presidente do *Manushi Sangathan*, um fórum que organiza grupos de cidadãos para agir em relação a questões específicas, promover justiça social e reforçar os direitos humanos, especialmente para as mulheres.

Trabalhos-chave

1984 *In Search of Answers: Indian Women's Voices*
1986 *Gandhi and Women*
1990 *Why I Do Not Call Myself a Feminist*
2008 *Zealous Reformers, Deadly Laws: Battling Stereotypes*

feminismo e defenderam uma abordagem mais específica para a Índia. Em 1978, as acadêmicas Madhu Kishwar e Ruth Vanita fundaram a revista *Manushi*, que abordou assuntos críticos do patriarcado na sociedade, nas leis e na economia, e a violência enfrentada pelas mulheres de "todos os setores". Atualmente em formato digital, a revista foi inspirada no trabalho de Mahatma Gandhi, e busca uma solução pacífica para o conflito social, ajudando mulheres a lidar com os desafios de seu tempo.

Feminismo na Índia hoje

Por mais que, teoricamente, as mulheres na Índia tenham direitos que as tornam iguais aos homens perante a lei, na realidade esses direitos são muitas vezes ignorados. A principal corrente do feminismo indiano continua a lutar por questões como casamento infantil, aborto seletivo,

A Gulabi Gang do sari rosa, formada em 2002, expõe publicamente perpetradores de violência e injustiça contra mulheres e crianças, e faz pressão por ações da polícia.

crimes por dote, estupro e violência contra mulheres que vivem na marginalidade. Fóruns *on-line* se concentram em imagem corporal, tabus em relação à menstruação, educação sexual, maternidade e amor queer; e a mídia social é agora o que a acadêmica e escritora Alka Kurian chama de "quarta fase" do feminismo, que combina liberdade feminina com uma convocação ampla para lutar por justiça social para as minorias. Os protestos ganharam apoio através da mídia, e grupos como as Gulabi Gang (Gangue Rosa) confrontam localmente. Também existem movimentos contra questões chamadas de *"eve-teasing"*, assédio sexual a uma mulher em um lugar público. As mulheres hindus que lutam contra as noções ortodoxas de casamento e família muitas vezes são acusadas de serem ocidentalizadas. ▪

NOSSAS VOZES TÊM SIDO NEGLIGENCIADAS
TEATRO FEMINISTA

EM CONTEXTO

CITAÇÃO FUNDAMENTAL
Lynn Nottage, 2010

FIGURAS-CHAVE
Caryl Churchill, Eve Ensler

ANTES
1968 No Halloween, em Nova York, integrantes do Women's International Terrorist Conspiracy from Hell (W.I.T.C.H.) enfeitiçaram Wall Street com uma "pegadinha" de guerrilha, usando fantasias completas de bruxa.

DEPOIS
2011 Feministas anticapitalistas ajudam a organizar os protestos do Occupy Wall Street, e mais tarde denunciam a misoginia que encontraram nos ativistas homens.

2013 O movimento V-Day, que luta pelo fim da violência contra a mulher, organiza o *flash mob* "One Billion Rising" no Dia dos Namorados. O "1 bilhão" representa a estatística de uma entre três meninas e mulheres no mundo que sofreram violência ou estupro.

O teatro feminista emergiu durante os anos 1970, inspirado pelo ativismo do Movimento de Libertação das Mulheres. Em vez do "quarto todo seu" que Virginia Woolf exigira, as mulheres agora queriam seu próprio palco — uma plataforma para ideias e experiências feministas. Coletivos teatrais se espalham pelo mundo, indo do Women's Theatre Group (agora The Sphinx) e do Monstrous Regiment, no Reino Unido, até o Spiderwoman e o At the Foot of the Mountain, nos EUA, além de Melbourne Women's Theatre Group, na Austrália, o Dotekabo-ichiza, no Japão, o Sistren, na Jamaica, e o Nightwood Theatre, do Canadá. Esses grupos burgueses tinham em comum o objetivo de desafiar os estereótipos femininos e a objetificação dos corpos das mulheres. Enquanto todos os grupos endossavam o princípio geral da igualdade das mulheres, eles divergiam na forma como isso deveria ser abordado e conquistado. A prioridade do Nightwood, por exemplo, tem sido encenar peças de e sobre mulheres canadenses, enquanto a trupe do Spiderwoman reflete a experiência das mulheres indígenas norte-americanas.

Criando um teatro feminista

Diferentes dinâmicas políticas e estilos de feminismo influenciaram a direção que cada grupo tomou. Em uma abordagem feminista radical, o At the Foot of the Mountain explorou as experiências femininas e buscou criar para elas uma forma de arte distinta de um "teatro do patriarcado", no qual os temas e personagens masculinos dominam. O grupo feminista-socialista Monstrous Regiment se comprometeu com um texto novo e organizado coletivamente para dar às mulheres a chance de trabalhar em todos os aspectos do teatro. A dramaturga britânica Caryl Churchill, que chegou a ser aclamada internacionalmente, estava entre as que faziam parte do

O que eu sinto é um posicionamento feminista muito forte e isso inevitavelmente se reflete no que escrevo.
Caryl Churchill

Veja também: Liberdade intelectual 106-107 ▪ Arte feminista 128-131 ▪ Feminismo radical 137 ▪ Linguagem e patriarcado 192-193

O PESSOAL É POLÍTICO 179

Linguagem corporal

Os monólogos da vagina, de Eve Ensler, estreou no centro de artes HERE, na Off Broadway, em 1996, e logo causou uma comoção. Os monólogos originais foram baseados em entrevistas que Ensler fez com duzentas mulheres e suas opiniões sobre sexo, relacionamentos e a violência. A forma dramática como ela apresentou as histórias, hilariantes e perturbadoras, não poderia ser ignorada — os monólogos foram traduzidos em 48 idiomas e hoje são conhecidos ao redor do mundo. Por mais que a peça tenha atiçado o ultraje dos conservadores, e algumas feministas o tenham criticado por ser estreito demais e centrado demais no corpo, as questões políticas levantadas foram celebradas. Desde 1998, Ensler vem usando os monólogos como parte de seu movimento mundial V-Day para protestar contra a violência em relação às mulheres e para abordar questões como agressão, incesto, mutilação genital feminina e tráfico humano.

O drama encenado na mesa de jantar é o cenário para *Top Girls*, de Caryl Churchill. Essa remontagem de 1991, no Royal Court Theatre de Londres, incluiu parte do elenco da produção original de 1982.

Monstrous Women. Como outras dramaturgas europeias da época — como a francesa, nascida na Tunísia, Simone Benmussa, a alemã Gerlind Reinshagen e a italiana Franca Rame —, Churchill foi influenciada pelo feminismo socialista. Suas peças eram teatralmente criativas, assim como as da dramaturga cubano-americana María Irene Fornés, ou as da afro-americana Adrienne Kennedy. *Top Girls* (1982), talvez a peça mais conhecida de Churchill, começa com uma cena de jantar que reúne mulheres históricas e fictícias para celebrar a promoção da personagem principal, Marlene. Conforme o enredo se desenrola, o passado de Marlene é revelado, e a plateia descobre que seu sucesso foi conquistado muito à custa das outras mulheres.

Uma nova geração

A mensagem de advertência de *Top Girls* sobre sucesso material e empoderamento individual se provou profética para o feminismo e seu movimento teatral nos anos que se seguiram. O capitalismo de livre mercado e o neoliberalismo, adotados pelo governo de Margaret Thatcher no Reino Unido e pela administração de Ronald Reagan nos EUA, estavam em desacordo com o espírito coletivo que havia caracterizado o teatro feminista. Nos anos 1990, novas questões feministas estimularam uma geração mais jovem de ativistas. A dramaturga norte-americana Eve Ensler usou o sucesso de seu espetáculo solo *Os monólogos da vagina* (1996) para criar o movimento V-Day, denunciando a violência contra as mulheres. As desigualdades e injustiças continuam a influenciar o drama feminista no século XXI. Vozes incisivas incluem mulheres negras premiadas como Suzan-Lori Parks e Lynn Nottage, nos EUA, debbie tucker green, no Reino Unido, e a trupe australiana de cabaré de mulheres indígenas, a Hot Brown Honey. Cada uma a seu modo, todas exigiram um palco feminista próprio. ■

Anúncio de *As mulheres falam*, versão árabe, de 2006, de Lina Khoury, dos *Monólogos da vagina*, em Beirute.

TODAS AS FEMINISTAS PODEM E DEVEM SER LÉSBICAS
LESBIANISMO POLÍTICO

EM CONTEXTO

CITAÇÃO FUNDAMENTAL
Leeds Revolutionary Feminist Group (Grupo Feminista Revolucionário de Leeds), 1981

ORGANIZAÇÃO-CHAVE
Leeds Revolutionary Feminist Group

ANTES
1955 É fundado o The Daughters of Bilitis, primeiro grupo social e político lésbico dos EUA.

1969 Em Washington, é fundado o coletivo Furies, um grupo feminista separatista lésbico.

DEPOIS
1996 A socióloga americana Vera Whisman publica *Queer by Choice*.

2008 Em *Sexual Fluidity: Understanding Women Love and Desire*, a psicóloga Americana Lisa Diamond defende que a sexualidade das mulheres pode mudar ao longo do tempo.

Desde o início dos anos 1960, muitas feministas começaram a identificar a heterossexualidade como uma das formas primárias pelas quais os homens controlam as mulheres. Feministas lésbicas radicais questionaram o casamento heterossexual como o destino-padrão para meninas e mulheres e as incentivaram a praticar a lesbianidade como uma identidade política. Mulheres lésbicas na política argumentavam que as mulheres só conseguiriam se liberar verdadeiramente da violência e do controle dos homens se os excluíssem completamente de suas vidas românticas e sexuais. Deixar voluntariamente a heterossexualidade para trás, afirmavam, era a forma de aprofundar o comprometimento com o Movimento de Libertação das Mulheres. O feminismo lésbico, no entanto, nem sempre foi aceito dentro dos movimentos feministas mais amplos. Nos EUA, por exemplo, a conceituada feminista Betty Friedan — que foi presidente da organização NOW — tentou se distanciar da questão da lesbianidade. Críticos de Friedan condenaram suas supostas declarações de 1969 de que as lésbicas constituíam uma "ameaça lilás", que ameaçavam a respeitabilidade do feminismo.

Resistindo ao patriarcado

Em resposta a Friedan, uma ala de feministas lésbicas radicais usou o suposto insulto para formar um grupo chamado Lavender Menace ("Ameaça Lilás"). Em 1970, soltaram o manifesto "The Woman Identified Woman", que conclamava as mulheres a pararem de se alinhar às expectativas sexistas masculinas e desviar suas energias dos homens através do lesbianismo político.

Um casal lésbico marcha na Parada do Orgulho Gay de Nova York, em 1989. A primeira parada aconteceu em 1970, um ano depois da revolta de Stonewall, em Greenwich Village, onde a violência estourou entre os LGBTs e a polícia.

O PESSOAL É POLÍTICO

Veja também: Heterossexualidade compulsória 194-195 ▪ Positividade sexual 234-237 ▪ Interseccionalidade 240-245 ▪ Feminismo e teoria queer 262-263 ▪ Bissexualidade 269

A lesbianidade é uma escolha política necessária, parte das táticas da nossa luta, não é um passaporte para o paraíso.
Grupo Feminista Revolucionário de Leeds

O conceito de lesbianismo político teve sua mais plena expressão no britânico LRFG, sigla em inglês para Grupo Feminista Revolucionário de Leeds, em especial no panfleto "Lesbianismo político: a questão contra a heterossexualidade" (1979). Nesse panfleto, o LRFG analisou o sexo heterossexual, a penetração em particular, como um ato de violação pelos homens e um lembrete constante da condição das mulheres como "o centro invadido". Não se esperava que as lésbicas do movimento necessariamente tivessem relações sexuais com mulheres. O LRFG definia uma lésbica como uma mulher que não fazia sexo com homens. Enquanto muitas lésbicas tinham parceiras mulheres, algumas se mantinham em abstinência sexual, ou eram assexuadas. Muitas feministas heterossexuais se enfureceram com a declaração ousada do LRFG de que continuar a fazer sexo com homens era conspirar com o "inimigo". Outras lésbicas ficaram ultrajadas pelo fato de a lesbianidade ser definida de forma tão simplória como não fazer sexo com homens. As que acreditavam que sua sexualidade era inata rejeitaram a declaração de que lesbianidade poderia ser uma escolha para qualquer mulher.

As marchas "Reclaim the Night" aconteceram no Reino Unido até os anos 1990. E foram revividas em 2004. A marcha da foto é de Bristol, em 2015, com militantes contra a violência sexual exigindo um fim para o estupro.

As guerras sexuais

As feministas continuaram a debater o que constituía uma abordagem apropriadamente "feminista" da sexualidade ao longo dos anos 1980. Nos EUA, a feminista lésbica radical Andrea Dworkin rejeitou a penetração, criticou a pornografia e o trabalho sexual como violências contra a mulher e enfatizou o igualitarismo nos papéis sexuais. Outras lésbicas, como Gayle Rubin, também nos EUA, exploraram o BDSM (Bondage, Dominação, Sadismo, Masoquismo), e se referiam a si mesmas como feministas pró-sexo. ∎

Grupo Feminista Revolucionário de Leeds

O lesbianismo político tem sua raiz nos EUA, mas foi o LRFG, do norte da Inglaterra, que talvez tenha causado o maior impacto do movimento. O grupo foi formado em 1977 e chamou a atenção em novembro daquele ano, quando organizou a marcha "Reclaim the Night", por todo o Reino Unido. A marcha foi uma resposta ao conselho da polícia para que as mulheres não saíssem à noite, em reação à série de assassinatos cometidos pelo "Yorkshire Ripper" que vinham acontecendo. O "Reclaim the Night" foi um chamado à ação para defender o direito de as mulheres ocuparem os espaços públicos sem a ameaça de sofrerem violência física ou sexual.

O LRFG permaneceu ativo ao longo dos anos 1980. Em 1981, republicou seu panfleto de 1979, "Lesbianismo político: a questão contra a heterossexualidade", como um livro chamado *Love Your Enemy? The debate between heterosexual feminism and political lesbianism*.

A MULHER DEVE SE COLOCAR NO TEXTO

PÓS-ESTRUTURALISMO

184 PÓS-ESTRUTURALISMO

EM CONTEXTO

CITAÇÃO FUNDAMENTAL
Hélène Cixous, 1975

FIGURAS-CHAVE
Hélène Cixous, Luce Irigaray, Julia Kristeva

ANTES
Anos 1960 Um novo movimento intelectual se desenvolve na França, opondo-se ao Estruturalismo.

1968 A economia francesa é abalada por protestos de estudantes e greves gerais contra o capitalismo, os valores tradicionais e o imperialismo norte-americano.

DEPOIS
1970 O Mouvement de Libération des Femmes (MLF), o movimento de libertação das mulheres francês, declara 1970 como o "ano zero" de sua luta.

1990 O pensamento feminista pós-estruturalista encontra eco nos EUA com o livro *Problemas de gênero: Feminismo e subversão da identidade*, de Judith Butler.

A linguagem reflete as **estruturas de poder masculinas** tradicionais.

→ O que leva ao **domínio patriarcal** na literatura e na cultura intelectual.

↓

A mulher deve se colocar no texto por iniciativa própria.

← As mulheres são **chamadas a criar** uma nova *écriture féminine* (escrita feminina) que levará à mudança social.

O pós-estruturalismo é um movimento filosófico que emergiu na França durante os anos 1960. Ele se desenvolveu como uma crítica ao estruturalismo, uma filosofia francesa dos anos 1950 e 1960 que defendia que produtos culturais, como textos literários, têm princípios lógicos básicos, ou "estruturas". Os estruturalistas usavam a ideia de "oposição binária", identificando opostos como racional/emocional e masculino/feminino nos textos, para revelar os princípios da organização universal. Em contrapartida, os pós-estruturalistas eram contra a ideia de oposição binária e usavam o instrumento filosófico da desconstrução. Para os pós-estruturalistas, os textos não podem ser tidos como uma fonte de "verdade" óbvia porque são moldados pela história e pela cultura — e ambas, por serem sistemas do conhecimento humano, estão sujeitas à distorção. Os pós-estruturalistas questionavam não apenas o que sabemos, mas como achamos que sabemos, e como nossa posição no mundo afeta nossa ideia do que é a verdade objetiva. Muitas feministas francesas, incluindo Hélène Cixous, Luce Irigaray, Julia Kristeva e outras, adotaram o pós-estruturalismo como um modo de criticar as hipóteses

Hélène Cixous

Hélène Cixous nasceu em Oran, na Argélia francesa, em 1937, filha de pai médico e de mãe que havia escapado da Alemanha Nazista. Mais tarde, ela diria que sua identidade como membro de uma família judia francesa na Argélia foi marcada pela alienação.

Ao se mudar para a França, Cixous estudou, deu aulas de literatura francesa e se envolveu na revolução estudantil de 1968. Ela se tornou uma voz poderosa do feminismo francês durante os anos 1970 e publicou seu trabalho mais influente, *O sorriso da Medusa*, sobre *écriture féminine* (escrita feminina). Em 1974, Cixous estabeleceu o primeiro programa de doutorado em estudos sobre as mulheres na Europa, na experimental Universidade de Paris 8, que ela cofundou em uma reação direta aos protestos estudantis de 1968. Cixous é romancista, poeta e dramaturga, e tem diplomas honorários de várias universidades ao redor do mundo.

Trabalhos-chave

1975 *O sorriso da Medusa*
1983 *Le livre de Promethea*

O PESSOAL É POLÍTICO

Veja também: Lesbianismo político 180-181 ▪ Linguagem e patriarcado 192-193 ▪ Gênero é performativo 258-261

Cixous dá aula no primeiro centro de estudos feministas da Europa, na Universidade de Paris 8. Ela é a intelectual e pensadora radical que desenvolveu uma nova linguagem feminista.

Écriture féminine

A filósofa francesa Hélène Cixous emergiu como uma das primeiras feministas pós-estruturalistas francesas nos anos 1970. Em 1975, ela publicou o ensaio que foi um divisor de águas em sua carreira, *O sorriso da Medusa*. Nesse trabalho, Cixous apela às mulheres para que desafiem os modos dominantes de escrita, que usa valores tipicamente associados aos homens em vez daqueles associados às mulheres. Ela cunha o termo *écriture féminine*, ou escrita feminina, como um desafio ao "falogocentrismo", ou o modo como a escrita e o discurso dos dominantes sobre conhecimento e poder. Elas chamaram a atenção, em particular, para o modo como os textos filosóficos vinham sendo escritos a partir da perspectiva dos homens, enquanto se apresentavam como um fato objetivo e totalmente abrangente.

homens enfatizam a importância da razão (masculina) sobre a emoção (feminina). Em seu apelo às mulheres, Cixous pede que intervenham e reescrevam as regras da escrita, da linguística e da produção de conhecimento. Isso é importante, argumenta Cixous, porque a escrita é um instrumento-chave para a mudança social. Para Cixous, os corpos das mulheres desempenham um papel importante na *écriture féminine*. Ela propõe que as mulheres experimentem seus corpos — através da masturbação, por exemplo — em ondas de energia e emoção. Esse modo complexo de habitar o corpo, defende ela, deve encontrar expressão na escrita. Ao denunciar como as mulheres eram desmerecidas pelos homens por sua escrita, Cixous compara as formas como as mulheres escreviam em segredo com a maneira como as mulheres foram tolhidas de sua fonte de poder por causa do medo e do ódio que os homens sentiam delas. Cixous ecoou as teorias norte-americanas do lesbianismo político quando deu ênfase à importância da conexão das mulheres com outras mulheres. Ela defendia que todas deveriam dar vazão ao seu potencial bissexual latente no processo de criar uma "multiplicação" do desejo.

Diferença sexual

Luce Irigaray nasceu na Bélgica e, como Hélène Cixous, deu uma importante contribuição ao feminismo durante os anos 1970. Ela desenvolveu várias teorias, inclusive recorrendo ao marxismo para desenvolver sua "teoria da transação", afirmando que as mulheres foram reduzidas a mercadorias sob o capitalismo, sendo comercializadas e colecionadas por »

A mulher está *aproveitando* a oportunidade de falar... (isso permite) a ela abalar a história... por seu próprio direito, em todo o sistema simbólico, em todo o processo político.
Hélène Cixous

As mulheres devem se escrever (e devem) levar mulheres a escrever, considerando que elas vêm sendo afastadas da escrita tão violentamente quanto de seus corpos.
Hélène Cixous

186 PÓS-ESTRUTURALISMO

O relacionamento entre sexo e linguagem

Além da lógica:
- A expressão é **circular** e concentrada na **experiência**.
- Busca uma **nova linguagem** e **perspectiva**.
- Ainda não pode ser descrito como **prazer feminino**.

Lógico:
- A expressão é uma **narrativa** que leva a um **objetivo**.
- Usa a **linguagem** que é **falocêntrica**, arraigando um ponto de vista masculino.
- Pode ser efetivamente descrito como **prazer masculino**.

homens polígamicos da mesma forma que eles faziam com recursos financeiros. Em seu trabalho, Irigaray defende a importância da escrita das mulheres como um modo de desafiar os sistemas literário e de comunicação dominados pelos homens. Através de uma revolução na escrita feminina, Irigaray esperava que fosse haver uma nova linguagem para as mulheres que ainda precisava ser plenamente conceituada ou articulada.

Irigaray talvez seja mais conhecida pelo feminismo da diferença sexual. Ela acredita que, na história do pensamento ocidental, os homens ocuparam uma posição no topo de uma hierarquia sexual, com as mulheres abaixo deles, como inferiores. Os valores e experiências masculinos se tornaram o padrão para as experiências de todos os seres humanos, ao ponto de as experiências e contribuições filosóficas das mulheres serem apagadas e sublimadas. Irigaray sugere que a sociedade deve se afastar da ideia de uma hierarquia sexual de homens como sujeitos e mulheres como os "outros", e reconhecer a diferença sexual — isto é, reconhecer as diferenças das mulheres em relação aos homens e seu direito de forjar uma

A... atenção exclusiva — e altamente ansiosa — dada à ereção... prova a que extensão o imaginário que domina a ereção é estrangeiro ao feminino.
Luce Irigaray

subjetividade feminina, ocupando a posição do "eu".

Irigaray também registra que as mulheres (a quem imagina aqui em um contexto cisgênero, identificadas com o gênero determinado a elas no nascimento) têm um relacionamento especial com seus fluidos corporais — especificamente o sangue menstrual, o leite materno e o fluido amniótico — e conecta esses fluidos à capacidade das mulheres para fluidez conceitual na escrita. No livro *Este sexo que não é só um sexo* (1977), ela discorre longamente sobre a sexualidade das mulheres como fluida e múltipla, com bem mais zonas erógenas se comparadas aos homens. Ao destacar a multiplicidade dos órgãos sexuais femininos e as potenciais zonas de prazer, Irigaray busca ao mesmo tempo desafiar a primazia do falo na compreensão da sexualidade controlada pelo homem e também explorar caminhos para a sensualidade entre mulheres. Esse último tema é

O PESSOAL É POLÍTICO

> ... como no verdadeiro teatro, sem maquiagem ou máscaras, a recusa e os cadáveres me mostram o que eu deixo permanentemente de lado para viver.
> **Julia Kristeva**

central no trabalho de Irigaray *When Our Lips Speak Together* (1980). Defendendo que as mulheres tomem parte na "mímese", ou imitação, Irigaray se vale da psicanálise para sugerir que as mulheres se rebelem contra os estereótipos sobre a feminilidade criados pelos homens e assumam versões estranhas e incomuns da feminilidade.

Kristeva e o abjeto

Nascida na Bulgária, Julia Kristeva se mudou para a França em meados dos anos 1960 e é conhecida por seus textos sobre psicanálise, linguística e crítica literária. Em *Powers of Horror: An Essay on Abjection* (1982), ela aborda a ideia de "abjeção" — processo em que o senso de limite de uma pessoa entre o eu e o não eu, ou o sujeito e o objeto, se torna indistinto. Em particular, a abjeção ocorre quando uma pessoa é forçada a enfrentar o que ameaça destruir o eu, ou seja, a mortalidade. No fim, cada um de nós será reduzido à condição de objeto, como um cadáver.

A figura da mãe em particular, escreve Kristeva, é o alvo da abjeção social. Através do processo de reprodução e nascimento, o corpo da mãe desafia o limite entre o sujeito e o objeto: ela pertence a si mesma, mas outro ser está crescendo dentro dela e emergindo do seu corpo. Ela transgride os limites entre a civilização e o selvagem através de seu corpo insubordinado, que vaza todos os tipos de fluidos através dos processos de gravidez, parto e amamentação.

Uma resposta confusa

O trabalho da feminista francesa tem sido criticado por promover o essencialismo biológico, ou a ideia de que homens e mulheres são fundamental e culturalmente diferentes graças à biologia. Muitas feministas fazem objeção à teoria da diferença sexual de Irigaray e à ênfase de Irigaray e Cixous na *écriture féminine*, acusando-as de reforçar estereótipos de gênero já existentes. Outros criticam a escrita feminista pós-estruturalista por ser excessivamente teórica, elitista e inacessível. ∎

A teoria de Julia Kristeva da abjeção e o corpo maternal influenciou pesquisadoras feministas do corpo. No entanto, ela foi criticada pela ênfase na diferença biológica.

Homens comercializam mulheres como mercadorias no quadro de Victor-Julien Giraud *Un Marchand d'esclaves* (1967).

A teoria da transação

Influenciada pela teoria marxista, Irigaray defendeu em *Este sexo que não é só um sexo* que em uma sociedade patriarcal as mulheres são reduzidas à condição de bens de consumo, objetos trocados entre homens, baseados em seu suposto valor de mercado. Os homens consideram as mulheres essenciais para a sobrevivência do grupo através da reprodução e também necessárias de serem controladas. Irigaray defende que assim como acumulam o máximo de riqueza sob o capitalismo através da exploração, os homens também buscam "acumular" o máximo de mulheres possível. Sua teoria afirma que nesse contexto transacional as mulheres são separadas em três categorias: mãe, virgem e prostituta. As mães são comercializadas de acordo com seu "valor de uso", ou valor reprodutivo; as virgens são avaliadas de acordo com seu "valor de troca", como um bem de consumo passado de um homem a outro. As prostitutas, que têm tanto o valor de uso quanto o de troca, são demonizadas pelos homens.

A POLÍT
DA DIFER
ANOS 1980

CA
ENÇA

INTRODUÇÃO

A poeta e feminista norte-americana Adrienne Rich defende que **a heterossexualidade é imposta às mulheres** pelos homens, no ensaio "Heterossexualidade compulsória e existência lésbica".

1980

As feministas sexo-positivas, Ellen Willis e Gayle Rubin organizam a Conferência Barnard sobre Sexualidade na cidade de Nova York, enfurecendo feministas antipornografia.

1982

A escritora norte-americana Alice Walker desenvolve o termo "mulherista" para descrever uma **feminista negra**.

1983

1981

A feminista e ativista afro-americana Angela Davis publica *Mulheres, raça e classe*, em que defende que **o feminismo sempre foi afligido pelo racismo**.

1982

No Reino Unido, 30 mil **mulheres dão as mãos** ao redor da base aérea Greenham Common para protestar contra as armas nucleares no local.

Nos anos 1980, as correntes políticas, tanto nos EUA quanto no Reino Unido, se inclinam para a direita, conforme os governos do presidente norte-americano Ronald Reagan e da primeira-ministra britânica Margaret Thatcher adotam o capitalismo de livre mercado, uma ideologia menos propícia ao ativismo radical do que o pensamento que prevaleceu nos anos 1970 e 1980. Algumas feministas desafiaram essa lógica, incluindo milhares de mulheres que protestaram contra a instalação de armas nucleares em Greenham Common, uma base aérea militar no Reino Unido. No entanto, outras começaram a reexaminar o feminismo em si, especialmente nos contextos da sexualidade, raça e gênero. Mulheres negras analisaram como o feminismo dominado pelas brancas havia ignorado as realidades da diferença racial. Ao mesmo tempo, vozes de mulheres ao redor do mundo começaram a ser incorporadas ao conjunto das ideias feministas. No começo dos anos 1980, a feminista norte-americana Adrienne Rich desafiou o que definiu como "heterossexualidade compulsória", que, defendia ela, era um instrumento poderoso usado pelo patriarcado e pelo capitalismo para controlar as mulheres. Ela encorajou todas as feministas a rejeitarem os homens e a sexualidade heterossexual como uma declaração política. No fim da década, emergiria outra ideia feminista essencial, a teoria queer. Ao longo dos anos 1990 e além, a teoria queer questionou a ideologia que via a heterossexualidade como a norma, e superior à sexualidade homoafetiva. Baseadas em teorias feministas sobre gênero, as teóricas queer sugeriam que a sexualidade também é socialmente construída e encorajaram a exploração da identidade sexual.

Raça e imperialismo

Para feministas negras, a questão da raça, especialmente o racismo dentro do feminismo, tornou-se uma preocupação maior. No livro *Mulheres, raça e classe*, a ativista e acadêmica Angela Davis destacou o racismo e o preconceito de classe dentro do movimento do sufrágio feminino do final do século XIX e início do século XX, e sugeriu que o início do feminismo refletiu os interesse das mulheres brancas de classe média. Seu trabalho estimulou uma discussão dentro do feminismo sobre as necessidades e preocupações das mulheres negras e como sua história e cultura devem ser representadas e expressas,

A POLÍTICA DA DIFERENÇA

Surge em Nova York o Guerrilla Girls, grupo artístico feminista que luta contra **o sexismo e o racismo no mundo da arte**.

É formado na Malásia o grupo *Sisters in Islam* (SIS) para promover os **direitos da mulher muçulmana** baseados nos princípios da igualdade e liberdade.

1985   **1988**

1984   **1986**   **1989**

A feminista Susie Bright ajuda a fundar a *On Our Backs*, primeira **revista erótica lésbica** dos EUA.

O ensaio da escritora indiana Chandra Talpade, "Sob olhos ocidentais: estudos feministas e discursos coloniais", **desafia as visões feministas ocidentais** em relação às mulheres do Terceiro Mundo.

Kimberlé Crenshaw, norte-americana defensora dos direitos civis, cunha o termo **"interseccionalidade"** para descrever como diferentes tipos de discriminação estão interconectados e interagem entre si.

---

culminando com feministas como bell hooks formulando estratégias para tornar o feminismo acessível a mulheres de todas as classes e etnias. Algumas feministas negras, como as escritoras Alice Walker e Maya Angelou, sugeriram que esse grupo de mulheres deveria usar a palavra "mulherismo" como uma alternativa ao "feminismo" que, para elas, refletia a cultura das mulheres brancas privilegiadas. Outras feministas, como a pesquisadora de culturas Gloria Anzaldúa, que cresceu na fronteira entre o Texas e o México, abordaram a situação das mulheres nos movimentos anticoloniais, argumentando que elas eram ignoradas pela corrente principal do feminismo. Dessas perspectivas emergiu um ramo especificamente anticolonial do feminismo, que analisou experiências de mulheres indígenas nos movimentos de libertação feminina e chamou a atenção para as práticas da cultura patriarcal que eram impostas às mulheres, tais como a mutilação genital feminina (MGF) e a poligamia. Chandra Talpade Mohanty, acadêmica indiana, foi além ao defender um feminismo "pós--colonial" que via como estereotipada e simplista a imagem que as feministas ocidentais tinham das "mulheres do Terceiro Mundo" como vítimas com pouco acesso à educação.

Opressão integrada

No final dos anos 1980, a feminista afro-americana Kimberlé Crenshaw trouxe a ideia de "interseccionalidade", ou pensamento interseccional. Esse instrumento identificou as formas como cada classe, raça e gênero interage e cria múltiplas opressões, particularmente para as mulheres mais marginalizadas na sociedade, como as indígenas e as negras. Desenvolvida a partir das experiências das mulheres negras com violência doméstica, a interseccionalidade garantiu uma nova dimensão teórica ao pensamento feminista. As perspectivas feministas foram aplicadas a diversas questões. A ativista norte-americana Barbara Ehrenreich destacou a baixa remuneração e a falta de oportunidades de trabalho (o "gueto do colarinho--rosa") para mulheres, enquanto o Guerrilla Girls, um coletivo só de mulheres, surgiu na cena artística de Nova York com táticas teatrais para protestar contra a sub-representação das mulheres no mundo da arte. As ideias feministas também continuaram a se expandir pelo mundo, com mulheres islâmicas se opondo ao casamento forçado e chinesas militando por programas de educação para mulheres em seu país. ■

OS DISCURSOS DO PATRIARCADO
LINGUAGEM E PATRIARCADO

EM CONTEXTO

CITAÇÃO FUNDAMENTAL
Dale Spender, 1980

FIGURA-CHAVE
Dale Spender

ANTES
1949 Simone de Beauvoir afirma em *O segundo sexo* que a sociedade está presa a uma visão em que os homens são a norma e as mulheres, "o Outro".

1970 Em *Política sexual*, a feminista norte-americana Kate Millett defende que a escrita masculina é misógina e que reforça uma visão patriarcal das mulheres.

DEPOIS
2003 Artigos no *The Handbook of Language and Gender*, editado pelas sociolinguistas Janet Holmes e Miriam Meyerhoff, exploram como mulheres e homens conduzem suas identidades de gênero por meio da linguagem.

A linguagem é fundamental para todas as sociedades. Permite a comunicação entre as pessoas, além da recepção e do compartilhamento de ideias ou valores. Assim, muitas feministas viram a linguagem como uma área crítica para estudo e análise, particularmente para explorar os modos pelos quais a linguagem ajuda a perpetuar o patriarcado e a discriminação contra a mulher. Em 1980, a feminista australiana Dale Spender publicou *Man Made Language*, que se tornou um texto-chave no estudo da linguagem de uma perspectiva feminista. O livro defende a ideia de que os homens, em seu papel dominante, criaram uma linguagem que reforça a subordinação das mulheres a eles. Para Spender, a linguagem e suas regras estão sob o controle masculino e refletem seus valores. Como resultado, as mulheres são invisíveis ou definidas como "o outro". Elas encontram dificuldades em mudar ou desafiar essa situação, já que são obrigadas a usar a linguagem herdada, perpetuando assim a supremacia masculina e tornando o patriarcado mais arraigado.

Discurso do homem

Spender vê a linguagem como um reflexo do modo como a sociedade é estruturada a favor dos homens e chama a isso de linguística com viés para o sexismo. Para Spender, o sexismo na linguagem aparece de várias formas: um exemplo óbvio na língua inglesa é o uso do pronome "he" para se referir tanto a mulheres quanto a homens, o que presume a supremacia masculina e subjuga as mulheres. Spender explora as raízes do que ela chama de "linguagem he/man" e o uso do "he" como um pronome genérico e da palavra "mankind" para descrever em inglês toda a raça humana. Ela aponta para os séculos XVII e XVIII, quando gramáticos homens criaram as regras que estabeleciam explicitamente que os homens deveriam se orgulhar de seu lugar na linguagem e que o

A linguagem e as condições de seu uso estruturam uma ordem patriarcal.
Dale Spender

A POLÍTICA DA DIFERENÇA

Veja também: Instituições como opressores 80 ▪ Patriarcado como controle social 144-145 ▪ Pós-estruturalismo 182-187 ▪ Gênero é performativo 258-261

O monopólio sobre a linguagem é um dos meios pelos quais os homens garantiram sua própria primazia, e... garantiram a invisibilidade... das mulheres.
Dale Spender

gênero masculino era mais "compreensível" do que o feminino. Isso não apenas implica que homens são mais poderosos do que mulheres, mas também declara efetivamente que eles são a "norma". As mulheres não conseguem, então, se identificar nesses termos. Palavras na língua inglesa como "chairman" (presidente de um conselho), "fireman" (bombeiro), ou "policeman" (policial) trazem "man" (homem) na palavra e presumem a

Dale Spender

Feminista, professora, escritora e crítica literária, Dale Spender nasceu em 1943, em Newcastle, em Nova Gales do Sul, na Austrália. Estudou na Universidade de Sydney e ensinou inglês na Univesidade James Cook antes de trocar a Austrália pela Inglaterra, onde sua pesquisa de doutorado na Universidade de Londres foi a base para *Man Made Language*. Escritora prolífica, Spender é autora de mais de 290 livros, incluindo a paródia literária *The Diary of Elizabeth Pepys* (1991). Também editou antologias literárias e —

dominação masculina nesses papéis. Para Spender, toda a linguagem he/man serve para "construir e reforçar as divisões entre os grupos dominante (homens) e enfraquecido (mulheres)". Isso torna as mulheres invisíveis linguisticamente. Na realidade, as mulheres são absorvidas pela experiência masculina. Por exemplo, em inglês, a palavra "bachelor"

como usa roxo com frequência em homenagem às suffragettes — escreve um blog chamado Shrieking Violet (algo como "Berrando em violeta").

Trabalhos-chave

1980 *Man Made Language*
1982 *Women of Ideas and What Men Have Done to Them*
1983 *There's Always Been a Women's Movement This Century*
1995 *Nattering on the Net: Women, Power, and Cyberspace*

(solteiro) aplicada a um homem sugere independência e virilidade, enquanto a palavra "spinster" (solteira, com a conotação de solteirona) reflete uma visão negativa e pejorativa das mulheres.

Sexismo e silêncio

Spender indica que a ausência de uma linguagem própria das mulheres é uma consequência da linguagem dominada pelos homens. Isso as deixa silenciadas. Forçadas a usar a linguagem definida pelos homens, as mulheres são enfraquecidas, seus talentos não são reconhecidos, e seu papel social e cultural desaparece. Spender cita a ausência de mulheres proeminentes em muitos campos acadêmicos e mulheres cujos papéis em eventos históricos foram desconsiderados. Graças ao seu trabalho, as feministas de hoje buscam desafiar a linguagem. ▪

Uma mulher redige minutas e homens tomam decisões numa reunião nos anos 1950. Como em muitas áreas da sociedade, os negócios construíram uma linguagem baseada nos homens como figuras centrais.

A HETEROSSEXUALIDADE TEM SIDO FORÇADAMENTE IMPOSTA ÀS MULHERES

HETEROSSEXUALIDADE COMPULSÓRIA

EM CONTEXTO

CITAÇÃO FUNDAMENTAL
Adrienne Rich, 1980

FIGURA-CHAVE
Adrienne Rich

ANTES
1949 Simone de Beauvoir apresenta a teoria de que a lesbianidade pode ser um protesto contra o sistema patriarcal.

1970 O Radicalesbians, grupo ativista norte-americano, lança seu manifesto relacionando lésbicas e a libertação das mulheres.

DEPOIS
1988 A pesquisadora britânica Helena Whitbread publica trechos dos diários da aristocrata do século XIX Anne Lister que incluíam descrições de sexo lésbico.

1991 Nos Estados Unidos, o teórico queer Michael Warner cunha o termo "heteronormativo" para descrever a presunção de que todas as pessoas são heterossexuais até identificação contrária.

A pesquisadora e poeta Adrienne Rich foi uma das primeiras feministas a declarar que a heterossexualidade não é simplesmente um estado natural do ser ou a sexualidade padrão, mas algo que a sociedade impõe. Ela afirma que a heterossexualidade foi imposta através da história porque é o meio pelo qual o patriarcado controla as mulheres. No ensaio "Heterossexualidade compulsória e existência lésbica" (1980), Rich usa a expressão heterossexualidade compulsória para tentar compreender seu funcionamento como, em suas palavras, uma "instituição política".

Controle masculino
Rich identifica a heterossexualidade compulsória como um mecanismo capitalista para impor às mulheres a subserviência econômica em relação aos homens dentro do confinamento do casamento e da maternidade. Segundo ela, a questão está por trás de muitos dos abusos em relação às mulheres no mundo, como a queima das bruxas, a negação da viabilidade econômica das mulheres fora do âmbito do casamento heterossexual, e do controle masculino da lei, da religião e da ciência. E destaca as múltiplas formas pelas quais os homens controlavam os corpos das mulheres e evitavam que elas conseguissem ter acesso à educação e a uma carreira. Rich também analisa a supressão da existência lésbica dos textos históricos escritos por homens e afirma que os homens continuam a

O matrimônio é idealizado nesse mural de uma igreja em Londres. Adrienne Rich via o casamento como um componente-chave do controle do patriarcado sobre as mulheres.

A POLÍTICA DA DIFERENÇA   195

Veja também: Feminismo radical transexcludente 172-173 ▪ Lesbianismo político 180-181 ▪ Feminismo antipornografia 196-199 ▪ Impedindo o casamento forçado 232-233 ▪ Positividade sexual 234-237

> ... as relações sociais dos sexos são desordenadas e extremamente problemáticas para as mulheres, se não incapacitantes.
> **Adrienne Rich**

tentar controlar as escolhas das mulheres modernas ao negar a elas o conhecimento de que suas ancestrais encontraram alternativas à heterossexualidade. A exploração patriarcal e o abuso, completa Rich, resultaram na internalização da ideia de que as mulheres são objetos sexuais e na aceitação de que os homens violem seus limites para sobreviverem. Esses dois fatores ensinam às mulheres a competir umas com as outras para ganhar a atenção masculina, e também a investir suas energias nos homens — uma forma de se relacionar que Rich chama de "identificação com o homem".

O *continuum* lésbico

Para deter a heterossexualidade compulsória e a identificação com o homem, Rich recomenda o conceito feminista radical de "mulher identificada com mulher" — alguém que passa sua energia emocional, romântica e erótica para mulheres, e desvia essa energia dos homens. Essa ideia inspirou um separatismo lésbico radical durante os anos 1970, e mulheres formaram espaços exclusivamente femininos e comunidades matriarcais em "terras de mulheres", em áreas rurais ou perto da praia. Rich expande a ideia de quem importa como lésbica em seu conceito de "*continuum* lésbico". Inspirada pela noção de que o primeiro amor das meninas é a mãe, Rich defende que toda mulher, independentemente de sua identidade sexual, existe em um *continuum* de amor por outra mulher. Isso levou as feministas a debaterem se o termo "lésbica" tem alguma coerência se não estiver enraizado na sexualidade. Muitas rejeitaram o conceito de Rich de um *continuum*, mas o modo como ela conceituou a heterossexualidade compulsória como uma instituição política patriarcal foi uma revolução na teoria feminista. ■

No filme *Carol*, baseado no romance de 1950 de Patricia Highsmith, uma mãe casada (Cate Blanchett) e uma mulher jovem (Rooney Mara) desafiam as convenções e têm um caso de amor lésbico.

Adrienne Rich

A poeta premiada, escritora e ativista Adrienne Rich nasceu em Baltimore, em Maryland (EUA), em 1929. Ela estudou poesia e escrita no Radcliffe College e publicou mais de vinte volumes de poemas e livros sobre feminismo, sexualidade lésbica, raça e identidade judaica. Durante a década de 1960, Rich se tornou mais radical a partir de suas experiências como esposa e mãe, e por causa da inquietude política da sociedade norte-americana. Ela se envolveu com a Nova Esquerda e protestou contra a Guerra do Vietnã, pelos direitos das mulheres e pelos direitos civis dos negros. Depois de se separar do marido, Alfred Haskell Conrad, professor de economia, em 1970, Rich conheceu, em 1976, a escritora jamaico-americana Michelle Cliff. Elas permaneceram juntas até a morte de Rich em 2012.

Trabalhos-chave

1976 *Of Woman Born: Motherhood as Experience and Institution*
1979 *On Lies, Secrets and Silences: Selected Prose*
1980 "Heterossexualidade compulsória e existência lésbica"

A PORNOGRAFIA É A PRINCIPAL EXPRESSÃO DE SEXUALIDADE DO PODER MASCULINO

FEMINISMO ANTIPORNOGRAFIA

EM CONTEXTO

CITAÇÃO FUNDAMENTAL
Andrea Dworkin, 1981

FIGURAS-CHAVE
Andrea Dworkin, Catharine MacKinnon

ANTES
1953 Hugh Hefner lança a revista *Playboy*, com fotos de Marilyn Monroe nua, sem o consentimento da atriz.

1968 O sistema de classificação voluntária da América incorpora o "x rating", que passa a ser associado à pornografia.

DEPOIS
1986 A Comissão sobre Pornografia da Procuradoria Geral da República dos EUA (o Relatório Meese) determina que a pornografia tem um efeito danoso na sociedade.

1997 A Suprema Corte dos EUA limita as restrições contra a pornografia na internet, recorrendo ao argumento da liberdade de expressão.

Por um curto período de tempo na década de 1980, feministas radicais e a direita conservadora norte-americana trabalharam juntas para tornar a pornografia ilegal. Embora seus objetivos fossem os mesmos, os motivos eram diferentes. Os conservadores acreditavam que a pornografia era uma depravação moral e uma ameaça ao casamento e à sociedade; as feministas antipornografia defendiam que mostrar mulheres como objetos sexuais em vez de seres humanos encorajava a violência contra elas. A líder das feministas antipornografia era a filósofa Andrea Dworkin. Por ter sobrevivido à agressão sexual e à

A POLÍTICA DA DIFERENÇA   197

Veja também: Prazer sexual 126-127 ▪ Confrontando a misoginia 140-141 ▪ O olhar masculino 164-165 ▪ O sexismo está por toda parte 308-309

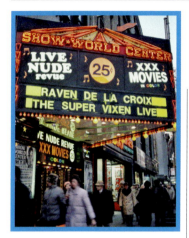

O Show World Center Strip Club, visto aqui em 1984, é uma das últimas boates de sexo na Oitava Avenida, em Nova York. Nos anos 1980, era uma peça-chave em uma indústria sexual florescente.

Andrea Dworkin

Nascida em Nova Jersey (EUA), em 1946, Andrea Dworkin sobreviveu à violência sexual quando criança e foi presa após participar de um protesto contra a Guerra do Vietnã, quando era estudante universitária. Em 1971, fugiu de um casamento abusivo e, em 1974, publicou *Woman Hating*, seu primeiro livro feminista. Naquele ano, ela conheceu John Stoltenberg, um feminista radical gay com quem se casou em 1998. Dworkin formulou um projeto de lei antipornografia com a advogada Catharine MacKinnon, nos anos 1980, que passou em Minneapolis e Indianapolis antes de ser votada. Em 1985, liderou um grande protesto antipornografia em Nova Orleans, e no ano seguinte testemunhou diante da Comissão sobre Pornografia da Procuradoria Geral dos EUA. Dworkin morreu em 2005.

Trabalhos-chave

1981 *Pornography: Men Possessing Women*
1983 *Right-Wing Women: The Politics of Domesticated Females*
1987 *Intercourse*
1988 *Letters from a War Zone: Writings 1976–1987*

---

violência doméstica, ela acreditava que esse tipo de violência era sexualizada e normalizada na pornografia. Na visão de Dworkin, a pornografia não celebrava a sexualidade humana, e sim encorajava os homens a verem as mulheres como menos do que humanas, uma convicção que ela desenvolveu amplamente em seu livro *Pornography: Men Possessing Women*, publicado em 1981.

Novas liberdades

No final dos anos 1960 e início dos anos 1970, antes de o vídeo e a internet tornarem a pornografia fácil e livremente acessível em casa, qualquer um que estivesse interessado em assistir a um filme pornográfico poderia alugar um rolo de "filme só para homens", ou ir a um cinema adulto. Por um momento, pareceu que a pornografia havia se consagrado. Filmes pornô populares como *Hot Circuit* (1971), *School Girl* (1971) e *Garganta profunda* (1972), estrelando Linda Lovelace, pareciam levar o gênero na direção da legitimidade cultural. Para homens homossexuais, os cinemas que passavam filmes gays adultos, como *Boys in the Sand* (1971) e *The Back Row* (1972), eram um espaço liberador. Esse relaxamento das convenções sociais provocou uma forte reação. Em 1973, a Suprema Corte dos EUA julgou dois casos relacionados a leis para pornografia e obscenidade. Em *Miller vs. California*, a Corte determinou que a dita "liberdade de expressão" da pornografia desvalorizava o nível do discurso protegido pela Primeira Emenda. Em *Paris Adult Theater I vs. Slaton*, a Corte determinou que a censura e a limitação de pornografia comercial atendiam aos melhores interesses da sociedade. Ambos os julgamentos foram baseados na visão conservadora de que a pornografia ameaçava os "bons valores tradicionais" e a moralidade. O fato de que a pornografia poderia causar danos às mulheres, direta ou indiretamente, não foi levado em conta nos julgamentos. Em 1976, os produtores do pornô *Snuff* declararam que o filme mostrava um assassinato e desmembramento reais da principal personagem feminina. Embora os produtores mais tarde tenham »

A pornografia é a teoria, o estupro é a prática.
Robin Morgan

FEMINISMO ANTIPORNOGRAFIA

Antipornografia
Feministas afirmam que a gratificação sexual provocada pela violência exige extremos cada vez maiores para permanecer eficaz.

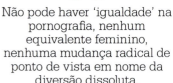

Não pode haver 'igualdade' na pornografia, nenhum equivalente feminino, nenhuma mudança radical de ponto de vista em nome da diversão dissoluta.
Susan Brownmiller

assistir a *Garganta Profunda* era observar a si mesma sendo estuprada repetidamente. Em resposta a essas revelações, Catharine MacKinnon, advogada formada por Yale, uniu-se a Andrea Dworkin para tentar construir uma acusação civil contra Traynor, mas não havia leis em vigor que permitissem que profissionais do sexo e estrelas de filmes pornográficos processassem seus empregadores. As duas militaram por mudanças e, três anos depois, a Câmara Municipal de Minneapolis encarregou MacKinnon e Dworkin de esboçar uma lei local que criminalizaria a pornografia como uma violação dos direitos das mulheres. Quando Dworkin e MacKinnon conquistaram algum sucesso, começaram a colaborar com grupos antipornografia de extrema direita. Em Indianápolis, por exemplo, MacKinnon trabalhou com a parlamentar Beulah Coughenour, uma republicana antifeminista, para conseguir que a pornografia fosse banida.

Perigos diferentes
Feministas radicais achavam perturbadora a coalizão do movimento antipornografia com os conservadores de direita. No ensaio "Política sexual, a nova direita e a marginalidade sexual" (1981), a feminista Gayle Rubin alerta

admitido que aquilo foi um artifício de propaganda, o golpe inspirou uma forte reação feminista. O uso da suposta morte de uma mulher para promover o filme provou a visão feminista de que a pornografia erotizava a violência contra as mulheres. Do meio para o fim dos anos 1970, três grupos ativistas foram formados em oposição direta à pornografia e à violência contra as mulheres: o WAVPM, sigla em inglês para Mulheres Contra a Violência na Pornografia e na Mídia; o WAP, sigla em inglês para Mulheres Contra Pornografia; e o WAVAW, sigla em inglês para Mulheres Contra Violência Contra Mulheres. Grupos feministas protestaram do lado de fora de cinemas em São Francisco, San Jose, Los Angeles, e de San Diego a Denver, Buffalo, Filadélfia e Nova York, distribuindo folhetos que desencorajavam as pessoas a assistirem a *Snuff*. Em 1980, Linda Lovelace (cujo nome real era Linda Boreman, e mais tarde Linda Marchiano), a estrela de *Garganta profunda*, publicou *Ordeal*, uma autobiografia que contrariava diretamente a imagem divertida, de liberdade de expressão e amor livre da pornografia nos anos 1970. Ela revelou que seu marido abusivo, Chuck Traynor, a espancara, estuprara e a forçara a encenar atos sexuais, incluindo zoofilia. Enquanto o enredo do filme *Garganta profunda* se desenvolvia em torno da ideia de que o clitóris da personagem feminina era na garganta e, portanto, fazer sexo oral nos homens era divertido e empoderador, na vida real Boreman foi vítima de violência bruta e coerção. Ficou famosa sua declaração de que

A POLÍTICA DA DIFERENÇA

A Conferência Barnard sobre Sexualidade, realizada em Nova York, em 1982, revelou divisões acirradas entre feministas sexo-positivas e feministas antipornografia.

Para confrontar a ideia de que a única postura feminista possível em relação à pornografia era a censura, as organizadoras convidaram várias palestrantes sexo-positivas que compartilhavam da sua perspectiva. Integrantes do WAP fizeram piquetes na conferência e distribuíram folhetos explicando suas razões para protestar, afirmando que a conferência estava promovendo o sadomasoquismo e a pedofilia. Enquanto isso, entre as palestrantes da conferência estava Alice Echols, uma acadêmica lésbica, defensora do lesbianismo sadomasoquista, cujo discurso se intitulava "O adestramento do Id", defendendo a liberdade sexual. Apesar das batalhas e dos protestos do início dos anos 1980, o feminismo antipornografia teve pouco sucesso em acabar com a proliferação da pornografia. A disponibilidade da pornografia na era da internet levantou questões sobre o impacto a longo prazo de estar facilmente acessível à sociedade como um todo. ∎

para o fato de que a censura da sexualidade quase sempre tem um impacto repressor nas sexualidades marginalizadas. Enquanto Dworkin e MacKinnon insistiam que toda pornografia era violenta para as mulheres, Rubin contestava que a sexualidade podia ser libertadora. Ela afirma que categorizar o sexo entre "bom" e "mau" pode causar danos às minorias sexuais. A visão de Rubin da sexualidade é a de que todo sexo, incluindo a pornografia, deve ser legal desde que seja consensual. Em 1984, um grupo de lésbicas começa a publicar uma revista erótica chamada *On Our Backs*, uma resposta ao diário feminista antipornografia *Off Our Backs*.

Confronto

A luta entre as feministas antipornografia e a linha de pensamento feminista pró-sexo ou sexo-positiva culminou na Conferência Barnard sobre Sexualidade, de 1982.

A pornografia é uma negação direta do poder do erótico, porque representa a repressão do sentir verdadeiro. A pornografia enfatiza a sensação sem o sentir.
Audre Lorde

Consentimento e as guerras sexuais feministas

Nas chamadas "guerras sexuais feministas", inflamadas na Conferência Barnard, em Nova York, em 1982, as feministas que viam a pornografia e muito do sexo heterossexual como violência contra a mulher participaram de debates com feministas que achavam o sexo libertador. Para uma feminista antipornografia, o sexo sadomasoquista com representação de papéis violentos e submissão era inerentemente opressor. As feministas sexo-positivas não se opunham ao sadomasoquismo desde que entre adultos e consensual. Enquanto as feministas antipornografia começaram a ver quase toda relação sexual heterossexual como violenta e coercitiva, as feministas sexo-positivas defendiam relações sexuais saudáveis e comunicativas. As guerras sexuais continuaram no século XXI, quando a terceira onda defendia o direito das mulheres de ser sexualmente ativas, enquanto feministas críticas ao sexo questionavam a necessidade de as mulheres de serem vistas como sexy para se sentir empoderadas.

AS MULHERES SÃO GUARDIÃS DO FUTURO
ECOFEMINISMO

EM CONTEXTO

CITAÇÃO FUNDAMENTAL
Vandana Shiva, 2005

FIGURA-CHAVE
Vandana Shiva

ANTES
1962 O livro de Rachel Carson, *Primavera silenciosa*, destaca o impacto devastador dos pesticidas no meio ambiente.

1973 Na Índia, as mulheres do Movimento Chipko usam ação direta de não violência para evitar o desmatamento causado por uma madeireira apoiada pelo governo.

DEPOIS
2004 Wangari Maathai se torna a primeira mulher africana a receber o prêmio Nobel da Paz por sua contribuição ao desenvolvimento sustentável.

2016 A Conferência Ecofeminista da Costa Oeste, na Califórnia, aborda a degradação das mulheres, os direitos dos animais e o meio ambiente em um mundo patriarcal violento.

Em 1974, a feminista francesa Françoise d'Eaubonne cunhou o termo "ecofeminismo" para um novo ramo do feminismo que se concentrasse na ecologia, no estudo das interações entre os organismos e seu meio ambiente. O ecofeminismo acredita que a dominação, a degradação da natureza e a exploração e opressão às mulheres têm conexões significativas. Vários desastres ambientais nos EUA — mais notadamente o derretimento parcial da usina nuclear de Three Mile Island, na Pensilvânia, em 1979 — levaram à reunião de seiscentas mulheres em 1980 para a primeira ecoconferência feminista: "Mulheres e a vida na Terra". O evento aconteceu em Massachusetts, durante o equinócio da primavera, e investigou as ligações entre feminismo, militarização, cura e ecologia. O Ecofeminismo foi definido como um

Centenas de fazendeiras de dez países sul-africanos, cujas colheitas vinham sofrendo as consequências dos erráticos extremos climáticos, protestam do lado de fora da conferência das Nações Unidas sobre mudança climática, em Durban.

A POLÍTICA DA DIFERENÇA 201

Veja também: Feminismo indiano 176-177 ▪ Mulheres contra armas nucleares 206-207

Rachel Carson, pioneira bióloga norte-americana, faz anotações ao lado de um rio perto de sua casa. Seu livro *Primavera silenciosa* (1962) deu início a um movimento ambiental e levou ao banimento de pesticidas destrutivos como o DDT.

movimento "identificado com mulheres" que vê a devastação da Terra e a ameaça de aniquilação nuclear como preocupações feministas, porque confirmam a mesma "mentalidade masculinista" que oprime as mulheres. O ecofeminismo defende que as mulheres têm um papel especial a desempenhar na proteção do meio ambiente e na militância contra danos ao planeta.

Ecofeminismo cultural

Conforme se desenvolvia, o ecofeminismo começou a se ramificar em diferentes abordagens. Uma delas às vezes é descrita como ecofeminismo cultural. Esse ramo tem raízes na espiritualidade, na adoração à deusa, nas religiões baseadas na natureza. Suas seguidoras, incluindo a escritora e ativista norte-americana Starhawk (Miriam Simos), defendem que as mulheres têm uma ligação intrínseca com a natureza e, como cuidadoras instintivas, devem estar na linha de frente de sua proteção. Outras feministas criticam essa abordagem por reforçar estereótipos de gênero, por alegar a superioridade moral das mulheres e por pensar pouco em classe, raça ou a exploração de recursos econômicos.

Uma perspectiva radical

Ecofeministas como Vandana Shiva assumem uma posição politicamente mais radical. Ciência e tecnologia não são um gênero neutro, diz Shiva. Iniciativas empresariais globais como a Revolução Verde, voltada para a tecnologia, que no final dos anos 1960 havia aumentado amplamente a produção agrícola ao redor do mundo, refletem uma ideologia dominante de crescimento econômico criada, nas palavras dela, pelo "homem tecnológico ocidental". Nessa determinação pelo crescimento, as mulheres e a natureza são vistas como objetos a serem possuídos e controlados, e ambos são explorados. A luta, diz Shiva, é salvar a vida no planeta de uma visão de mundo dominante patriarcal e capitalista. A menos que as mulheres assumam a liderança, acredita ela, não pode haver futuro sustentável. ■

Vemos a devastação da Terra... por guerreiros corporativos como uma preocupação feminista.
Vandana Shiva

Vandana Shiva

Nascida em 1952, Vandana Shiva estudou física na Índia e depois filosofia da ciência no Canadá. Ela escreveu largamente sobre agricultura e produção alimentar, e militou pela biodiversidade e contra a engenharia genética, trabalhando com grupos da sociedade civil na África, Ásia, América Latina e Europa. Em 1982, criou a Fundação de Pesquisa para Ciência, Tecnologia e Ecologia, na Índia.

Outros projetos fundados por Shiva incluem o Navdanya (Nove Sementes) — uma iniciativa indiana para promover a diversidade, o cultivo orgânico e o uso de sementes nativas — e o Bija Vidyapeeth, uma faculdade para a vida sustentável. Em 2010, a revista *Forbes* elegeu-a uma das sete mulheres mais poderosas do mundo.

Trabalhos-chave

1988 *Staying Alive: Women, Ecology and Survival in India*
1993 *Ecofeminism* (coescrito com Maria Mies)
2013 *Making Peace with the Earth*

AS MULHERES FORAM TESTADAS, MAS NEM TODAS ELAS SE QUALIFICARAM

RACISMO E PRECONCEITO DE CLASSE DENTRO DO FEMINISMO

EM CONTEXTO

CITAÇÃO FUNDAMENTAL
Angela Davis, 1981

FIGURA-CHAVE
Angela Davis

ANTES
1965 A Lei de Direito ao Voto norte-americana proíbe discriminação racial no voto.

1973 É fundada a organização feminista National Black para pressionar por ações em questões que afetem mulheres negras nos EUA.

DEPOIS
1983 A escritora e feminista negra Alice Walker cunha o termo "mulherismo" em seu livro *In Search of Our Mothers' Gardens*.

1990 A socióloga norte-americana Patricia Hill Collins explora o estereótipo da mulher negra "perdida" em seu livro *Black Feminist Thought*.

G rande parte do material acadêmico feminista durante a primeira e a segunda ondas do Movimento de Libertação das Mulheres (WLM) nos EUA e no Reino Unido foi escrita por mulheres brancas de classe média ou alta. Assim, os textos inclinavam-se a refletir as experiências e tendências de pensamento dessas mulheres, mesmo que alegassem se aplicar a todas as outras. O mesmo era verdade em relação aos movimentos feministas, muitos dos quais eram liderados por mulheres brancas privilegiadas de classe média, e atraíam um público de características semelhantes. Por mais que as mulheres negras sempre tenham feito parte dos movimentos feministas, suas questões específicas, as das mulheres pobres e da classe trabalhadora foram muitas vezes ignoradas dentro da corrente principal

A POLÍTICA DA DIFERENÇA 203

Veja também: Igualdade racial e de gênero 64-69 ▪ Feminismo negro e mulherismo 208-215 ▪ Interseccionalidade 240-245

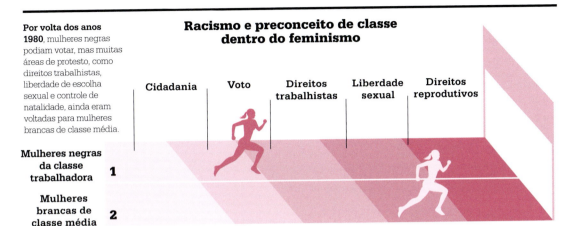

Racismo e preconceito de classe dentro do feminismo

Por volta dos anos 1980, mulheres negras podiam votar, mas muitas áreas de protesto, como direitos trabalhistas, liberdade de escolha sexual e controle de natalidade, ainda eram voltadas para mulheres brancas de classe média.

1. Mulheres negras da classe trabalhadora
2. Mulheres brancas de classe média

Cidadania · Voto · Direitos trabalhistas · Liberdade sexual · Direitos reprodutivos

---

do feminismo. Dos anos 1970 até os anos 1980, feministas negras, pobres e da classe trabalhadora, e feministas na intercessão desses dois grupos, começaram a chamar a atenção para o racismo e o preconceito que minavam a "irmandade" do feminismo.

Direitos para as brancas

Em 1981, a escritora, acadêmica e ativista negra Angela Davis publicou *Mulheres, raça e classe*. Esse estudo da história do WLM nos EUA, dos dias da escravidão em diante, revela como o feminismo sempre foi dificultado por preconceitos de raça e de classe. A publicação do livro foi um divisor de águas para o feminismo. Em *Mulheres, raça e classe*, Davis examina como a instituição da escravidão estabeleceu para as mulheres negras um caminho de tratamento sub-humano que refletia compreensões muito diferentes sobre o feminino, sobre raça e classe das

projetadas por mulheres brancas. Davis também explora como as feministas brancas reforçam o racismo e o preconceito de classe em sua própria busca por igualdade. Ao escrever sobre a primeira convenção pelos direitos das mulheres, que aconteceu em Seneca Falls, em Nova York, em 1848, Davis aponta como as sufragistas do século XIX ressaltaram a importância do casamento e a exclusão das mulheres

das carreiras profissionais como as duas maiores formas de opressão que as impactavam. Davis afirma que essas preocupações eram específicas das mulheres brancas e economicamente privilegiadas e deixavam de lado o drama das mulheres brancas da classe trabalhadora e das mulheres negras escravizadas, assim como o racismo suportado pelas mulheres negras »

Uma empregada doméstica limpa a lareira em uma sala com painéis de madeira na Virgínia (EUA). No pós-guerra, o *status* de uma mulher branca era medido pela "ajuda" que ela costumava ter de afro-americanas.

As mães dos escravos

Feministas brancas nos EUA do século XIX geralmente defendiam a igualdade das mulheres baseada em seu papel único como mães, mas essa alegação não se estendeu às mulheres negras durante a escravidão. Angela Davis explicou que na época as mulheres negras não eram sequer vistas como mães, e sim como animais, responsáveis por "dar cria" à força de trabalho escravo. A atenção dos escravizadores brancos à função reprodutiva aumentou depois que, em 1807, o Congresso dos EUA proibiu a importação de escravos vindos da África. A partir de então — com algumas exceções, como os navios negreiros levados secretamente a portos americanos —, os escravizadores passaram a ter que contar somente com as "crias" e os leilões dentro dos EUA para aumentar seu número de escravos. Como resultado, o abuso sexual se tornou muito comum — estupros de mulheres escravizadas negras praticados pelos escravizadores brancos e a reprodução forçada entre os escravos — até a abolição da escravidão, em 1865.

livres nos estados do Norte dos EUA. Sufragistas brancas também pediram o banimento de mulheres negras como integrantes da Associação Nacional pelo Sufrágio Feminino, a fim de, afirma Davis, manter como membros apenas mulheres brancas do Sul que se opunham à integração. Além disso, muitas sufragistas brancas se incensaram depois da aprovação da 15ª Emenda, em 1870, que permitiu que homens negros votassem. Para Davis, as sufragistas expuseram seu racismo latente quando fizeram objeção à ideia de homens negros votarem antes que as mulheres brancas pudessem fazer o mesmo, e ignoraram a potencial importância desse passo para que se viesse a conquistar o voto para as mulheres negras.

O legado da escravidão

Davis coloca a escravidão como a causa de muitos dos preconceitos que persistiram até a vida moderna para as mulheres negras. Ela escreve que, a fim de desviar a atenção da realidade da violência sexual predominante dos escravizadores sobre os negros durante o período da escravidão, a sociedade que apoiava a escravidão criou o estereótipo de culpabilização da vítima em que a mulher negra era sexualmente "perdida", e esse preconceito permanece. Enquanto abusavam física e sexualmente das mulheres negras, os homens escravizadores se recusavam a vê-las sob a mesma luz que viam as brancas. Mulheres brancas eram consideradas fisicamente frágeis e delicadas, enquanto das negras esperava-se que trabalhassem no campo junto com os homens. Ao forçar as mulheres negras a executarem as mesmas tarefas que os homens, a imagem de mulheres "não femininas" e "não refinadas" era reforçada na sociedade branca. Davis afirma que nesse meio-tempo, conforme a Revolução Industrial se instalava, o trabalho das mulheres brancas dentro de casa se tornou cada vez mais desvalorizado e visto como irrelevante, considerando que as máquinas passaram a fazer esses trabalhos. Como resultado, se

Uma faixa onde se lê "Mulheres reagem" é estendida num protesto, em 1980. As feministas brancas e as negras faziam pressão pela aprovação da Emenda dos Direitos Iguais, que prometia igualdade de direitos legais para as mulheres.

A Declaração [de Seneca Falls]... ignorou a situação difícil das mulheres brancas da classe trabalhadora, assim como ignorou a condição das mulheres negras no Sul e no Norte.
Angela Davis

A POLÍTICA DA DIFERENÇA

> Toda desigualdade... infligida a mulheres brancas norte-americanas é agravada mil vezes entre mulheres negras, que são triplamente exploradas — como negras, como trabalhadoras e como mulheres.
> **Elizabeth Gurley Flynn**
> Líder trabalhista norte-americana

consolidaram os papéis estritos de gênero, com o "trabalho dos homens" brancos fora de casa e o "trabalho das mulheres" brancas dentro de casa.

Direitos reprodutivos

Depois da abolição da escravidão em 1865, quando já não era mais lucrativo para os escravizadores, supremacistas brancos reafirmaram seu desejo por uma nação branca "não contaminada" por pessoas negras. O movimento eugênico do final do século XIX e início do século XX pretendia "purificar" a raça humana, selecionando quem deveria ou não nascer. Isso deixava as mulheres negras, e as de origem pobre, vulneráveis à esterilização. Enquanto as mulheres negras eram encorajadas a controlar a reprodução, das mulheres brancas esperava-se que tivessem o máximo de filhos possível, escreve Davis. As primeiras feministas a defender o planejamento familiar, como Margaret Sanger (que cunhou a expressão "controle de natalidade"), foram anunciadas como paladinas dos direitos reprodutivos femininos. No entanto, Sanger acreditava em "eliminar os incapazes... evitar o nascimento dos defeituosos". Para Davis, esses padrões históricos dúbios a respeito de como os corpos das mulheres deveriam ser policiados, com base na raça e na classe social, levaram muitas feministas negras a desconfiar do ativismo em relação à reprodução dominado por brancas. Como já haviam sido forçadas a diversas formas de controle de natalidade no passado, as mulheres negras poderiam não necessariamente ver a questão dos direitos reprodutivos sob a mesma luz libertadora.

Abraçando a diferença

As percepções de Davis deram início a uma nova conversa sobre que vozes deveriam ser ouvidas nos movimentos feministas, que questões deviam ser vistas como "femininas", e sobre a necessidade de diversidade em liderança, pensamento e estratégias. Ela deixou claro que as experiências das feministas brancas de classes privilegiadas não eram as mesmas das feministas pobres e negras. O crescimento de um feminismo mais diverso nos anos 1980 seguiu em direção a uma evolução do pensamento feminista. A ideia de "mulher" já não era mais limitada a uma branca de classe média. Passou a ir além e a levar em consideração a forma como todas as mulheres são parte de uma raça, de uma classe ou de um grupo sexual. ■

> Enquanto as mulheres estiverem usando poder de classe ou de raça para dominar outras mulheres, a irmandade feminista não pode existir plenamente.
> **bell hooks**

Angela Davis

Como ativista, pesquisadora e professora, Angela Davis ficou conhecida nos anos 1960 por seu trabalho no movimento dos direitos civis negros, especialmente nos Panteras Negras e no grupo comunista negro Che-Lumumba Club. O ativismo de Davis foi motivado por suas origens. Ela nasceu em Birmingham, no Alabama, em 1944, cresceu em uma área exposta a atentados racistas, durante os anos 1950, e frequentou uma escola segregada. Davis foi demitida de seu cargo de professora na Universidade da Califórnia, em Los Angeles (UCLA), em 1970, por suas ligações com o comunismo, mas conseguiu o emprego de volta. No mesmo ano, ela se viu envolvida no fornecimento de armas para um presidiário negro que morreu ao tentar escapar. Davis foi libertada da prisão em 1982 e continua a palestrar sobre direitos das mulheres, raça e justiça criminal.

Trabalhos-chave

1974 *Angela Davis: uma autobiografia*
1983 *Mulheres, raça e classe*
1989 *Mulheres, cultura e política*

AS FORÇAS ARMADAS SÃO O PRODUTO MAIS ÓBVIO DO PATRIARCADO
MULHERES CONTRA ARMAS NUCLEARES

EM CONTEXTO

CITAÇÃO FUNDAMENTAL
Boletim do Greenham Common

ORGANIZAÇÃO-CHAVE
Acampamento de Paz das Mulheres em Greenham

ANTES
1915 É formada a WILPF, sigla em inglês para Liga Internacional das Mulheres pela Paz e pela Liberdade.

1957 Em Londres, mulheres marcham silenciosamente em protesto contra testes com a bomba H.

1961 É formado nos EUA o Women Strike for Peace: 50 mil mulheres exigem o fim de um teste nuclear.

DEPOIS
1987 Os EUA e a URSS assinam o Tratado de Forças Nucleares de Alcance Intermediário (INF em inglês).

1988 Ativistas no Reino Unido formam o Trident Ploughshares, grupo de ação não violenta contra armas nucleares.

Em 27 de agosto de 1981, um pequeno grupo de 36 mulheres no Reino Unido, que se autointitulava "Mulheres pela vida na Terra", saiu de Cardiff, no País de Gales, para caminhar 190 quilômetros até Greenham Common, em Berkshire. O objetivo era chamar atenção para o fato de que mísseis de cruzeiro nucleares norte-americanos logo seriam armazenados na base aérea de Greenham Common. Em 4 de setembro, o grupo chegou a Greenham e quatro mulheres se acorrentaram à cerca da base aérea. Foi, então, enviada uma carta ao comandante da base, explicando as razões para o protesto — que as mulheres eram contra o alojamento de mísseis de cruzeiro na Grã-Bretanha e que acreditavam que a corrida nuclear representava a maior ameaça já encarada pela humanidade. As mulheres montaram acampamento do lado de fora do portão principal. Ao longo das semanas e meses seguintes,

Mulheres dão as mãos em uma "corrente de paz" no protesto "abraço da base militar", de 1982, em Greenham. Algumas faziam visitas curtas ao acampamento, outras ficaram por anos em "abrigos" feitos de galhos de árvore e materiais plásticos.

A POLÍTICA DA DIFERENÇA

Veja também: Mulheres unidas pela paz 92-93 ▪ Ecofeminismo 200-201 ▪ Protesto do Guerrilla 246-247 ▪ Mulheres em zonas de guerra 278-279

Os impactos a longo prazo do protesto

É quase impossível quantificar o legado do Acampamento das Mulheres pela Paz em Greenham, especialmente seu impacto sobre a proliferação de armas nucleares. No entanto, esse espaço foi muito poderoso, por mostrar que as mulheres eram capazes de trabalhar coletivamente, mesmo em condições difíceis. Ele atraiu milhares de mulheres para o local, favoreceu um companheirismo intenso e permitiu que elas debatessem seu papel como militantes para um mundo livre de armas nucleares e seu papel e condição como mulher. O Acampamento provou que elas eram capazes de desafiar o estado nuclear. Suas ações criativas, ou "protesto como espetáculo", e o comprometimento com uma ação direta não violenta ajudaram a moldar as campanhas antiguerra e pró meio ambiente que se seguiram. Os mísseis de cruzeiro deixaram Greenham em 1991, mas algumas mulheres permaneceram lá até 2000, num protesto geral contra armas nucleares. Em 2002, o Acampamento foi declarado um Local Histórico e Comemorativo.

A escultura no Greenham Peace Garden representa uma fogueira. Nela estão gravadas as palavras "Não se pode matar o espírito" — que estão no hino não oficial de Greenham.

muitas outras se juntaram às primeiras, e logo foi tomada a decisão de montar um acampamento só de mulheres ali. A primeira grande manifestação aconteceu em dezembro de 1982, quando cerca de 30 mil mulheres chegaram para "abraçar a base", formando uma corrente humana ao redor do seu perímetro.

A ação se intensifica

O protesto renovou as forças quando os mísseis de cruzeiro chegaram. As mulheres cortaram a cerca de arame, entraram na base, fizeram piquetes lá dentro e monitoraram e divulgaram a utilização dos mísseis em exercícios de treinamento. Muitas mulheres foram acusadas criminalmente, detidas e multadas ou presas. A violência da polícia e dos oficiais de justiça que tentaram despejá-las também aumentou. No primeiro ano, o Acampamento das Mulheres pela Paz de Greenham foi manchete ao redor do mundo. Imagens das mulheres de Greenham se multiplicaram. Elas foram mostradas dançando ao redor de silos para os mísseis, decorando a cerca com brinquedos ou entrelaçando seda e lã no arame, bloqueando a saída da base aérea e se reunindo nos vários "portões" ou pequenos campos que formavam o acampamento maior. Este caos alegre era um vívido contraste entre seu compromisso com a dissuasão nuclear e o poder do Estado. Em 1983, O Acampamento das Mulheres pela Paz de Greenham não era apenas um foco poderoso para militantes pela paz, mas também a vertente mais visível do feminismo britânico. O acampamento refletia os principais elementos do Movimento de Libertação das Mulheres — não era hierárquico, e suas decisões eram baseadas em consenso, com grande foco no debate e na experiência pessoal.

Desafio ao patriarcado

Para muitas feministas britânicas, Greenham foi a expressão mais visível de mulheres desafiando armas nucleares e o poder militar masculino. Armas nucleares simbolizavam todas as formas de violência masculina contra as mulheres. Algumas delas em Greenham argumentavam que apenas as mulheres, por nutrirem e cuidarem, poderiam resistir verdadeiramente ao militarismo. Para refletir essa perspectiva "maternalista", as militantes penduravam fotos dos filhos na cerca ao redor da base. Outras feministas não ficaram satisfeitas com essa atitude tradicional, argumentando que sustentava a visão determinista das mulheres como mães acima de tudo, e também destacaram que as mães há muito eram usadas na guerra para lembrar aos filhos o seu dever de lutar. Algumas ainda acharam que se concentrar demais em um único ponto poderia acabar desviando a atenção de todas as outras questões que afetavam as mulheres. ∎

Tirem os brinquedos dos meninos!
The Fallout Marching Band

A MULHERISTA ESTÁ PARA A FEMINISTA ASSIM COMO O PÚRPURA ESTÁ PARA O LILÁS

FEMINISMO NEGRO E MULHERISMO

FEMINISMO NEGRO E MULHERISMO

EM CONTEXTO

CITAÇÃO FUNDAMENTAL
Alice Walker, 1983

FIGURAS-CHAVE
Alice Walker, Maya Angelou, bell hooks

ANTES
1854 É formada a Associação Nacional das Agremiações de Mulheres Negras em Washington, D.C., para promover capacitação profissional e igualdade salarial. Seu lema é "Lifting as We Climb", algo como "quanto mais subimos, mais nos erguemos".

1969 Maya Angelou descreve suas experiências com racismo e abuso sexual no livro *Eu sei por que o pássaro canta na gaiola*.

DEPOIS
2018 A escritora afro-americana Brittney C. Cooper publica *Eloquent Rage: A Black Feminist Discovers Her Superpower*, livro de memórias em que conta como encontrou sua voz e conquistou o respeito que transcende raça e gênero.

A **segunda onda do feminismo** é definida e dominada por **mulheres brancas de classe média** e, portanto, ignora o racismo e contribui para ele.

Mulheres negras, que sofrem com a desigualdade racial, assim como de gênero, **são mais oprimidas** do que mulheres brancas.

Mulheres negras precisam de **sua própria forma de feminismo — o mulherismo** —, que também observa a opressão baseada na raça e na classe social.

Assim como o lilás é um púrpura fraco, o feminismo é uma forma enfraquecida de mulherismo.

Pois essas nossas avós e mães eram… artistas; levadas à… loucura por não poderem dar liberdade à sua força criativa.
Alice Walker

O significado exato da frase da escritora afro-americana Alice Walker "A mulherista está para a feminista assim como o púrpura está para o lilás" tem sido tema de debates por muitos anos. O termo "mulherismo", de Walker, aparece no livro *In Search of ours Mothers' Gardens: Womanist Prose* (1983), uma coleção de poemas, ensaios, entrevistas e críticas que investigam o que é ser uma mulher afro-americana. Em particular, o livro examina a relação entre mulheres afro-americanas e literatura, arte e história.

Definindo conceitos

Walker começa o livro com uma definição de "mulherismo" ("womanism"), que é derivado do termo da cultura popular negra "womanish" ("mulher-feita"), que as mães às vezes usavam com as filhas em frases como "Você está agindo como mulher-feita", o que queria dizer que a filha estava tentando ser adulta. Walker descreve esse termo como o oposto de "girlish" ("menininha") — que se referiria a uma mulher "frívola, irresponsável, que não é séria". Uma mulherista é, portanto, alguém que deve ser levada a sério. Walker se estende a respeito, dizendo que mulheres negras são acusadas de "agir como uma mulher-feita" quando seu comportamento está sendo visto como "escandaloso, audacioso, corajoso ou voluntarioso". Quando mulheres negras querem "saber mais" ou compreender alguma coisa mais profundamente, arriscam-se a ser criticadas por adotar comportamento inadequado. Essa descrição poderia ser aplicada a mulheres que vão contra a corrente ou que não aceitam as normas sociais — exatamente o tipo de comportamento do qual as feministas foram acusadas no início dos anos 1980. Na verdade, Walker descreve diretamente mulheristas como feministas negras, estabelecendo uma forte ligação entre mulherismo e feminismo, embora visse o mulherismo como o estado primordial e mais forte (a cor púrpura) do qual o feminismo (um tom mais pálido, o lilás) é apenas uma parte.

Todas mulheristas

Continuando sua definição de "mulherista", Walker amplia a descrição para incluir todas as mulheres "que amam as outras mulheres". Ela diz que o amor pode ou não ser um amor sexual, e enfatiza um vínculo entre mulheres que exaltam sua vida emocional e sua força. A autora vai além e declara que

A POLÍTICA DA DIFERENÇA 211

Veja também: Racismo e preconceito de classe dentro do feminismo 202-205 ▪ Feminismo pós-colonial 220-223 ▪ Privilégio 239 ▪ Interseccionalidade 240-245

mulherismo é tanto para mulheres heterossexuais que têm um parceiro homem quanto para mulheres lésbicas e mulheres que amam homens como amigos. Essa declaração gerou controvérsias, pois trazia consigo a ideia de que uma mulherista pode não querer se separar dos homens. A questão desafiou algumas feministas radicais e lésbicas que insistiam que a luta coletiva contra o patriarcado tinha que excluir os homens. Ao esboçar sua filosofia universalista para as mulheristas, Walker descreve o mulherismo como um jardim no qual todas as flores estão presentes, uma metáfora para o fato de que há muitas raças no mundo e muitos tipos de mulheristas, em termos de sexualidade, classe e daí em diante. Essa analogia também aparece no ensaio que dá título ao livro, "In Search of our Mothers' Gardens", no qual ela usa a ideia de um jardim colorido e bem-cuidado para descrever a criatividade das mulheres negras. A própria mãe da autora sempre cultivou um jardim cheio de flores, que Walker via como um meio para a mãe expressar sua criatividade. Uma mulherista, Walker segue, está comprometida com a sobrevivência de todos os seres humanos em um mundo onde mulheres e homens podem conviver e ainda assim manter suas distinções culturais. Ela descreve mulheristas como tendo potencial para se tornar ativistas, capazes de oferecer segurança a pessoas oprimidas — da forma como escravos eram capazes de escapar de seus captores — e de lutar pela sobrevivência de todas as raças. Para alcançar este objetivo, o mulherismo leva em consideração a vida das mulheres negras como um todo, sua sexualidade, família, classe »

Alice Walker

Nascida em 1944, em Eatonton, na Georgia, EUA, Alice Malsenior Walker foi a oitava entre os filhos de um casal de meeiros afro-americanos. Quando Walker ficou cega de um olho em um acidente, a mãe lhe deu uma máquina de escrever e permitiu que ela escrevesse, em vez de fazer as tarefas da casa. Walker ganhou uma bolsa de estudos para frequentar o Spelman College, na Georgia. Depois de se formar, em 1965, ela se mudou para o Mississípi e se envolveu com o Movimento pelos Direitos Civis. Walker é mais conhecida por seus romances, contos e poemas, todos imersos na cultura afro-americana, particularmente na vida das mulheres. Sua obra mais famosa é *A cor púrpura*, que ganhou o prêmio Pulitzer e uma adaptação para o cinema dirigida por Steven Spielberg, em 1985. A versão musical foi produzida por Oprah Winfrey e estreou em 2004.

Trabalhos-chave

1981 *You Can't Keep a Good Woman Down*
1982 *Meridian*
1982 *A cor púrpura*
1983 *In Search of our Mothers' Gardens: Womanist Prose*

No jardim do mulherismo de Alice Walker, todas as pessoas vicejam de forma igual, independentemente de raça, gênero ou classe social.

social e condição financeira, e sua história, cultura, mitologia, folclore, tradições orais e espiritualidade. A terceira parte da definição de Walker lista áreas da vida que a mulherista deve abraçar e exaltar. Ela destaca como o amor que vem da espiritualidade, da dança e da música pode levar ao amor-próprio, abrindo o mulherismo para o autocuidado — assunto sobre o qual a feminista afro-americana bell hooks escreveu no livro *Sisters of the Yam*, de 1993. Por fim, ao comparar a cor púrpura à cor lilás, o mulherismo é comparado ao feminismo. Walker vê o feminismo como um aspecto do mulherismo, e não como seu todo. Em resumo, ela afirma as experiências das mulheres afro-americanas e, ao mesmo tempo, propõe toda uma visão de mundo baseada nessas experiências.

Zora Neale Hurston

Alice Walker tinha um interesse particular em escritoras negras que tivessem sido ignoradas ou esquecidas. Zora Neale Hurston (1891–1960) foi uma escritora, jornalista e antropóloga que Walker descobriu quando revisava um material sobre literatura negra. Ela percebeu que o trabalho de Hurston era mencionado apenas brevemente, se comparado às menções ao trabalho de escritores negros homens. Enquanto pesquisava sobre o trabalho de Hurston, Walker encontrou *Mules and Men* (1935), uma coletânea sobre a cultura popular afro-americana. A cultura popular negra ajudou a inspirar o conceito de mulherismo de Walker, e a descoberta do trabalho de Hurston foi essencial para o seu desenvolvimento. Quando Walker deu *Mules and Men* para a própria família ler, eles descobriram que as histórias descritas ali eram contos populares que tinham ouvido dos avós quando eram crianças. Já adultos, distanciaram-se desse legado, principalmente por constrangimento ou vergonha diante de suas antigas tradições, dialetos e descrições de experiências vividas na época da escravidão. Durante a escravidão, pessoas negras tinham sido ridicularizadas e estereotipadas, e seus descendentes passaram a desejar ser como os europeus. No ensaio "Zora Neale Hurston" (1979), Walker conclui que a escritora estava à frente do seu tempo, não só pelo modo como viveu, e sim por sua atitude positiva em relação a sua herança negra. Mas ser uma pioneira teve suas desvantagens — Walker descobriu que, apesar de muitos amarem o trabalho de Hurston, havia resistências sobre seu estilo de vida, que era pouco convencional para os anos 1930. Solteira, Hurston teve vários relacionamentos. Era uma mulher exuberante e usava turbantes africanos performáticos antes mesmo que virassem moda. Hurston também foi acusada por alguns críticos afro-americanos de aceitar dinheiro de "camaradas brancos" na forma de subsídio para pesquisa. Hurston tinha interesse pela África e por países como Jamaica, Haiti e Honduras, e estudou o modo de falar dos negros do Deep South, o "Sul profundo" dos Estados Unidos. A "redescoberta" de Hurston impactou significativamente a vida e o trabalho de Walker, principalmente porque encontrou em Hurston uma mulher negra plena e autêntica. Walker

> A vinculação de imagens estereotipadas negativas a mulheres afro-americanas tem sido fundamental para a opressão às mulheres negras.
> **Patricia Hill Collins**

Zora Neale Hurston escreveu livros, peças, contos e artigos para revistas e um estudo sobre vodu. Morreu no anonimato, em 1960, mas os textos de Walker reacenderam o interesse por Hurston.

A POLÍTICA DA DIFERENÇA

chamava seu ensaio de "advertência", porque Hurston havia sofrido por sua sinceridade e ainda assim havia mostrado que os negros tinham a responsabilidade de honrar seus intelectuais negros e de não deixar que fossem ignorados.

O pássaro canta na gaiola

O mulherismo pretende abranger a vida das mulheres negras como um todo e enaltecer suas estratégias para lidar com as múltiplas opressões sofridas em sua vida privada. Em 1969, a escritora afro-americana Maya Angelou publicou sua primeira autobiografia, *Eu sei por que o pássaro canta na gaiola*, em que escreveu sobre o estupro que sofreu nas mãos do namorado da mãe, e sobre sua experiência com o preconceito quando criança e jovem. O retrato de racismo e violência sexual apresentado no livro confirmou que as feministas negras estavam certas em se preocupar com a interseção entre gênero e opressão racial. Elas encaravam um conjunto particular de problemas, e por isso era necessário o mulherismo em vez do feminismo. As pessoas negras da comunidade de Angelou foram o cenário essencial para sua autobiografia. A autora descreve como

O fato de que a mulher negra americana adulta surge como uma pessoa formidável costuma ser visto com surpresa.
Maya Angelou

O espetáculo da Broadway *For Colored Girls Who Have Considered Suicide/When the Rainbow is Enuf* (1976), de Ntozake Shange, destacou as experiências das mulheres negras em particular.

tanto mulheres quanto homens eram afetados pelo racismo, como a religião e a igreja eram primordiais em todos os aspectos da comunidade e as consequências da pobreza. A partir da crença de que não se poderia conduzir separadamente as lutas contra o racismo e o sexismo, o feminismo negro buscou destacar desigualdades em relação às mulheres negras em ambas as áreas. As feministas negras foram inspiradas por algumas figuras femininas históricas, como a afro-americana Ida B. Wells, uma das fundadoras da Associação Nacional para o Progresso das Pessoas de Cor, que havia lançado uma campanha contra o linchamento nos Estados »

Unidos durante os anos 1890. No entanto, essa organização sufragista era vista como antiquada nos anos 1960 e 1970, quando as mulheres negras norte-americanas começaram a buscar uma ideologia que refletisse sua experiência. Para a maioria delas, o feminismo não conseguia descrever como se relacionavam com o mundo.

Um novo capítulo

Em 1973, feministas negras formaram a Organização Feminista Negra Nacional (NBFO na sigla em inglês), na cidade de Nova York, com o objetivo de abordar o racismo e o sexismo. Elas lançaram uma declaração de propósito expressando sua insatisfação com a quase invisibilidade das mulheres negras na segunda onda do feminismo e nos movimentos de Libertação Negra e de Direitos Civis, bem como a sua determinação de se voltar para as necessidades da "maior, mas quase abandonada metade da raça negra na Amerikkka, a mulher negra". No ano seguinte, uma dissidência do grupo formou um grupo mais radical, o Coletivo Combahee River (CRC), em Boston. Em 1977, Demita Frazier, Beverly Smith e Barbara Smith, ex-integrantes do NBFO, escreveram a Declaração do CRC, que afirmava que as mulheres negras sofriam tanto com o racismo quanto com o sexismo. Essa foi a primeira vez em que as múltiplas opressões de que as mulheres negras eram vítimas foram verbalmente reconhecidas: opressão sexual na comunidade negra e racismo dentro da sociedade mais ampla e dentro do movimento feminista. O coletivo não declarou que o Movimento de Libertação das Mulheres estava errado por se concentrar na opressão sexual, apenas afirmou que as mulheres negras tinham outras questões que precisavam ser abordadas, além do sexismo. As autoras se concentraram na política de identidade e nas opressões racial e sexual. Elas também abordaram o que viram como ideologias prejudiciais, que agravavam sua situação, como o capitalismo, o imperialismo e o patriarcado. Como Walker, rejeitaram o separatismo lésbico. O coletivo patrocinou sete retiros feministas negros entre 1977 e 1980. Esses eventos de conscientização atraíram milhares de mulheres e garantiram apoio para aquelas que até então trabalhavam isoladamente.

Novas vozes

Quando Walker escreveu *A cor púrpura*, em 1982, um romance que destacava

> Raramente se escreve sobre as tentativas de as feministas brancas de silenciarem mulheres negras… onde (uma) mulher negra enfrenta a hostilidade racista de… mulheres brancas.
> **bell hooks**

não apenas a violência doméstica e o amor entre mulheres, mas também a vibração cultural do Sul profundo dos EUA, tanto a NBFO quanto o CRC haviam se dissolvido e as mulheres negras clamavam por uma maneira diferente de colocar toda a sua existência em foco. Foi nesse momento que bell hooks, que começava a conquistar um lugar no meio acadêmico, experimentou um pouco do racismo que as feministas do CRC e da NBFO tinham abordado em suas conferências e publicações. No livro, *Feminist Theory: From Margin to Center*, que publicou em 1984, ela declara que os currículos adotados nas

bell hooks

Nascida Gloria Jean Watkins, em Hopkinsville, no Kentuck, bell hooks cresceu em um comunidade segregada no Sul dos EUA e adotou seu pseudônimo inspirada na bisavó materna como uma maneira de honrar os legados femininos. Ela escolheu escrevê-lo sem letras maiúsculas para concentrar a atenção na mensagem que desejava transmitir, e não nela própria. bell hooks se graduou pela Universidade Stanford, tem mestrado pela Universidade de Wisconsin e doutorado pela Universidade da Califórnia, em Santa Cruz. Intelectual aclamada, teórica feminista, artista e escritora, hooks escreveu mais de trinta livros. Seu trabalho examina uma variedade de percepções de mulheres negras e abrange vários gêneros, incluindo crítica cultural, autobiografia e poesia.

Trabalhos-chave

1981 *Erguer a voz: pensar como feminista, pensar como negra*
1984 *Olhares negros: raça e representação*
1993 *O feminismo é para todo mundo: políticas arrebatadoras*

A POLÍTICA DA DIFERENÇA 215

A cor púrpura foi lançado no cinema em 1985. O livro sobre abusos e preconceitos sofridos por uma mulher negra no Sul dos EUA ganhou o prêmio Pulitzer, e o filme foi indicado a onze Oscars.

cadeiras de estudos sobre mulheres e teoria feminista marginalizavam autores negros. E também afirma que o feminismo não pode tornar as mulheres iguais aos homens porque, na sociedade ocidental, nem todos os homens são iguais e nem todas as mulheres compartilham o mesmo *status* social. hooks usa esse trabalho como plataforma para apresentar uma teoria feminista mais inclusiva, encorajando o sentimento de irmandade. Mas ela também defende — como fez Audre Lorde, outra ativista e escritora afro-americana — que as mulheres reconheçam suas diferenças, ao mesmo tempo em que aceitam uma a outra. No entanto, quando hooks convidou as feministas a avaliarem sua relação com raça, classe e sexo, algumas feministas negras duvidaram que as mulheres brancas fossem capazes de algum dia debater plenamente o racismo por causa do legado do colonialismo e da escravidão.

Além de incluir as mulheres brancas, hooks também defendeu a importância do envolvimento masculino no movimento pela igualdade, afirmando que, para que a mudança ocorra, os homens devem desempenhar o seu papel.

Mulherismo hoje

Embora muitos dos primeiros grupos de mulheres negras tenham se dissolvido no início dos anos 1980, o feminismo negro e o mulherismo foram frutos desse período de formação na vida das afro-americanas. O mulherismo ainda é debatido, mas é usado como um conceito histórico. Ao exigir seu próprio espaço dentro do feminismo, acadêmicas e ativistas como bell hooks e Alice Walker possibilitaram um debate mais intelectual e o desenvolvimento de teorias alternativas dentro do feminismo. Em 1993 a acadêmica afro-americana Clenora Hudson-Weems rejeitou totalmente o feminismo e o feminismo negro, chamando o conceito de eurocêntrico. Então, ela defendeu "o mulherismo africano", uma abordagem que pretendia alcançar a herança africana das mulheres negras. O preconceito contra os negros ainda predomina na sociedade do século XXI, e mulheres negras têm estado na vanguarda dos esforços para confrontá-lo. Formado nos EUA em 2013, o Vidas Negras Importam busca intervir sempre que a violência, pelo Estado ou por milícias, afeta pessoas negras. O movimento foi criado por três mulheres negras — Alicia Garza, Patrisse Cullors e Opal Tometti — após a absolvição do assassino de um jovem negro desarmado, Trayvon Martin, na Flórida, em 2012. Elas usaram as mídias sociais para espalhar a notícia e se conectar com pessoas com ideias semelhantes. Elas queriam formar um movimento de base para destacar as contribuições feitas à sociedade pelos negros, afirmar sua humanidade e resistir à opressão. Desde então, o Vidas Negras Importam se tornou um novo movimento pelos direitos civis com uma rede global de ativistas. ■

Militantes do Vidas Negras Importam em uma marcha, em Toronto, no Canadá, em 2017. Elas exigiram que policiais uniformizados não se juntassem ao ato, em protesto contra a violência policial.

AS FERRAMENTAS DO SENHOR NUNCA DERRUBARÃO A CASA-GRANDE
RAIVA COMO FERRAMENTA ATIVISTA

EM CONTEXTO

CITAÇÃO FUNDAMENTAL
Audre Lorde, 1984

FIGURA-CHAVE
Audre Lorde

ANTES
1978 Nos EUA, a feminista Mary Daly afirma em *Gyn/Ecology* que todas as mulheres sofrem a mesma opressão.

1981 A feminista norte-americana bell hooks defende em *Ain't I a Woman?* que mulheres negras são sistematicamente excluídas do Movimento de Libertação das Mulheres (WLM).

DEPOIS
1990 Em seu livro *Black Feminist Thought*, a feminista norte-americana Patricia Hill Collins concorda com a visão de bell hooks sobre raça e sobre o WLM.

1993 No Reino Unido, a socióloga Kum-Kum Bhavnani publica artigos aconselhando que cursos de estudos sobre as mulheres incorporem a "diferença" como uma teoria.

Embora o Movimento de Libertação das Mulheres nos anos 1960 e 1970 dissesse representar todas as mulheres, Audre Lorde sentiu que algumas mulheres — particularmente as negras e pobres — eram excluídas. Ao fazer um paralelo com o relacionamento entre escravo e senhor para descrever a luta das mulheres por liberdade, Lorde afirmou que as mulheres devem aceitar as diferenças entre si e usá-las como uma força para lutar contra os inimigos. E declarou que a mudança não viria do medo e do preconceito — os instrumentos, ou ferramentas, do opressor —, mas da mudança de regras e do trabalho em conjunto.

Raiva como energia

No poema "Para cada um de vocês" (1973), Audre Lorde aconselha as mulheres a usar a raiva de uma forma construtiva para lutar contra a autoridade. Se usada corretamente, diz ela, a raiva pode ser uma fonte poderosa de energia para combater a desigualdade. A raiva não deve ser direcionada a outras mulheres, mas sim a quem restringe a vida delas. Em seu discurso de 1981 na Associação Nacional de Estudos da Mulher, Lorde usou a raiva para acusar o movimento de se eximir de debater o racismo, ao insistir que o racismo só poderia ser combatido por mulheres negras e não pelo movimento como um todo. Argumentou ainda que isso significava que as mulheres brancas nunca haviam notado seu próprio preconceito. ■

Audre Lorde era uma escritora afro-americana, feminista e ativista dos direitos civis. Ela costumava escrever poesia para expressar a raiva que sentia em relação à política e à injustiça social.

Veja também: Igualdade racial e de gênero 64-69 ■ Feminismo negro e mulherismo 208-215 ■ Privilégio 239 ■ Interseccionalidade 240-245

A POLÍTICA DA DIFERENÇA 217

METADE DA POPULAÇÃO TRABALHA POR QUASE NADA
PRODUTO INTERNO BRUTO

EM CONTEXTO

CITAÇÃO FUNDAMENTAL
Marilyn Waring, 1988

FIGURA-CHAVE
Marilyn Waring

ANTES
1969 No livro *Housework*, a feminista norte-americana Betsy Warrior afirma que o trabalho doméstico das mulheres é a base para todas as transações econômicas.

1970 A economista dinamarquesa Ester Boserup examina os efeitos do crescimento econômico nas mulheres dos países em desenvolvimento no livro *Woman's Role in Economic Development*.

DEPOIS
1994 Surge nos EUA o periódico *Feminist Economics*, cuja missão é encontrar novas abordagens para melhorar a vida de mulheres e homens.

2014 A antologia *Counting on Marilyn Waring* reúne uma variedade de teorias econômicas feministas.

N as últimas décadas do século XX, Marilyn Waring — professora universitária da Nova Zelândia, agricultora e ativista internacional pelos direitos das mulheres — tornou-se uma voz importante nas ideologias econômica e política. Waring foi pioneira na crítica feminista da economia dominante, que, segundo ela, desconsiderava o papel essencial do trabalho não remunerado das mulheres nas economias de todos os países.

Produto Interno Bruto

O revolucionário trabalho de Waring, *If Women Counted* (1988), examina como as economias ortodoxas excluem a maior parte do trabalho das mulheres, tornando metade da população mundial invisível. Ela argumenta convincentemente que é necessário repensar conceitos econômicos básicos, em particular o do Produto Interno Bruto (PIB), de forma que o bem-estar de toda a comunidade seja levado em consideração, incluindo a produtividade dos trabalhos não remunerados das mulheres. Waring foi a primeira a enfatizar a importância do tempo das mulheres dedicado à comunidade em níveis micro e macro. Ela transformou esse tempo em uma ferramenta para desafiar as tradições patriarcais tanto na economia quanto no governo. Antes invisível, o trabalho doméstico realizado pelas mulheres foi finalmente associado ao seu valor econômico. *If Women Counted* convenceu as Nações Unidas a recalcular o PIB e inspirou novos métodos contábeis em vários países. O livro também é considerado a base primordial da economia feminista e ajudou a aumentar a visibilidade das mulheres. ∎

A pergunta mais importante não é qual o valor do trabalho [que as mulheres] estão fazendo, mas se elas têm tempo para fazê-lo.
Marilyn Waring

Veja também: Feminismo marxista 52-55 ▪ Socialização do cuidado com os filhos 81 ▪ Remuneração para o trabalho doméstico 147

A SOCIEDADE BRANCA ROUBOU A NOSSA PERSONALIDADE
ANTICOLONIALISMO

EM CONTEXTO

CITAÇÃO FUNDAMENTAL
Gloria Anzaldúa, 1987

FIGURAS-CHAVE
Awa Thiam, Gloria Anzaldúa

ANTES
Anos 1930 Escritoras de língua francesa da África e do Caribe baseadas em Paris começam o movimento literário Négritude, em protesto contra a dominação e aceitação do regime colonial francês.

Anos 1950 O filósofo da Martinica Frantz Fanon publica trabalhos que analisam a opressão colonial e neocolonial às mulheres, assim como a dominação sexista.

DEPOIS
1990 A escritora sul-africana Bessie Head publica sua autobiografia, na qual descreve como foi crescer sob o sistema do *apartheid* na África do Sul e se ver objeto tanto do racismo quanto do nacionalismo negro patriarcal.

Estrategistas políticos coloniais costumavam acreditar que a posição das mulheres em uma sociedade indicava em que medida aquela sociedade era "civilizada". Seus atos de intervenção, opressão e ocupação eram em parte justificados pelo argumento da "proteção" às mulheres negras dos costumes "selvagens" de seus homens, o que dificultou que essas mulheres reafirmassem seus direitos de raça e de gênero, e levou a divisões de gênero dentro de movimentos de independência. Embora as mulheres contribuíssem para causas nacionalistas, seus companheiros do sexo masculino permaneciam desconfiados de suas motivações, muitas vezes acusando-as de adotar ideias europeias. Algumas feministas ficaram divididas entre lutar pela independência do seu país ou promover os direitos das mulheres.

Dominação dupla
Entre as feministas que têm escrito sobre as experiências das mulheres sob o colonialismo está a escritora senegalesa Awa Thiam. O livro *Speak Out, Black Sisters: Feminism and Oppression in Black Africa* (1977) examina como a opressão tradicional e colonial moldou a vida das mulheres na África Ocidental e Central. Thiam quebra muitos tabus ao discutir abertamente o patriarcado institucionalizado, a poligamia, a mutilação genital feminina, a iniciação sexual e o branqueamento da pele, e destaca a dupla opressão que as mulheres sofrem, tanto pelo sistema colonial quanto pelo patriarcado tradicional. Para dar um exemplo, Thiam descreve como o surgimento do cultivo comercial para exportação no Congo Belga, sob a administração colonial, de 1908 a 1960, levou ao aumento da exploração das mulheres — porque a horticultura era considerada trabalho de mulheres na divisão de trabalho tradicional, por gênero. No entanto, eram os homens

Desafiar o *status* das mulheres equivale a desafiar as estruturas de toda uma sociedade quando essa sociedade é patriarcal em sua natureza.
Awa Thiam

A POLÍTICA DA DIFERENÇA

Veja também: Feminismo pós-colonial 220-223 ▪ Feminismo indígena 224-227 ▪ Privilégio 239 ▪ Interseccionalidade 240-245 ▪ Campanha contra a mutilação genital feminina 280-281

que recebiam o pagamento por esse trabalho, porque só os homens eram considerados "adultos e legítimos" sob o sistema colonial. Outro trabalho essencial sobre o tema, *Fighting Two Colonialisms* (1979), da jornalista sul-africana Stephanie Urdang, aborda a participação das mulheres da Guiné-Bissau na luta pela independência de Portugal, entre 1974 e 1976. Ela destaca o papel crucial das mulheres como mobilizadoras na guerrilha, convencendo maridos e filhos a se juntarem à causa, e discorre também sobre a quantidade de mulheres que pegaram em armas. No entanto, o final do colonialismo não trouxe a igualdade de gênero prometida pelo líder da independência, Amílcar Cabral. Em vez disso, o patriarcado reafirmou-se e as mulheres foram forçadas a voltar aos papéis tradicionais.

Em 1971, uma mulher chicana participa da Marcha de la Reconquista: 1.600 quilômetros desde Calexico, na fronteira do México com os EUA, até Sacramento para protestar contra a discriminação.

Novas questões

A estrutura racista e sexista que o anticolonialismo expôs abriu debate e estimulou ideias que desafiavam a opressão. Nos EUA, o feminismo chicano se originou do movimento chicano, que surgiu na década de 1960 para protestar contra a tratamento discriminatório de descendentes de mexicanos nas áreas de fronteira conquistadas pelos EUA na Guerra Mexicano-Americana de 1846–1848. Feministas chicanas descobriram que o feminismo adotado por mulheres brancas nos EUA não contemplava a discriminação de raça e classe que elas enfrentavam, além do sexismo. A feminista chicana Gloria Anzaldúa enfatizou as diferentes identidades e opressões e descreveu esse descaso em relação às questões das chicanas como uma espécie de neocolonialismo. ∎

Gloria Anzaldúa

Nascida no Texas, em 1942, Gloria Anzaldúa participou ainda jovem do ativismo chicano, para garantir os direitos dos trabalhadores agrícolas. Como pesquisadora de movimentos de inclusão, ela se concentrou na hierarquia dentro do colonialismo e em como questões de gênero, raça, classe e saúde se interligavam. O trabalho mais famoso de Anzaldúa, *Borderlands/La Frontera: The New Mestiza* (1987), analisou o colonialismo e o controle masculino nas fronteiras entre os EUA e o México. Anzaldúa morreu em 2004.

Trabalhos-chave

1981 *This Bridge Called My Back: Writings by Radical Women of Color*
1987 *Borderlands/La Frontera: The New Mestiza*
2002 *This Bridge We Call Home: Radical Visions for Transformation*

UMA IRMANDADE COM PROBLEMAS
FEMINISMO PÓS-COLONIAL

EM CONTEXTO

CITAÇÃO FUNDAMENTAL
Chandra Talpade Mohanty, 1984

FIGURAS-CHAVE
Chandra Talpade Mohanty, Gayatri Chakravorty Spivak

ANTES
1961 Frantz Fanon, psiquiatra da Martinica que serviu na colônia francesa da Argélia, publica *Os condenados da terra*, que fala dos efeitos desumanizantes do colonialismo.

DEPOIS
Anos 1990 Emerge o feminismo transnacional, que se concentra em migração, globalização e comunicações modernas.

1993 Toni Morrison é a primeira afro-americana a ganhar o prêmio Nobel de Literatura. Seus textos colocam as experiências negras em destaque na literatura norte-americana.

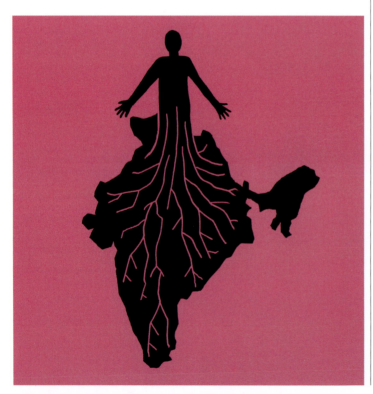

O feminismo pós-colonial é uma subdisciplina do pós-colonialismo, um campo de pesquisa relacionado aos efeitos do colonialismo ocidental nas atuais instituições econômicas e políticas e à persistência de práticas neocoloniais ou imperiais no mundo moderno. Reexamina a história das pessoas subjugadas por formas de imperialismo e analisa a relação de poder entre colonizador e colonizado nas esferas cultural, social e política.

O feminismo pós-colonial é uma resposta ao fracasso tanto do pós-colonialismo quanto do feminismo ocidental em reconhecer as preocupações das mulheres no mundo pós-colonial. Antes dos anos 1980, a

A POLÍTICA DA DIFERENÇA   221

Veja também: Início do feminismo árabe 104-105 ▪ Feminismo indiano 176-177 ▪ Anticolonialismo 218-219 ▪ Feminismo indígena 224-227 ▪ Feminismo na China pós-Mao 230-231

Uma irmandade não pode se constituir com base no gênero.
Chandra Talpade Mohanty

maior parte das teorias pós-coloniais foi escrita por homens. Textos importantes incluíam *Discurso sobre o colonialismo* (1950), do martinicano Aimé Césaire, *Os condenados da Terra* (1961), de Frantz Fanon, também da Martinica, e *Orientalismo* (1978), do acadêmico e crítico palestino-americano Edward Saïd. O conceito de "pós-colonialismo" em si era e é considerado controverso. A palavra implica que existe uma homogeneidade em todas as antigas nações colonizadas, que estão permanentemente ligadas ao seu passado colonial, ou que não há mais uma influência colonial consistente. A realidade, no entanto, costuma ser muito diferente. Antigas nações coloniais são muitas vezes dilaceradas pelas lutas de poderes patriarcais e estão sujeitas a intervenções internacionais que são outra forma de ocupação.

Mulheres reais

Nos anos 1980, as feministas pós-coloniais começaram a criticar as teorias formuladas por feministas em países desenvolvidos, que partiam das mulheres ocidentais brancas, de classe média — no hemisfério Norte — como padrão. Elas acusavam o feminismo ocidental de homogeneizar as lutas das mulheres no Ocidente e depois aplicá-las às mulheres do Terceiro Mundo, nas nações em desenvolvimento do hemisfério Sul. Essas suposições foram vistas como paternalistas e acusadas de reduzir mulheres reais com questões reais a um monólito universal. Na Índia, Chandra Talpade Mohanty argumentou que as mulheres que vivem em países não ocidentais foram consideradas pobres, ignorantes, sem instrução, sexualmente restritas, »

A mulher do Terceiro Mundo

- Marginalizada
- Domesticada
- Pobre
- Religiosa
- Iletrada
- **Vítima** do **controle masculino**
- **Oprimida** pelas **culturas tradicionais**
- Um grupo **único** e **homogêneo**
- **Impotente** e **vulnerável**

A percepção feminista ocidental da "Mulher do Terceiro Mundo" costuma reduzir mulheres reais a um estereótipo uniforme, imutável e oprimido.

Chandra Talpade Mohanty

Nascida em Mumbai, na Índia, em 1955, Chandra Talpade Mohanty é uma das pesquisadoras mais importantes da teoria feminista pós-colonial e transnacional. Mohanty estudou inglês na Universidade de Nova Déli e mais tarde obteve um doutorado em Educação na Universidade de Illinois (EUA). O ensaio "Sob olhos ocidentais: estudos feministas e discursos coloniais" (1986) foi amplamente reconhecido. Seus principais campos de interesse são a política da diferença e da solidariedade, a descolonização do conhecimento e a solidariedade transnacional feminista. Mohanty é hoje professora emérita de estudos de gênero e das mulheres e professora honorária de humanidades na Universidade de Syracuse, em Nova York, e seus trabalhos atuais examinam a política do neoliberalismo.

Trabalhos-chave

2003 *Feminism Without Borders: Decolonizing Theory, Practising Solidarity*
2013 *Transnational Feminist Crossings: On Neoliberalism and Radical Critique*

FEMINISMO PÓS-COLONIAL

Gayatri Chakravorty Spivak

Nascida em Calcutá em 1942 e uma das vozes mais importantes em teoria pós-colonial, Gayatri Chakravorty Spivak é mais conhecida pelo pioneiro ensaio "O subalterno pode falar?", de 1983.

Spivak começou uma longa ligação com os EUA em 1961, quando deixou a Índia para cursar a Universidade Cornell. Ela atualmente é professora de humanidades na Universidade Columbia. No entanto, permanece próxima da Índia, onde financia escolas em Bengala Ocidental desde 1986. Quando ganhou o Prêmio Kyoto em Artes e Filosofia, em 2012, Spivak doou o dinheiro do prêmio para sua fundação, que apoia a educação fundamental na Índia. Ela também traduz trabalhos em idiomas indianos, como a obra de Mahasweta Devi, para o inglês.

Trabalhos-chave

1983 "O subalterno pode falar?"
1999 *A Critique of Postcolonial Reason: Towards a History of the Vanishing Present*

vinculadas à tradição e vitimizadas, independentemente de serem poderosas ou marginais, prósperas ou não. Mulheres ocidentais, por outro lado, são presumidamente modernas, sexualmente livres, bem-educadas e capazes de tomar suas próprias decisões.

Desafio doméstico

Ao rejeitar os estereótipos ocidentais de si mesmas, Mohanty e outras deram voz aos movimentos feministas locais, porque acreditavam que o feminismo em países em desenvolvimento não pode ser "importado" se quer ser verdadeiramente autêntico. Deve emergir da ideologia e da cultura de cada sociedade para refletir suas complexas camadas de opressão. Elas também argumentaram que era dever das feministas ocidentais reconhecer formas de diferença como parte de seu movimento. Enquanto algumas feministas ocidentais temem que debates pós-coloniais possam provocar a fragmentação do movimento feminista em grupos menores e, portanto, defendem uma "irmandade global", muitas feministas negras no Ocidente reconhecem e ecoam

Duas mulheres cobertas por burcas caminham pela rua em Herat, no Afeganistão. A opressão às mulheres operada pelo fundamentalista islâmico Talibã foi uma das razões que os EUA e seus aliados alegaram para invadir o país em 2001.

argumentos pós-coloniais. No livro *Sister Outsider* (1984), a afro-americana Audre Lorde afirma que negar as diferenças reforça antigas formas de opressão. Mulheres brancas, afirma ela, desconsideram o privilégio de serem brancas e definem a mulher em termos de sua própria experiência, de modo que as mulheres negras "tornam-se 'o outro'", o forasteiro cuja experiência e tradição são "estrangeiras" demais para serem compreendidas. Feministas negras como bell hooks foram além no debate, declarando que o feminismo ocidental não só negligencia o tema da raça, como também alimenta o racismo.

Colonização tripla

A opressão do feminismo ocidental em relação às mulheres do Terceiro Mundo é chamada de "colonização tripla". De acordo com feministas pós-coloniais, essas mulheres são "colonizadas", primeiro pelo poder

A POLÍTICA DA DIFERENÇA

Ignorar os subalternos hoje... é dar continuidade ao projeto imperialista.
Gayatri Chakravorty Spivak

colonial, depois pelo patriarcado, e enfim pelas feministas ocidentais. Por isso, raça se tornou um ponto central no discurso feminista pós-colonial. No ensaio "O subalterno pode falar?" (1983), a crítica pós-colonial Gayatri Chakravorty Spivak reflete sobre o "Eu" eurocêntrico e sobre o "Outro", anônimo, não europeu. Ela pergunta se os "subalternos" — assim chamadas as populações que estão fora da estrutura patriarcal de poder da colônia e de sua pátria — podem sequer falar por si. Sua resposta é que não podem, porque não são compreendidos ou apoiados. Spivak escreve: "Tudo o que tem acesso limitado ou nenhum acesso ao imperialismo cultural é subalterno".

No currículo

Historicamente, a teoria feminista ocidental dominou os currículos das universidades e foi delineada para representar todo o feminismo. Embora uma reavaliação dos textos feministas europeus à luz do pensamento pós-colonial tenha gerado mudanças nos programas de estudos sobre mulheres — a Universidade Goldsmith, de Londres, por exemplo, empenhou-se em descolonizar o currículo —, o feminismo pós-colonial ainda não é visto como parte do cânone. Isso confirma o que Spivak chama de "produção de conhecimento neocolonialista, multiculturalista, culturalmente relativista", que negligencia a diversidade das diferenças de outras pessoas para produzir um padrão de estudos culturais mais simples e mais politicamente correto. Há uma grande quantidade de importantes obras de ficção pós-colonial de mulheres, em inglês, como os trabalhos da romancista indiana Anita Desai, da escritora nigeriana Flora Nwapa e da romancista e poeta jamaicana Olive Senior. No entanto, a ausência constante de autoras pós-coloniais nos currículos das universidades e o fato de que essas escritoras são menos conhecidas do que seus colegas do sexo masculino refletem não só o maior desafio que as mulheres enfrentam, mas também as realidades da múltipla colonização, em que elas continuam a ser marginalizadas com base em raça, classe e gênero. Um exemplo é Wole Soyinka, dramaturgo nigeriano e o primeiro africano a ganhar o prêmio Nobel de Literatura, em 1986, e o amplo reconhecimento e a variedade de prêmios conferidos à literatura pós-colonial escrita por homens, em trabalhos como *O mundo se despedaça* (1959), do nigeriano Chinua Achebe, e *Os filhos da meia-noite* (1981), do anglo-indiano Salman Rushdie. Mesmo com todas as dificuldades, o feminismo pós-colonial conseguiu tornar os limites do feminismo predominante mais poroso. Desde os anos 1980, os acadêmicos indianos também têm questionado o termo "feminismo", defendendo uma alternativa indiana específica. Feministas pós-coloniais continuam a militar por um feminismo predominante mais inclusivo e mais útil, baseado em valores compartilhados entre mulheres de todo o mundo, que busca uma compreensão mais verdadeira dos objetivos e lutas particulares de todas as mulheres. ■

Mulheres do Sudão do Sul se unem pela paz em 2017. As bocas estão tapadas para simbolizar seu silenciamento, tanto pelo governo quanto pelas forças rebeldes, em um país pós-colonial dividido pela guerra civil.

DEIXEM QUE SEJAMOS AS ANCESTRAIS A QUEM NOSSOS DESCENDENTES VÃO AGRADECER
FEMINISMO INDÍGENA

EM CONTEXTO

CITAÇÃO FUNDAMENTAL
Winona LaDuke, 2015

FIGURAS-CHAVE
Winona LaDuke, Mary Two-Axe Earley, Paula Gunn Allen

ANTES
1893 A rainha Lili'uolakalani é deposta do trono durante a tomada de poder do Reino do Havaí pelos EUA. Os colonizadores impuseram o cristianismo no Havaí e forçaram as mulheres a adotar "nomes cristãos" e os sobrenomes dos pais.

DEPOIS
1994 Em Chiapas, no sul do México, o Exército Zapatista de Libertação Nacional divulga a Lei Revolucionária de Mulheres, incluindo os direitos de trabalhar, receber remuneração justa, ter acesso à educação e à escolha de parceiros.

2015 O primeiro-ministro do Canadá, Justin Trudeau anuncia a criação de um inquérito nacional para investigar o desaparecimento e assassinato de meninas e mulheres indígenas.

O feminismo indígena se concentra nas experiências e preocupações das mulheres cuja origem racial é de um dos povos nativos de países que foram ocupados por colonos europeus. É um movimento ativo nos EUA, Canadá, Austrália e Nova Zelândia, mas também em lugares como Chiapas no México, onde o Movimento Revolucionário Zapatista protesta contra a opressão do povo indígena pelo Estado. Ativistas e acadêmicos protestam e escrevem sobre o impacto da colonização na vida das mulheres indígenas, sobre

A POLÍTICA DA DIFERENÇA 225

Veja também: Anticolonialismo 218-219 ▪ Feminismo pós-colonial 220-223 ▪ Interseccionalidade 240-245

Mulheres indígenas sofrem **desigualdades** por razões relacionadas tanto ao gênero quanto à **etnia**.

Elas enfrentam uma **dupla opressão**.

Como forma de combate, elas **aumentam sua participação na luta étnica**, acrescentando questões femininas ao debate.

Com essa estratégia, a autonomia feminina e a autonomia étnica se conectam.

Uma cena do filme australiano *Geração roubada* (2002), sobre três meninas aborígenes que tentam voltar para perto da mãe depois de serem separadas dela à força pelo Estado.

---

supremacia branca, genocídio, violência sexual, sobre o nacionalismo anti-indígena e sobre o patriarcado europeu que foi introduzido nas terras colonizadas.

Pressões externas

Feministas indígenas observam que a colonização teve um profundo impacto nas estruturas familiares nativas e na capacidade das mulheres de parir e criar os filhos em um ambiente apropriado a sua origem racial. Andrea Smith (1966-), feminista e pesquisadora dos povos nativos americanos, documentou a abrangente opressão sofrida pelas mulheres indígenas e por suas famílias sob o colonialismo, incluindo violência sexual e doméstica, apropriação branca de culturas nativas, desvalorização da vida das mulheres indígenas e o legado sombrio dos internatos indígenas, sancionados pelo Estado nos EUA e no Canadá, nos séculos XIX e XX. Administradas por missionários cristãos, essas escolas despojavam as crianças indígenas de suas culturas e de suas línguas nativas, forçando-as a se "reeducarem" em uma cultura europeia "civilizada". Também na Austrália, crianças mestiças filhas de mulheres aborígines, muitas vezes frutos de estupros, eram afastadas à força das mães e levadas para internatos, uma política que prevaleceu de 1910 até 1970. Essas crianças, conhecidas no país atualmente como Geração Perdida, ou Roubada, foram ensinadas a rejeitar o patrimônio indígena e forçadas a adotar a cultura branca. Elas receberam novos nomes e foram proibidas de falar seus próprios idiomas — e nas comumente difíceis condições das instituições onde eram colocadas, o abuso infantil era frequente.

Ativismo indígena

Nos EUA, o Movimento Indígena Americano (AIM na sigla em inglês) surgiu em 1968 e foi mais um entre o grande número de grupos de direitos civis que surgiram na época. O AIM buscava a independência econômica para as comunidades nativas depois do que encaravam como séculos de roubo de terras, destruição ecológica e empobrecimento operados pelo governo dos EUA. Muitas mulheres indígenas participaram do AIM e defenderam seus objetivos; no entanto, suas iniciativas foram frustradas pela falta de foco da organização em questões que afetavam particularmente as mulheres, como saúde e direitos reprodutivos. Em 1974, o Women of All Red Nations (WARN), grupo de mulheres indígenas norte-americanas, foi formado para abordar essas »

Mary Two-Axe Earley

A ativista indígena Mary Two-Axe Earley nasceu na reserva Kahnawake perto de Montreal, no Canadá, em 1911. Ela é lembrada por ter trabalhado ao longo de toda a vida para desafiar leis que discriminavam os direitos das mulheres indígenas, especificamente partes do Ato Indígena, de 1876, que negou a algumas mulheres indígenas o direito à propriedade e a viver na reserva em que nasceram. Earley migrou para os EUA aos dezoito anos em busca de trabalho, e por volta dos anos 1960 já era um membro ativo em organizações de direitos das mulheres, incluindo o Indian Rights for Indian Women (IRIW). Forçada a combater o preconceito inerente dos homens, tanto no governo canadense quanto na National Indian Brotherhood, apenas em 1985 Earley finalmente conseguiu garantir uma emenda ao Ato Indígena. Ela estava então "… legalmente autorizada a viver na reserva, a ter direito de propriedade, a morrer e ser enterrada com meu próprio povo". Em 1996, em seu último ano de vida, Earley foi homenageada com o National Aboriginal Achievement Award.

> Sou uma mulher. E sou parte… da nação indígena. Mas as pessoas se relacionam com você ou como indígena, ou como mulher.
> **Winona LaDuke**

questões. O WARN deu início a uma série de campanhas pelos direitos indígenas, destacando questões relacionadas à saúde das mulheres e à restauração de direitos garantidos em tratados violados pelo governo federal dos EUA, e combatendo a comercialização da cultura indígena norte-americana.

Esterilização forçada

A ativista Winona LaDuke, cujo pai era um ator indígena norte-americano, ajudou a fundar, em 1985, a Rede de Mulheres Indígenas Baseadas nos EUA (IWN na sigla em inglês), que se concentrava nas mulheres indígenas e em suas famílias e comunidades. Ela também trabalhou com o WARN para divulgar o programa de esterilização forçada do governo dos EUA, que era uma preocupação central das feministas indígenas. Pesquisadores estimaram que de 1970 a 1976, de 25 a

Winona LaDuke discursa diante do Capitólio, no protesto contra o uso da montanha Yucca, em Nevada, lugar sagrado para os nativo-americanos, como depósito de lixo radioativo.

50% das mulheres indígenas nos EUA foram esterilizadas pelo Serviço de Assistência Médica Indígena. Mulheres e meninas eram frequentemente forçadas a se submeter à esterilização, sob o argumento mentiroso de que o procedimento era reversível, ou eram esterilizadas sem que consentissem ou tivessem conhecimento do procedimento. Como resultado dessas ações, a taxa de natalidade indígena caiu entre 1970 e 1980, o que interferiu não só na autonomia das mulheres, mas também no direito de as famílias indígenas terem filhos e continuar suas linhagens tribais em face do extermínio histórico. A prática estava

A POLÍTICA DA DIFERENÇA

> Estou consciente da imagem popular das mulheres indígenas como bestas de carga, tratores, mulheres de alguém, ou como habitantes desaparecidas de uma natureza selvagem há muito perdida.
> **Paula Gunn Allen**

em acordo com a longa história de esterilização das populações marginalizadas, como mulheres de baixa renda negras e mulheres com deficiência.

Desaparecidas e assassinadas

Outra área crucial do ativismo feminista indígena na América do Norte tem sido a questão do desaparecimento e assassinato de mulheres indígenas, MMIW na sigla em inglês do movimento. No Canadá, a questão do MMIW foi classificada como uma crise nacional. Por décadas, ativistas têm protestado contra a falta de recursos destinados ao problema. A Highway 16, uma estrada remota na fronteira da Colúmbia Britânica, com 23 comunidades de povos indígenas e conhecida pela frequência de caroneiros, tem sido cenário de rapto e assassinato de meninas e mulheres indígenas desde o final da década de 1960. A maioria dos casos permaneceu sem solução. Em 2016, o governo canadense concordou em colocar uma linha pública de ônibus para percorrer a rodovia e atuar como transporte seguro para mulheres indígenas de baixa renda.

Além do feminismo branco

Um componente-chave do feminismo indígena é articular uma perspectiva de vida e ativismo para mulheres indígenas diante do feminismo dominado por brancas. A escritora e ativista indígena Paula Gunn Allen, que cresceu perto da reserva Laguna Pueblo, no Novo México, estabeleceu as bases para o desenvolvimento desse feminismo indígena na década de 1980. No livro *The Sacred Hoop: Recovering the Feminine in American Indian Traditions* (1986), Allen afirma que as mulheres indígenas têm ricas tradições tribais matriarcais, com papéis de liderança espiritual, social e política que exerciam em suas comunidades antes da colonização europeia. Allen procura recuperar e reviver esse legado, enfatizando a tradição de poder das mulheres indígenas da América do Norte e destacando a forma como ideias contemporâneas sobre gênero têm sido fortemente influenciadas pelas estáveis visões patriarcais da questão, levadas à América do Norte pelos colonizadores europeus. Essa consciência, afirma Allen, tem muito a ensinar ao movimento feminista, liderado por mulheres brancas, considerando que a opressão social histórica às mulheres não foi uma realidade universal, inevitável, transcultural. ■

> Acho que a noção dos negros de masculino e feminino é muito mais sofisticada do que a ideia ocidental.
> **James Baldwin**

James Baldwin, escritor norte-americano, acreditava que a branquitude estava no coração do racismo, incluindo o tratamento às indígenas.

Estudos da branquitude

Em 1903, o historiador e ativista afro-americano W.E.B. Du Bois escreveu sobre a "linha de cor" como o problema determinante que dominaria o século XX. Na década de 1980, o campo acadêmico de estudos críticos de branquitude surgiu como um subconjunto de estudos críticos de raça, nos EUA, no Reino Unido e na Austrália. Esse campo busca examinar a branquitude como uma categoria racial que evolui e muda ao longo do tempo e através das fronteiras geográficas. Pesquisadores desafiam a branquitude como a norma racial não declarada com as quais as comunidades negras são comparadas. Eles argumentam que o "branco" é a assimilação de várias culturas etnicamente europeias. Muitas, como a irlandesa, a italiana e a grega, eram tratadas como "outro" antes de "se tornarem" brancas e se encaixarem na "cultura" branca dominante. Aqueles considerados brancos se beneficiam da predominância racial branca, isto é, a branquitude faz parte de um processo de expansão do racismo.

AS MULHERES PERMANECEM PRESAS EM EMPREGOS SEM PERSPECTIVA
FEMINISMO DO COLARINHO-ROSA

EM CONTEXTO

CITAÇÃO FUNDAMENTAL
Karin Stallard, Barbara Ehrenreich, Holly Sklar, 1983

FIGURAS-CHAVE
Karin Stallard, Barbara Ehrenreich, Holly Sklar

ANTES
1935 A Lei de Seguridade Social dos EUA — primeira tentativa de uma rede de segurança do governo — inclui o bem-estar da mãe e da criança e benefícios de saúde pública para a maior parte dos necessitados.

1982 O Congresso norte-americano não ratifica a Emenda dos Direitos Iguais (ERA na sigla em inglês) na Constituição, barrando a discriminação baseada em sexo.

DEPOIS
1996 O presidente Bill Clinton assina a lei de Reconciliação de Responsabilidade Pessoal e Oportunidade de Trabalho, reduzindo a ajuda do governo às famílias pobres, principalmente às mães solteiras.

O termo "colarinho-rosa" foi usado pela primeira vez nos EUA no início dos anos 1970 para se referir a trabalhos "femininos" não profissionais em escritórios. Logo passou a ser usado para descrever trabalhos realizados principalmente por mulheres, como os de garçonete, enfermeira e faxineira. Essas funções tendiam a pagar menos do que os dois tipos de trabalho dominados por homens — os de colarinho-branco (escritório e cargos gerenciais) e de "colarinho-azul" (trabalhos braçais). As feministas de colarinho-rosa denunciam a exploração econômica desse tipo de trabalhadora. As escritoras Karin Stallard, Barbara Ehrenreich e Holly Sklar, entre outras, destacaram o impacto nas mulheres da pobreza, da desigualdade salarial, da discriminação no emprego e da desigualdade na divisão dos trabalhos domésticos. No livro *Poverty in the American Dream: Women & Children First* (1983), elas mostram como esses fatores limitam a capacidade das mulheres de comandar as próprias vidas com autonomia, alegria e saúde. Elas descrevem o "gueto do colarinho-rosa", no qual as mulheres comumente são encontradas — mal remuneradas, sobrecarregadas e com pouco espaço para avanço ou mudança de carreira. Dizem que chefes homens raramente promovem as mulheres acima de um certo patamar, mesmo em um trabalho de colarinho-branco, o que contribui para a estagnação da carreira das mulheres e para a impossibilidade de atravessar o "teto de vidro" — expressão criada por Marilyn Loden, norte-americana consultora de gestão, em 1978, para essa barreira invisível na direção do sucesso.

Em uma charge do século XX, um chefe dita para a secretária. A exigência por datilógrafas estimulou a expansão de empregos para mulheres, mas o trabalho era tedioso e muito semelhante à linha de produção em uma fábrica.

A POLÍTICA DA DIFERENÇA 229

Veja também: Casamento e trabalho 70-71 ▪ Estruturas familiares 138-139 ▪ Fazendo acontecer 312-313 ▪ Disparidade salarial 318-319

Mulheres e pobreza

A pesquisadora norte-americana Diana Pearce falou sobre a "feminização da pobreza" para descrever o alto número de mulheres pobres no mundo vítimas da opressão estrutural — quando instituições e sociedade limitam os recursos econômicos e oportunidades das mulheres. Pearce expõe o aumento no número de famílias nos EUA lideradas por mulheres entre as décadas de 1950 e 1970, e observa como o trabalho remunerado e às vezes o divórcio podem levar à independência das mulheres em relação aos homens, e como também podem causar insegurança financeira, especialmente se elas precisarem pagar uma creche para os filhos enquanto trabalham. A situação é ainda pior para mulheres em relacionamentos com o mesmo sexo, já que ambas são mal remuneradas nos empregos de colarinho-rosa.

O impacto do racismo

Stallard, Ehrenreich e Sklar também afirmam que as mulheres negras são duplamente afetadas, tanto pela feminização da pobreza quanto pelo racismo estrutural. Elas denunciam a teoria influente do "matriarcado preto" que o senador e sociólogo norte-americano Daniel Patrick Moynihan apresentou em seu relatório de 1965 sobre famílias afro-americanas, e que ficou conhecido como o Relatório Moynihan. O senador afirmou erroneamente que o controle matriarcal da família negra foi o responsável pela erosão da família nuclear negra e pela incapacidade de os homens negros agirem como figuras de autoridade dentro de suas famílias. O psicólogo William Ryan, que havia refutado mentiras sobre a pobreza em seu trabalho *Culpando a Vítima* (1971), também foi contra os argumentos de Moynihan. Ryan afirma que a culpa é apenas um substituto conveniente para a análise da desigualdade na sociedade que cria grupos marginalizados.

Poucos avanços

O racismo estrutural intensificou a feminização da pobreza para as mulheres negras norte-americanas a partir dos anos 1980.
O encarceramento de muitos homens negros durante a "guerra contra as drogas" do presidente Reagan (1982–1989) e a repressão ao crime nos bairros mais pobres aumentaram muito o número de famílias chefiadas apenas por uma mulher negra, o que criou estereótipos racistas das mulheres negras como "rainhas do bem-estar social". Em 2011, o relatório Mulheres na América do governo dos EUA confirmou em grande parte a falta de progresso para todas as mulheres no país. Por mais que se destaquem nos estudos, elas — especialmente as mulheres negras — ainda ganhavam menos do que os homens e estavam mais propensas a viver abaixo da linha da pobreza. ■

Quando uma mulher trabalha por remuneração menor do que precisa para sobreviver, ela faz um grande sacrifício por você.
Barbara Ehrenreich

Barbara Ehrenreich

Nascida em Butte, Montana (EUA), em 1941, numa família sindicalista operária, Barbara Ehrenreich sempre foi ativista política e escreveu largamente sobre saúde, classe e pobreza das mulheres, além de fazer parte dos Socialistas Democratas da América. Ela ganhou vários prêmios pelo seu trabalho com jornalismo investigativo durante a carreira. Seu livro mais conhecido é *Nickel and Dimed* (2001), que narra três meses de empregos "femininos" remunerados com um salário mínimo por toda a América. Ehrenreich disse que quando ela deu à luz a filha, em um hospital público de Nova York, em 1970, o lugar, que atendia principalmente a comunidades de pessoas negras, induziu seu trabalho de parto porque o médico de plantão queria ir para casa. A experiência a enfureceu e se tornou a origem de seu feminismo apaixonado.

Trabalhos-chave

1983 *Women in the Global Factory*
2003 *Global Women: Nannies, Maids, and Sex Workers in the New Economy*
2008 *This Land Is Their Land: Reports From a Divided Nation*

AS QUESTÕES DAS MULHERES FORAM ABANDONADAS
FEMINISMO NA CHINA PÓS-MAO

EM CONTEXTO

CITAÇÃO FUNDAMENTAL
Li Xiaojiang, 1988

FIGURA-CHAVE
Li Xiaojiang

ANTES
1919 O movimento nacionalista Quatro de Maio para reforma política e social conscientiza o povo chinês da discriminação de gênero.

1950 A Lei do Novo Casamento legaliza a igualdade entre homens e mulheres pela primeira vez na China.

DEPOIS
2013 Uma universitária de 23 anos se torna a primeira mulher chinesa a vencer um processo por discriminação de gênero depois de ser dispensada pelo patrão do emprego de professora.

2015 Cinco jovens feministas chinesas (o "Quinteto Feminista") são presas por "conduta desordeira" na noite do Dia Internacional da Mulher.

Depois da morte do presidente Mao Tsé-Tung, em 1976, Deng Xiaoping acabou emergindo como autoridade política na China. Sua decisão de introduzir a chamada "economia socialista de mercado" e de abrir o país para o capitalismo global mudou todos os aspectos da vida na China, incluindo a posição das mulheres na sociedade.

Mudança de papel
Sob a economia controlada pelo Estado de Mao, e a política das fazendas coletivas e fábricas, as mulheres haviam experimentado relativa igualdade com os homens na educação e no trabalho. Depois de Mao, o tratamento dado às mulheres — apesar das leis que as protegiam da discriminação no emprego, na educação e na habitação — foi influenciado pelas exigências de um mercado capitalista e pelas decisões subjetivas dos empregadores, o que levou a uma crescente discriminação na contratação e promoção das mulheres. Em 1979, Xiaoping também introduziu a "política do filho único" para limitar o tamanho das famílias e controlar o crescimento populacional, que piorava os padrões de vida. Uma preferência cultural por meninos levou ao aborto de fetos femininos e ao abandono de bebês meninas, e alguns críticos no Ocidente condenaram essa política como um ataque aos direitos humanos e reprodutivos. A modernização socialista de Xiaoping priorizou o desenvolvimento econômico à custa da condição das mulheres. Após o colapso das propriedades coletivas de Mao, a família se tornou uma importante unidade econômica. As operárias "de ferro" da China maoísta foram substituídas por "donas de casa socialistas". A elas foi negado o acesso a novas tecnologias e ao estudo de saberes como engenharia.

Uma nova consciência
Apesar das novas restrições em relação às mulheres, o Movimento de Libertação das Mulheres na China começou a estabelecer uma nova

As mulheres podem segurar metade do céu.
Mao Tsé-Tung

A POLÍTICA DA DIFERENÇA

Veja também: Feminismo marxista 52-55 ▪ Feminismo no Japão 82-83

Li Xiaojiang

Uma das principais pensadoras feministas na China, Li Xiaojiang costuma receber o crédito por levar os estudos sobre as mulheres para a arena do debate acadêmico na China pós-Mao. Nascida em 1951, filha de um pai acadêmico que foi presidente da Universidade de Zhengzhou, ela estudou na Universidade de Henan, onde, em 1985, organizou o primeiro centro de pesquisa chinês de estudos sobre as mulheres. No mesmo ano, Li Xiaojiang estabeleceu o primeiro curso de conscientização de gênero para mulheres e a primeira conferência nacional independente de mulheres. Ela continua a ensinar, escrever e a ministrar palestras.

Trabalhos-chave

1983 "Progresso da humanidade e libertação das mulheres"
1988 *The Exploration of Eve*
1989 *Gap Between Sexes*
1989 *Study on Women's Aesthetic Awareness*
1999 *Interpretation of Women*

identidade. Em 1983, A Federação Municipal de Mulheres de Beijing montou uma empresa para recrutar e treinar trabalhadoras domésticas das zonas rurais e empregá-las em lares urbanos. Embora fortalecesse o estereótipo do trabalho doméstico como "trabalho de mulheres", essa ação foi considerada um avanço em direção à independência financeira das mulheres. Outro importante avanço para as mulheres na China pós-Mao foi a criação de programas de estudos e pesquisas acadêmicas sobre mulheres. Até então, faltara às mulheres chinesas um espaço cultural para articular uma consciência coletiva em torno do gênero. Historicamente, movimentos feministas na China tinham sido liderados por homens, como Yu Zhengxie (1775–1840). Yu criticou práticas como os "pés de Lotus" e a castidade da viúva, mas também via as mulheres como objetos passivos que precisavam ser libertadas pelos homens. A pioneira dos estudos sobre mulheres na década de 1980 na China foi Li Xiaojiang, que,

A "política do filho único", iniciada em 1979, foi amplamente divulgada como uma tentativa de melhorar os padrões de vida. A iniciativa controversa começou a ser desarticulada em 2015.

em 1983, publicou o ensaio "Progresso da humanidade e libertação das mulheres". Dois anos depois, foi fundada a primeira organização profissional não oficial de mulheres — a Associação de Estudos Sobre as Mulheres —, e a primeira conferência acadêmica sobre o assunto aconteceu em Zhengzhou, capital da província de Henan. A partir daí, os estudos sobre as mulheres na China cresceram significativamente. Em 1985, foi aberto o Centro de Estudos Sobre as Mulheres na China na Universidade de Zhengzhou, anunciando uma série de centros de pesquisa similares pelo país. Pela primeira vez na história chinesa, as mulheres estavam se engajando em um debate sobre sua condição, sem a vigilância do Estado e em pé de igualdade com os homens. ∎

A pré-condição de uma teoria marxista do feminismo na China pós-Mao é considerar todas as mulheres.
Li Xiaojiang

O CASAMENTO FORÇADO É UMA VIOLAÇÃO DOS DIREITOS HUMANOS
IMPEDINDO O CASAMENTO FORÇADO

CITAÇÃO FUNDAMENTAL
Nações Unidas, 2009

FIGURA-CHAVE
Zainah Anwar

ANTES
Antes de 622 O casamento forçado de madrastas viúvas com o filho mais velho do marido é prática comum na Península Arábica.

622-632 Durante os anos de Maomé na Medina, uma jovem reclama com a esposa do profeta, Aisha, que está sendo forçado a se casar; Maomé intervém para evitar o casamento.

Séculos VIII a X Livros de direito compilados tanto por escolas sunitas quanto xiitas do Islã exigem o consentimento de ambas as partes para o casamento.

DEPOIS
2012 Amina Filali comete suicídio no Marrocos após ser forçada a se casar com seu estuprador. Em 2014, a lei que permitia essa prática é revogada.

A prática de forçar uma mulher, às vezes uma menina muito jovem, a se casar com um homem contra a sua vontade é mais associada à fé muçulmana. O casamento forçado não é aceito pelo Islã, mas é culturalmente aplicado, em especial no Oriente Médio e no Sul da Ásia — geralmente a fim de preservar a propriedade ou a riqueza dentro de uma família (os cônjuges muitas vezes são primos), evitar relacionamentos inadequados, cumprir uma promessa ou liquidar uma dívida. Muçulmanas, sikhs, hindus e cristãs, todas as mulheres podem ser vítimas, incluindo as que vivem no Ocidente, que podem se ver casadas quando vão passar férias no país de origem. Casamentos forçados são diferentes dos arranjados, pois as partes são livres para aceitar ou rejeitar o parceiro para o casamento pretendido. Uma mulher que rejeita o casamento forçado, ou que escolhe se casar com alguém considerado inadequado, pode se tornar vítima de um crime de "honra" e acabar sendo assassinada por levar vergonha à família. O casamento forçado também está ligado ao tráfico de seres humanos. A organização global Girls not Brides, voltada para o combate do

Mulher busca justiça numa corte sharia em litígio sobre casamento, no norte da Nigéria. Por mais que seja considerado "não islâmico", acredita-se que o casamento forçado alcance uma taxa de 75% na região.

A POLÍTICA DA DIFERENÇA 233

Veja também: Estupro como abuso de poder 166-171 ▪ Feminismo indiano 176-177 ▪ Sobrevivente, não vítima 238 ▪ Feminismo islâmico moderno 284-285

Uma noiva criança protesta no Iêmen, onde a taxa de casamentos infantis é alta. Organizações de caridade tentam acabar essa cultura, e jovens que já foram noivas crianças se juntam aos protestos.

casamento forçado de crianças, denuncia a venda de garotas para fins de casamento em países tão diversos como Costa Rica, Nicarágua, República Dominicana, Vietnã, Indonésia e China, entre outros.

Erradicando o problema

Na década de 1980, Nações Unidas, governos nacionais, ONGs e grupos de ativistas uniram forças para combater o casamento forçado. A educação foi vista como a chave para a prevenção, já que a prática é mais recorrente entre os membros da sociedade com menos acesso à educação. No entanto, os esforços governamentais muitas vezes são inconsistentes e equivocados. Por exemplo, alguns países — incluindo Argélia, Bahrein, Kuwait e Líbia — acabam legitimando o casamento forçado ao inocentar estupradores desde que eles se casem com suas vítimas (que não têm voz ativa no assunto). Surgiram grupos de direitos das mulheres para enfrentar o problema. Na Malásia, a feminista Zainah Anwar

fundou o *Sisters in Islam* (SIS, Irmãs no Islã), em 1988, uma organização de mulheres, advogadas e ativistas que busca reformar o direito de família no mundo muçulmano, incluindo a revogação de leis que permitem o casamento forçado, pois afirmam que a prática contraria a sharia (lei islâmica). Em vários países muçulmanos os casamentos forçados foram declarados ilegais nos anos 2000; em 2005, os principais clérigos religiosos da Arábia Saudita proibiram a prática. No Reino Unido, Jasvinder Sanghera, britânica e sikh que fugiu de casa depois de saber que seria forçada a se casar aos catorze anos de idade, criou a instituição beneficente Karma Nirvana, em 1992, para apoiar as vítimas de casamentos forçados e de crimes de honra. Embora o Reino Unido, assim como outros países europeus e os EUA, tenha leis em vigor para processar quem promove o casamento forçado, a vergonha e a discrição fazem com que muitos casos nunca sejam conhecidos. O apoio prático e emocional oferecido por grupos criados e administrados por mulheres nas comunidades que estão em maior risco são vitais para a erradicação dessa violação aos direitos humanos. ■

A mulher tem que consentir no casamento, ou o casamento não tem efeito.
Anne Sofie Roald
Professora sueca de estudos religiosos

Zainah Anwar

A feminista e ativista Zainah Anwar nasceu em Johor, na Malásia, em 1954. Depois de se formar jornalista, ela estudou direito nos EUA e trabalhou para vários *think tanks*. Com a feminista muçulmana norte-americana Amina Wadud e outras cinco mulheres, Anwar ajudou a fundar, em 1988, o Irmãs no Islã (SIS), na Malásia, para promover os direitos das mulheres e desafiar a discriminação e as práticas ilegais, como o casamento forçado. O grupo foi motivado por uma pergunta capciosa: "Se Deus é justo, se o Islã é justo, por que as leis e políticas feitas em nome do Islã criam injustiça?". O trabalho do SIS baseia-se em interpretações progressistas do Corão e também em protocolos internacionais de direitos humanos para promover seu trabalho. Anwar foi líder da organização por mais de vinte anos e permanece em seu conselho administrativo.

Trabalhos-chave

1987 *Islamic Revivalism in Malaysia*
2001 *Islam and Family Planning*
2011 *Legacy of Honour*

POR TRÁS DE TODA CONDENAÇÃO ERÓTICA HÁ UMA ARDENTE HIPOCRISIA
POSITIVIDADE SEXUAL

EM CONTEXTO

CITAÇÃO FUNDAMENTAL
Susie Bright, 1990

FIGURAS-CHAVE
Susie Bright, Carol Queen, Gayle Rubin, Ellen Willis

ANTES
1965 É lançada nos EUA a *Penthouse*, uma revista erótica masculina.

1969 É lançado nos EUA *Blue Movie*, do artista Andy Warhol — o primeiro filme adulto mostrando relações sexuais.

DEPOIS
1992 A escritora feminista Rebecca Walker cunha a expressão "terceira onda do feminismo", depois que Clarence Thomas é indicado para a Suprema Corte dos EUA — ele havia sido acusado de assédio sexual, mas negou as acusações.

2011 Acontece a primeira Marcha das Vadias, em Toronto, em protesto a comentários feitos sobre estupro em *campi* universitários.

O movimento feminista de positividade sexual, que começou no início dos anos 1980, foi, em parte, uma reação contra a repressão à pornografia que outras feministas haviam enfrentado. Foi fortalecido, no entanto, pelo movimento sexo-positivo mais amplo, que promovia prazer físico, experimentação e informação sobre sexo seguro. As feministas pró-sexo, como também eram conhecidas, enfatizavam a liberdade sexual para mulheres, apoiavam grupos LGBTQ e se opunham a qualquer restrição social ou legal ao sexo consensual entre adultos. Elas acreditavam que aceitar a lesbianidade, a bissexualidade e a fluidez de gênero era necessário para a

A POLÍTICA DA DIFERENÇA   235

Veja também: Controle de natalidade 98-103 ▪ Prazer sexual 126-127 ▪ A pílula 136 ▪ Feminismo antipornografia 196-199 ▪ Apoio às profissionais do sexo 298

> Quando uma mulher jovem descobre seu poder, tanto sexual quanto intelectual, ela solta sua própria voz, sua verdade.
> **Susie Bright**

libertação das mulheres. Ao contrário de muitas feministas radicais, elas não criticavam a sexualidade masculina, mas alertavam para o fato de que governos patriarcais continuariam a discriminar a sexualidade feminina através da legislação.

Prazer vs. Censura
No início do século xx, ativistas das reformas sexuais e educadoras nos EUA, como Margaret Sanger e Betty Dodson, defenderam o controle de natalidade, a educação sexual e a masturbação, desafiando profundamente as convicções morais vigentes. Trabalhos científicos como os Relatórios Kinsey (1948 e 1953) e o Relatório Hite (1976) também levaram a uma mudança no pensamento sobre a sexualidade feminina, enquanto avanços na contracepção e na cultura do "amor livre" dos anos 1960 revolucionaram o comportamento sexual. Em 1975, a empresária norte-americana, escritora e educadora sexual Joani Blank fundou

Mick Jagger, Michèle Breton e Anita Pallenberg estrelam uma cena de sexo no filme cult de 1970 *Performance*, de Donald Cammell e Nicolas Roeg, que a Warner filmou em Londres em 1968, e amenizou o tom antes de lançar.

a editora Down There Press e publicou *The Playbook for Women About Sex*. Dois anos depois, ela abriu a Good Vibrations, o segundo negócio de acessórios eróticos feministas nos EUA, que se tornou um centro importante de concentração do feminismo sexo-positivo e da literatura feminista. Susie Bright, uma das primeiras mulheres a ser chamada de "feminista sexo-positiva", foi também uma das primeiras funcionárias do negócio; a escritora norte-americana e socióloga Carol Queen é hoje a sexóloga da equipe.

Promiscuidade adolescente
Algumas pessoas viram essa nova liberdade sexual como uma ameaça. O mal-estar público cresceu conforme as empresas exploravam o afrouxamento dos costumes sociais e o relaxamento das restrições em torno da pornografia, tornando-a publicamente acessível. Filmes pornográficos amplamente divulgados como *Garganta profunda* (1972) e *Snuff* (1975) provocaram temores de que a revolução sexual pudesse incentivar a promiscuidade »

Susie Bright
Escritora, editora e especialista em sexo, Susie Bright nasceu na Virgínia (EUA), em 1958. Por volta do final dos anos 1970, era ativa em causas de esquerda como pacifismo e se tornou membro da Internacional Socialista. Bright trabalhou como operária na Califórnia e em Detroit e escreveu para o jornal alternativo *The Red Tide*. Defensora do feminismo sexo-positivo, ela fundou o Clube de Vídeo Erótico e mais tarde escreveu resenhas sobre filmes pornográficos para o Penthouse Forum. Bright se tornou a primeira mulher a fazer parte da Organização de Críticos de Filmes X-Rated. Quando editava a revista sexo-positiva *On Our Backs*, ela se apresentava como a colunista e conselheira sexual Susie Sexpert. Bright também criou a primeira série erótica para mulheres, a *Herotica*, e publica a série *The Best American Erotica*.

Trabalhos-chave

1997 *Susie Bright's Sexual State of the Union*
2003 *Mommy's Little Girl: On Sex, Motherhood, Porn, and Cherry Pie*
2011 *Big Sex, Little Death: A Memoir*

236 POSITIVIDADE SEXUAL

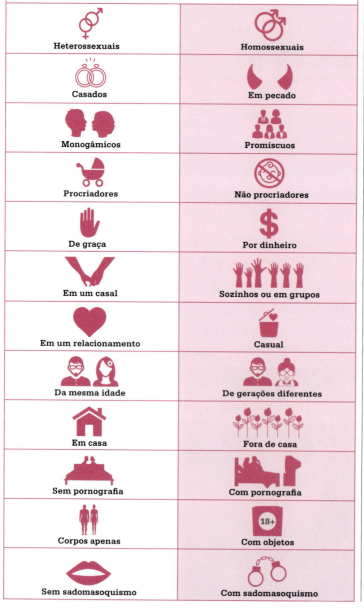

Teoria da sexualidade de Gayle Rubin

Rubin esquematizou uma hierarquia sexual dividida entre práticas consideradas normais (esquerda) — que ela chamou de o "círculo encantado" — e as que achava estarem à margem da norma (direita), como o sadomasoquismo.

Heterossexuais	Homossexuais
Casados	Em pecado
Monogâmicos	Promíscuos
Procriadores	Não procriadores
De graça	Por dinheiro
Em um casal	Sozinhos ou em grupos
Em um relacionamento	Casual
Da mesma idade	De gerações diferentes
Em casa	Fora de casa
Sem pornografia	Com pornografia
Corpos apenas	Com objetos
Sem sadomasoquismo	Com sadomasoquismo

Uma teoria radical do sexo deve identificar, descrever, explicar e denunciar injustiça erótica e opressão sexual.
Gayle Rubin

adolescente e a violência contra as mulheres. O movimento feminista antipornografia da década de 1980 nasceu dessas preocupações. Escritoras radicais, como Catharine MacKinnon, Dorchen Leidholdt, Andrea Dworkin e Robin Morgan, viam a pornografia como uma agressão aos direitos civis e uma ferramenta de opressão às mulheres. Novos grupos, como o Mulheres Contra a Violência Contra as Mulheres (WAVAW em inglês) e, mais tarde, Mulheres Contra Pornografia (WAP em inglês), pressionavam por uma legislação antipornografia em todo os EUA e o Canadá.

As guerras sexuais feministas

Militantes sexo-positivas ficaram irritadas com a postura adotada por ativistas antipornografia contra a prostituição e o BDSM (que inclui práticas como escravidão, dominação e sadomasoquismo) — as ativistas viam ambas as práticas como inerentemente misóginas e violentas. Samois, um grupo de BDSM e feminismo lésbico nos EUA, fundado pelo escritor Pat Califia e pela antropóloga Gayle Rubin, sustentava que atos consensuais de BDSM eram totalmente compatíveis com o feminismo, mas que fazer julgamentos morais sobre os desejos das mulheres era claramente antifeminista. A crítica do Samois

A POLÍTICA DA DIFERENÇA

ecoou entre defensoras feministas da descriminalização da prostituição, que exigia o reconhecimento dos direitos das profissionais do sexo. Conforme o movimento feminista sexo-positivo crescia, seus defensores desafiavam cada vez mais a estridente campanha antipornografia. Em 1979, a jornalista norte-americana Ellen Willis publicou o ensaio "Feminismo, moralismo e pornografia", que resume suas preocupações de que as leis contra a pornografia poderiam infringir o direito à liberdade de expressão, ameaçar a liberdade sexual e pôr em perigo as mulheres e as minorias sexuais. Em 1982, Willis e Rubin estavam entre as organizadoras da altamente controversa Conferência Barnard sobre Sexualidade, cujo objetivo era ir além da violência e da pornografia para se concentrar na sexualidade como uma questão à parte da reprodução. O evento provocou uma reação furiosa dos grupos antipornografia, mas ganhou considerável publicidade para o feminismo sexo-positivo. As guerras sexuais feministas, assim conhecidas, se alastraram de várias formas. Em 1984, em resposta à proposta da Regulamentação Dworkin-MacKinnon, que declarava ser a pornografia uma violação dos direitos civis das

> O discurso sexual... é o tipo de expressão mais reprimida e desdenhada no nosso mundo.
> **Susie Bright**

mulheres, Willis organizou uma força-tarefa feminista anticensura. No mesmo ano, Susie Bright ajudou a fundar a primeira revista erótica para mulheres, a *On Our Backs*; seu título era uma paródia à revista feminista radical *Off Our Backs* (1970–2008), que publicava artigos escritos por feministas antipornografia. *On Our Backs*, a única revista de sexo produzida por mulheres na época, concentrou o feminismo sexo-positivo e a cultura lésbica dos anos 1980.

Crítica e consentimento

Um dos ensaios mais influentes do início dos anos 1980 foi "Pensando o sexo", de Rubin, que se tornou um marco do feminismo pró-sexo. Ao examinar as atitudes em relação à sexualidade, o trabalho destaca os costumes sexuais mais conflitantes da época. Os pensadores "sexo-negativos" viam o sexo como perigoso e corruptor, a menos que praticado convencionalmente. Em apoio ao positivismo sexual, Rubin estimula a "criatividade erótica", um fim para a perseguição sexual e liberdade para os indivíduos expressarem sua sexualidade como desejarem. Feministas sexo-positivas não concordavam em todas as questões, como, por exemplo, se todas as formas de sexo consensual são positivas, visto que algumas práticas podem ser consideradas degradantes. Em 1996, a controversa peça da dramaturga norte-americana Eve Ensler, *Os monólogos da vagina*, também dividiu opiniões. Betty Dodson, pioneira do sexo-positivo, denunciou o foco da peça na vagina e na violência sexual contra mulheres, em vez de no clitóris e no prazer sexual; outros elogiaram a franqueza da obra e sua abordagem da sexualidade. Questões em torno do consentimento, pornografia e sexualidade ainda são debatidas, mas o positivismo sexual sem dúvida ganhou terreno. No século XXI, a maioria das mulheres ocidentais desfruta de maior liberdade sexual. ■

Carol Queen

Nascida em 1958, a escritora sexo-positiva e educadora Carol Queen estudou na Universidade do Oregon, nos EUA. Ela foi inspirada a se tornar uma educadora sexual pela diversidade que encontrava em São Francisco. Queen começou a escrever sobre sexualidade e se envolveu com a Down There Press, que publicou alguns de seus livros.

Em 1990, começou a trabalhar na Good Vibrations, onde ainda faz parte da equipe de sexólogas. Em 1998, seu vídeo *Bend Over Boyfriend* (sobre sexo anal praticado pela mulher no homem) se tornou best-seller. Ela também ajudou a desenvolver a primeira unidade de produção de vídeo, a Sexpositive Productions, que começou a produzir filmes pornográficos inovadores com personagens bissexuais. Queen, ela mesma bissexual, ainda administra o Center for Sex & Culture, em São Francisco, que fundou em 1994 com o parceiro Robert Morgan Lawrence — é um local de encontro para as comunidades em todo o espectro de gênero.

Trabalhos-chave

2015 *The Sex and Pleasure Book*

TODAS TÊM O DIREITO DE CONTAR A VERDADE SOBRE A PRÓPRIA VIDA
SOBREVIVENTE, NÃO VÍTIMA

EM CONTEXTO

CITAÇÃO FUNDAMENTAL
Ellen Bass e Laura Davis, 1988

FIGURAS-CHAVE
Ellen Bass, Laura Davis

ANTES
1857 O patologista francês Auguste Ambroise Tardieu escreve o primeiro livro conhecido sobre abuso sexual infantil.

1982 Três mulheres fundam o Sobreviventes de Incesto Anônimos, em Baltimore, em Maryland.

1984 O congresso norte-americano aprova a Lei de Direitos dos Sobreviventes do Abuso Sexual na Infância.

DEPOIS
2014 Todos os membros das Nações Unidas concordam em ratificar a mais nova versão da Convenção Internacional sobre os Direitos das Crianças (ratificada originalmente em 1990), menos Estados Unidos e Sudão.

Antes da década de 1980, a discussão sobre incesto e abuso sexual infantil era publicamente estigmatizada. Ambos eram considerados raros, assim como o estupro em geral. Feministas da segunda onda desafiaram esses preceitos culturais e pediram que a violência sexual contra mulheres e meninas fosse levada a sério. Elas argumentavam que as mulheres e as crianças que foram abusadas deviam ser encorajadas a falar sobre isso, para expor o crime e permitir que suas feridas psicológicas se curassem. Em 1988, inspiradas por campanhas contra a violência sexual, as feministas norte-americanas Ellen Bass e Laura Davis publicaram um livro de autoajuda para mulheres sobreviventes do abuso sexual na infância, chamado *The Courage to Heal*. Bass e Davis incluem relatos de sobreviventes para validar as experiências e garantir a elas que não estão sozinhas. Usando a linguagem das "sobreviventes", as autoras se concentram na resiliência e não na vulnerabilidade. Algumas feministas criticam o termo "sobrevivente" sob argumentos de que a palavra "vítima" reitera a magnitude da violência sistêmica contra as mulheres e reforça o empenho para garantir o financiamento do governo na luta contra as violações dos direitos humanos. ∎

Sobreviventes comparecem a uma audiência, em 2018, sobre mudanças no esporte norte-americano, diante da condenação do antigo médico da equipe de ginástica, Larry Nassar, por abuso sexual.

Veja também: Proteção contra a violência doméstica 162-163 ▪ Estupro como abuso de poder 166-171 ▪ Homens machucam mulheres 316-317 ▪ Combatendo a agressão sexual nos *campi* 320

A POLÍTICA DA DIFERENÇA 239

PRIVILÉGIO SEM MÉRITO É PERMISSÃO PARA DOMINAR
PRIVILÉGIO

EM CONTEXTO

CITAÇÃO FUNDAMENTAL
Peggy McIntosh, 1988

FIGURA-CHAVE
Peggy McIntosh

ANTES
Anos 1970 Feministas da segunda onda começam a produzir material acadêmico sobre o fenômeno do privilégio masculino.

DEPOIS
2004 É publicado nos EUA o livro *White Like Me: Reflections on Race From a Privileged Son*, do escritor antirracismo, ativista e palestrante Tim Wise.

2017 A escritora norte-americana e genealogista amadora Jennifer Mendelsohn começa a publicar no Twitter histórias antigas de imigração de políticos e personalidades contemporâneas que são contra a imigração, como uma ilustração sobre privilégio e sobre a hipocrisia nos EUA.

Privilégio se refere às vantagens que uma pessoa acumula ao longo da vida, que não foram conquistadas por mérito, como por exemplo ser cidadã nata em um país que persegue imigrantes ilegais, ou nascer em uma família rica. Sistemas de opressão privilegiam pessoas com poder à custa dos que não têm poder.

Teoria do privilégio
Em 1988, a feminista norte-americana e pesquisadora antirracista Peggy McIntosh escreveu "Privilégio branco: abrindo a mochila invisível", artigo no qual se conscientizava do próprio privilégio branco. Ela usa a metáfora da mochila para discutir as maneiras pelas quais a cor da pele dá a uma pessoa branca "ferramentas" úteis para a vida às quais as pessoas negras não têm acesso. McIntosh dá 46 exemplos de privilégio branco. Eles variam de seus filhos aprenderem apenas sobre as realizações dos brancos na escola até o fato de que curativos adesivos são feitos para combinar com a pele branca. Todos são o resultado da valorização

Quando se está acostumada ao privilégio, a igualdade parece opressão. (E não é.)
Franklin Leonard
Norte-americano produtor de filmes e fundador da *The Black List*

sistêmica de brancos sobre negros. Ela argumenta que essa sociedade dominada pelos brancos promove a negação das realidades do privilégio branco, a fim de manter o mito da meritocracia. Um grande desafio para o feminismo continua a ser a coragem de assumir a responsabilidade pelo privilégio. Hoje, ativistas feministas identificam muitas formas diferentes de privilégio: o de ser fisicamente capaz, o cristão, o cisgênero, o de cidadania e muito mais. ■

Veja também: Feminismo indiano 176-177 ▪ Feminismo negro e mulherismo 208-215 ▪ Anticolonialismo 218-219 ▪ Feminismo indígena 224-227 ▪ Interseccionalidade 240-245

TODOS OS SISTEMAS DE OPRESSÃO ESTÃO INTERLIGADOS
INTERSECCIONALIDADE

242 INTERSECCIONALIDADE

EM CONTEXTO

CITAÇÃO FUNDAMENTAL
Coletivo Combahee River, 1977

FIGURA-CHAVE
Kimberlé Crenshaw

ANTES
1851 Nos EUA, a ex-escrava Sojourner Truth profere seu discurso "Não sou uma mulher?" na Convenção de Mulheres em Akron, Ohio.

1981 A líder dos Direitos Civis Americanos, Angela Davis, publica *Mulheres, raça e classe*, que examina como o movimento feminista sempre foi manchado pelo racismo e pelo preconceito de classe de suas líderes.

DEPOIS
2000 A escritora negra bell hooks publica *O feminismo é para todo mundo: políticas arrebatadoras*.

2017 Especialistas das Nações Unidas denunciam que racismo e abuso dos direitos humanos estão crescendo nos EUA.

Em muitos países, durante a década de 1970 as mulheres brancas de classe média dominaram os grupos feministas. Essas mulheres sofriam com a opressão principalmente no contexto de gênero, enquanto as brancas da classe pobre e trabalhadora sofriam opressão por causa do gênero e da classe; e negras, por causa do gênero, da raça e possivelmente da classe. Mulheres que sofriam opressão em várias frentes, como pobres, indígenas e lésbicas, muitas vezes sentiam que sua busca por um movimento feminista relevante para suas próprias vidas era segregadora.

Homens primeiro

Outros movimentos de justiça social da época tendiam a ser dominados por aqueles com mais poder. Grupos de esquerda, por exemplo, eram muitas vezes liderados por homens brancos, e alguns deles tratavam as mulheres como parceiras sexuais em potencial e secretárias de apoio. As mulheres negras descobriram que grupos de libertação negra também tendiam a ser dominados por homens; e lésbicas se queixavam de que a Frente de Libertação Gay se concentrava nas experiências de gays do sexo

---

> A luta contra o patriarcado e o racismo deve estar interligada.
> **Kimberlé Crenshaw**

masculino. Estas e outras organizações não conseguiram resolver de forma coesa problemas simultâneos e convergentes de racismo, sexismo, homofobia, opressão de classe e outros preconceitos. Grupos como o Coletivo Combahee River, uma organização socialista feminista lésbica negra de Boston, Massachusetts, foram formados para atender às necessidades de mulheres que enfrentam múltiplas formas de opressão. A Declaração do Coletivo Combahee River, lançada em 1977, é um dos primeiros registros publicados sobre o modo como múltiplas opressões se entrecruzam. Os membros do coletivo propõem uma abordagem de baixo para cima da justiça social e argumentam que priorizar as necessidades dos mais

---

Kimberlé Crenshaw

Nascida em Canton, Ohio, em 1959, Kimberlé Williams Crenshaw é professora emérita de direito na UCLA, onde leciona desde 1986. Ela estudou governos e estudos africanos na Universidade Cornell, se formou em direito em Harvard, em 1984, e logo a seguir, em 1985, fez mestrado também em direito na Universidade de Wisconsin.

Crenshaw cunhou o termo "interseccionalidade", um conceito que é amplamente visto como a base para o feminismo da terceira e quarta ondas. Ela também teve influência declarada na elaboração da cláusula de igualdade da Constituição sul-africana pós-*apartheid*. Em 1996, Crenshaw fundou o Fórum de Políticas Afro-americanas. E ainda foi a primeira diretora do Centro para Interseccionalidade e Estudos de Políticas Sociais, estabelecido em 2011 na Universidade Columbia.

Trabalhos-chave

1989 "Desmarginalizando a interseção entre raça e sexo"
1991 "Mapeando as margens"
1993 *Words that Wound*
1995 *Critical Race Theory*
2013 *The Race Track*

A POLÍTICA DA DIFERENÇA

Veja também: Racismo e preconceito de classe dentro do feminismo 202-205 ▪ Feminismo negro e mulherismo 208-215 ▪ Feminismo para as deficientes 276-277 ▪ Feminismo trans 286-289 ▪ Feminismo universal 302-307 ▪ A feminista estraga-prazeres 314-315

Mulheres negras nos EUA, como as que protestavam nessa manifestação pelos direitos civis em 1965, encaravam, e ainda encaram, níveis de brutalidade policial não experimentados pelas mulheres brancas.

marginalizados iria promover evolução da sociedade como um todo. Escritoras e ativistas feministas negras norte-americanas, como Angela Davis, bell hooks e Audre Lorde também escreveram sobre a necessidade de uma análise baseada em raça, classe e sexualidade dentro do feminismo, e seus livros abriram espaço para o que mais tarde seria conhecido como interseccionalidade.

Ameaça múltipla

A análise do Coletivo Combahee River foi semelhante ao conceito de "risco múltiplo" usado por pesquisadoras feministas negras como Patricia Hill Collins e Deborah K. King. O termo denota as maneiras como o sexismo é "multiplicado" quando combinado com o racismo, e então multiplicado ainda mais pela classe social e outras opressões. King e outras identificaram o risco múltiplo de ser uma mulher negra sob um regime de escravidão. Esperava-se que as mulheres negras escravizadas executassem os mesmos trabalhos pesados nos campos que os homens negros, mas elas também estavam sujeitas a estupros que eram usados tanto como forma de tortura e controle quanto como meio de produzir escravos para expandir a força de trabalho. King acredita que, ao compreender o risco múltiplo, as mulheres negras poderão trabalhar para a sua própria libertação como sujeitos livres e autônomos.

Nomeando interseccionalidade

O termo "interseccionalidade" foi usado pela primeira vez em 1989, pela professora de direito norte-americana e crítica teórica de raça Kimberlé Crenshaw em seu ensaio "Desmarginalizando a interseção entre raça e sexo". No ensaio posterior, "Mapeando as margens" (1991), ela divide a interseccionalidade em três principais tipos: estrutural, política e representativa. A interseccionalidade estrutural se refere às formas como a opressão sofrida por mulheres negras é fundamentalmente diferente da experimentada por mulheres brancas. A política aborda o impacto específico que as leis e políticas públicas têm sobre as mulheres negras, mesmo quando pensadas por razões feministas ou antirracistas. E a representativa descreve como as mulheres negras são representadas na cultura popular e como isso as afeta na vida cotidiana. Crenshaw também enfatiza que, quando consideramos a multiplicidade da opressão, não devemos fazer uma abordagem aditiva — racismo, mais sexismo, mais preconceito de classe —, e sim entender como a opressão de classe é racializada, como o racismo é visto a partir do gênero e assim por diante. Por exemplo, o estereótipo dos anos 1980 da "rainha do bem-estar social" estava principalmente associado a mães solteiras negras. Mulheres negras experimentam o estigma da pobreza de maneiras que não são compartilhadas por mulheres »

Política de identidade... geralmente confunde ou ignora as diferenças entre os grupos.
Kimberlé Crenshaw

brancas pobres. Crenshaw cita abrigos para mulheres em comunidades negras em Los Angeles como exemplo para mostrar as formas pelas quais operam as interseções de poder, privilégio e opressão. Estes abrigos, diz ela, procuram proteger mulheres da violência doméstica, no entanto, muitos deles não são facilmente acessíveis via transporte público e as informações muitas vezes são dadas apenas em inglês, idioma que algumas mulheres não conseguem entender. Embora afirmem ser espaços para mulheres em busca de ajuda, na realidade estes abrigos não funcionam para muitas das mulheres a quem deveriam servir. Além disso, argumenta Crenshaw, a experiência de cada mulher com a violência doméstica varia muito, dependendo da raça, classe e de outros fatores. Mulheres migrantes, por exemplo, correm o risco de serem deportadas se tentarem escapar de uma situação de abuso, considerando que notificar a polícia sobre a violência do parceiro poderia resultar em uma investigação das autoridades de imigração sobre a condição de ilegalidade da família. Crenshaw também aponta que as políticas de muitas ONGs criadas para ajudar as mulheres são pensadas a partir da dependência de financiamento. As ONGs, então, se sentem obrigadas a compreender um problema como a violência doméstica a partir da perspectiva de seus patrocinadores — que normalmente são brancos e de uma classe privilegiada. Isso pode significar que necessidades específicas dos usuários, como serviços de intérpretes e de tradução, talvez não sejam priorizados.

A vida de quem importa?

Movimentos para mudança social em muitos países continuam a excluir pessoas baseados em raça, gênero, classe, sexualidade, identidade de gênero, religião, capacidade, seja por acidente, seja de propósito. Nos EUA, por exemplo, o Vidas Negras Importam, um movimento de libertação que dá apoio a pessoas negras que enfrentam violência policial, foi fundado pelas militantes radicais negras Alicia Garza, Patrisse Cullors e Opala Tometi, em 2013. Duas destas três mulheres também se identificam como queer. Apesar do compromisso das fundadoras com o ativismo interseccional, ativistas LGBTQ e outras mulheres negras ainda estão preocupadas com a falta de visibilidade e apoio público às mulheres vítimas de brutalidade contra os negros, especialmente aquelas que também são queer e transgênero. Em resposta a essas preocupações, mulheres militantes do Vidas Negras Importam iniciaram o movimento #SayHerName. O principal impulso foi a morte suspeita de Sandra Bland — uma mulher afro-americana que morreu na cadeia, em 2015, depois de uma suposta infração de trânsito.

Interseccionalidade hoje

Quando Donald Trump foi eleito presidente dos EUA em 2016, sondagens

A artista Josephine Baker deixou os EUA para se tornar uma grande estrela na Europa dos anos 1920. Embora tenha retornado em 1936, a interseção entre racismo e sexismo que sofreu no país por ser mulher negra a fez voltar para a França.

Uma mulher confronta a polícia em Charlotte, na Carolina do Norte, depois da morte do afro-americano Keith Lamont Scott, em 2016. O movimento Vidas Negras Importam, fundado por mulheres afro-americanas, liderou o protesto.

de opinião pública mostraram que 52% de eleitoras brancas haviam votado nele, enquanto 96% das eleitoras negras votaram em Hillary Clinton. Estas estatísticas renovaram o debate sobre a falta de preocupação das mulheres brancas com justiça racial. Ao lembrar as observações de Trump contra negros e latinos e seu silêncio sobre incidentes de violência racial, críticos questionaram a tendência coletiva de mulheres brancas permitirem o racismo sistêmico. A Marcha das Mulheres de 2017, que ocorreu em Washington, D.C., e ao redor do mundo durante o fim de semana da posse de Trump, também foi tema de análise feminista interseccional. Variou desde dúvidas sobre que corpos o icônico gorro rosa usado por muitos nas marchas representava, até um desafio para que mulheres brancas comparecessem em um número tão expressivo quanto o da Marcha das Mulheres aos comícios do Vidas Negras Importam e pelos direitos dos imigrantes. Isso sugere que as percepções de interseccionalidade permanecem relevantes, mas há críticas. Jennifer Nash, professora de estudos afro-americanos e estudos de gênero e sexualidade, argumenta que a definição e metodologia da interseccionalidade não são rigorosas o bastante. Apesar de também citar os perigos de generalizar as mulheres negras como um grupo, Nash enfatiza que distinguir grupos de identidade concretos como "mulheres" ou "negros" é útil para construir coalizões políticas. A interseccionalidade é agora amplamente considerada como uma parte essencial da escrita feminista inclusiva e inovadora do século XXI e continua a impulsionar o ativismo na longa marcha em direção à justiça. ■

A kiriarquia

O termo "kiriarquia" foi cunhado pela teóloga feminista Elisabeth Schüssler Fiorenza, em 1992. Originado do grego (*kyrios*, "senhor, mestre", e *archo*, "liderar, governar"), significa "governado por um soberano". A kiriarquia olha além da questão única de gênero para as muitas formas como o poder é estabelecido e experimentado na sociedade, resultando em privilégio, opressão e abrangendo racismo, sexismo, islamofobia, preconceito de classe e transfobia. Cada indivíduo tem vários papéis simultâneos, alguns privilegiados, outros não: uma pessoa poderia ser, por exemplo, indiana, de classe alta e lésbica. Cada um experimenta o mundo de acordo com suas próprias realidades individuais. A kiriarquia afirma que todas as formas de opressão estão relacionadas, e que esta opressão é institucionalizada e autossustentada: aqueles que já têm poder tendem a permanecer no poder; os que não têm poder tendem a assumir as visões do opressor em relação aos outros em seu grupo e permanecem marginalizados.

Não existe essa história de luta por uma única causa, porque não vivemos vidas de causas únicas.
Audre Lorde

Políticas identitárias frequentemente confundem ou ignoram diferenças dentro dos grupos.
Kimberlé Crenshaw

PODERÍAMOS SER QUALQUER UMA E ESTAMOS EM TODOS OS LUGARES
PROTESTO DO GUERRILLA

EM CONTEXTO

CITAÇÃO FUNDAMENTAL
Site do Guerrilla Girls

ORGANIZAÇÃO-CHAVE
Guerrilla Girls

ANTES
1979 A artista americana Judy Chicago exibe *The Dinner Party*, sua imensa instalação de arte feminista, um tributo à história das mulheres no Ocidente.

DEPOIS
2009 Os arquivos do Guerrilla Girls são adquiridos pelo Museu J. Paul Getty, em Los Angeles, na Califórnia.

2016 O Guerrilla Girls aparece no programa *The Late Show*, nos EUA, para conversar com Stephen Colbert sobre seu ativismo.

2017 No Dia Internacional da Mulher, um grupo de cem mulheres artistas no Reino Unido protesta do lado de fora da National Gallery, em Londres, onde apenas 22 mil obras são de mulheres.

Fundado em Nova York, em 1985, o Guerrilla Girls é um coletivo anônimo de mulheres artistas que protesta contra a ausência de mulheres artistas e de artistas negras nas principais galerias de arte do mundo. O grupo foi formado como reação ao Panorama Internacional de Pinturas e Esculturas Recentes no Museu de Arte Moderna de Nova York (MoMA), em 1984 — uma exposição "definitiva" de arte de todo o mundo. Apenas treze das 169 obras apresentadas na exposição eram de artistas mulheres. Como os guerrilheiros, o Guerrilla Girls emprega táticas para surpreender. Sua marca registrada é o *culture jamming*, ou interferência cultural — colar cartazes e até mesmo outdoors, muitas vezes no meio da noite. Membros do grupo protegem sua identidade usando máscaras de gorilas (ideia que dizem ter surgido depois de um erro de ortografia de guerrilla para "gorilla", gorila em inglês) e assumem nomes de mulheres artistas já falecidas como Frida Kahlo, Käthe Kollwitz e Hannah Höch. Suas ações foram pensadas para combater o estereótipo dos anos 1970 de que as feministas não tinham humor, além de atrair novas gerações de feministas. O Guerrilla Girls normalmente contrasta imagens humorísticas e as "weenie counts", que é como são chamadas as estatísticas que produzem sobre desigualdade no mundo da arte. Seu cartaz mais famoso, criado em 1989, é uma paródia do quadro de 1814 de Jean Auguste Dominique Ingres, *Grande Odalisque*, em que o nu do quadro recebe uma cabeça de gorila. Estatísticas sobre sexismo e racismo no mundo da arte e o *slogan* "As mulheres têm que estar nuas para entrar no Met Museum?" cercam a figura. As mesmas questões inspiraram o livro do grupo, de 1998, *The Guerrilla Girls' Bedside Companion to the History of Western Art*.

Ativismo político
Além de ter como alvo o mundo da

Quando o racismo e o sexismo não estiverem mais na moda, qual será o valor da sua coleção de arte?
Guerrilla Girls

A POLÍTICA DA DIFERENÇA

Veja também: Arte feminista 128-131 ▪ Feminismo radical 137 ▪ Inserindo as mulheres na história 154-155 ▪ O movimento Riot Grrrl 272-273

Culture jamming

O *culture jamming* é uma forma de "subverter" e tem como objetivo minar a publicidade interferindo nela. Ao subverter logomarcas conhecidas, *slogans* e imagens, os *culture jammers* questionam a intenção original do anúncio e atraem a atenção daqueles que de outra forma talvez não escutassem. Apesar de a expressão *culture jamming* ter sido inventada em 1984 pelo músico norte-americano Don Joyce, que reparou em como a publicidade moldava a vida particular das pessoas, pesquisadores dizem que a prática remonta pelo menos à década de 1950 na Europa, onde era usada para atacar o consumismo. Hoje, a publicação canadense pró-meio ambiente *Adbusters* publica "subvertisements", exemplo clássico de *culture jamming*, assim como é o trabalho do artista anônimo britânico Banksy. Seus grafites com estêncil e forte carga política surgem nas laterais de edifícios, na calada da noite.

arte, o Guerrilla Girls costuma falar sobre questões políticas, especialmente as que afetam as mulheres. Em 1992, o grupo criou cartazes para a marcha pelo direito ao aborto em Washington, D.C., e protestou contra os atos de brutalidade policial amplamente televisionados sofridos pelo taxista negro Rodney King durante os tumultos em Los Angeles, também em 1992. Mais recentemente, o Guerrilla Girls usou sua arte para criticar publicamente os prêmios da Academia de Hollywood dominados por homens brancos, os políticos antigays e a eleição de Donald Trump como presidente dos EUA.

Viés branco

Há críticas de que o Guerrilla Girls, apesar de acusar o mundo da arte de ser principalmente um espaço branco, é ele mesmo um grupo esmagadoramente branco. Algumas ex-integrantes negras relataram terem se sentido desconfortáveis no grupo. Em 2008, uma ex-Guerrilla Girl que

Integrantes do Guerrilla Girls posam para a câmera em 1990. Ao longo dos anos, o grupo reuniu cerca de sessenta mulheres artistas, incluindo algumas das fundadoras que permanecem ativas hoje.

usava o pseudônimo "Alma Thomas", em homenagem à artista afro-americana, declarou que se sentia desconfortável usando uma máscara de gorila, porque era mais difícil para ela falar com autoridade como mulher negra tendo a identidade escondida, e por causa da história de racismo associada à figura do gorila. O Guerrilla Girls também se equilibra em um linha tênue entre criticar a mercantilização capitalista da arte e fazer parte disso. Galerias em todo o mundo têm realizado exposições de materiais de protesto do grupo: aconteceram exposições abrangendo a carreira do Gorilla Girls na Fundacíon BilbaoArte, em Bilbao; na Hellenic American Union Galleries, em Atenas; na Tate Modern, em Londres; e no Centro Pompidou, em Paris. ▪

Todo mundo odeia ver mulheres reclamarem. Mas acho que encontramos um modo de fazer isso de um jeito que ninguém reclame.
Guerrilla Girls

UMA NO ONDA E 1990–2010

VA
MERGE

INTRODUÇÃO

No livro *Problemas de gênero*, a teórica norte-americana Judith Butler, afirma que o gênero é **social e culturalmente construído**.

1990

Nos EUA, a escritora feminista Rebecca Walker **usa o termo "terceira onda"** em um artigo da revista *Ms.*, anunciando uma nova era do feminismo.

1992

1990

No livro *O mito da beleza*, a escritora e feminista britânica Naomi Wolf defende que **padrões idealizados de beleza são usados para oprimir as mulheres**.

1991

O **movimento Riot Grrrl** surge no estado de Washington, nos EUA, para combater o sexismo no cenário da música punk.

1993

As Nações Unidas declaram que a MGF, a mutilação genital feminina, é **uma forma de violência contra a mulher**.

No final da década de 1980, algumas feministas, como Susan Faludi, nos EUA, começaram a notar uma poderosa reação contra o feminismo. Antifeministas argumentavam que as mulheres haviam conquistado igualdade de oportunidades na educação e no emprego e que estavam começando a emascular os homens. Houve muitos comentários na mídia sobre uma era pós-feminista, em que as mulheres já não precisavam lutar pela igualdade. Muitas feministas norte-americanas discordaram dessa visão, entre elas Rebecca Walker, Jennifer Baumgardner e Amy Richards, que não acreditavam que a igualdade para as mulheres havia sido alcançada, ou que era esse o único objetivo do feminismo. Reconheciam as conquistas do feminismo da segunda onda e desejavam ir além a partir dessas conquistas, mas argumentavam que o feminismo também precisava se adaptar às mudanças nas circunstâncias, em particular à ascensão da filosofia de direita do neoliberalismo. Um catalisador determinante no desenvolvimento dessa nova fase do feminismo foi a nomeação do juiz Clarence Thomas para a Suprema Corte dos EUA, apesar de ele ter sido acusado de assédio sexual pela advogada Anita Hill — afirmação que Thomas negou. Em resposta ao que via como uma misoginia escancarada, a escritora feminista Rebecca Walker declarou apoio a um novo tipo de feminismo em "Tornando-se a terceira onda", artigo que escreveu para a revista *Ms*.

Uma onda punk

Para muitas jovens feministas nascidas no final dos anos 1960 e 1970, o movimento Riot Grrrl do começo dos anos 1990 marcou o início da terceira onda. Combinando consciência feminista e música punk, o Riot Grrrl estimulava o empoderamento pessoal. As integrantes projetavam uma imagem poderosa, vestindo-se como queriam, reivindicando palavras como "slut" (vadia) e "bitch" (cadela), e explorando questões como estupro, abuso doméstico, sexualidade e patriarcado através da música e de zines (revistas independentes). Elas celebravam a cultura feminina e as amizades. A forma como as mulheres se apresentavam era um assunto que provocava intenso debate entre as feministas durante esse período, especialmente entre feministas da segunda onda e membros da nova terceira onda. A feminista norte-americana Ariel Levy cunhou a expressão "cultura raunch" para descrever o comportamento

UMA NOVA ONDA EMERGE 251

A dramaturga norte-americana Eve Ensler publica *Os monólogos da vagina*, abordando **experiências sexuais, imagem corporal e violência contra a mulher**.

A ativista japonesa Emi Koyama **populariza a expressão "feminismo trans"** em seu ensaio "O manifesto transfeminista".

Um grupo de **250 ativistas muçulmanas** se encontra em Kuala Lumpur, na Malásia, para fundar o Musawah, um movimento global para defender a igualdade para as mulheres muçulmanas.

1994 **2000** **2009**

1997 **2005**

A feminista afro-americana Loretta Ross **ajuda a fundar o SisterSong** para ajudar mulheres negras a exigir direitos iguais em autonomia sexual e justiça reprodutiva.

Ariel Levy publica *Female Chauvinist Pigs: Women and the Rise of Raunch Culture*, criticando o modo como algumas jovens feministas **aceitam a objetificação sexual**.

abertamente sexualizado adotado por algumas jovens como um protesto contra o que viam como pudor do feminismo da segunda onda, exemplificado por ativistas antipornografia como Andrea Dworkin. Levy acreditava que tal atitude jogava essas jovens diretamente nas mãos da cultura misógina e reforçava a subordinação das mulheres. Outras feministas discordavam desse ponto de vista e pediam uma abordagem mais positiva do sexo, argumentando que as mulheres tinham o direito à liberdade sexual e ao prazer. A partir daí nasceu um movimento de apoio à pornografia criada por feministas. Baseada em ideias feministas bem estabelecidas sobre feminilidade idealizada, a escritora norte-americana Naomi Wolf apresentou a teoria do "Mito da Beleza", argumentando que as mulheres estavam sendo seriamente prejudicadas por imagens de uma beleza idealizada, vendida pelo marketing e por agências de modelos. Na sua opinião, as mulheres estavam sendo impelidas por forças comerciais masculinas a direcionar suas energias para um ideal impossível de ser alcançado.

Questões e campanhas

A terceira onda do feminismo também foi caracterizada por teorias novas e conflitantes sobre sexo, gênero e identidade. Em 1990, a filósofa e feminista norte-americana Judith Butler publicou *Problemas de gênero*, em que desenvolveu a teoria de que o gênero age de acordo com expectativas culturais, criando a ilusão de identidades de gênero estáveis. Ela via o gênero como fluido, não como binário. Ao mesmo tempo, a questão da bissexualidade chamou atenção, quando bissexuais se queixaram de serem tratados com hostilidade por mulheres heterossexuais e por lésbicas. Enquanto muitas feministas ocidentais debatiam questões de gênero, outras continuavam a militar contra ações que oprimiam as mulheres, jogando luz sobre questões marginalizadas ou encobertas, como a péssima qualidade da assistência médica oferecida nos EUA às mulheres pobres, especialmente mulheres negras e indígenas. Em outros lugares do mundo, a ativista gana-britânica Efua Dorkenoo fez campanha contra a mutilação genital feminina (MGF), que era amplamente realizada em jovens mulheres na África; e a iraquiana Zainab Salbi denunciou a existência de "campos de estupro", estabelecidos pelo regime sérvio na Bósnia-Herzegóvina na Guerra Bósnia. Salbi fundou a Internacional Women, para sobreviventes de estupro em zonas de guerra. ∎

EU SOU A TERCEIRA ONDA

O PÓS-FEMINISMO E A TERCEIRA ONDA

254 O PÓS-FEMINISMO E A TERCEIRA ONDA

EM CONTEXTO

CITAÇÃO FUNDAMENTAL
Rebeca Walker, 1992

FIGURAS-CHAVE
Rebeca Walker, Jennifer Baumgardner

ANTES
Anos 1960 ao início dos anos 1980 A segunda onda do feminismo examina as raízes da opressão feminina e se concentra nos direitos das mulheres sobre seus corpos.

1983 Alice Walker usa o conceito "mulherista" para descrever feministas negras cujo desafio combinava sexismo e racismo.

DEPOIS
2012 Emerge uma nova quarta onda do feminismo, facilitada pelo uso da mídia social como instrumento de conscientização.

2015 Em uma pesquisa nacional, menos de um quarto de mulheres LGBTQ, latinas, asiáticas, nativas das ilhas do Pacífico e muçulmanas dizem ser um bom momento para ser cidadã dos EUA.

Em 1992, a escritora e feminista norte-americana, de 22 anos, Rebecca Walker escreveu: "Tornando-se a terceira onda", um artigo para a revista *Ms.* em que declarou ter ingressado em uma nova onda do feminismo, uma terceira onda, que reconhecia e desafiava o racismo, o preconceito de classe e o sexismo ainda dominantes na sociedade. O artigo destacava como era importante para as mulheres deter o assédio sexual — verbal e físico — ao seu redor e também rejeitava a crença generalizada de que, em uma era pós-feminista, a maioria das mulheres jovens estava desfrutando de igualdade com os homens e que o feminismo não era mais necessário. "A luta está longe de terminar", declarou Walker. Como muitas mulheres nascidas a partir dos anos 1960, Walker, cuja mãe era a poeta e romancista Alice Walker, percebia que, em uma época misógina, de prevalência da direita no cenário político, o feminismo precisava ser reinventado. Como dizem Jennifer Baumgardner e Amy Richards no livro de 2000 *Manifesta: Young Women, Feminism and the Future*, as mulheres precisam remodelar o feminismo para torná-lo relevante para as necessidades

> Começo a perceber que devo isso... às filhas que ainda não nasceram, ir além da minha raiva e montar um plano.
> **Rebecca Walker**

e sensibilidades da sua geração. Do início dos anos 1990 até por volta de 2012, feministas da terceira onda deixaram claro que não estavam convencidas de que as mulheres haviam "chegado lá" e que estavam realizando seus sonhos.

Novo conservacionismo

Nos anos 1980 e no início dos anos 1990, o Reino Unido e os EUA passaram por um longo retrocesso em relação ao progresso social alcançado durante os movimentos pelos direitos civis dos anos 1960 e 1970. Margaret Thatcher, primeira-ministra do Reino Unido de 1979 a 1990, instalou no país o conservadorismo de direita, o capitalismo de livre

Jennifer Baumgardner

Nascida em Dakota do Norte (EUA), em 1970, Jennifer Baumgardner tornou-se ativista quando era universitária. Ela se mudou para Nova York no início dos anos 1990 e trabalhou como estagiária para a revista *Ms.* antes de se tornar a sua editora mais jovem, em 1997. Baumgardner alcançou destaque como feminista com a publicação do livro *Manifesta* (2000), celebrando o surgimento da terceira onda do feminismo. Ela também escreveu sobre bissexualidade e sobre justiça reprodutiva, aborto e estupro. Com Amy Richards, fundou, em 2002, a Soapbox Inc. para garantir uma plataforma para o ativismo feminista. Seus filmes *I Had an Abortion* (2004) e *It Was Rape* (2008) estimularam as mulheres a compartilharem suas próprias experiências. De 2013 a 2017, Baumgardner foi diretora-executiva da The Feminist Press.

Trabalhos-chave

2000 *Manifesta: Young Women, Feminism, and the Future*
2007 *Look Both Ways: Bisexual Politics*
2011 *F'em!: Goo Goo, Gaga, and Some Thoughts on Balls*

UMA NOVA ONDA EMERGE 255

Veja também: O nascimento do movimento sufragista 56-63 ▪ Igualdade racial e de gênero 64-69 ▪ As raízes da opressão 114-117 ▪ Conscientização 134-135 ▪ Privilégio 239 ▪ Interseccionalidade 240-245 ▪ O movimento Riot Grrrl 272-273

O nascimento da terceira onda do feminismo

As preocupações feministas evoluem conforme sucessivas gerações conquistam novas liberdades, mas se confrontam e precisam lidar com diferentes problemas sociais.

A primeira onda feminista busca a **igualdade de gênero**.

A segunda onda examina as **raízes da opressão**.

As mulheres negras e as minorias insistem que **a luta não acabou**.

mercado e o nacionalismo no que mais tarde seria apelidado de "Thatcherismo". Por mais que Thatcher tenha votado para legalizar a homossexualidade em 1967, em 1988 seu governo promulgou a Seção 28 proibindo as autoridades locais de "promoverem" a homossexualidade e as escolas estaduais de sugerirem que as relações entre o mesmo sexo eram aceitáveis "como um suposto relacionamento familiar". Apesar das reclamações sucessivas que provocou, a Seção 28 só foi revogada em 2003. A partir de 1980, a marca conservadora da economia de livre mercado do presidente dos EUA, Ronald Reagan, levou a um aumento da disparidade de renda no país. Reagan se opunha abertamente à igualdade para gays e lésbicas, e grupos de direitos gays acusaram-no e a sua administração de contribuir para milhares de mortes por não atuar de forma proativa em relação ao HIV/AIDS como uma emergência de saúde pública. Reagan não mencionou a palavra "AIDS" em público até setembro de 1985, em resposta às perguntas de um repórter. Determinado a acabar com o silêncio, foi fundado em 1987 o ACT UP, grupo radical de base pelos direitos gays. A organização Maioridade Moral, do ministro batista Jerry Falwell, fundada em 1979, foi peça fundamental da ascensão da direita cristã durante a era Reagan. Ao longo da década de 1980, esse movimento mobilizou cristãos evangélicos em uma coalizão pelos "valores familiares" que se opunham ao feminismo, à escolha reprodutiva e aos direitos LGBT. Em 1982, a Emenda dos Direitos Iguais (ERA), apresentada pela primeira vez ao Congresso em 1923, não cumpriu o seu prazo para ratificação pelo requisito de maioria de 38 estados. Em 1989 e novamente em 1992, as mulheres marcharam exigindo o direito ao aborto. Em 1991, o juiz Clarence Thomas foi confirmado pelo Congresso para a Suprema Corte dos EUA, apesar de ter sido acusado por Anita Hill de ter cometido assédio sexual, o que foi o ponto de partida para o artigo "Tornando-se a terceira onda" de Walker na *Ms.*, em 1992. Em 1995, no comício Women's Lives, feministas protestaram em massa contra a violência em relação às mulheres. Depois da "Marcha de um milhão de homens" de negros pelos direitos civis, em março de 1995 em Washington, D.C., mulheres negras organizaram em 1997 a "Marcha de um milhão de mulheres", na Filadélfia. Ativistas dos direitos dos homossexuais também protestaram muitas vezes no Capitólio durante a década de 1990, e em 2000 a "Marcha do milênio" defendeu a igualdade de direitos para os LGBTQ.

Raça, classe e sexualidade

As mudanças políticas conservadoras haviam garantido a muitas mulheres jovens — especialmente às que não eram brancas e de classe média — muitas razões para protestar. Ativistas como Walker destacaram suas experiências diárias com misoginia, racismo, preconceito de classe e homofobia, que acreditavam ser claramente um subproduto do clima político da época. Por mais que reconhecessem as conquistas da segunda onda feminista, as feministas da terceira onda queriam se aprofundar e analisar o que a norte-americana »

Queen Latifah, pioneira do hip-hop feminista, canta um rap sobre as mulheres negras. Sua música "Ladies First" (1989) incentiva as mulheres negras a ter orgulho do seu corpo e do seu gênero.

256 O PÓS-FEMINISMO E A TERCEIRA ONDA

defensora dos direitos civis, Kimberlé Crenshaw, chamou pela primeira vez de "interseccionalidade" em um artigo de 1989, em que debatia a interseção de raça, gênero e classe de uma perspectiva feminista negra. O termo é usado para descrever o modo como os sistemas de poder se interligam para oprimir os mais marginalizados na sociedade, incluindo as pessoas LGBT, as pessoas negras, as de classes mais baixas e as pessoas com deficiência. E se a declaração de Robin Morgan de que "a irmandade é poderosa" foi o mantra da segunda onda do feminismo, as feministas da terceira onda queriam saber que grupos de mulheres estavam realmente incluídos nesta irmandade. Foi uma questão para a qual as feministas chamaram a atenção ao longo dos anos 1970 e 1980. O artigo de Crenshaw estava longe de ser a única influência da terceira onda feminista. Também estavam emergindo importantes trabalhos acadêmicos de feministas pós-coloniais como Chandra Talpade Mohanty. A feminista norte-americana Peggy McIntosh publicou um artigo essencial sobre o privilégio branco em 1988; Judith Butler examinava a construção social de sexo e gênero; e havia uma abundância de novos textos sobre as questões de gays e lésbicas. Os programas de estudos sobre as mulheres que as feministas tiveram que lutar para introduzir nas universidades durante a década de 1970 se expandiam pelo ensino superior nos anos 1990. Fora do mundo acadêmico, o movimento punk feminista Riot Grrrl, do início dos anos 1990, estourou nos EUA como uma resposta à música punk dominada pelos homens e a uma cultura misógina de forma geral. Ativistas do Riot Grrrl reivindicaram rótulos usados para degradar as mulheres, como "bitch" (cadela) e "slut" (vadia). Elas criaram uma poderosa cultura feminina que denunciou publicamente a violência e o abuso sexual de mulheres e meninas. Músicas como "Rebel Girl", do Bikini Kill, celebraram a força dos relacionamentos femininos. A crença

> Ser liberada não significa copiar o que veio antes, mas encontrar seu próprio caminho — de um modo que seja genuíno da sua própria geração.
> **Jennifer Baumgardner e Amy Richards**

de que as mulheres tinham o direito de expressar a própria sexualidade e de desfrutar do sexo também foi fundamental para a terceira onda do feminismo. Enquanto feministas da segunda onda, como Susan Brownmiller, lutaram pelo direito de dizer não ao sexo, as feministas da terceira onda insistiram que também tinham todo o direito de dizer sim, sem medo ou vergonha. Foi esse direito que o movimento feminista de positividade sexual defendeu ao longo dos anos 1980, que, no entanto, estava em desacordo com o que acreditavam as feministas antipornografia, unidas a grupos políticos de direita na tentativa de demonizar não só a pornografia, mas também práticas sexuais como o BDSM (bondage, dominação e sadomasoquismo).

O dilema da sexualidade

No início dos anos 1980, o *New York Times* publicou "Vozes da geração pós-feminista", um artigo sobre mulheres jovens que concordavam com os objetivos feministas, mas que não gostavam de se verem associadas às

As personagens Charlotte, Carrie, Miranda e Samantha da série de TV *Sex and The City* (1998–2004) defendiam a liberdade sexual ainda que sua felicidade geralmente dependesse dos homens.

UMA NOVA ONDA EMERGE 257

Mulheres jovens em uma marcha em Londres, em 2017, em apoio ao Care International, cuja missão inclui tanto lutar contra a pobreza, quanto "empoderar mulheres e meninas".

"liberais" das gerações mais antigas, que julgavam negativas, raivosas e antagônicas em relação aos homens. Abriu-se, então, uma divisão entre as feministas da segunda e as da terceira onda. Algumas da segunda onda argumentaram que as mulheres da terceira onda não eram críticas à própria cultura. Elas criticaram a reapropriação de termos como "cadela" ou "puta" e o hábito de as mulheres se referirem a elas mesmas como "girls" (meninas). Usar esse tipo de linguagem, praticar sexo casual, corresponder a imagens femininas hipersexualizadas ou consumir pornografia eram, segundo elas, sinais de uma geração pós-feminista que se perdeu. A partir da década de 1990, críticas feministas afirmavam que o desejo de libertação sexual das jovens poderia acabar reforçando sua subordinação. No livro *Female Chauvinist Pigs: Women and the Rise of Raunch Culture* (2005), a feminista norte-americana Ariel Levy examina a ascensão de um comportamento feminino altamente sexualizado. Ela não vê esse fenômeno como um avanço, mas como a expressão de um conflito feminista não resolvido, dos anos 1980, entre as mulheres que apoiavam a positividade sexual e as que se opunham à pornografia. As mulheres queriam ser sexualmente livres, mas aquele tipo de liberdade sexual as tornava vulneráveis à exploração masculina.

Perpetuado na mídia

Algumas feministas atacaram a mídia por celebrar a liberdade sexual, ao sexualizarem personagens femininas por lucro. Um exemplo citado pela teórica cultural britânica Angela McRobbie foi a série de TV norte-americana *Sex and the City*. Enquanto alegava retratar mulheres trabalhadoras, sexualmente liberadas e bem-sucedidas de Nova York, o enredo da série e as personagens muitas vezes perpetuavam mensagens antifeministas. A personagem principal, Carrie Bradshaw era obcecada com a ideia de encontrar um homem para completar sua vida. Outra preocupação foi o aumento crescente das taxas de violência sexual contra mulheres. As preocupações pós-feministas ainda são muito debatidas, e agora por novas feministas, mais jovens. O surgimento das mídias sociais trouxe uma explosão de ativismo, a quarta onda do movimento. ∎

Liquidação da terceira onda

No livro *The Aftermath of Feminism* (2008), a teórica cultural britânica Angela McRobbie afirma que, na busca de abraçar a própria sexualidade, as feministas da terceira onda se arriscam a sustentar uma cultura corporativa que as explora. Um exemplo é a forma como os programas de TV de transformação da aparência impulsionam as vendas de cosméticos, pois vendem a ideia de que as mulheres precisam gastar dinheiro para se sentir melhor sobre si mesmas. A feminista americana Andi Zeisler investigou como o empoderamento feminino é usado hoje para vender de tudo, desde cirurgias estéticas a armas de fogo. O número de mulheres donas de motocicletas nos EUA, por exemplo, está batendo recordes. A tendência, chamada de *femvertising* ou *empowertisement*, usa conceitos feministas para envolver as consumidoras, ao mesmo tempo em que manipula as inseguranças femininas sobre a própria imagem. Zeisler vê a terceira onda do feminismo como um movimento mercantilizado.

GÊNERO É UM CONJUNTO DE ATOS REPETIDOS
GÊNERO É PERFORMATIVO

EM CONTEXTO

CITAÇÃO FUNDAMENTAL
Judith Butler, 1990

FIGURA-CHAVE
Judith Butler

ANTES
1949 Simone de Beauvoir diz que "não se nasce mulher, torna-se mulher" e sugere que o gênero é estabelecido através de um processo social de "se tornar" mulher.

1976 Monique Wittig propõe que o gênero binário é a base da heterossexualidade compulsória.

DEPOIS
Anos 1990 A psicóloga Nancy Chodorow explica como papéis de gênero são arraigados por repetição ao longo de gerações.

Em parte graças ao trabalho de Simone de Beauvoir, feministas da segunda onda começaram a fazer distinção entre "sexo" e "gênero" ao discutir as diferenças entre homens e mulheres. Sexo refere-se a diferenças biológicas, enquanto gênero se refere às diferenças sociais — no que muitas vezes é chamado de papéis de gênero. Em 1986, a filósofa Judith Butler escreveu um artigo intitulado "Sexo e gênero em *O segundo sexo* de Simone de Beauvoir", reconhecendo que Beauvoir havia garantido uma nova compreensão importante sobre gênero. No entanto, Butler cria suas próprias teorias sobre o assunto e critica a distinção entre os termos. Em 1990, Butler publicou *Problemas de gênero*, sua obra pioneira. O livro é reconhecidamente complexo e baseia-se nas teorias do filósofo pós-

UMA NOVA ONDA EMERGE   259

Veja também: As raízes da opressão 114-117 ▪ Pós-estruturalismo 182-187 ▪ Feminismo e teoria queer 262-263

Judith Butler

Nascida em Cleveland, Ohio (EUA), em 1956, Judith Butler se interessou por filosofia nas aulas de ética judaica, aos catorze anos. Butler estudou no Bennington College e na Universidade Yale, e terminou o doutorado em filosofia em 1984. Ela propôs a teoria da performatividade em um ensaio intitulado "Atos performativos e constituição de gênero" (1988), e se tornou uma das principais defensoras da teoria de gênero. Seus últimos trabalhos vão além das concepções de gênero para discutir uma teoria filosófica da violência. Butler também escreve sobre o conceito de "precariedade" — quando as condições em que se vive se tornam insuportáveis. Ela fala de forma franca sobre feminismo, questões LGBTQ+ e sobre o conflito Israel/Palestina. Sua parceira, Wendy Brown, é teórica da política.

Trabalhos-chave

1990 *Problemas de gênero*
1993 *Bodies That Matter: On the Discursive Limits of "Sex"*
2004 *Undoing Gender*
2015 *Corpos em aliança e a política das ruas: Notas sobre uma teoria performativa de assembleia*

---

estruturalista Michel Foucault e nas ideias de feministas pós-estruturalistas como Julia Kristeva. Foucault e outros pós-estruturalistas acreditavam que a realidade social é construída através da linguagem que é usada para descrevê-la. Butler, portanto, tende a se concentrar em estruturas linguísticas, discursos e atos. Quando Butler fala sobre "atos", ela está falando sobre como a realidade social é criada através da linguagem e dos gestos. A fala é um ato, mas a comunicação não verbal também é, ou seja, a linguagem corporal, a aparência e o comportamento de uma pessoa. Ambas as formas de comunicação, acredita Butler, são fundamentais para a criação de identidade de gênero. Dentro de um contexto social, Butler sugere que existem regras e restrições em como uma pessoa é livre para "agir" de forma diferente das expectativas sociais.

Gênero como performativo

Para Butler, o gênero é criado e mantido através da constante repetição de atos. Esses atos, quando observados juntos, sugerem uma identidade de gênero aparentemente natural e coerente. Butler chama essa repetição de atos dentro de um dado contexto de "performatividade". Quando ela afirma que o gênero é performativo, está querendo dizer que gênero é algo que as pessoas fazem, e não algo que são naturalmente. De acordo com Butler, uma pessoa não nasce com uma identidade de gênero que as leva a se comportar de maneira particular »

GÊNERO É PERFORMATIVO

Gênero é sempre uma ação, embora não uma ação por um sujeito que se possa alegar que preexiste ao feito.
Judith Butler

— em vez disso, elas são percebidas como tendo uma identidade de gênero por causa do modo como andam, conversam e se apresentam. Como esses atos são constantemente repetidos, acabam sugerindo uma identidade de gênero fixa.

O gênero binário

Os leitores muitas vezes interpretaram mal as ideias apresentadas em *Problemas de gênero*. A própria Butler comentou a respeito: "A leitura errada é algo mais ou menos assim: posso me levantar de manhã, abrir o armário e escolher que gênero quero ser hoje". No entanto, o gênero, como um sistema de expectativas, está mais fortemente arraigado do que isso. Uma pessoa não pode simplesmente decidir ser de um gênero "diferente" do dia para a noite. Butler não vê a atuação de gênero como uma livre escolha. Ela compara a performatividade a uma armadilha na qual as pessoas repetem atos que reforçam as normas restritivas e opressivas de gênero. Essas normas são socialmente construídas e colocam "homem" e "mulher" como polos opostos, sem meio-termo — algo conhecido como dimorfismo de gênero, ou "gênero binário". Butler argumenta que uma percepção de gênero como preto e branco, ou binário, também se aplica ao sexo, e muitas vezes leva pessoas intersexuais a passarem por cirurgias ainda muito jovens, a fim de tornarem seus corpos mais próximos do que os médicos designam como "homem" e "mulher". Em certo sentido, diz ela, sexo é tão socialmente construído quanto gênero, porque as palavras usadas para descrever a genitália — como sendo de homem ou mulher — são as mesmas usadas para descrever o gênero. Portanto, nossa compreensão de sexo já está vinculada a noções do que significa algo masculino ou feminino.

Teoria queer

O trabalho de Butler foi significativo não só para o feminismo, mas também para a teoria queer. Em *Problemas de gênero*, Butler critica muitas feministas que vieram antes dela por sua suposição de que a heterossexualidade é o estado natural de ser. Butler argumenta que este não é o caso — na verdade, diz ela, o gênero binário existe em grande parte para apoiar a imposição da heterossexualidade na sociedade. A crença em um gênero binário e complementar é necessária para que as pessoas acreditem que a heterossexualidade (em oposição ao desejo) é um fato da natureza. Butler

É importante resistir à violência que é imposta pelas normas ideais de gênero, especialmente contra aqueles que são de gêneros diferentes, que não se conformam com sua apresentação de gênero.
Judith Butler

A trupe drag gótica Blacklips posa na cidade de Nova York, em março de 1993. O grupo, formado pela cantora Anohni, apresentava teatro com inclinação de gênero no início dos anos 1990.

escreve que sexo, gênero e sexualidade são construídos para caminharem de mãos dadas — o que significa que é esperado de uma pessoa classificada como "homem" ao nascer que se identifique como masculino e que sinta atração heterossexual por mulheres. Ela argumenta que essa "identificação coerente" — quando sexualidade, sexo e gênero se alinham — vem sendo repetida tantas vezes que se tornou uma norma cultural. Em outras palavras, isso acontece por meio de ações na sociedade. Qualquer desvio disso, diz Butler, será punido. Homossexuais, por exemplo, e aqueles cujo desempenho de gênero não corresponde ao seu sexo podem ser constrangidos e submetidos à violência, para punir seu desvio das normas sociais. Essas punições são funções do que é conhecido como heterossexualidade hegemônica — "hegemônica" no sentido da força mais dominante em um contexto socio-

UMA NOVA ONDA EMERGE   261

> Todo motorista de táxi com quem conversei tem uma teoria de gênero... todo mundo tem um conjunto de pressuposições; do que é gênero, do que não é.
> **Judith Butler**

político que é considerado normal, natural e ideal. Em referência a Butler, teóricos queer chamaram essa ideia de "heteronormatividade" — uma visão de mundo em que a heterossexualidade se tornou uma ideia tão dominante que as pessoas esperam que qualquer interação ou relacionamento se encaixe em uma dinâmica percebida como masculino/feminino. A heteronormatividade se apoia na crença de que homens e mulheres são dois gêneros complementares e opostos; ou o que Butler chama de gênero binário.

Impacto sobre o feminismo

As ideias de Butler têm uma aplicação específica quando se trata de teoria feminista. Ela argumentou que as feministas formaram novas construções do que significa ser mulher. Isso quer dizer que as feministas presumem que o gênero é real e que as mulheres como um grupo compartilham algum tipo de natureza, ou realidade cultural, comum. Nesse ponto, Butler cita a alegação de Julia Kristeva de que "mulheres" não existem realmente e afirma que não há um ponto de vista único, uma essência comum, ou uma experiência de vida compartilhada por todas as mulheres que signifique que elas devam ser agrupadas em uma categoria única. Butler acredita que as semelhanças entre as mulheres citadas por feministas como aquilo que as unifica, geralmente, associam experiências do gênero feminino com corpos femininos. Por outro lado, Butler tem sido criticada pelos que acham seu trabalho inacessível, que supostamente se concentra demais em uma filosofia complexa e não o suficiente em soluções práticas para as realidades de injustiça e desigualdade. Ainda assim, Butler tem sido uma militante ativa pelos direitos das mulheres e dos LGBTQ+, e suas ideias agora se tornaram parte integrante até do pensamento feminista popular (não acadêmico). Por mais que a crença no gênero binário ainda seja comum, *Problemas de gênero* apresentou a gerações de feministas a ideia de que o gênero não está gravado em pedra — e que há normas restritivas da sociedade em jogo que as mulheres podem agir para combater. Apesar de as críticas de Butler no livro não estabelecerem maneiras de romper a armadilha de performatividade, ela desejou que seu trabalho abrisse novas possibilidades de pensar e "fazer" gênero. ∎

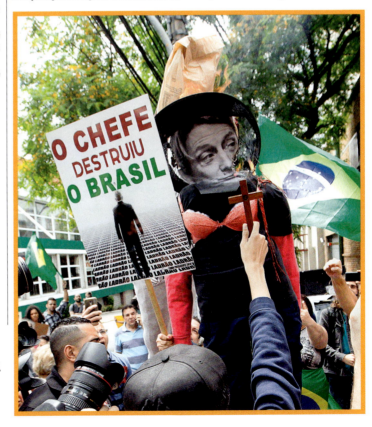

Manifestantes queimam boneco de Butler num simpósio em São Paulo, no Brasil, em 2017. O grupo Ativistas Independentes, na foto com outros manifestantes conservadores, criticava Butler como fomentadora da ideologia de gênero.

FEMINISMO E TEORIA QUEER SÃO GALHOS DA MESMA ÁRVORE
FEMINISMO E TEORIA QUEER

EM CONTEXTO

CITAÇÃO FUNDAMENTAL
Elizabeth Weed, 1997

FIGURA-CHAVE
Eve Kosofsky Sedgwick

ANTES
1894 O dramaturgo irlandês Oscar Wilde é chamado de queer pela amante do pai. Foi o primeiro uso do termo como um insulto homofóbico de que se tem notícia.

1990 A feminista italiana Teresa de Lauretis cunha a expressão "teoria queer".

DEPOIS
1997 Elizabeth Weed e Naomi Schor publicam *Feminism Meets Queer Theory*, em que refletem sobre as políticas compartilhadas pelos dois campos.

2009 Nos EUA, a Universidade Harvard estabelece uma cadeira de estudos LGBT.

2011 Teóricos queer nos EUA publicam uma coleção de ensaios intitulada *Depois do sexo?*, na qual examinam o lugar do sexo nessa teoria.

A teoria queer emergiu da fusão da teoria feminista com o pós-estruturalismo e com os estudos sobre lésbicas e gays, e foi desenvolvida para questionar a ideologia que coloca a heterossexualidade como superior, ao mesmo tempo em que estigmatiza o desejo pelo mesmo sexo. Em 1976, o crítico e teórico francês Michel Foucault escreveu *A história da sexualidade volume I*, ponto de partida intelectual para os estudos queer. No livro, Foucault argumenta que a sexualidade é realmente construída pela sociedade, em vez de ser um fato biológico. Ele desafia a suposição popular de que a era vitoriana foi simplesmente um tempo de repressão sexual e afirma que, na verdade, as proibições sexuais da época indicavam fascinação pelo sexo. Através dessa nomeação, regulação e punição de perversões, escreve Foucault, nasceu uma ciência da sexualidade, para controlar e regular a sexualidade em nome do Estado. As ideias de Foucault se encaixam bem com as de algumas teóricas feministas nos EUA, em especial Gayle Rubin, que examinou o que a sociedade considera sexo aceitável e inaceitável, e Adrienne Rich, que escreveu sobre a heterossexualidade compulsória. A teórica queer Eve Kosofsky Sedgwick refletiu sobre todas essas ideias em seu livro *Epistemology of the Closet* (1990), desafiando a divisão binária de heterossexual e homossexual, e enfatizando a importância de reconhecer as diferenças de gênero entre mulheres lésbicas e homens gays.

A questão da identidade

O feminismo — como movimento e como conjunto de princípios filosóficos e políticos — depende da categoria "mulher" para fazer as suas reivindicações. No entanto, a partir da década de 1980, mulheres feministas negras começaram a perguntar "quais

O estudo da sexualidade não é coextensivo ao estudo de gênero, assim como a pesquisa anti-homofóbica não é coextensiva à pesquisa feminista.
Eve Kosofsky Sedgwick

UMA NOVA ONDA EMERGE 263

Veja também: Pós-estruturalismo 182-187 ▪ Heterossexualidade compulsória 194-195 ▪ Positividade sexual 234-237 ▪ Gênero é performativo 258-261 ▪ Bissexualidade 269 ▪ Feminismo trans 286-289

... a teoria queer... deve ser desafiada porque mostra uma impressionante insensibilidade diante das importantes questões do cotidiano das pessoas transgênero.
Viviane K. Namaste

mulheres?", assim como grupos lésbicos, que estavam particularmente preocupados em revelar uma história gay e lésbica. Esse questionamento foi baseado na expansão da ideia de quem era levado em conta quanto a uma identidade particular. A teoria queer, por outro lado, foi desenvolvida menos como uma defesa de identidades marginalizadas e mais como uma crítica à política de identidade. Teóricos queer têm procurado desestabilizar essas categorias de

Eve Kosofsky Sedgwick

Nascida em uma família judia em Dayton, Ohio (EUA), em 1950, Eve Kosofsky Sedgwick era pesquisadora literária, e seu trabalho foi essencial para o desenvolvimento da teoria queer. Ela atuou como professora em importantes universidades norte-americanas, usando a crítica literária para desafiar normas relacionadas ao gênero e à sexualidade. Essa prática gerou controvérsias na década de 1980 e nos anos 1990, quando os EUA estavam imersos na crise da AIDS/HIV dentro do contexto maior das "guerras culturais", um tempo de reação cristã conservadora contra os movimentos sociais progressistas das décadas de 1960 e 1970. Sedgwick morreu de câncer de mama em 2009, aos 58 anos.

Trabalhos-chave

1985 *Between Men: English Literature and Male Homosocial Desire*
1990 *The Epistemology of the Closet*
1999 *A Dialogue on Love*

identidade fixa, porque muitas vezes se tornam limitadoras. Muitos pesquisadores criticaram a teoria queer. No livro *Invisible Lives* (2000), a feminista e pesquisadora canadense Viviane K. Namaste argumenta que os teóricos queer especulam sobre pessoas transgênero como meros exemplos, sem colocar as realidades das vidas trans, como a vulnerabilidade à violência, no centro de suas teorias.

Enquanto isso, em *Unpacking Queer Politics* (2003), a feminista radical e transexcludente Sheila Jeffreys argumenta que a teoria queer perpetua os interesses de homens gays em detrimento dos das lésbicas. Feministas pós-coloniais como Gloria Anzaldúa escreveram muito sobre a importância de honrar identidades que correm risco de ser apagadas pelo colonialismo, pela supremacia branca, pela opressão de classe, pela misoginia e a homofobia. Teóricos queer negros adotam essa mesma visão, contestando a teoria queer por ser construída sobre a branquitude, e buscam centrar os estudos queer em como esses problemas se entrecruzam. Muitas feministas são igualmente cautelosas em abandonar a política de identidade quando um grande número de pessoas ainda enfrenta opressão, desigualdade e danos por conta do seu sexo ou da sua sexualidade. ∎

A cantora Conchita desestabiliza as categorias tradicionais de gênero — um elemento central da teoria queer. "Conchita" é a *persona drag* do artista performático austríaco Thomas Neuwirth.

O MITO DA BELEZA PRESSUPÕE COMPORTAMENTO, NÃO APARÊNCIA
O MITO DA BELEZA

EM CONTEXTO

CITAÇÃO FUNDAMENTAL
Naomi Wolf, 1990

FIGURA-CHAVE
Naomi Wolf

ANTES
1925 Dorothy Parker, escritora norte-americana de perfil irônico, dá uma declaração memorável: "Raras vezes os homens tomam liberdades com mulheres que usam óculos".

1975 Laura Mulvey, feminista britânica e teórica do cinema, escreve sobre como os filmes são rodados através do "olhar masculino", geralmente, objetificando as mulheres.

DEPOIS
1999 Nos EUA, o grupo TLC lança a música "Unpretty" como um comentário social sobre as pressões relacionadas à beleza que mulheres enfrentam.

2004 A campanha da Dove pela Real Beleza usa mulheres comuns para anunciar produtos de cuidados com a pele.

As feministas vêm criticando o padrão patriarcal de beleza feminina pelo menos desde o protesto de 1968, no concurso de Miss América em Atlantic City, Nova Jersey. As normas de beleza idealizadas e representadas por esses concursos, dizem as feministas, são usadas como um meio de controlar o comportamento das mulheres. Os que são contrários a tal ideia costumam desprezar essas feministas, chamando-as de "feias", um insulto também usado contra as mulheres que lutaram pelo sufrágio feminino no século XIX.

Aos olhos dos homens
Em 1990, Naomi Wolf, jornalista e feminista norte-americana, publicou O

UMA NOVA ONDA EMERGE 265

Veja também: Prazer sexual 126-127 ▪ Popularização da libertação feminina 132-133 ▪ Patriarcado como controle social 144-145 ▪ O olhar masculino 164-165 ▪ Positividade gorda 174-175 ▪ Feminismo antipornografia 196-199

As mulheres são **escravizadas** pelo **mito** de que a **beleza é alcançável**.

Gastam uma enorme quantidade de energia **perseguindo esse mito**.

E são **impedidas de ter vidas plenas**.

O mito da beleza pressupõe comportamento, não aparência.

Se formos nos livrar (do mito da beleza)... não é de olhares... que as mulheres precisam primeiro, é de uma nova forma de ver.
Naomi Wolf

mito da beleza, em que argumenta que as principais ideias sobre a beleza das mulheres são socialmente construídas. Por mais que tenham conseguido alcançar conquistas tangíveis de maior igualdade e sucesso no século XX, as normas de beleza impostas pela sociedade patriarcal, sugere Wolf, controlam as mulheres e fazem com que se desvalorizem. O mito da beleza, ela explica, diz às mulheres que elas devem se esforçar por um ideal feminino estreitamente construído e que é basicamente impossível de alcançar. Wolf alerta que, quanto mais tempo as mulheres gastarem se concentrando em sua aparência física e se censurando por ela, temendo não serem amadas ou valorizadas a menos

que sejam bonitas e magras, mais distraídas se tornarão da luta por uma mudança social feminista. A jornalista analisa ainda várias áreas em que o mito da beleza oprime mulheres, através do trabalho, da cultura, da religião, do sexo, da fome e da violência. No capítulo sobre o local de trabalho, ela dá o exemplo das âncoras dos telejornais, que precisam parecer femininas e jovens e usar maquiagem. Tais padrões não são, aponta ela, aplicados aos homens, cujo envelhecimento é considerado diferente, e supostamente transmite uma impressão de seriedade e sabedoria. As revistas femininas mais conhecidas, escreve Wolf, desvalorizam as mulheres que fogem dos parâmetros de beleza impostos pelos homens. Ela argumenta que essas revistas deram às leitoras novas razões para se monitorar e se autoconstranger quando mudaram o foco da domesticidade na década de 1950 para a beleza na década de 1990, considerando que as mulheres deixaram a esfera doméstica pelo local de trabalho. O novo foco em perder peso, em ser sexualmente agradável aos homens e em se vestir para projetar uma imagem de feminilidade branca de sucesso promove o mito da beleza — e ajuda a impulsionar os lucros dos anunciantes dessas revistas.

Uma nova religião
Wolf observa que, de uma perspectiva cultural, a antiga obsessão com a pureza sexual das mulheres ditada pela religião mudou. Perseguir o mito da beleza se tornou um novo imperativo moral. Esta visão de Wolf já encontra eco em pesquisadores da questão do corpo gordo, que denunciam a maneira como um corpo magro é agora igualado à superioridade moral em muitas culturas ocidentais contemporâneas. O imperativo moral da busca pela beleza resulta no que Wolf denomina como "ritos de beleza". Espera-se que as mulheres respeitem um conjunto de rituais de beleza e que se sintam como »

Uma modelo desliza pela passarela. Ultramagra e branca, ela personifica o ideal de beleza promovido pela indústria ocidental da moda, que exclui a maior parte das mulheres do mundo.

266 O MITO DA BELEZA

Para corresponder ao mito da beleza

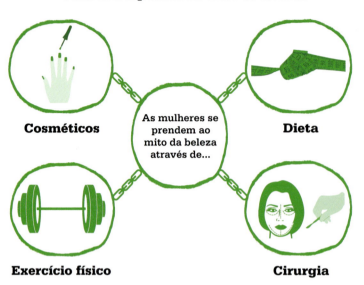

Cosméticos • Dieta • Exercício físico • Cirurgia

As mulheres se prendem ao mito da beleza através de...

se tivessem "pecado" caso se afastem deles. *Umbearable Weight*, livro de 1993 da feminista e pesquisadora norte-americana Susan Bordo, reflete algumas dessas teorias em sua análise da base cultural e de gênero da epidemia de anorexia nervosa dos anos 1990. Comerciais de doces voltados para as mulheres dos EUA, por exemplo, costumam usar referências como "bolo do diabo" e "pecaminosamente gostoso". Wolf passa a discutir, então, a objetificação sexual das mulheres pelos homens. Como consequência, diz ela, as mulheres estão continuamente se esforçando para serem vistas como sexualmente desejáveis por eles. As meninas, Wolf sugere, não são ensinadas a desejar os outros, e sim a serem desejadas. Prática que, segundo ela, também ensina os homens a verem as mulheres como caricaturas bidimensionais em vez de seres humanos complexos, promovendo assim a desigualdade de gênero e a alienação entre os sexos. Sob tais condições, o prazer sexual entre mulheres e homens diminui. No capítulo sobre a fome, Wolf liga o mito da beleza à anorexia e à bulimia, que levam à depressão, ansiedade, culpa e medo. Mulheres com distúrbios alimentares, afirma ela, aprendem a se autopoliciar e a obedecer à ditadura da fome constante, negando-se nutrição física e emocional. Wolf também descreve como o mito da beleza leva a violentas intervenções, como as cirurgias cosméticas, que foram normalizadas pela sociedade. Em vez de "resolver" a infelicidade e a baixa autoestima das mulheres, a sociedade ajuda a criar as neuroses causadoras desses cenários.

Mercadorias e lucro

O mito da beleza também tem um impacto econômico, tanto nas mulheres como indivíduos, quanto na sociedade capitalista. Historicamente, afirma Wolf, o acesso das mulheres à

Naomi Wolf

Escritora, jornalista e consultora do ex-presidente dos EUA, Bill Clinton, e do vice-presidente, Al Gore, Naomi Wolf nasceu em São Francisco, na Califórnia, em 1962. Ela frequentou a Universidade Yale antes de ser bolsista Rhodes na Universidade de Oxford, no Reino Unido.

Em 1990, *O mito da beleza* se tornou best-seller internacional e influenciou intervenções feministas na cultura da beleza. O *The New York Times* considerou-o "um dos setenta livros mais influentes do século XX". Wolf também escreve para jornais como *The Washington Post* e *The Wall Street Journal*. Trabalhou como professora visitante na Universidade Stony Brook, em Nova York, e como pesquisadora no Centro Barnard de Pesquisa sobre as Mulheres, na cidade de Nova York.

Trabalhos-chave

1990 *O mito da beleza*
1998 *Promiscuidade. A luta secreta*
2007 *O fim da América*

UMA NOVA ONDA EMERGE

Mulheres nas Filipinas protestam contra produtos com mercúrio para embranquecer a pele. Eles são comuns na Ásia, onde os ideais eurocêntricos de beleza são amplamente promovidos.

segurança econômica por meio do casamento dependia da medida em que atendiam ao ideal imposto pelos homens, o que as tornava uma mercadoria. O fato é agravado pela enorme gama de produtos e serviços que elas compram, de dietas a vaginoplastias — depois que começaram a se comparar com estrelas pornô —, e tudo isso gera bilhões de dólares por ano para as empresas da indústria da beleza.

Novo futuro

O objetivo de Wolf ao escrever sobre o mito da beleza é expor a sua profundidade e depois desmantelá-lo. Ela defende um futuro feminista em que o valor das mulheres não dependa de uma definição masculina de beleza, mas que seja definido pelas próprias mulheres. Wolf escreve que não deseja proibir as mulheres de se entregarem à própria sexualidade, ou de usarem batom, mas quer que elas parem de se ver negativamente. As mulheres devem ter escolhas e ser reconhecidas como pessoas multidimensionais, respeitadas pela sociedade como sérias e sexuais, e devem ter vidas plenas e gratificantes. Contanto que se sintam bonitas, não importa a aparência das mulheres. Desde que Wolf escreveu *O mito da beleza* (1990), outras pesquisadoras feministas avançaram a partir de suas descobertas, e mulheres em geral têm procurado derrubar esse mito. Feministas negras continuaram a denunciar o racismo da beleza dominada por normas e instituições brancas, e o visual "heroin chic" promovido pela indústria da moda na década de 1990, e tipificado pela

Podemos acabar com o mito e sobreviver a isso com o sexo, o amor, a atração e o estilo não apenas intactos, mas florescendo de forma mais vibrante do que antes.
Naomi Wolf

modelo britânica Kate Moss, foi desafiado. A indústria *plus size*, de modelagens em tamanhos maiores que os convencionais, está crescendo a cada ano, e as expressões "positividade gorda" e "positividade corporal" tornaram-se tópicos populares do debate feminista. Até mesmo empresas de cosméticos e produtos para a pele atentaram ao apelo de Wolf, com a campanha Dove pela Real Beleza abrindo caminho em 2004 — embora os céticos apontem que a Unilever, empresa por trás da Dove, também seja responsável pelo Fair & Lovely, um produto popular na Ásia para clarear a pele.

Enquanto as mulheres ainda têm dificuldades com a autoestima em sociedades racistas e patriarcais, a abordagem de Wolf sobre os danos causados pelo mito da beleza ajudou a estimular um ponto de virada para o feminismo do final do século XX. ∎

TODA POLÍTICA É POLÍTICA REPRODUTIVA
JUSTIÇA REPRODUTIVA

EM CONTEXTO

CITAÇÃO FUNDAMENTAL
Laura Briggs, 2017

FIGURA-CHAVE
Loreta Ross

ANTES
1965 Uma pesquisa com residentes porto-riquenhos descobre que um terço das mães com idades entre vinte e 49 anos foram esterilizadas sob as leis eugênicas dos EUA.

1994 Loreta Ross e outras mulheres negras cunham a expressão "justiça reprodutiva" depois da Conferência sobre População e Desenvolvimento das Nações Unidas, no Cairo, Egito.

DEPOIS
2013 Nos EUA, o Centro de Jornalismo Investigativo revela que, nas prisões californianas, pelo menos 148 mulheres foram ilegalmente esterilizadas de 2006 a 2010.

2017 A feminista norte-americana Laura Briggs analisa o efeito de políticas públicas em *How All Politics Became Reproductive Politics*.

A expressão "justiça reprodutiva" é usada para se referir à ampla divergência de direitos sobre a gravidez que mulheres de diferentes raças e classes podem exercer. A expressão ganhou destaque nos anos 1990, quando feministas negras nos EUA, como Loretta Ross, começaram a expor o drama das mulheres mais pobres, especialmente negras, que tinham pouco acesso a assistência médica desfrutadas pelas mulheres mais abastadas. Ross sustentou que termos como "pró-vida" ou "pró-escolha" não refletem as opções limitadas dessas mulheres. Historicamente, nos EUA, mulheres pobres negras recebem educação sexual inadequada, fazem abortos inseguros e têm pouco acesso a contraceptivos, a cuidados de saúde pré-natal, à licença-maternidade e à assistência no cuidado com os filhos.

Combatendo desigualdades

Em 1997, Ross ajudou a fundar a SisterSong na luta por melhor assistência médica à família para mulheres norte-americanas desfavorecidas. Em *Radical Reproductive Justice* (2017), ela e outros membros da organização descrevem como a opressão sistêmica afeta as escolhas das mulheres em relação à maternidade. No que Ross denominou como "reproduticídio", grupos étnicos têm sido eliminados através do controle reprodutivo. A esterilização forçada de mulheres imigrantes mexicanas em Los Angeles no final dos anos 1960 e início dos anos 1970, abordada no filme de 2015 *No Más Bebés*, é um exemplo. ∎

Natalya O'Flaherty, slammer e pró-escolha, se apresenta em um comício em Dublin, em abril de 2018, antes do referendo sobre a legalização do aborto na Irlanda, em maio.

Veja também: Controle de natalidade 98-103 ▪ A pílula 136 ▪ Conquistando o direito legal ao aborto 156-159 ▪ Racismo e preconceito de classe dentro do feminismo 202-205

UMA NOVA ONDA EMERGE **269**

A SOCIEDADE PROSPERA NA DICOTOMIA
BISSEXUALIDADE

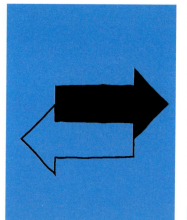

EM CONTEXTO

CITAÇÃO FUNDAMENTAL
Lani Ka'ahumanu e Loraine Hutchins, 1991

FIGURAS-CHAVE
Robyn Ochs, Loraine Hutchins, Lani Ka'ahumanu, Sue George

ANTES
1974 A feminista norte-americana Kate Millett se revela bissexual em sua autobiografia *Flying*.

1977 A médica anglo-germânica Charlotte Wolf publica *Bisexuality: A Study*, onde defende que esse é um estado natural.

DEPOIS
2005 É publicado *Getting Bi: Voices of Bisexuals Around the World*, com contribuições de 32 países.

2016 O então presidente norte-americano Barack Obama se encontra com representantes de diversos grupos bi na Casa Branca.

Na segunda onda do feminismo, as lésbicas desempenharam um papel central, mas as mulheres bi (que podem amar e se sentir atraídas tanto por homens quanto por mulheres) foram isoladas, mantidas invisíveis e tratadas com hostilidade. A sociedade convencional ainda condenava fortemente qualquer mulher que fizesse sexo com outra, enquanto muitas lésbicas achavam que as mulheres bi deveriam desistir completamente dos homens.

Desafiando a invisibilidade
Desde o início dos anos 1980, essa atitude começou a mudar à medida que grupos mistos, bissexuais, sociais e de apoio, nos quais as mulheres eram proeminentes, surgiam no Canadá, nos EUA e no Reino Unido. A ativista bissexual norte-americana Robyn Ochs, entre outras, também criou grupos somente de mulheres. No início dos anos 1990, uma onda de livros sobre bissexualidade serviu como apoio aos que não faziam parte de grupos. Esses livros eram principalmente coleções de ensaios de pessoas que se identificavam como bissexuais e abordavam uma série de problemas. *Bi Any Other Name* (1991), editado por Loraine Hutchins e Lani Ka'ahumanu, foi a primeira e mais influente dessas obras. No Reino Unido, *Women and Bisexuality*, de Sue George, reflete sobre as experiências das mulheres bi, como a culpa feminista e a maternidade. Essas autoras argumentam que as mulheres bi sempre foram uma parte fundamental dos movimentos lésbico e feminista. Aos poucos, ao longo dos 25 anos seguintes, a comunidade bi se tornou cada vez mais reconhecida. ■

Eu me lembro de sentar lá, sorrindo... Havia vinte mulheres bissexuais no mundo. Eu não era a única. Que sensação poderosa.
Robyn Ochs

Veja também: Lesbianismo político 180-181 ▪ Heterossexualidade compulsória 194-195 ▪ Positividade sexual 234-237 ▪ Feminismo e teoria queer 262-263

A REAÇÃO ANTIFEMINISTA COMEÇOU

REAÇÃO ANTIFEMINISTA

EM CONTEXTO

CITAÇÃO FUNDAMENTAL
Susan Faludi, 1991

FIGURA-CHAVE
Susan Faludi

ANTES
1972 Nos EUA, a Emenda dos Direitos Iguais (ERA), proposta pela primeira vez em 1923, é aprovada pelo Congresso, mas ainda não é ratificada pelas legislaturas estaduais.

1981 Ronald Reagan é empossado como o 40º presidente dos EUA, marcando uma inclinação para a direita na política norte-americana.

DEPOIS
2017 O movimento #MeToo, campanha nas mídias sociais contra a agressão sexual, torna-se o brado de guerra para um novo ressurgimento feminista.

2018 Illinois se torna o 37º estado a ratificar a Emenda dos Direitos Iguais, um a menos do que os 38 estados necessários para que seja feita uma emenda na Constituição norte-americana.

Em 1986, Susan Faludi, jornalista norte-americana e feminista, investigou um estudo feito em Harvard-Yale e publicado na revista *Newsweek* que alegava que mulheres solteiras de mais de trinta anos com formação universitária tinham apenas 20% de chance de se casar, uma estatística que caía para 1,3% para mulheres com mais de quarenta anos. Essas estatísticas, que Faludi expôs como erradas, levaram-na a pesquisar outras histórias enganosas da mídia sobre o impacto do feminismo na sociedade. Ela identificou uma reação antifeminista que culpava o movimento pelas mazelas da sociedade. Em 1991,

Os ataques de Donald Trump a sua oponente Hillary Clinton durante os debates presidenciais que antecederam a eleição de 2016 ajudaram a despertar uma reação pró-feminista nos EUA.

UMA NOVA ONDA EMERGE

Veja também: Instituições como opressores 80 ▪ O movimento global pelo sufrágio 94-97 ▪ Conquistando o direito legal ao aborto 156-159 ▪ Feminismo digital 294-297 ▪ Consciência do abuso sexual 322-327

Susan Faludi

Susan Faludi nasceu no Queens, em Nova York, em 1959, e se formou em Harvard em 1981. Ela se tornou jornalista, escreveu sobre feminismo ao longo dos anos 1980 fez reportagens para o *The New York Times* e o *Wall Street Journal*. Em 1991, ganhou o Pulitzer com uma reportagem. Faludi ocupou vários postos acadêmicos de prestígio, incluindo o de pesquisadora da Tallman e pesquisadora associada em Gênero, Sexualidade e Estudos sobre Mulheres na Bowdoin College, no Maine. O pai de Faludi, um sobrevivente do Holocausto, se revelou uma mulher transexual em 2004, aos 76 anos. Esta transição inspirou *In the Darkroom* (2016), as memórias de Faludi sobre transexualismo e fluidez de gênero, que ganhou o Prêmio Kirkus de não ficção.

Trabalhos-chave

1991 *Backlash: o contra-ataque na guerra não declarada contra as mulheres*
1999 *Domados. Como a cultura traiu o homem americano*
2007 *The Terror Dream: Fear and Fantasy in Post-9/11 America*
2016 *In the Darkroom*

Faludi publicou *Backlash: o contra-ataque na guerra não declarada contra as mulheres*, em que identifica a "Nova Direita", com sua agenda pró-família, como líder de um retrocesso que ela atribui ao medo do feminismo. A reação antifeminista se manifestou em oposição à ratificação da Emenda dos Direitos Iguais de 1972, que foi concebida para garantir a igualdade de direitos para os cidadãos dos EUA e também em ataques ao direito das mulheres ao aborto legal. Faludi critica ainda o aumento da disparidade de remuneração de gênero e a hipocrisia dos "emissários do retrocesso". Eles travam projetos de lei que melhorariam os cuidados infantis, enquanto culpam mulheres trabalhadoras por serem mães ruins; ou senadores homens que incentivam as mulheres a voltarem a seus papéis tradicionais, embora suas esposas trabalhem fora de casa.

O papel da imprensa

Faludi enfatiza o papel da mídia em incentivar a reação contra o feminismo. Ela argumenta que a imprensa construiu uma imagem das trabalhadoras de mulheres insatisfeitas e que propaga mitos como os da "escassez de homens" e de "ventres secos". Os reacionários aproveitam esta suposta infelicidade e culpam o feminismo, ajudados pela mídia, que mostra as feministas como militantes que queimam sutiãs. Faludi examina a moda e a cultura popular em busca de manifestações da reação antifeminista e repara como uma tendência para terninhos executivos nos anos 1970 deu lugar a uma moda feminina impraticável ou restritiva com babados e silhuetas agarradas ao corpo, e como Hollywood retrata as mulheres solteiras dedicadas às suas profissões como desagradáveis, ou mesmo más, como no filme *Atração fatal* (1987). Ela também observa um aumento do consumo de cosméticos e de cirurgias estéticas com as mulheres pressionadas a parecerem mais jovens, e critica a psicologia popular e os livros de autoajuda por serem antifeministas.

Ímpeto novo

Backlash ganhou o prêmio do National Book Critics Circle Award de não ficção em 1992 e se tornou best-seller. Ela foi criticada por contradições, dados tendenciosos e por seu foco na sociedade branca, heterossexual e de classe média. Em uma edição atualizada do livro de 2006, ela reflete sobre os ganhos econômicos e políticos das mulheres desde os anos 1990. Faludi afirma que não há mais uma reação antifeminista "porque... algumas coisas são piores", e lamenta que as mulheres estejam se desencantando com uma distorção do feminismo que acreditam não mais se aplicar a elas. Ela pensa ser esta desilusão um começo: "ficar desapontada não é o mesmo que ser derrotada... ainda não estamos fora da luta". ▪

Este contra-ataque... ousa declarar que os mesmos passos que elevaram a posição das mulheres acabaram levando-as à queda.
Susan Faludi

GAROTAS PODEM MESMO MUDAR O MUNDO
O MOVIMENTO RIOT GRRRL

EM CONTEXTO

CITAÇÃO FUNDAMENTAL
Manifesto Riot Grrrl, 1991

FIGURAS-CHAVE
Jen Smith, Allison Wolfe, Molly Neuman, Kathleen Hanna, Tobi Vail

ANTES
Final dos anos 1970 Há uma onda de artistas de punk rock feminino fazendo sucesso comercial, como Patti Smith e Neo Boys, nos EUA, e Siouxsie Sioux e Chrissie Hynde, no Reino Unido.

1988 É lançada nos EUA a revista *Sassy*, voltada para meninas adolescentes que gostam de rock alternativo e indie.

DEPOIS
2010 Sarah Marcus publica a primeira história oficial do movimento Riot Grrrls, *Girls to the Front: The True Story of the Riot Grrrl Revolution*.

O movimento punk feminista Riot Grrrl surgiu na região de Pacific Northwest, nos EUA, nos anos 1990, e estimulava mulheres que faziam música a se expressarem com a mesma liberdade que os homens. O movimento foi principalmente ligado às bandas Bratmobile e Bikini Kill, que se desenvolveram a partir da cena punk mais ampla do estado de Washington. Uma subcultura florescente incluiu arte, moda e ativismo político contra o abuso sexual, a homofobia e o racismo.

Ao adotar uma cultura do "faça você mesmo", o movimento procurou criar formas não hierárquicas de fazer música que priorizavam a informação acima dos lucros e usava fanzines (publicações de fãs) de punk-rock para disseminar ideias políticas. O manifesto do movimento declarava: "Nós, garotas, ansiamos por gravações, livros e fanzines que falem CONOSCO, em que NÓS nos sintamos incluídas e que possamos entender do nosso próprio jeito". O Riot Grrrl costuma ser citado como o marco do início da terceira onda do feminismo, com seu foco na identidade individual.

O caminho para a ação

Em 1988, a revista *Puncture* publicou um artigo intitulado "Mulheres, sexo e rock and roll", palavras que encabeçariam o primeiro manifesto do Riot Grrrl. A cena punk foi dominada pelo rock — o "beergutboyrock" como o manifesto Riot Grrrl mais tarde descreveu —, e as mulheres queriam se ver representadas através da seus próprios zines e de sua própria arte

A cantora Kathleen Hanna, do Bikini Kill, se apresenta no Hollywood Palladium, em Los Angeles, em 1994. Certa vez, Hanna socou um homem que assediava uma mulher em um dos concertos da banda.

UMA NOVA ONDA EMERGE 273

Veja também: Feminismo radical 137 ▪ As modernas publicações feministas 142-143 ▪ Protesto do Guerrilla 246-247 ▪ Feminismo digital 294-297

PORQUE estamos com raiva de uma sociedade que nos diz Garota = Burra, Garota = Ruim, Garota = Fraca.
Manifesto Riot Grrrl

feminista. Vários acontecimentos políticos nos EUA ajudaram a alimentar a sensação de indignação que levou à formação do Riot Grrrl, em 1991: a campanha Coalizão Cristã pelo Direito à Vida ameaçou o acesso ao aborto; um salvadorenho foi morto a tiros por um policial em Washington, D.C., no mês de maio, desencadeando os tumultos racistas de Mount Plesant; e em outubro Clarence Thomas foi confirmado juiz do Supremo Tribunal pelo Senado dos Estados Unidos, apesar de ter sido acusado de agressão sexual por sua assistente, Anita Hill, o que ele negou. Jen Smith, editora de zines e integrante do Bratmobile, escreveu para a companheira de banda Allison Wolfe propondo um "girl riot", algo como uma "agitação de garotas", naquele verão. Wolfe e Molly Neuman (também do Bratmobile) criaram um zine chamado Riot Grrrl, uma homenagem à frase que sempre se repetia no influente fanzine *Jigsaw*: "Revolutionary Grrrl Style Now" (algo como "Estilo garota revolucionária já"). Wolfe, Neuman e Smith se juntaram a Kathleen Hanna, do Bikini Kill, e a sua baterista e fundadora do *Jigsaw*, Tobi Vail, organizando reuniões semanais somente para mulheres. Em julho de 1991, foi publicado um manifesto do Riot Grrrl na *Bikini Kill Zine 2*, dando dezesseis razões para o espírito Riot Grrrl. No mês seguinte, a convenção International Pop Underground, em Olympia, Washington, ostentava uma lista só de bandas femininas para a primeira noite, com Bratmobile, Heavens to Betsy, 7 Year Bitch, Lois Maffeo e Bikini Kill, entre outras. Ao reunir mulheres importantes da música e editoras de zine, o evento inflamou o movimento Riot Grrrl.

Desenvolvimento e legado

O som e o espírito do Riot Grrrl se espalharam pelos EUA e pelo Reino Unido. O nome do movimento acabou sendo aplicado a uma ampla variedade de atos encabeçados por mulheres. Artistas do sexo masculino também foram influenciados pelo Riot Grrrl: Calvin Johnson, Dave Grohl e Kurt Cobain. Em 1992, o Riot Grrrl foi criticado na *Newsweek* por ter um perfil muito associado à classe média branca. E em 1994, esse espírito e radicalismo político do grupo tinham sido diluídos pelo "girl power", que seria logo exemplificado por bandas como as Spice Girls do Reino Unido. No entanto, a maioria das fundadoras do movimento Riot Grrrl permaneceu política e musicalmente ativa, influenciando outras bandas femininas e organizando "acampamentos de rock" para incentivar meninas e mulheres a fazerem música. ▪

Não somos antigarotos. Somos pró-garotas.
Molly Neuman

Kathleen Hanna

A cantora punk norte-americana e ativista feminista Kathleen Hanna nasceu em Portland, no Oregon, em 1968. Ela se interessou por feminismo quando estudava fotografia no colégio estadual Evergreen e trabalhava como conselheira em um abrigo para vítimas de estupro e violência doméstica, participando de *slams* de poesia sobre temas feministas. A poeta punk e feminista Kathy Acker sugeriu, então, que ela começasse uma banda. Em 1990, Hanna formou a Bikini Kill com a baixista Kathi Wilcox, a baterista Tobi Vail e o guitarrista Billy Karren (o único homem). A banda gostava de criar um ambiente feminino em seus shows, e convidava as mulheres a ficar na parte da frente da plateia enquanto os homens ficavam mais atrás. O Bikini Kill se separou em 1998, e Hanna formou Le Tigre, que ela descreve como "punk feminista eletrônico". Atualmente, Hanna se apresenta com a The Julie Ruin, uma banda de cinco integrantes.

Trabalhos-chave

1991 *Revolution Girl Style Now!*
1993 *Pussy Whipped*
1996 *Reject All American*

FIGURAS FEMININAS CONSTRUÍDAS PELO HOMEM
REESCREVENDO A FILOSOFIA ANTIGA

EM CONTEXTO

CITAÇÃO FUNDAMENTAL
Adriana Cavarero, 1995

FIGURA-CHAVE
Adriana Cavarero

ANTES
1958 Em *A condição humana*, a filósofa Hannah Arendt discute sua teoria de "natalidade", em que toda pessoa nasce com a capacidade de novos começos; embora não se manifestasse sobre questões de gênero e direitos das mulheres, o trabalho de Arendt inspira filósofas feministas.

1971 Alison Jaggar ministra o primeiro curso de filosofia feminista, na Universidade de Miami, em Oxford, Ohio (EUA).

DEPOIS
1997 A filósofa norte-americana Eileen O'Neill critica a exclusão das mulheres da história da filosofia em seu artigo "Tinta desaparecendo: primeiras mulheres filósofas na era moderna e seu destino na história".

A filosofia tem sido há muito tempo um campo acadêmico dominado pelas perspectivas masculinas. O que é um problema, afirmam filósofas feministas, se os filósofos homens presumem que suas teorias se aplicam a todas as pessoas e que o masculino representa a todos. Filósofas feministas perguntam como essas teorias se saem quando aplicadas a mulheres e observam como são inadequadas para descrever a maneira que elas experimentam o mundo.

Nova sabedoria para o antigo

No livro *In Spite of Plato* (1995), a filósofa feminista italiana Adriana Cavarero analisa Platão, o filósofo grego (428–348 a.C.), para avaliar como as feministas podem reinterpretar a filosofia antiga. Cavarero examina quatro figuras femininas no trabalho de Platão — incluindo Penélope, esposa de Ulisses na lenda grega — e tece críticas sobre cada personagem estar presa num papel patriarcal, inferior e doméstico em narrativas masculinas, lineares e voltadas para a morte, e defende uma análise feminista focada no nascimento e não na morte. Ela estimula as filósofas feministas a não rejeitarem o trabalho de Platão como falocêntrico ou patriarcal, mas a aplicarem suas percepções como mulheres e recuperar a filosofia antiga por meio de uma perspectiva feminista. Ao desafiar a sabedoria recebida da filosofia antiga por excluir ou marginalizar visões femininas, Cavarero mostra que as filósofas feministas podem e devem reivindicar a antiga filosofia e se apropriar dela. ∎

Na lenda grega, Penélope recusa seus pretendentes tecendo sem parar, o que Platão alega ser uma metáfora para a natureza eterna da alma. Já as feministas veem o ato como um desafio.

Veja também: Lutas feministas no Brasil 124-125 ▪ Conscientização 134-135 ▪ Inserindo as mulheres na história 154-155 ▪ Pós-estruturalismo 182-187

A LINGUAGEM TEOLÓGICA PERMANECE SEXISTA E EXCLUDENTE
TEOLOGIA DA LIBERTAÇÃO

EM CONTEXTO

CITAÇÃO FUNDAMENTAL
Elina Vuola, 2002

FIGURA-CHAVE
Gladys Parentelli

ANTES
Século XIX A América Latina descolonizada, antes dominada pelos poderes católicos de Portugal e da Espanha, começa a cortar os laços com a Igreja Católica na Europa.

1962-1965 O Concílio Vaticano II, convocado pelo papa João XXIII, em Roma, moderniza o Catolicismo.

1968 O padre peruano Gustavo Gutiérrez desenvolve a teologia da libertação e publica *Uma teologia da libertação* (1971).

DEPOIS
2013 Um cardeal argentino se torna o papa Francisco e, como líder da Igreja Católica, se volta para questões como pobreza e desigualdade.

Na América Latina nos anos 1960, a teologia da libertação emergiu como um movimento que esperava voltar a Igreja Católica Apostólica Romana na direção da mudança social e da libertação dos que eram racial, econômica, política e socialmente oprimidos. Enquanto as teologias tradicionais pediam a renovação do coração ou da mente, a teologia da libertação exigia ação física e material. A afirmação básica dos teólogos da libertação é que Deus e a Bíblia priorizam os pobres e oprimidos em detrimento dos ricos. A acadêmica finlandesa Elina Vuola enfatiza a necessidade de desenvolver a compreensão do gênero dentro da teologia da libertação no século XXI. Os mais pobres da América Latina geralmente são mulheres indígenas, que não têm acesso a provisões básicas porque são uma minoria política e social. Teólogas da libertação feministas acreditam que, para libertar as mulheres pobres de estruturas injustas, uma nova ordem mundial deve substituir os sistemas vigentes.

As mulheres latino-americanas estão entre as mais ardentes defensoras da teologia da libertação. Gladys Parentelli, nascida no Uruguai, tem lutado por direitos reprodutivos e critica o Vaticano por dizer às mulheres o que fazer com seus corpos. Ela também critica o patriarcado por sua dominação sobre mulheres e natureza. Para Parentelli, as mulheres são "as guardiãs da vida", que criam novas vidas e protegem o planeta. Este entrelaçamento entre as mulheres e a terra para criar uma comunidade global, livre da dominação sexual e ecológica dos homens, vem se tornando conhecido como ecofeminismo. ■

Estou convencida de que as mulheres são guardiãs inerentes da vida e dos recursos da terra.
Gladys Parentelli

Veja também: Instituições como opressores 80 ▪ Lutas feministas no Brasil 124-125 ▪ Ecofeminismo 200-201 ▪ Feminismo pós-colonial 220-223 ▪ Feminismo indígena 224-227

DEFICIÊNCIA, ASSIM COMO FEMINILIDADE, NÃO É INFERIORIDADE
FEMINISMO PARA AS DEFICIENTES

EM CONTEXTO

CITAÇÃO FUNDAMENTAL
Rosemarie Garland-Thomson, 2006

FIGURAS-CHAVE
Rosemarie Garland-Thomson, Jenny Morris

ANTES
1981 O Ano Internacional das Pessoas com Deficiência, das Nações Unidas, estimula a conscientização sobre a discriminação encarada por pessoas com deficiência.

1983 O sociólogo britânico Mike Oliver faz distinção entre os modelos de deficiência "individual ou clínico" e "social": o primeiro vê a deficiência como um problema individual, e o segundo difere o que seria um impedimento (médico) da deficiência (opressão).

DEPOIS
2018 As comemorações do "Centenário do sufrágio", na Grã-Bretanha, mal reconhecem a contribuição de Rosa May Billinghurst, conhecida como a "suffragette aleijada".

O feminismo da mulher com deficiência tem suas raízes no conceito de "o pessoal é político" que configurou a segunda onda do feminismo, na década de 1970. Surgiu nos anos 1980 porque as mulheres com deficiência tinham dificuldade em fazer com que suas opiniões fossem ouvidas, tanto no movimento feminista quanto no movimento das pessoas com deficiência. Com base no movimento das pessoas com deficiência, o feminismo da mulher com deficiência afirma que a deficiência, assim como o gênero, é criada pela sociedade. Este ponto de vista, conhecido como o modelo social de deficiência, é a antítese do modelo médico da deficiência como um caso clínico e funcional. Apoiadores do modelo social de deficiência acreditam que a remoção de barreiras criadas pela sociedade (como ambientes inacessíveis e discriminação profissional) permitirá que as pessoas com deficiência alcancem a igualdade.

A linguagem importa

Nos textos inovadores sobre feminismo da mulher com deficiência do final do século XX e início do século XXI, a pesquisadora norte-americana, feminista e deficiente Rosemarie Garland-Thomson examina a construção da deficiência pela sociedade e estimula que se evite o uso de termos como "defeito" para descrevê-la. Ela defende o uso dos termos "pessoas que se identificam como deficientes" ou "pessoas que se identificam como não deficientes", para evitar os rótulos. Garland-Thomson mostra como a palavra "deficiente" rotula o indivíduo como apenas um corpo defeituoso. E aponta como essa palavra cria dois tipos de indivíduos: o incapacitado e o superior (não deficiente), oprimindo assim a pessoa com deficiência. Garland-Thomson também enfatiza a importância de reconhecer diferenças

Deficiência é algo imposto além das nossas dificuldades pela maneira como somos isolados e excluídos da plena participação na sociedade.
UPIAS
(União dos Fisicamente Prejudicados contra a Segregação)

UMA NOVA ONDA EMERGE 277

Veja também: Conscientização 134-135 ▪ Conquistando o direito legal ao aborto 156-159 ▪ Interseccionalidade 240-245 ▪ Justiça reprodutiva 268

Mulheres com deficiência expressam seus pontos de vista na Marcha das Mulheres, em Londres, janeiro de 2017, num dos vários protestos desencadeados pela posse do presidente dos EUA, Donald Trump.

dentro da deficiência — como os vários tipos de deficiência física, de lesões da coluna vertebral à dislexia — e categorias sociais ou culturais que podem correr em paralelo à deficiência, como gênero, raça, etnia, classe e sexualidade. Tudo isso, diz ela, entrecruza-se na sociedade.

Pessoal e político

A acadêmica britânica Jenny Morris investiga como as pessoas com deficiência experimentam o preconceito e como os estereótipos de deficiência são definidos pelo mundo não deficiente, ideias que ela apresentou pela primeira vez no livro *Pride Against Pride* (1991). Morris examina o que é ser desfavorecido por ser mulher e deficiente, e também o que é ser estudada sob a categoria de "desvantagem dupla", dizendo que tais estudos objetificam as mulheres deficientes por não considerar as experiências pessoais e tentar avaliar o que é "pior", se é o sexismo ou a deficiência o efeito mais grave nas oportunidades de vida de uma mulher. Morris contesta as feministas por excluírem o modelo médico de deficiência. Ao excluir incapacidades específicas dos corpos "deficientes", a sociedade não pode desenvolver uma política confiável em debates sobre testes pré-natal, aborto e eutanásia. O foco em barreiras externas para a vida das pessoas com deficiência, diz Morris, ignora a experiência do corpo e questões importantes como direitos reprodutivos das mulheres com deficiência e a vida do feto prejudicada. ∎

A deficiência e o debate sobre o aborto

O direito de uma mulher controlar o próprio corpo, incluindo o de escolher o aborto, foi um princípio-chave da segunda onda do feminismo. No entanto, grupos pelos direitos das pessoas com deficiência argumentam que permitir que mulheres façam um aborto por motivos de deficiência é apoiar a eugenia da deficiência e endossar a visão de que vidas deficientes não valem a pena. Textos sobre deficiência e igualdade em relação ao aborto não se concentram em argumentos pró-vida sobre a santidade da vida com base em questões éticas, mas sobre a questão da investigação pré-natal e ao aconselhamento dado às mulheres no início da gravidez, quando são encorajadas a abortar fetos deficientes. Em muitos países onde o aborto é legal, isso significa que fetos "prejudicados" podem ser abortados em um estágio avançado da gravidez. Isso, dizem as ativistas, reforça estereótipos negativos sobre a deficiência e é incompatível com a noção de direitos iguais.

MULHERES SOBREVIVENTES MANTÊM FAMÍLIAS E PAÍSES UNIDOS
MULHERES EM ZONAS DE GUERRA

EM CONTEXTO

CITAÇÃO FUNDAMENTAL
Zainab Salbi, 2006

FIGURA-CHAVE
Zainab Salbi

ANTES
1944 Soldados soviéticos estupram milhares de mulheres na Alemanha durante a invasão do país.

1992 A república da Bósnia-Herzegóvina declara independência da Iugoslávia; estoura a Guerra da Bósnia, em que mulheres são sistematicamente estupradas.

DEPOIS
2008 As Nações Unidas declaram oficialmente o estupro como arma de guerra.

2014 O Estado Islâmico chama a atenção da comunidade internacional pelo uso da violência sexual como instrumento do terrorismo, e por escravizar a minoria Yazidi no Iraque.

Mulheres e crianças Yazidi separam lã em um campo de refugiados perto da fronteira com a Síria. Minoria religiosa e étnica do norte do Iraque, os Yazidis foram alvo do Estado Islâmico a partir de 2014.

Na maioria dos conflitos ao longo da história, os líderes homens declararam guerra, soldados do sexo masculino lutaram essas guerras e as mulheres geralmente eram civis, a salvo da linha de frente — embora não estivessem a salvo de muitas das consequências. No livro *Against Our Will: Men, Women and Rape* (1975), a feminista e escritora norte-americana Susan Brownmiller afirma que a guerra garante aos homens o pano de fundo psicológico para que deem vazão ao seu desprezo pelas mulheres. O impacto da guerra nas mulheres e meninas é amplo. Elas perdem membros da família, as casas, a educação e o trabalho. No entanto, a consequência mais prejudicial é a violência sexual. No conflito bósnio (1992–1995), estupro e violência sexual foram generalizados, cometidos por

UMA NOVA ONDA EMERGE 279

Veja também: Mulheres unidas pela paz 92-93 ▪ Estupro como abuso de poder 166-171 ▪ Educação global para as meninas 310-311 ▪ Homens machucam mulheres 316-317

As vidas das mulheres e seus corpos têm sido por tempo demais vítimas não reconhecidas da guerra.
Anistia Internacional

todos os grupos étnicos contra homens e mulheres, mas predominantemente pelo exército sérvio e por paramilitares contra as mulheres, em sua maior parte bósnias e muçulmanas. O número de mulheres vítimas de estupro durante o conflito é estimado entre 12 mil (ONU) e 50 mil (Ministério do Interior da Bósnia). As forças sérvias estabeleceram por toda a região "acampamentos de estupro" e casas de detenção, onde principalmente bosniaks (bósnios muçulmanos) e mulheres e crianças croatas eram escravizados, torturados e repetidamente violados. Quase todos os estudos afirmam que o estupro não era incidental no conflito da Bósnia, e sim uma parte da campanha militar, usada tanto como uma ferramenta estratégica de limpeza étnica, para engravidar mulheres com bebês etnicamente sérvios, quanto como uma tática genocida para forçar as vítimas a deixarem uma determinada área para sempre.

Solidariedade depois da guerra

A ativista de direitos humanos Zainab Salbi tinha 23 anos e morava nos EUA quando soube a respeito dos acampamentos de estupro. Os relatos a levaram a fundar o Women For Women International (WFWI), uma organização humanitária que denuncia a violência sexual em conflitos e apoia as mulheres sobreviventes. Salbi foi influenciada por sua experiência com a violência, quando criança, durante a Guerra Irã-Iraque: seu pai havia sido piloto pessoal de Saddam Hussein. Desde a sua fundação, em 1993, o WFWI garantiu US$ 120 milhões para quase meio milhão de mulheres em oito zonas de conflito. Em 2006, Salbi publicou *The Other Side of War*, uma coleção de cartas e narrativas em primeira pessoa de mulheres sobreviventes da antiga Iugoslávia e de cinco outras zonas de conflito onde o WFWI trabalhou (Afeganistão, Colômbia, República Democrática do Congo, Ruanda e Sudão). Um segundo livro, *If You Knew Me, You Would Care*, focou em subverter a noção de vítima e contém entrevistas com mulheres em zonas de conflito falando sobre sobrevivência, paz e sobre suas esperanças para o futuro. Os dois livros defendem que a ajuda para mulheres em zonas de guerra deve ir além do apoio material e promover o papel das mulheres no processo de paz para que se consiga uma mudança real. ∎

Parece mais fácil falar sobre proteger as mulheres do que incluí-las totalmente em todos os níveis de tomada de decisão nas conversas sobre paz e no planejamento pós-conflito.
Zainab Salbi

Estupro como arma de guerra

O estupro sempre existiu na guerra, predominantemente configurado por homens como estupradores e mulheres como vítimas. As circunstâncias facilitadoras incluem o colapso da lei durante o conflito e a cultura militar hipermasculinizada, na qual o estupro coletivo é um exercício de "camaradagem". As consequências desse tipo de estupro incluem degradação, intimidação, trauma psicológico, propagação de doenças e gravidez. Em muitas culturas, as vítimas de estupro também são marginalizadas, o que leva à destruição de comunidades. Desde conflitos na antiguidade até a prostituição forçada em massa da Segunda Guerra Mundial, as mulheres foram estupradas como "despojos de guerra". Em guerras recentes, o estupro tem sido uma ferramenta de genocídio ou de limpeza étnica. Milhões foram estupradas durante o genocídio de Ruanda (1994) e nas duas guerras civis no Congo (1990), enquanto conflitos na ex-Iugoslávia levaram à primeira condenação de estupro como crime de guerra. No século XXI, as acusações de estupro chegaram até as tropas de paz da ONU.

Em novembro de 2017, muçulmanas bósnias observam pela televisão a condenação do comandante sérvio Ratko Mladic por crimes cometidos na Guerra da Bósnia (1992–1995).

UMA QUESTÃO DE PODER E CONTROLE DE GÊNERO
CAMPANHA CONTRA A MUTILAÇÃO GENITAL FEMININA

EM CONTEXTO

CITAÇÃO FUNDAMENTAL
Efua Dorkenoo, 2013

FIGURAS-CHAVE
Fran Hosken, Efua Dorkenoo

ANTES
1929 Missionárias no Quênia descrevem a MGF como "mutilação sexual", em um tempo em que era mais comum usar o termo "circuncisão feminina", insinuando que a prática era similar à circuncisão masculina.

DEPOIS
2014 A Assembleia Geral das Nações Unidas aprova a Resolução 69/150 para acabar com a MGF até 2030.

2017 O *BMJ Global Health* revela que ao longo de trinta anos o índice de MGF declinou na maioria dos lugares, mas aumentou de 2 a 8% no Chade, em Mali e em Serra Leoa.

A mutilação genital feminina (MGF) — remoção parcial ou total dos órgãos genitais externos da mulher e sutura da vulva — causou preocupação por décadas. A antropóloga norte-americana Rose Oldfield Hayes descreveu a natureza "terrivelmente dolorosa" da prática em um artigo de 1975; e, em 1977, a médica e ativista egípcia Nawal El Saadawi publicou *Hidden Faces of Eve*, em que descreve sua própria experiência de passar por uma MGF. Fran Hosken, escritora e feminista austro-americana, adotou a causa em 1979 com "The Hosken Report: Genital and Sexual Mutilation of Females", e, logo depois disso, o empenho da ganense Efua Dorkenoo na campanha para acabar com a prática ajudou a atrair o apoio de ONGs, da ONU e da OMS. O termo ilustrativo "mutilação" era,

No nordeste de Uganda, membros da tribo Sebei demonstram o ritual de uso da lama que acompanha uma cerimônia de MGF. A MGF é proibida na região, mas ainda é praticada por várias tribos.

UMA NOVA ONDA EMERGE

Veja também: Anticolonialismo 218-219 ▪ Feminismo pós-colonial 220-223 ▪ Impedindo o casamento forçado 232-233

então, amplamente utilizado (daí a sigla MGF), mas atualmente prefere-se o termo mais neutro "corte".

Uma tradição que persiste

Cerca de 200 milhões de mulheres em trinta países — principalmente na África, mas também na Indonésia e no Oriente Médio — passaram pela MGF. É uma tradição que remonta a pelo menos 2.500 anos, antecedendo o cristianismo e o islamismo. Não é uma prática específica de qualquer religião ou grupo étnico, mas é associada à pureza e à castidade, reduzindo o desejo sexual para garantir que as mulheres cheguem virgens ao casamento e sejam fiéis depois disso. Em pelo menos quinze países, a maioria das meninas são cortadas antes dos cinco anos, enquanto outras se submetem ao procedimento na puberdade. O medo de não conseguir se casar, de ser rejeitada e até exilada da comunidade força as meninas a se submeterem à MGF. Muitas vivem em países pobres, o que as deixa com apenas duas opções: submeter-se ou morrer vítima da pobreza. O procedimento costuma ser feito pelas mulheres idosas dos vilarejos, que ganham a vida fazendo isso. Quando as famílias se mudam para outras partes do mundo, a MGF frequentemente persiste. Em lugares em que a MGF hoje é ilegal, como no Reino Unido, nos EUA e em países da Comunidade Britânica, alguns pais continuam a tradição voltando para o país de origem ou encontrando alguém que realize o procedimento ilegalmente. Algumas mulheres criadas em países ocidentalizados ainda escolhem se submeter ao procedimento já adultas; elas argumentam que as críticas à MGF são etnocêntricas. Em 1997, a Associação de Mulheres Africanas para Pesquisa e Desenvolvimento se opôs à intervenção feminista ocidental na questão e apelos apaixonados para que a MGF seja erradicada ainda provocam acusações de imperialismo cultural. Os dois contra-argumentos em favor do fim da MGF são os danos que causa — de infecções recorrentes à infertilidade em potencial, de complicações no parto até hemorragias fatais — e, muitas vezes, uma ausência de escolha, o que torna o procedimento uma violação dos direitos humanos. Desde os anos 1990, as vítimas começaram a falar abertamente sobre a experiência de passar por uma MGF; organizações como a Change.org, na Índia, e a Safe Hands for Girls, em Gâmbia, passaram a publicar histórias de sobreviventes; e a modelo somali Waris Dirie lembrou como foi se submeter à MGF na autobiografia *Desert Flower* (1998).

O caminho à frente

Na Conferência Mundial sobre Direitos Humanos das Nações Unidas, em Viena, em 1993, a MGF foi declarada uma forma de violência contra as mulheres. Até 2013, 24 dos 27 países africanos onde a MGF é predominante tinham leis contra isso. O progresso é lento, mas muitos veem as iniciativas comunitárias, como a organizada pela ONG Tostan, na África Ocidental, como o caminho a ser seguido. ■

A solidariedade entre as mulheres pode ser uma poderosa força de transformação.
Nawal El Saadawi

Efua Dorkenoo

Nascida em Gana em 1949, Efua Dorkenoo se tornou enfermeira no Reino Unido na década de 1970. Ao ver uma mulher que tinha passado pela MGF sofrendo uma dor agonizante ao dar à luz, Dorkenoo ficou furiosa com a ausência de críticas dos médicos à prática. Enquanto trabalhava com o Minority Rights Group, ela começou uma campanha contra a MGF e publicou na Grã-Bretanha o primeiro relatório sobre o assunto. Em 1983, Dorkenoo fundou a FORWARD (sigla em inglês para Fundação para Pesquisa e Desenvolvimento da Saúde da Mulher) para ajudar a erradicar a prática. Como resultado, a MGF foi proibida no Reino Unido em 1985. Em 1994, Dorkenoo recebeu a Ordem do Império Britânico por seu trabalho com a FORWARD. Ela trabalhou na OMS e, mais tarde, com o Equality Now, onde percebeu haver esperança de surgir um movimento contra a MGF liderado por africanos. Dorkenoo morreu de câncer, em Londres, em 2014.

Trabalhos-chave

1992 *Tradition! Tradition: A Symbolic Story on Female Genital Mutilation*
1994 *Cutting the Rose: Female Genital Mutilation*

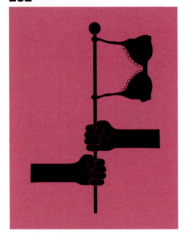

A CULTURA RAUNCH NÃO É PROGRESSISTA
CULTURA RAUNCH

EM CONTEXTO

CITAÇÃO FUNDAMENTAL
Ariel Levy, 2005

FIGURA-CHAVE
Ariel Levy

ANTES
1960 As primeiras Coelhinhas da Playboy aparecem em uma boate em Chicago, Illinois (EUA).

Anos 1980 As "guerras sexuais" colocam feministas umas contra as outras: as que estavam preocupadas com a objetificação sexual *versus* as que adotavam o rótulo "pró-sexo".

DEPOIS
2006 O prêmio Feminist Porn, originalmente conhecido como Good For Her Feminist Porn Awards, é lançado em Toronto, no Canadá.

2013 A franquia de entretenimento pornô norte-americana *Girl Gone Wild* pede falência depois de acumular dívidas substanciais.

Em muitos países ocidentais, os anos 1960 assistiram à revolução sexual que libertou homens e mulheres de sufocantes normas de gênero e permitiu que as mulheres explorassem sua sexualidade sem constrangimento. Muitas feministas reagiam com ceticismo a essas demandas e, na década de 1980, foi travada uma batalha intracomunitária conhecida como as "guerras sexuais" sobre qual a melhor forma de praticar a sexualidade feminista. Debates sobre trabalho sexual, pornografia, penetração, sexo excêntrico e muito mais, dividiram as mulheres sobre se, ou até que ponto, essas práticas poderiam ser consideradas como exploração sexual feminina. Não se chegou a um consenso e, no novo milênio, o debate se complicou ainda mais com o fenômeno da cultura raunch.

A ascensão do raunch

A jornalista feminista norte-americana Ariel Levy contribuiu para as discussões sobre cultura raunch com o livro *Female Chauvinist Pigs: Women and the Rise of Raunch Culture* (2005). A cultura raunch, explica Levy, refere-se às diferentes maneiras pelas quais mulheres jovens contribuem para a objetificação sexual de outras mulheres, assim como delas mesmas. O fenômeno foi impulsionado pela crescente hipersexualização dos meios de comunicação dos anos 2000 em diante, incluindo o aumento das "lad mags", revistas masculinas sobre sexo e esportes destinada ao público jovem, como a *Maxim* e a *Stuf*, nos EUA, e a

A Playboy começou a publicar revistas masculinas em 1953 e mais tarde usou seu logotipo icônico de coelho para vender produtos para as mulheres, estimulando ainda mais a objetificação sexual delas.

UMA NOVA ONDA EMERGE

Veja também: Prazer sexual 126-127 ▪ A pílula 136 ▪ O olhar masculino 164-165 ▪ Feminismo antipornografia 196-199 ▪ Positividade sexual 234-237

Loaded, no Reino Unido, bem como a popularidade da franquia de vídeo norte-americana *Girls Gone Wild*, que filmava mulheres jovens em férias, exibindo, com olhares sedutores, os seios nus e os genitais para os espectadores. Mulheres jovens, de acordo com Levy, estão cada vez mais concentradas em agir de forma "raunchy", ou "atrevida", não baseadas em seus próprios desejos, mas em uma tentativa de atrair os homens. Espera-se que elas defendam a cultura raunch para que sejam consideradas sexy e liberadas; caso contrário, serão vistas como reprimidas e conservadoras. Como resultado da cultura raunch, argumenta Levy, a sexualidade feminina se tornou caricatural e, de acordo com sua ideologia, rejeitar a caricatura é rejeitar a sexualidade como um todo. Levy conclui que essa cultura raunch é um sintoma do momento pós-feminista, no qual as jovens, que se beneficiaram da seriedade e da militância das mais velhas, podem agora rejeitar críticas da objetificação sexual das mulheres. Em vez disso, essas jovens perseguem

O Coletivo East London Strippers divulga a atuação de strippers e dançarinas eróticas no Reino Unido, empoderando as artistas para melhorar as condições de trabalho na indústria do sexo.

uma tentativa de "liberdade" sexual equivocada e prejudicial que, no fim, atende ainda mais aos interesses da cultura misógina.

Críticas feministas

Feministas da terceira e da quarta ondas criticaram o conceito de cultura raunch de Levy. Elas questionaram o foco da jornalista em profissionais do sexo e em estrelas pornô, em vez de se concentrar na desigualdade no trabalho sexual e na indústria pornográfica. Práticas sexuais feministas queer têm servido como uma crítica ao foco de Levy na cultura raunch e na forma como o "olhar masculino" molda a sexualidade das mulheres. Espetáculos burlescos queer, pornografia e festas sexuais desafiam a suposição de que o "raunch" feminino existe apenas para satisfazer os desejos sexuais dos homens. ▪

Club Burlesque Brutal

Em 2010, a artista burlesca Katrina Daschner criou o Club Burlesque Brutal, uma trupe burlesque femme queer (pessoas LGBTQ femininas) com sede em Viena, na Áustria. Daschner queria contrariar a suposição de que o burlesco é destinado apenas a servir ao desejo heterossexual masculino, assim como a suposição de que feminilidade é sinônimo de objetificação sexual passiva.

A maioria das artistas no Club Burlesque Brutal são femmes queer e a trupe busca retratar uma gama diversificada de feminilidades em suas performances. Daschner representa uma personagem chamada Professora La Rose. As performances encenam abertamente o desejo lésbico e queer no palco, recuperando o poder sexual das mulheres e afirmando o erotismo queer.

Femme Brutal (2017) é um documentário sobre a trupe que mostra a vida das artistas e também aborda questões como poder sexual, corpos, identidade feminina e redirecionamento do olhar masculino.

As mulheres jovens hoje estão adotando aspectos raunch da nossa cultura que provavelmente teriam feito suas ancestrais feministas vomitarem.
Ariel Levy

IGUALDADE E JUSTIÇA SÃO NECESSÁRIAS E POSSÍVEIS

FEMINISMO ISLÂMICO MODERNO

EM CONTEXTO

CITAÇÃO FUNDAMENTAL
Musawah

FIGURA-CHAVE
Zainah Anwar, Marina Mahathir, Lila Abu-Lughod

ANTES
2001 Os EUA invadem o Afeganistão, prometendo liberar as mulheres afegãs da opressão e do véu.

2007 Em Istambul, na Turquia, doze mulheres muçulmanas de onze países se encontram para planejar a promoção dos direitos das mulheres e a igualdade dentro do Islã.

DEPOIS
2011 A organização Musawah critica países muçulmanos que não ratificam a Convenção das Nações Unidas sobre a Eliminação de Todas as Formas de Discriminação contra as Mulheres (CEDAW).

2017 Duru Yavan, feminista turca laica, promove o trabalho com o feminismo muçulmano para enfrentar o patriarcado.

N as sociedades muçulmanas contemporâneas há um ressentimento crescente pela imposição de ideias ocidentais, em particular da visão feminista ocidental de que as mulheres muçulmanas são vitimadas pelo Islã. Como consequência desse sentimento, em 2009, após dois anos de discussões, 250 ativistas muçulmanas de vários países formaram a Musawah, uma organização liderada por mulheres para promover a justiça e a igualdade dentro do Islã. O grupo acredita que homens e mulheres são essencialmente iguais e que o Corão é inerentemente favorável às mulheres e tem sido interpretado de

Vagões exclusivos para mulheres foram incorporados nos trens da Malásia em 2010. Essa iniciativa divide a opinião das feministas — algumas acham bem-vinda, outras veem a ação como restritiva.

formas misóginas pelo patriarcado ao longo dos séculos, desde a sua revelação ao profeta Maomé em 610 d.C. O nome Musawah significa "igual" em árabe; trata-se de um movimento global que promove igualdade e justiça na família e na sociedade como um todo. A sede da organização é na Malásia, mas há um secretariado que percorre país por país. Os objetivos da Musawah são desenvolver e

UMA NOVA ONDA EMERGE 285

Veja também: Educação para mulheres islâmicas 38-39 ▪ Início do feminismo árabe 104-105 ▪ Lutas feministas no Brasil 124-125 ▪ Anticolonialismo 218-219 ▪ Feminismo pós-colonial 220-223 ▪ Feminismo indígena 224-227

O debate sobre o niqab na França

Sucessivos governos franceses adotaram uma postura laica assertiva contra o uso do véu pelas mulheres muçulmanas. Em 2011, a França proibiu as mulheres de usar o véu do rosto (*niqab*) em lugares públicos, porque ele impede a identificação de quem o está usando. Em 2016, vários resorts franceses proibiram o uso do "burkini" — roupa de banho que cobre a mulher da cabeça aos pés. Essas proibições foram criticadas e enfrentaram resistência. Uma grafiteira francesa anônima, conhecida como Princesa Hijab, desafia constantemente a proibição pintando véus sobre imagens públicas de modelos e rappers. No entanto, a feminista liberal Elisabeth Badinter questiona o direito de as mulheres muçulmanas escolherem o véu, e vê o acessório como um símbolo de escravidão. Rokhaya Diallo, escritora e cineasta francesa, é a favor da escolha pelo véu. Em uma entrevista de 2018 para a Al-Jazeera, rede de notícias baseada no Qatar, ela descreveu a oposição ao véu como etnocêntrica, paternalista e pós-colonial.

O direito ao uso do véu se tornou uma questão importante na França, onde mulheres usando o niqab foram às ruas protestar.

compartilhar conhecimento sobre igualdade e justiça dentro da família; ajudar a construir organizações similares; e apoiar grupos de direitos humanos que compartilham de seus objetivos. Seu trabalho é inspirado em outro movimento muçulmano que promove a justiça para mulheres dentro do Islã, o Sisters in Islam (SIS), também baseado na Malásia e fundado pela feminista muçulmana Zainah Anware e outras seis mulheres, em 1988. Uma das principais integrantes da SIS é Marina Mahathir, a filha do primeiro-ministro da Malásia. Ela contou com o apoio de pesquisadores muçulmanos para promover a conscientização a respeito do HIV e do direito de uma esposa se recusar a ter relações sexuais com um marido que possa infectá-la.

Uma questão de escolha

No livro *Do Muslim Women Need Saving?* (2013), a antropóloga norte-americana Lila Abu-Lughod desafia a visão, comumente ocidental, de que a desigualdade de gênero é culpa da religião. Ela argumenta que a pobreza e o autoritarismo são as principais razões para a falta de liberdade das mulheres nas sociedades muçulmanas. E também afirma que o feminismo ocidental muitas vezes rejeita o Islã por acreditar ser contra as mulheres. Este ponto de vista, ela declara, foi reforçado por políticos como o presidente dos EUA George W. Bush, e até mesmo por sua esposa, Laura, quando os EUA e seus aliados tentaram conseguir apoio para sua "guerra ao terror" depois do ataque às Torres Gêmeas em Nova York em 2001. A invasão do Afeganistão na esteira do 11 de Setembro foi vendida como uma "libertação", em particular a libertação das afegãs da obrigação de usar o hijab (o véu ou outros acessórios para cobrir a cabeça, usados por muitas muçulmanas). Contudo, esta retórica ignora a visão da Musawah e de outros grupos ativistas islâmicos de que muitas mulheres muçulmanas usam o hijab por escolha e que, para elas, o Islã preserva seus direitos humanos básicos.

Um projeto ocidental?

A Musawah enfrentou críticas dentro da comunidade muçulmana. Alguns apontam para falta de representação da comunidade shia na organização em oposição à comunidade sunita, apesar de suas alegações de celebrar a diversidade e a pluralidade. Outros, particularmente tradicionalistas, afirmam que o fato de a Musawah adotar interpretações "progressivas" do Corão dentro de um contexto internacional de direitos humanos é contrito e sintomático da pressão do Ocidente laico sobre os países muçulmanos. Esses críticos veem a Musawah como um projeto na verdade ocidental, não islâmico. ∎

O mundo muçulmano precisa de uma mudança de paradigma sobre a forma como vemos e tratamos as mulheres.
Zainah Anwer

UM NOVO TIPO DE FEMINISMO

FEMINISMO TRANS

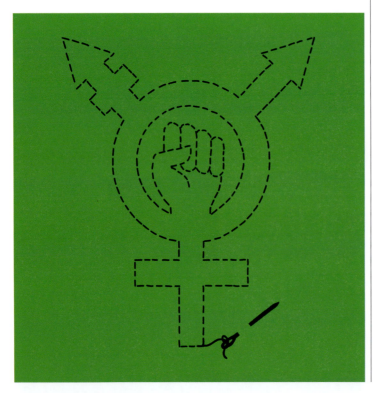

EM CONTEXTO

CITAÇÃO FUNDAMENTAL
Julia Serano, 2007

FIGURAS-CHAVE
Emi Koyama, Julia Serano

ANTES
1959 Mulheres transgênero e outras pessoas queer se revoltam no café Cooper's Do-nuts em Los Angeles, em um incidente provocado por agressão policial.

1966 O tumulto na lanchonete Compton's, em São Francisco, marca o começo do ativismo trans na cidade.

DEPOIS
2008 O assassino do adolescente Angie Zapata é o primeiro a ser condenado por crime de ódio e violência contra uma vítima trans.

2014 A atriz norte-americana e ativista Laverne Cox é a primeira mulher trans de que se tem notícia a aparecer na capa da revista *Time*.

As feministas transgênero lutam não só pelo direito de ter seus gêneros, nomes e pronomes tratados com respeito, mas também pela garantia de segurança dentro de sociedades que são abertamente hostis e violentas em relação a elas. Além desses objetivos, feministas trans buscam enriquecer e aprofundar o feminismo com suas percepções de mulheres transexuais, e também levar percepções feministas sobre gênero, sexualidade e poder para outras pessoas trans.

Um marco do feminismo trans é usar as percepções da teoria feminista e da teoria trans para contrariar ainda mais suposições sobre o gênero binário, sobre o que significa ser

UMA NOVA ONDA EMERGE 287

Veja também: Feminismo radical transexcludente 172-173 ▪ Interseccionalidade 240-245 ▪ Gênero é performativo 258-261 ▪ Feminismo e teoria queer 262-263

Em lugar da divisão, Julia Serano defende uma coalizão entre feministas e ativistas trans, a fim de combater tanto a transfobia quanto a misoginia.

Divisão

Mulheres trans sofrem com a **transfobia** e com **ataques misóginos**.

Coalizão

Feministas cisgênero e mulheres trans podem **ajudar umas às outras** a combater ataques e agressões.

Feministas cisgênero **excluem as mulheres trans** dizendo que elas não têm como saber o que é ser mulher.

A feminilidade das mulheres trans costuma ser **ridicularizada por homens e mulheres cisgênero**.

Todas as mulheres são diferentes, mas suas **experiências se sobrepõem**.

A feminilidade é igual à masculinidade, exatamente como as mulheres são iguais aos homens.

"homem" ou "mulher". A luta é contra estruturas maiores de poder, como os sistemas médico e prisional, que são acusados de negar as experiências de pessoas trans e de reter recursos que tornariam sua vida mais positiva. Já em 1970, havia discriminação contra mulheres feministas trans por feministas cisgênero. Um dos primeiros casos foi o de Sandy Stone, que de 1974 a 1978 foi engenheira de som do selo para mulheres Olivia Records. Quando a feminista radical lésbica Janice Raymond descobriu que Stone era transexual, tentou "expor" a condição trans de Stone, em 1976. O coletivo Olivia Records, no entanto, já sabia disso e apoiou Stone. Sem se deixar intimidar, Raymond continuou seu ataque, publicando um manifesto contra Stone em 1979, intitulado The Transsexual Empire: The Making of the She-Male. No livro, Raymond atacava Stone por "invadir" espaços femininos com sua "energia masculina". "The Empire Strikes Back", ensaio de 1991 de Stone em resposta aos ataques antitrans de Raymond, inaugura o que ficou conhecido como feminismo trans: estudos e ativismo por e para feministas trans, procurando aprofundar as possibilidades libertadoras, tendo como objetivo um futuro em que pessoas de todos os sexos possam ser seus eus mais autênticos e respeitados.

Desenvolvendo o feminismo trans

Kate Bornstein foi uma figura fundamental na criação da teoria feminista trans. No inovador texto "Gênero proscrito" (1994), ela usou suas próprias experiências para »

Christine Jorgensen foi a primeira pessoa nos EUA a fazer a transição, no início dos anos 1950. Já idosa, ela falou sobre questões de gênero. Aqui ela aparece em uma coletiva de imprensa, em 1970, para promover um filme sobre sua vida.

FEMINISMO TRANS

O feminismo trans encarna a política de coalizão feminista na qual mulheres de diferentes origens dão apoio umas às outras... porque se nós (não fizermos isso)... ninguém fará.
Emi Koyama

Gênero não binário

Conforme um crescente número de pessoas começou a articular seu gênero, transcendendo o limite do masculino ou feminino, o conceito de gênero não binário se tornou uma parte crucial da defesa do feminismo trans e LGBTQ+. Pessoas não binárias normalmente buscam pronomes de gênero neutro. Como qualquer outra pessoa, podem se apresentar como masculino, feminino, ambos ou nenhum dos dois. E defendem que nenhum indivíduo jamais deve presumir conhecer os pronomes dos outros.

Os gêneros não binários já existiram ao longo da história e por todo o mundo, como nas primeiras comunidades tribais das nações na América do Norte, mas essas percepções indígenas de gênero foram ativamente perseguidas por colonizadores europeus. Feministas trans não binárias importantes incluem o músico e escritor canadense Rae Spoon, a escritora norte-americana e ativista Mattilda Bernstein Sycamore, e o índio norte-americano, artista da poesia falada, Alok Vaid-Menon.

explorar e questionar as normas de gênero da sociedade sobre ser do sexo masculino ou feminino, com base em percepções da educação que ela mesma teve como um menino — e de ser punida e policiada por não estar em conformidade com as normas masculinas. Para Bornstein, que nasceu em 1948, o gênero não binário não era uma opção na juventude. Quando ela começou a questionar seriamente o gênero que lhe fora atribuído ao nascer, achou que devia ser uma mulher transgênero. Em última análise, no entanto, Bornstein não se identifica nem como homem nem como mulher. Seus textos a respeito foram fundamentais para a teoria de gênero não binário, e suas apresentações no palco e em *reality shows* têm ajudado a popularizar suas ideias. Escritora, pesquisadora e documentarista premiada com o Emmy, Susan Stryker é outra figura importante no feminismo trans. Ela escreveu muitos textos que ajudaram a consolidar o movimento, e coeditou *The Transgender Studies Reader* (2006), que ganhou o prêmio Lambda Literary Award de melhor Livro LGBTQ do ano. Seu livro *Transgender History* (2008) cobriu 150 anos de história trans nos EUA.

Quem tem privilégio?

Em 2001, a ativista Emi Koyama publicou "O manifesto transfeminista", crucial para popularizar o termo "feminismo trans". Koyama escreve em resposta à crítica feminista de que mulheres trans são criadas com privilégios masculinos e, portanto, não teriam plena consciência do esforço que significa ser mulher, e coloca esse argumento dentro de um contexto maior de privilégio e opressão. Ela observa que existem múltiplos tipos de privilégios e opressões, e que todas as feministas devem se responsabilizar pelas suas formas de privilégio, ao mesmo tempo em que têm o direito de falar sobre suas experiências com a

O projeto Audre Lorde foi criado em 1994 para conscientização dos problemas da comunidade LGBTQ em Nova York, especialmente por pessoas negras. Essa manifestação de 2016, concentrou-se na busca por justiça para pessoas trans.

UMA NOVA ONDA EMERGE 289

"Há tantas forças que não nos querem vivas... então, apenas ser abertamente quem eu sou... feliz e próspera, já é um ato político."
Laverne Cox

opressão. Ela lembra aos leitores que mulheres brancas cisgênero têm privilégios. E admite a possibilidade de que algumas mulheres trans tenham experimentado privilégios do sexo masculino, mas também destaca as formas de opressão específicas que as mulheres trans enfrentam na sociedade — especialmente as mulheres trans negras, pobres e da classe trabalhadora. O manifesto de Koyama também enfatiza que as feministas devem reconhecer não só as batalhas que as mulheres trans travam com a imagem corporal, mas também a disforia de gênero (sofrimento pelo gênero atribuído no nascimento), como uma questão feminista, e colocar no mesmo patamar a violência masculina contra mulheres trans e a violência contra as mulheres (cis). Koyama também destaca os paralelos entre as lutas das feministas cis para conseguir justiça reprodutiva e acesso ao controle de natalidade, e a militância das mulheres trans para conquistar autonomia corporal na assistência à saúde. As interseções entre gênero, raça, classe, cidadania, *status*, deficiência e entre outras questões têm sido mais exploradas no século XXI por estudos feministas trans realizados por Viviane Namaste, Dean Spade, Eli Clare e demais estudiosas. Spade, uma feminista norte-americana trans, professora de direito, fundou o Sylvia Rivera Law Project (SRLP), que oferece serviços jurídicos gratuitos para trans, intersexo (pessoas que têm características sexuais de ambos os sexos) e pessoas de gênero não conforme, independentemente da renda ou da raça, e argumenta que a justiça econômica é essencial para combater a discriminação de gênero. Spade tem uma produção longa sobre as vidas precárias das populações trans mais marginalizadas, e sobre as estatísticas sombrias a respeito das taxas desproporcionais de abuso e assassinato infligidos a mulheres negras trans pobres nos EUA. Ativistas feministas trans negras nos EUA — como a atriz da série *Orange is the New Black*, Laverne Cox, a ativista prisional CeCe McDonald e a escritora e palestrante Janet Mock — têm sido eloquentes sobre a necessidade de abordar a violência que afeta mulheres negras trans. Cox usou seu *status* de celebridade para se posicionar contra os abusos do sistema de justiça criminal dos EUA, e esteve em conversas públicas com McDonald, uma mulher negra bissexual trans que passou dezenove meses na prisão depois ter matado seu agressor a facadas em legítima defesa, em 2011. Em 2014, McDonald foi reconhecida pelo Harvey Milk LGBT Democratic Club por seu ativismo com o prêmio Bayard Rustin de direitos civis. ∎

"Precisamos aprender a esperar que as pessoas não sejam todas do mesmo jeito... temos que aprender a esperar pela heterogeneidade."
Julia Serano

Julia Serano

Nascida em 1967, Julia Serano é escritora feminista, bióloga e ativista LGBTQ+, e vive em Oakland, na Califórnia. Serano tem doutorado em bioquímica e em biofísica molecular e trabalhou na Universidade da Califórnia, em Berkeley, por dezessete anos, realizando pesquisas em genética, evolução e biologia do desenvolvimento. *Whipping Girl* (2007), livro que é baseado em suas experiências positivas e negativas como mulher femme transgênero (identidade feminina) lésbica em espaços feministas e queer, tornou-se um texto essencial para o feminismo trans do século XXI. A revista *Ms.* classificou *Whipping Girl* em 16º lugar na sua lista dos cem melhores livros de não ficção de todos os tempos. A escrita acessível e as percepções científicas de Serano sobre teoria de gênero a tornaram popular tanto dentro como fora das salas de aula de estudos sobre gênero.

Trabalhos-chave

2007 *Whipping Girl*
2013 *Excluded*
2016 *Outspoken: A Decade of Transgender Activism and Trans Feminism*

COMBATE SEXISMO NOS DIAS

2010 EM DIANTE

NDO O

DE HOJE

INTRODUÇÃO

Estudantes canadenses **iniciam a Marcha das Vadias**, evento em que as mulheres se vestem com roupas sexualmente provocantes a fim de protestar contra o constrangimento da vítima.

2011

A feminista britânica Laura Bates funda o projeto **Everyday Sexism**, um fórum on-line no qual mulheres e meninas relatam suas experiências de assédio.

2012

No livro *Do Muslim Women Really Need Saving?*, a antropóloga norte-americana Lila Abu-Lughod desafia a imagem de que **a essência do Islã é contra as mulheres**.

2013

2011

No livro *Meat Market: Female Flesh Under Capitalism*, a jornalista britânica Laurie Penny **denuncia o feminismo de carreira** como um falso caminho para a libertação das mulheres.

2012

Em uma palestra on-line em Londres, a romancista nigeriana Chimamanda Ngozi Adichie aconselha: **"Sejamos todos feministas"**.

2013

Sheryl Sandberg, diretora de operações do Facebook, publica *Faça acontecer*, em que estimula as mulheres a **assumirem o controle de suas carreiras**.

O feminismo ganhou energia renovada na segunda década do século XXI. Clamores contra o abuso sexual, debates sobre as disparidades salariais entre homens e mulheres e protestos de rua pós-eleição do presidente dos EUA, Donald Trump, em 2016, provaram que o feminismo estava são e salvo. Mulheres millennials, jogaram-se na luta mais uma vez, fazendo pleno uso das mídias sociais.

A quarta onda

Em 2012, uma quarta onda do feminismo estava em andamento. As mulheres jovens à frente dela viviam em sociedades nas quais a linguagem do feminismo já estava bem estabelecida, mas a igualdade de gênero que esperavam não correspondia à sua experiência, e elas usaram as redes sociais e os blogs para dizer isso. A proliferação de sites e blogs feministas permitiu que as ideias se espalhassem rapidamente. Nesse mesmo ano, a feminista britânica Laura Bates organizou o projeto Everyday Sexism, um fórum on-line em que as mulheres poderiam compartilhar suas experiências diárias com o sexismo. As feministas também se voltaram para o chamado "ativismo hashtag" via Facebook, Twitter e outras redes sociais para divulgar informações com campanhas como a #BringBackOurGirls, exigindo a libertação de estudantes sequestradas pelo Boko Haram na Nigéria. Em 2017 e 2018, os movimentos #MeToo e Time's Up denunciaram e expuseram responsáveis por abusos sexuais em Hollywood e em outras áreas da cultura, dos negócios e da indústria. Enquanto feministas mais jovens se concentravam em expor exemplos de sexismo e abuso sexual nas redes sociais, mulheres mais maduras começaram a questionar o que o feminismo deve significar na idade moderna. A escritora e comentarista britânica Caitlin Moran e a escritora nigeriana Chimamanda Ngozi Adichie afirmaram que, no século XXI, o feminismo é só uma questão de bom senso. Todas as mulheres e todos os homens devem ser feministas.

Antigas desigualdades

Ao passo que algumas mulheres propunham um novo tipo de feminismo que favorecia a cooperação entre os sexos, era evidente que os antigos problemas de padrões dúbios e de culpabilização da vítima ainda existiam. Em 2011, quando um policial do Canadá aconselhou estudantes do sexo feminino a evitar se vestir e se comportar como "sluts" ("vadias") se não quisessem ser estupradas, as feministas canadenses organizaram a

COMBATENDO O SEXISMO NOS DIAS DE HOJE

A feminista norte-americana e deficiente Rosemarie Garland-Thomson publica "Construindo um mundo que acolhe a deficiência", artigo em que identifica a **dupla discriminação** enfrentada por mulheres com deficiência.

A escritora e ativista norte-americana Jessa Crispin publica *Why I am Not a Feminist: A Feminist Manifesto*, **uma crítica à quarta onda do feminismo**.

As mulheres conquistam **o direito de dirigir** na Arábia Saudita, o último país no mundo a garantir esse direito.

 2015   **2017**   **2018**

2014   **2017**

É divulgada a campanha **#BringBackOurGirls** pela libertação das estudantes sequestradas pelo grupo terrorista Boko Haram no norte da Nigéria.

A atriz norte-americana Alyssa Milano **posta a *hashtag* #MeToo no Twitter**, incentivando as mulheres a compartilhar suas experiências de abuso e assédio sexual.

---

primeira Marcha das Vadias, vestindo roupas provocantes para protestar contra a tendência de tribunais, policiais e outros agentes da sociedade de colocar a culpa do estupro na aparência ou no comportamento das vítimas. Marchas das Vadias semelhantes surgiram em várias cidades do mundo. Feministas na América Latina e no Canadá fizeram campanha contra o assassinato de mulheres indígenas, introduzindo o conceito de "feminicídio" para qualificar o assassinato de mulheres cometido por homens. Eles afirmaram que assassinatos desse tipo não são incidentes isolados, mas uma expressão da agressão patriarcal. A batalha pela igualdade de gênero continuou, particularmente em áreas do mundo onde os direitos das mulheres ainda são limitados. Os perigos que muitas mulheres ainda enfrentam para militar por direitos iguais ganharam destaque em 2012, quando a ativista paquistanesa Malala Yousafzai, então com quinze anos, foi baleada na cabeça por um pistoleiro depois de escrever um blog contra o Talibã. Yousafzai sobreviveu ao atentado e passou a lutar pelo direito das meninas em todo o mundo ao acesso à educação. Em 2018, depois de quase trinta anos de militância, as mulheres na Arábia Saudita (único país onde ainda eram proibidas de dirigir) conquistaram esse direito. Já no Ocidente, as feministas se envolviam em um protesto renovado contra a permanente disparidade salarial de gênero, desafiando a visão prevalecente de que as mulheres já haviam alcançado a igualdade salarial. As feministas denunciaram desigualdades salariais entre homens e mulheres, e entre mulheres brancas e mulheres negras. Outras ativistas, como a diretora de operações do Facebook, Sheryl Sandberg, pediram que as mulheres "fizessem acontecer" no local de trabalho e assumissem o controle se quisessem chegar ao topo.

Novas vozes

A necessidade de um feminismo inclusivo também foi colocada sob os holofotes. A partir de ideias apresentadas no final dos anos 1980, a escritora norte-americana Rosemarie Garland-Thomson declarou que as mulheres com deficiência foram excluídas do discurso feminista. Ao mesmo tempo, na luta pelos direitos das mulheres trans, feministas como a norte-americana e ativista Julia Serano fizeram pressão para que as mulheres trans se tornassem parte integrante do movimento. Essas iniciativas de grupos sociais têm potencial para ampliar a próxima onda do feminismo rumo a uma mudança social muito abrangente. ■

TALVEZ A QUARTA ONDA SEJA *ON-LINE*

FEMINISMO DIGITAL

EM CONTEXTO

CITAÇÃO FUNDAMENTAL
Jessica Valenti, 2009

FIGURA-CHAVE
Jessica Valenti

ANTES
Anos 1750 No Reino Unido, um grupo de mulheres conhecido como Bluestockings se reúne nas casas umas das outras para debates intelectuais.

1849–1858 *The Lily*, a primeira revista norte-americana feminista, tem oito páginas e é editada mensalmente por Amelia Bloomer, em Seneca Falls, em Nova York.

1967 Surge um movimento de conscientização em Nova York. Mulheres se reúnem em pequenos grupos para compartilhar experiências.

DEPOIS
2018 O movimento #MeToo se espalha; nos EUA é fundado o #MeTooK12 pelo grupo Stop Sexual Assault in Schools.

O desenvolvimento da internet durante a década de 1990 teve um enorme impacto no crescimento, visibilidade, estrutura e táticas da maioria dos movimentos sociais, incluindo o feminismo. No início dos anos 2010, falou-se em uma nova onda do feminismo, a quarta, e a blogosfera feminista pavimentou o caminho para uma nova geração de discursos e ativismo feministas cheios de nuances e astúcia.

Novas necessidades
Feministas da quarta onda se basearam nas percepções interseccionais e de positividade sexual da terceira onda, usando-as como princípios fundamentais de sua

COMBATENDO O SEXISMO NOS DIAS DE HOJE

Veja também: Conscientização 134-135 ▪ As modernas publicações feministas 142-143 ▪ Positividade sexual 234-237 ▪ Interseccionalidade 240-245 ▪ O sexismo está por toda parte 308-309 ▪ Consciência do abuso sexual 322-327

Jessica Valenti

Uma das fundadoras do popular site feminista Feministing e autora de vários livros, Jessica Valenti nasceu em uma família ítalo-americana em Nova York, em 1978. Ela é bacharel em jornalismo pela Universidade Estadual de Nova York, no Purchase College, e tem mestrado em estudos sobre gênero e mulheres pela Universidade Rutgers.

Dois anos depois de completar o mestrado, Valenti e a irmã fundaram o pioneiro Feministing, enquanto trabalhava para o fundo legal de defesa da National Organization for Women (NOW). Valenti é colunista do *The Guardian* desde 2014 e vive no Brooklyn, em Nova York, com o marido e a filha. Seu livro *Objeto sexual: Memórias de uma feminista* (2016) esteve na lista dos mais vendidos do *The New York Times* e venceu o prêmio NPR de Melhor Livro.

Trabalhos-chave

2007 *Full Frontal Feminism*
2008 *Yes Means Yes!*
2009 *The Purity Myth: How America's Obsession with Virginity is Hurting Young Women*
2016 *Objeto sexual: Memórias de uma feminista*

filosofia e prática política. Formada em grande parte pelas millennials e pela "Geração Z" (nascidos entre os anos 1990 e 2000), a quarta onda de feministas cresceu em culturas e famílias em que se aprendeu sobre igualdade de gênero com mulheres que foram beneficiadas pela segunda e terceira ondas do feminismo. Quando descobrem, então, que as relações de gênero são desiguais, as feministas da quarta onda se chocam por ainda precisarem lutar por justiça.

Há garotas adolescentes hoje, que estão crescendo com o Twitter e com o Tumblr, que têm uma perfeita noção da linguagem e dos conceitos feministas...
Kira Cochrane
Jornalista e romancista britânica

Em resposta, elas se armam com artigos feministas *on-line*, usam o Twitter e postam ao vivo nessa mesma rede, e em *lives*, os protestos que organizaram via Facebook.

O feminismo viraliza

Em 2004, as irmãs feministas norte-americanas Jessica e Vanessa Valenti criaram o site feminista Feministing com o objetivo de conectar uma gama diversificada de feministas e vozes femininas. O site se alinha com a visão da jornalista Jessica Valenti e incorpora todas as novas ferramentas da crescente blogosfera, incluindo um blog dedicado aos eventos atuais e a análises mais profundas, uma seção de comentários sobre cada artigo, e fóruns de discussão em que membros do site podem explorar questões importantes em nível particular. O Feministing ajudou a tornar visíveis as questões feministas. A internet permitiu maior acessibilidade e reuniu um público de origens diferentes, vindo de diferentes partes do mundo. O fato de o feminismo ainda ser importante e necessário para as mulheres jovens foi aceito sem questionamento pelo Feministing, o que serviu como base para todo o conteúdo no site. De acordo com um perfil de Jessica Valenti na lista das Cem Mulheres Mais Importantes do jornal britânico *The Guardian*, ela foi responsável por digitalizar o feminismo. A partir do Feministing, incontáveis exemplos de ativismo feminista vêm se materializando pela internet. A plataforma Hollaback! fundada em Nova York em 2005, contra o assédio »

O **Feministing.com** subverte a imagem estereotipada de uma jovem atraente em um logotipo que mostra a mulher levantando o dedo do meio para o padrão de beleza sexista que ela deveria representar.

> Se o feminismo não fosse poderoso, se o feminismo não fosse influente, as pessoas não gastariam tanto tempo menosprezando-o.
> **Jessica Valenti**

na rua, permitiu que mulheres vítimas de assédio sexual expusessem publicamente o incidente, postando suas histórias e fotos de quem as assediou. Em 2011, viralizou no Facebook um post da feminista norte-americana negra queer Sonya Renee Taylor, em que ela, pesando 104 quilos, aparece usando um espartilho preto e declara seu poder e a consciência de sua atratividade. Depois disso, Taylor criou o movimento *on-line* The Body is Not An Apology para promover o empoderamento e o amor-próprio diante do que ela chama de "body terrorism" ("terrorismo do corpo") contra as pessoas marginalizadas. Uma parte fundamental desse movimento é a revista feminista digital homônima, que publica trabalhos de escritores de todo o mundo. Em 2018, Taylor também publicou o livro *The Body Is Not An Apology: The Power of Radical Self-Love*. A revista *Teen Vogue* foi destaque nas notícias em 2015 quando anunciou que estava mudando seu foco para se tornar um espaço abertamente feminista, pró-justiça social para mulheres jovens e pessoas de gêneros marginalizados. A revista acrescentou uma subseção de notícias e política, que até 2017 tinha tido mais visualizações do que a seção de entretenimento. Os leitores reagiram com entusiasmo: o tráfego *on-line* aumentou 226% entre 2015 e 2017.

"Ativismo hashtag"

O pano de fundo para a quarta onda do feminismo tem sido a rápida mudança nos meios político e cultural depois da crise financeira de 2008, efeito das medidas de austeridade do governo sobre as populações marginalizadas e dos vários movimentos que surgiram durante a ascensão das redes sociais — da esperança despertada pela Primavera Árabe em 2010, até o Occupy Wall Street, nos EUA, em 2011. O "ativismo hashtag" (expressão cunhada em um artigo de 2011 no *The Guardian*) tem sido fortemente incorporado à quarta onda do feminismo. Este tipo de ativismo envolve o uso de *hashtags* com frases de impacto que impulsionam o ativismo digital. Assim, o público de um determinado grupo de ativistas consegue ter acesso a atualizações no Twitter, minuto a minuto, agregando todos os posts que usem essas frases. Os grupos utilizam as *hashtags* para divulgar informações, compartilhar fotos de um protesto ou divulgar em "tempo real" um ato de injustiça e encorajar seu público a compartilhar os vídeos. Essas táticas tiveram sucesso em promover questões de justiça social, já que tuítes, vídeos e imagens são vistos e compartilhados na internet milhares ou até milhões de vezes. São muitos os exemplos de ativismo *hashtag*. Depois que Neda Agha-Soltan foi morta a tiros em um protesto contra o governo durante as eleições iranianas de 2009, a *hashtag* #Neda logo passou a estar entre as "mais vistas". Na Nigéria, feministas usaram #BringBackOurGirls para denunciar o sequestro de 276 estudantes pelo grupo terrorista Boko Haram, em 2014. Nos EUA, #BlackLivesMatter chama a atenção para a situação da comunidade negra que enfrenta a brutalidade de uma polícia racista. A *hashtag* #BlackTransLivesMatter foi usada por apoiadores do Vidas Negras Importam para promover a conscientização sobre o assassinato de pessoas negras trans (especialmente mulheres negras de baixa renda),

Mulheres nos EUA protestam, em 2017, contra a posse do presidente Donald Trump, que enfrenta alegações de má-conduta sexual. A marcha foi parte de um protesto mundial.

COMBATENDO O SEXISMO NOS DIAS DE HOJE

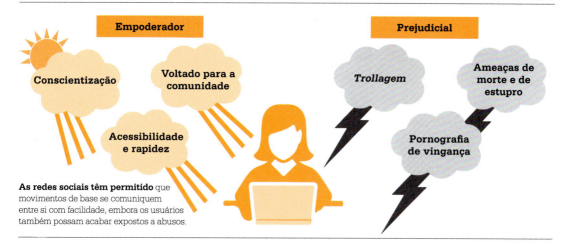

Empoderador: Conscientização; Voltado para a comunidade; Acessibilidade e rapidez

Prejudicial: Trollagem; Ameaças de morte e de estupro; Pornografia de vingança

As redes sociais têm permitido que movimentos de base se comuniquem entre si com facilidade, embora os usuários também possam acabar expostos a abusos.

---

enquanto #SayHerName se concentra em mulheres negras que morreram nas mãos da polícia.

#MeToo

O movimento #MeToo é outro exemplo importante de como a quarta onda do feminismo usa o "ativismo hashtag". Originalmente criado nos EUA pela feminista negra Tarana Burke, em 2006, como um movimento para sobreviventes desprivilegiadas de agressão sexual, a manifestação #MeToo no Twitter levou à conscientização pública sobre a extensão das agressões sexuais e exigiu que os responsáveis pelos atos fossem punidos. Desde 2017, o #MeToo passou a ter alcance mundial e a frase foi traduzida em vários idiomas. O #MeToo se tornou tão influente na cultura popular que a revista *Time* escolheu "as que quebraram o silêncio: as vozes das que deram impulso ao movimento" como a "pessoa do ano" da revista em 2017. A matéria destacou as histórias de várias mulheres, de apoiadoras conhecidas e ativas, como Burke e as atrizes norte-americanas Rose McGowan e Alyssa Milano, a mulheres que enfrentam a luta cotidiana contra o assédio sexual e a violência. Essa maior visibilidade também significa que as alegações de agressão sexual estão sendo levadas mais a sério pela sociedade. Agressores suspeitos e condenados, vindos dos mais diversos segmentos da sociedade, como artes, mídia, esporte e política, tiveram que enfrentar a repercussão negativa de seu comportamento.

Assédio na internet

Também há desvantagens na era #MeToo. As mulheres na internet, especialmente as mais marginalizadas como as mulheres negras, se veem expostas a *trollagens* (postagens bombásticas, com a intenção de despertar ódio), a ameaças de estupro e morte, e ao *doxxing*, em que hackers

A melhor maneira de agredir um cara é chamá-lo de garota. Ser mulher é o pior dos insultos.
Jessica Valenti

tornam públicas informações privadas de alguém e incentivam o bullying e o assédio. Outra tática de assédio é a pornografia de vingança, em que hackers conseguem acesso a fotos ou vídeos das mulheres nuas e publicam na internet, sem o conhecimento ou o consentimento da vítima, para que todos vejam. Essa tática tem sido usada por homens abusivos para expor e constranger ex-namoradas, e por misóginos buscando vingança em figuras públicas feministas, como aconteceu com a atriz britânica Emma Watson, em 2017. A professora e editora dinamarco-sueca Emma Holten se tornou ativista contra a vingança pornô em 2011, depois de ter roubadas e postadas na internet fotos em que aparecia nua. Em resposta, ela publicou sua própria série de fotos nua em um projeto chamado "Consent". Então, Holten criou outros projetos ativistas e ministrou palestras sobre pornografia de vingança e direitos *on-line*. Aos poucos, os governos estão despertando para o impacto que a pornografia de vingança tem na vida das pessoas. A maioria dos estados norte-americanos e vários outros países, incluindo o Reino Unido, o Canadá, a Nova Zelândia e o Japão, já adotaram leis para criminalizá-la. ∎

O FEMINISMO PRECISA DAS PROFISSIONAIS DO SEXO, QUE, POR SUA VEZ, PRECISAM DO FEMINISMO
APOIO ÀS PROFISSIONAIS DO SEXO

CITAÇÃO FUNDAMENTAL
Feministfightback.org.uk

FIGURA-CHAVE
Carol Leigh

ANTES
1915 No Canadá, a ex-prostituta Maimie Pinzer abre a Montreal Mission for Friendless Girls, um apartamento onde profissionais do sexo podem se reunir e socializar.

1972 Profissionais do sexo em Lyon (França) começam na Europa um movimento por direitos.

2001 O movimento Sex Workers' Rights apresenta o guarda-chuva vermelho como um símbolo mundial dos direitos das profissionais do sexo.

DEPOIS
2016 A Anistia Internacional publica sua política e pesquisa sobre a proteção dos direitos das profissionais do sexo, que recomenda que o trabalho sexual consensual seja descriminalizado.

Quando Carol Leigh usou pela primeira vez a expressão "profissional do sexo", em uma conferência na década de 1970, ela esperava que essa menção fosse garantir mais dignidade às profissionais do sexo do que o termo prostituta e que marcasse o início de um movimento. A ativista pelos direitos das profissionais do sexo norte-americanas queria definir o papel dessas mulheres como o de uma agente em uma transação comercial. Em parte graças a Leigh, o conceito de trabalho sexual como forma válida que garante a esses profissionais oportunidades econômicas e independência financeira está ganhando aceitação. No entanto, pessoas envolvidas com esse trabalho ainda enfrentam estigmas e lutam para ter acesso aos mesmos direitos de que dispõem trabalhadores de outros setores. Um grupo de ativistas feministas quer acabar com a cultura do "slut shaming" e da culpabilização da vítima, e promover a ideia de uma pessoa emancipada que está reivindicando a autonomia do próprio corpo e fazendo as escolhas que lhe convêm. Enquanto as feministas da terceira e da quarta onda e as sexo-positivas são em grande parte solidárias e defendem os direitos das profissionais do sexo, outras feministas acreditam que feminismo e trabalho sexual são excludentes. As que fazem campanha para que o trabalho sexual seja abolido, como Kathleen Barry nos EUA e Julie Bindel no Reino Unido, definem a atividade como equivalente a um "estupro pago". Por outro lado, feministas como Margo St James e Norma Jean Almodovar, nos EUA, que defendem a inclusão das profissionais do sexo, militam para capacitar para garantir a elas um *status* legítimo no mercado de trabalho. ∎

'Profissional do sexo' é um reconhecimento do trabalho que fazemos, e não uma definição da nossa condição.
Carol Leigh

Veja também: Dupla moral sexual 78-79 ▪ Estupro como abuso de poder 166-171 ▪ Feminismo antipornografia 196-199 ▪ Positividade sexual 234-237

COMBATENDO O SEXISMO NOS DIAS DE HOJE 299

MINHA ROUPA NÃO É UM CONVITE
ACABANDO COM A CULPABILIZAÇÃO DA VÍTIMA

EM CONTEXTO

CITAÇÃO FUNDAMENTAL
Marcha das Vadias Toronto, 2011

ORGANIZAÇÃO-CHAVE
Marcha das Vadias

ANTES
1971 O psicólogo norte-americano William Ryan cunha a expressão "culpabilização da vítima" para descrever o modo como afro-americanos estavam recebendo a culpa pela opressão racial que sofriam.

1982 O Canadá aprova uma lei de proteção contra o estupro que evita que acusados em caso de má conduta sexual usem como prova a história sexual da suposta vítima.

DEPOIS
2012 A morte de Jyoti Singh Pandey, de 23 anos, vítima de estupro coletivo e tortura em um ônibus em Nova Déli, provoca uma onda de protestos por toda a Índia e ao redor do mundo.

Há muito tempo, as feministas criticam a maneira como as mulheres são responsabilizadas pela violência sexual cometida contra elas. O livro da jornalista Leora Tanenbaum, *Slut! Growing Up Female with a Bad Reputation* (1999, EUA), detalha como mulheres sobreviventes de violência sexual são colocadas em uma condição de "vítimas boas" e "vítimas ruins". Sobreviventes vistas como "vítimas ruins" são aquelas que supostamente usam roupas "de puta", ou que não resistiram "o suficiente", ou que são muito ativas sexualmente e, portanto, "não são de forma alguma vítimas de estupro".

A Marcha das Vadias
Fundada no Canadá em 2011 por Sonya Barnett, Heather Jarvis entre outras mulheres, a Marcha das Vadias é um protesto contra a culpabilização e o constrangimento de sobreviventes de agressão sexual. O movimento reivindica a palavra "vadia" para defender o direito das mulheres à liberdade sexual sem julgamentos. As militantes erguem símbolos sexo-positivos, organizam oficinas e falam sobre ser sobrevivente. No entanto, algumas feministas criticam a adoção do termo "vadia". Feministas afro-americanas, por exemplo, reclamam que o movimento não leva em consideração a história de sexualização de seus corpos sob a escravidão. Mulheres que geralmente são alvo da violência policial — incluindo negras, imigrantes, trans e profissionais do sexo — também são céticas sobre o privilégio branco inerente a um movimento que busca recuperar um relacionamento positivo com a polícia. ∎

Manifestantes participam de uma Marcha das Vadias, em 2011, em Glasgow, na Escócia. A Marcha defende que a forma como uma mulher se veste não justifica o estupro e é hoje um movimento internacional.

Veja também: Dupla moral sexual 78-79 ▪ Estupro como abuso de poder 166-171 ▪ Feminismo negro e mulherismo 208-215 ▪ Combatendo a agressão sexual nos campi 320

O FEMINISMO SE TORNOU UM PRODUTO
FEMINISMO ANTICAPITALISTA

EM CONTEXTO

CITAÇÃO FUNDAMENTAL
Laurie Penny, 2011

FIGURAS-CHAVE
Laurie Penny, Kathi Weeks, Jessa Crispin

ANTES
1867 O filósofo e economista alemão Karl Marx publica *O Capital: Volume 1*, no qual afirma que o capitalismo vai acabar entrando em colapso, sem beneficiar a ninguém.

DEPOIS
2013 Sheryl Sandberg, executiva do Facebook, publica *Faça acontecer*, aconselhando as mulheres sobre como ter sucesso no mundo dos negócios.

2017 É instalada em Wall Street, na cidade de Nova York, a escultura de bronze "Fearless Girl" para celebrar a liderança corporativa das mulheres, iniciativa criticada por feministas anticapitalistas.

Enquanto as feministas liberais tendem a buscar o empoderamento das mulheres através do avanço econômico ("feminismo de carreira"), as feministas anticapitalistas argumentam que o capitalismo é um sistema econômico fracassado, que leva à ampla desigualdade de renda e reforça o *status* de subordinação das mulheres. No livro *Meat Market: Female Flesh Under Capitalism* (2011), a jornalista britânica Laurie Penny ataca o

Uma mulher produz artigos de couro para vender em seu próprio negócio. "Feministas de carreira" veem essa autonomia, sem interferência patriarcal, como o caminho para a igualdade das mulheres.

feminismo liberal, o feminismo de carreira e o consumismo como falsos caminhos para a libertação das mulheres. Baseada na teoria marxista, na crítica de Ariel Levy à cultura raunch e na análise de feministas que vão de Shulamith Firestone a Julia

COMBATENDO O SEXISMO NOS DIAS DE HOJE

Veja também: Feminismo marxista 52-55 ▪ Organizando sindicatos de mulheres 160-161 ▪ Feminismo do colarinho-rosa 228-229 ▪ Fazendo acontecer 312-313 ▪ Disparidade salarial 318-319

> ... mulheres são alienadas de seus corpos sexuais e exige-se que comprem o que é fundamental para o seu próprio gênero.
> **Laurie Penny**

Serano, Penny destaca o modo como o capitalismo transforma os corpos das mulheres em *commodities* através do reforço dos estereótipos de gênero e influencia a esfera doméstica, na qual persiste a divisão desigual do trabalho entre as mulheres e os homens. A mercantilização capitalista da feminilidade é exemplificada pelo do "imposto rosa", que faz com que produtos para as mulheres sejam mais caros do que produtos para homens — um desequilíbrio exacerbado pela diferença de remuneração de gênero que deixa as mulheres com menos dinheiro disponível que os homens.

Novas abordagens

No livro *The Problem with Work* (2011), a acadêmica americana Kathi Weeks foi mais longe do que Penny. Ela argumenta que os movimentos marxista e feminista erraram ao concordar que o trabalho remunerado era o principal método de distribuição de renda. Em vez disso, ela ousa defender uma sociedade "pós-trabalho", em que homens e mulheres sustentados pelo Estado produzam e criem para si mesmos, o que resultaria em uma cultura mais rica. O trabalho, para Weeks, é uma instituição cuja existência pode e deve ser questionada.

Já o livro *Why I Am Not a Feminist: A Feminist Manifesto* (2017) aponta para o que a autora norte-americana Jessa Crispin chama de "feminismo de estilo de vida", mais preocupado com escolhas individuais do que com o esforço coletivo. O conflito entre este feminismo liberal e o anticapitalista ficou evidente nas eleições primárias do Partido Democrata, antes da eleição presidencial de 2016 nos EUA. A agenda feminista liberal de Hillary Clinton foi usada contra o que muitos viam como o socialismo emocionado de Bernie Sanders. Outras feministas rejeitam o capitalismo trabalhando para criar alternativas, estruturas não corporativas. Nos EUA, o grupo sem fins lucrativos Woman Made Gallery, com sede em Chicago, apoia mulheres artistas em um campo que continua a ser dominado pelos homens. Em Seneca Falls, Nova York, o WomanMade Products é especializado na venda de artigos feitos por mulheres, e os lucros ajudam grupos sociais.

Ativismo renovado

Desde a crise financeira mundial de 2008 e das medidas governamentais de austeridade que se seguiram, o feminismo anticapitalista ganhou novo impulso. Durante o movimento Occupy Wall Street, em 2011, em que anticapitalistas montaram acampamento no quarteirão financeiro de Nova York, surgiram grupos de trabalho formados por mulheres em várias cidades dos EUA que exigiam o desmantelamento do capitalismo. Um ano depois, esse sentimento se tornou mundial, com movimentos Occupy em mais de 82 países. No entanto, também houve reclamações de que o Occupy era comandado por homens e que os acampamentos não eram seguros para as mulheres. ■

O imposto rosa

As mulheres tendem a ter que pagar mais do que homens pela versão "feminina" dos mesmos bens. É o chamado imposto rosa, ou ágio rosa. Um relatório de 2015 do Departamento de Assuntos do Consumidor (DCA) em Nova York, intitulado "Do berço à bengala: o custo de ser uma consumidora mulher", descobriu que, em média, as mulheres pagavam 7% a mais do que os homens por produtos similares. Elas pagaram 7% a mais por brinquedos, 8% por roupas, 13% para produtos de cuidados pessoais e 8% para produtos de assistência médica domiciliar para idosos. Mulheres na Austrália, na Grã-Bretanha, no Canadá e nos EUA fizeram campanha contra o chamado "imposto tampão", que tributa absorventes íntimos como um item de luxo, apesar de ser um item essencial de saúde. Até agora, apenas o Canadá acabou com esse imposto (em 2015).

Produtos rosa, para mulheres, de lâminas de depilação a lambretas, tendem a ser mais caros do que itens idênticos em cores mais escuras.

SEJAMOS TODOS FEMINISTAS

FEMINISMO UNIVERSAL

304 FEMINISMO UNIVERSAL

EM CONTEXTO

CITAÇÃO FUNDAMENTAL
Chimamanda Ngozi Adichie, 2012

FIGURAS-CHAVE
Caitlin Moran, Chimamanda Ngozi Adichie, Jessa Crispin

ANTES
2000 Ícone feminista norte-americano, bell hooks publica *O feminismo é para todo mundo: políticas arrebatadoras*, em que defende que o feminismo é bom para as mulheres e para os homens.

2004 Nos EUA, Jessica Valenti cria o site Feministing.com, desenvolvido por e para jovens feministas.

DEPOIS
2016 A revista de entretenimento norte-americana *Billboard* descreve o álbum *Lemonade*, de Beyoncé, como "um trabalho revolucionário de feminismo negro".

2017 É publicado nos EUA *Histórias de ninar para garotas rebeldes*, com histórias que desafiam os estereótipos de gênero.

O que faz uma feminista?

- Acredita que **gênero** é **socialmente condicionado**.
- Reconhece o **patriarcado**.
- Desafia a **misoginia**.
- Defende a **autonomia corporal**.
- Busca a **igualdade de gênero**.

Precisamos reivindicar a palavra 'feminismo'. Precisamos tomar de volta a palavra 'feminismo'.
Caitlin Moran

No final da primeira década do século XXI, houve uma enorme agitação no discurso feminista por toda a internet, particularmente na blogosfera feminista. Algumas mulheres ainda mantinham a visão "pós-feminista" de que a batalha da libertação das mulheres já havia sido ganha e que elas agora poderiam escolher seu próprio destino. Argumentavam que o feminismo era muito hostil aos homens e irrelevante para a vida da maioria das mulheres. Outras feministas denunciavam essas visões como sendo egoístas, pois ignoravam as necessidades das mulheres que ainda enfrentavam problemas. Elas convocavam as mulheres a se lembrar do radicalismo das feministas da segunda onda e a se unir para desmantelar o patriarcado, causa da opressão às mulheres no mundo todo. Ao mesmo tempo, críticos obstinados do feminismo expressavam sua opinião, como faziam há décadas, de que o feminismo não era nada mais do que uma tentativa das mulheres de afirmar sua supremacia sobre os homens. No meio dessas tempestades *on-line*, algumas mulheres importantes começaram a promover o feminismo como uma questão de bom senso. Elas apresentaram suas noções de feminismo dentro do lema liberal básico da igualdade entre os sexos e propuseram a pergunta: "Quem não seria feminista?". Essas mulheres se declararam feministas e defenderam que todos também deveriam ser. Entre as adeptas desse tipo de feminismo estavam a escritora britânica e crítica cultural Caitlin Moran, a atriz Emma Watson, a ex-primeira-dama dos EUA Michelle Obama e a escritora nigeriana Chimamanda Ngozi Adichie.

Uma questão de bom senso

Como ser mulher (2011), livro de memórias de Caitlin Moran, usa o humor para promover a ideia do feminismo como sendo basicamente uma questão de bom senso. Em contraste com muitos livros sobre feminismo escritos por acadêmicos, que muitas vezes podem ser teóricos e de difícil compreensão, o livro de Moran se propôs a tornar as ideias feministas

COMBATENDO O SEXISMO NOS DIAS DE HOJE

Veja também: As raízes da opressão 114-117 ▪ O mito da beleza 264-267 ▪ Feminismo digital 294-297 ▪ O sexismo está por toda parte 308-309 ▪ Fazendo acontecer 312-313 ▪ Consciência do abuso sexual 322-327

Que parte da 'libertação das mulheres' não é para você?
Caitlin Moran

acessíveis e de fácil identificação. Ela conta histórias da própria vida, desde os nomes que a família usava para certas partes do corpo e a pressão que sentiu quando adolescente para se depilar e usar saltos altos até o aborto na idade adulta. Moran afirma que a vida das mulheres no século XXI está intrinsecamente ligada aos ganhos históricos do feminismo. Sem o feminismo, escreve Moran, as mulheres não seriam capazes nem de ler um livro, quanto mais de abrir sozinhas uma conta bancária ou votar. Moran contesta a ideia de que o feminismo é apenas para um subgrupo de mulheres e argumenta que até as mulheres que vivem suas vidas afastadas de uma postura feminista têm um lugar no feminismo. Celebridades como a atriz britânica Emma Watson também defenderam o feminismo do bom senso. Em 2014, Watson lançou a iniciativa HeForShe (ElePorEla) como parte de seu trabalho como embaixadora da boa vontade da ONU Mulheres. A campanha busca recrutar o apoio ativo dos homens na prevenção

Uma das principais defensoras de uma nova abordagem do feminismo, Caitlin Moran usa seu blog e coluna no jornal para compartilhar seus pontos de vista sobre as mulheres e a sociedade.

da violência contra mulheres. Depois de enfatizar os direitos iguais de mulheres e homens, Watson acrescentou que a ideia do feminismo como um defensor do ódio aos homens deve acabar e reiterou a visão, expressa por Hillary Clinton em um discurso de 1995, de que o feminismo não é um assunto das mulheres, mas uma questão de direitos humanos, em que os homens também têm interesse. Os homens mereciam ser libertados dos estereótipos de gênero.
Ex-primeira-dama dos EUA, Michelle Obama também se concentra na aplicação prática do feminismo do bom senso para buscar mudanças significativas. Ela é militante ativa pela educação das meninas em todo o mundo e declarou seu apoio à campanha #BringBackOurGirls para libertação das estudantes sequestradas pelo grupo terrorista Boko Haram no norte da Nigéria, em 2014. Michelle Obama também destaca a importância da liderança

Não há limite para o que nós, como mulheres, podemos conquistar.
Michelle Obama

feminina e denunciou o desrespeito de Donald Trump em relação às mulheres durante a campanha eleitoral para a presidência dos EUA em 2016. Os esforços de Michelle Obama de incorporar tais questões em seu papel como primeira-dama contribuíram para que ela se tornasse um modelo para as mulheres, particularmente as meninas negras jovens.

Feministas unidas

Não são apenas as feministas ocidentais que defendem o feminismo para homens e mulheres em todos os lugares. A escritora nigeriana Chimamanda Ngozi Adichie — cujo primeiro romance, *Hibisco roxo* (2003), fala sobre uma menina crescendo em uma família patriarcal violenta na Nigéria — foi responsável por uma das defesas mais eloquentes de uma forma mais colaborativa de feminismo em uma palestra do TED, em 2012 (conversas *on-line* sobre "ideias que valem a pena espalhar"), chamada "Sejamos todos feministas". Adichie disse que teve a ideia para a palestra quando um amigo a chamou de feminista no mesmo tom que usaria para chamar alguém de terrorista. A palestra não foi um grito de guerra pelo feminismo nigeriano, ou um ataque aos homens nigerianos, mas »

> Ensinamos nossas meninas a se encolherem...
> **Chimamanda Ngozi Adichie**

um pedido de mudança na sociedade nigeriana, e no mundo de um modo geral. Adichie condenou os padrões diferentes que eram aplicados para definir comportamentos aceitáveis em meninas e meninos na Nigéria. De meninas e mulheres na sociedade nigeriana, declarou Adichie, esperava-se que cuidassem dos trabalhos domésticos, que colocassem os homens em primeiro lugar a fim de lhes poupar o ego e que autorregulassem a própria sexualidade. Mulheres solteiras, completou, eram vistas como fracassadas pelo simples fato de não terem um marido. Os homens, entretanto, continuavam a ser vistos como os humanos "padrão", e o fato de não reconhecerem isso, afirmou Adichie, era parte do problema. Ela enfatizou que os homens podem e devem ser feministas também, e que homens e mulheres devem desaprender estereótipos de gênero para que todos possam explorar plenamente seu potencial. Parte deste trabalho, Adichie argumenta, envolve criar os filhos de forma diferente para que a próxima geração tenha ideias mais igualitárias sobre gênero — ela expandiu essa visão com o livro *Para educar meninas feministas: um manifesto* (2017) — com quinze ideias sobre como criar uma filha de maneira neutra em relação à cultura de gênero que está arraigada na Nigéria e na (sua própria) cultura Igbo. Embora Adichie tenha sido acusada de ser

A campanha Bring Back Our Girls, de 2014, exigiu a libertação de centenas de meninas, estudantes, que foram sequestradas por terroristas islâmicos no norte da Nigéria. A campanha uniu mulheres ao redor do mundo todo.

> Não temos todas que acreditar no mesmo feminismo.
> **Roxane Gay**
> **Escritora norte-americana**

"não africana" por alguns críticos, "Sejamos todos feministas" parece ter conseguido sensibilizar as pessoas, não apenas na Nigéria, mas em todo o mundo. Em 2013, a cantora norte-americana e feminista Beyoncé usou essas palavras na faixa "Flawless" do álbum *Beyoncé*; a grife Dior estampou o *slogan* "Sejamos todos feministas" em camisetas; e quando a palestra foi publicada como livro em 2014, foi distribuída a todos os jovens de dezesseis anos na Suécia, na esperança de que isso acendesse o debate dentro das escolas e fizesse os meninos pensarem sobre igualdade de gênero.

Chimamanda Ngozi Adichie

Nascida em Enugu, na Nigéria, em 1977, Chimamanda Ngozi Adichie passou o início da vida na cidade universitária de Nsukka, onde o pai era professor de estatística e a mãe, arquivista. Depois de estudar medicina e farmácia, ela viajou para os EUA para estudar Comunicação e mais tarde se graduou em Comunicação e Ciência Política na Eastern Connecticut State University.

Adichie começou a escrever seu primeiro romance, *Hibisco roxo*, enquanto estudava em Connecticut. O livro foi pré-selecionado para o Prêmio Orange de ficção em 2004 e ganhou o Prêmio de Escritores da Commonwealth em 2005. Adichie ocupou uma variedade de cargos em universidades norte-americanas e hoje divide seu tempo entre os EUA e a Nigéria.

Trabalhos-chave

2003 *Hibisco roxo*
2006 *Meio sol amarelo*
2009 *No seu pescoço*
2013 *Americanah*
2014 *Sejamos todos feministas*
2017 *Para educar meninas feministas: um manifesto*

As críticas

Destilar o feminismo até sua mensagem fundamental de igualdade de gênero tem a vantagem de torná-lo facilmente compreensível. Assim, aumenta-se o seu potencial de atingir um grande público, de encorajar pessoas com diferentes perspectivas para que todos olhem para si mesmos como feministas. No entanto, nem todas as feministas se sentem confortáveis com essa abordagem universal. A abordagem de feminismo de Caitlin Moran, por exemplo, tem sido criticada por algumas mulheres por não levar em conta os problemas enfrentados pelos que não compartilham das vantagens que ela tem na vida como escritora e comentarista bem remunerada. Acima de tudo, o feminismo do bom senso é criticado por não ser radical o suficiente e por deixar para trás suas raízes revolucionárias. Apenas desejar a igualdade com os homens e vestir uma camiseta dizendo isso, argumentam os críticos, não configura um desafio sério às estruturas de poder existentes, dominadas pelos homens. No livro *Why I am Not a Feminist: a Feminist Manifesto* (2017), a escritora feminista norte-americana Jessa Crispin explica que não se autointitula feminista porque o termo foi banalizado e "perdeu os dentes" — para ela, o feminismo é hoje algo que todos podem apoiar enquanto ignoram as disparidades fundamentais do mundo. No livro, Crispin — que começou a carreira como conselheira em uma organização de controle de natalidade Planned Parenthood — critica o que ela chama de "feminismo de estilo de vida", criado pela cultura corporativa patriarcal e muitas vezes reduzido a *slogans*. Ela argumenta que não há sentido em ter mais mulheres no poder se o sistema patriarcal permanece o mesmo e critica o tipo de feminismo individualista do "faça acontecer" promovido por Sheryl Sandberg, do Facebook, que aconselha as mulheres a trabalharem mais duro e a adotarem estratégias masculinas para chegar ao topo. Em vez disso, Crispin defende uma luta sustentável contra o sistema econômico capitalista a fim de conseguir uma mudança social. Ela insiste que alcançar pequenos ajustes no *status quo* não servirá de nada para ajudar as multidões de mulheres oprimidas do mundo.

Enfrentando desafios

O feminismo nunca pareceu mais poderoso do que agora, com mulheres marginalizadas de diferentes origens enfrentando ameaças políticas e econômicas ao seu bem-estar e segurança com o auxílio da internet. A ampla divulgação de ideias feministas pelas mídias sociais teve impacto sobre as mulheres em todos os lugares, de meninas adolescentes em cantos remotos da África a celebridades de Hollywood. Para aproveitar esse poder e conquistar mudanças, as mulheres defendem ser valioso ter modelos femininos de sucesso que enfatizem que não odeiam os homens. No entanto, por mais que algumas "superstars feministas" sejam inspiradoras, sua influência pode ser limitada se elas não acompanharem seus *slogans* com ações e desafios diretos às estruturas de poder dominantes na sociedade. ■

*Sou feminista...
Seria estupidez não estar do meu próprio lado.*
Maya Angelou

NÃO É UMA QUESTÃO DE HOMEM *VS.* MULHER
O SEXISMO ESTÁ POR TODA PARTE

EM CONTEXTO

CITAÇÃO FUNDAMENTAL
Laura Bates, 2015

FIGURA-CHAVE
Laura Bates

ANTES
1969 Carol Hanisch, do New York Radical Women, escreve o artigo "O pessoal é político", defendendo a conscientização como uma forma de ativismo.

1970 O professor de Harvard, Chester M. Pierce, cunha o termo "microagressão" para designar os pequenos insultos sofridos pelos afro-americanos.

DEPOIS
2017 É lançada a campanha #MeToo, como reação às denúncias de má conduta sexual contra o produtor de cinema Harvey Weinstein

2018 Mulheres da indústria do entretenimento organizam o Time's Up para defender o fim do assédio sexual nos locais de trabalho.

Quando a feminista britânica Laura Bates começou sua carreira de atriz, ela não imaginou a objetificação sexual que experimentaria durante os testes. Ser considerada "sexy", descobriu, era mais importante do que ter talento. Isso a levou a refletir sobre o sexismo e o assédio que enfrentou em outras áreas da vida e a perguntar a outras mulheres sobre suas experiências. Bates descobriu que alguma forma de sexismo era rotina para a maioria das mulheres. Em 2012, Bates montou o

"Sexismo vende? Não para nós!" diz um cartaz do grupo feminista Terre des Femmes em um protesto em Berlim, em 2013, contra o uso insidioso do sexismo na propaganda.

projeto Everyday Sexism, em que convidou as mulheres a compartilhar suas experiências de sexismo, que ela então postava *on-line*. O convite foi estendido no Twitter, e as mulheres passaram a postar sob a *hashtag* #EverydaySexism. A resposta foi imediata e esmagadora, vinda de

COMBATENDO O SEXISMO NOS DIAS DE HOJE

Veja também: Dupla moral sexual 78-79 ▪ Conscientização 134-135 ▪ Interseccionalidade 240-245 ▪ Feminismo digital 294-297

Ser feminista é ser acusada de excesso de sensibilidade, histeria e choros descontrolados.
Laura Bates

mulheres de todas as idades, classes e raças. Elas escreveram sobre estupro e agressão sexual, sobre comentários sexuais em locais voltados para a educação, e sobre assédio sexual no trabalho. Meninas também relataram terem sido constrangidas por membros da família por causa de seu gênero. Exemplos incluíam homens, colegas de trabalho, comentando constantemente a aparência física de uma mulher ou seu *status* de relacionamento; assediadores que diziam às mulheres que elas deveriam ser gratas pela atenção; mulheres sendo ameaçadas fisicamente por suas opiniões nas mídias sociais; e estranhos em lugares públicos fazendo comentários sexuais para meninas que eram jovens demais até para entender.

Refletindo sobre misoginia
O efeito cumulativo das reações serviu para validar o ressentimento das mulheres; no passado, elas muitas vezes tinham ouvido que lhes faltava senso de humor, que não aceitavam elogios ou que estavam levando as coisas a sério demais. O projeto também deixou claro que o sexismo era onipresente e que a normalização de suas formas menos graves, que comumente são consideradas triviais demais para serem sequer mencionadas, permite que a misoginia dissimulada se expanda para abusos e opressões mais graves. O combate ao sexismo nos dias de hoje, diz Bates, "não é sobre homens contra mulheres, mas sobre pessoas contra o preconceito". Continuam a chegar depoimentos de muitos países para o projeto Everyday Sexism. No entanto, na sequência de seu sucesso inicial, Bates foi foco de *trollagem*, incluindo ameaças de morte e de estupro, e também enfrentou críticas implacáveis pessoalmente. Mais tarde, Bates escreveu sobre os níveis estarrecedores do ódio dirigido a ela.

Profundamente arraigado
A campanha presidencial dos EUA em 2016 mostrou que o sexismo existe nos mais altos níveis de poder. Donald Trump, cujos comentários desdenhosos sobre as mulheres haviam sido divulgados ao longo de muitas décadas, foi pego em vídeo descrevendo suas experiências de agressão a mulheres. Ainda assim, 41% de todas as mulheres (52% das brancas) votaram nele. Muitos homens poderosos são profundamente sexistas; no entanto, isso não impede as mulheres (e outros) de apoiá-los. ■

Se seus elogios estão deixando as mulheres desconfortáveis, assustadas, ansiosas, aborrecidas ou perturbadas, você provavelmente não está elogiando direito.
Laura Bates

Laura Bates

Nascida em Oxford, no Reino Unido, em 1986, Bates cresceu em Londres e em Somerset. Depois de se formar em literatura inglesa pelo St. John's College, em Cambridge, Bates trabalhou como babá e também como pesquisadora para a psicóloga Susan Quilliam, que estava reescrevendo o clássico guia sobre sexo da década de 1970, *The Joy of Sex*. Em 2012, motivada pela própria experiência de assédio sexual, Bates criou o projeto Everyday Sexism, convidando outras mulheres a compartilhar suas histórias de sexismo. Em 2014, ela publicou um livro sobre suas descobertas, definindo as experiências das entrevistadas no contexto das desigualdades jurídicas e sociais. Sua pesquisa é usada para pressionar membros do parlamento e ajudar a treinar policiais britânicos. Bates também dá palestras em escolas e universidades e contribui para o projeto Women Under Siege, com sede em Nova York, que milita contra a violência sexual na guerra.

Trabalhos-chave

2014 *Everyday Sexism*
2016 *Girl Up*
2018 *Misogynation*

QUANDO UMA DE NÓS É CERCEADA EM SEUS DIREITOS, TODAS NÓS SOMOS
EDUCAÇÃO GLOBAL PARA AS MENINAS

EM CONTEXTO

CITAÇÃO FUNDAMENTAL
Malala Yousafzai, 2013

FIGURA-CHAVE
Malala Yousafzai

ANTES
1981 É organizado o REPEM (Red de Educación Popular entre Mujeres) para estimular a educação de meninas e mulheres na América Latina.

1993 A Conferência Mundial dos Direitos Humanos determina o direito das mulheres ao "acesso igualitário à educação em todos os níveis".

DEPOIS
2030 Líderes mundiais se comprometem, em 2016, a garantir livre acesso a todas as meninas (e meninos) à educação primária e secundária até 2030, além de educação superior ou técnica acessível.

2100 Até lá, todas as crianças em países de baixa renda devem completar a educação primária, de acordo com tendências econômicas mencionadas pela UNESCO em 2016.

O terceiro item na lista da ONU de metas de desenvolvimento do milênio era promover a igualdade de gênero e capacitar as mulheres. Um objetivo específico era ter o máximo de meninas e meninos matriculados no ensino fundamental até 2005. Até 2006, progressos haviam sido alcançados — mais meninas do que meninos matriculadas no primeiro segmento do ensino fundamental em todas as regiões em desenvolvimento; no entanto, até 2013, 31 milhões de meninas ainda não tinham tido acesso a esse mesmo segmento de ensino. A ONU Mulheres, que trabalha para a igualdade de gênero, informa que dois terços das 796 milhões de analfabetos do mundo são mulheres. Grupos de defesa feministas apoiam os objetivos da ONU, mas parece que se concentram excessivamente nos benefícios econômicos da aprendizagem. Eles enfatizam que a educação é um direito e um meio de moldar o futuro das mulheres, construindo sua confiança e satisfazendo suas aspirações. Sugerem que outras questões devem ser

Na Suazilândia, duas irmãs caminham até a escola. O governo Suazi introduziu educação primária gratuita em 2009, mas muitos diretores de escolas exigem o pagamento de taxas extras dos pais.

COMBATENDO O SEXISMO NOS DIAS DE HOJE 311

Veja também: Educação para as mulheres islâmicas 38-39 ▪ Liberdade intelectual 106-107 ▪ Combatendo a agressão sexual nos *campi* 320

Vamos pegar nossos livros e nossas canetas, essas são as armas mais poderosas.
Malala Yousafzai

abordadas, como o perfil do ensino dedicado às meninas, se os currículos escolares devem ser mais inclusivos e que formas de educação avançada estão disponíveis para atender às necessidades locais.

Ativistas locais

Em muitos países, grupos de mulheres estão trabalhando em nível regional e nacional para educar meninas e mulheres — às vezes, contra as probabilidades. A Associação Revolucionária de Mulheres do Afeganistão (RAWA), fundada em 1977, organizou escolas clandestinas para meninas e meninos durante a era dos talibãs (1996–2001), quando a educação para meninas foi proibida. Foi a resistência a uma proibição semelhante no vale do Swat, no Paquistão, ocupado pelos talibãs em 2009, que colocou Malala Yousafzai, então uma estudante secundarista, no caminho de se tornar uma ativista mundialmente famosa na defesa da educação para meninas. Grupos locais de mulheres também defendem a educação de adultos. No México e na América Central eles estão trabalhando com a Women Deliver, organização global de defesa das mulheres, para implementar programas de Avanço Pessoal e Aprimoramento de Carreira (PACE) em suas comunidades. O Fórum das Mulheres Africanas Educadoras (FAWE) promove educação feminina na África Subsaariana. Fundada em 1992 por cinco mulheres agentes de educação, a FAWE tem hoje 35 escritórios nacionais. O fórum defende políticas que tratem meninas e meninos igualmente e programas para ajudar mulheres adultas a retornar os estudos. Sua rede de clubes de mães no Zâmbia, Gâmbia, Libéria e em Malawi oferece aulas de alfabetização para adultos, além de atividades que geram renda. As mães, por sua vez, conscientizam-se dos benefícios da educação para meninas.

Uma preocupação global

Disparidades de gênero no acesso à educação não se limitam ao mundo em desenvolvimento. Nos EUA, em 2016, enquanto pelo oitavo ano consecutivo mais mulheres do que homens tinham diplomas de doutorado, ainda é claro que meninas afro-americanas e hispânicas se desenvolvem bem menos na educação do que meninas brancas, embora a disparidade esteja diminuindo. Elas são cinco vezes mais propensas à suspensão de sala de aula. A disparidade racial na educação ainda é um desafio para o mundo desenvolvido, enquanto datas para o alcance de metas globais para a paridade de gênero na aprendizagem estão em um futuro ainda distante. ■

Quando as meninas têm acesso à educação, seus países se tornam mais fortes e mais prósperos.
Michelle Obama

Malala Yousafzai

Malala nasceu no Vale do Swat do Paquistão, em 1997. Ela cresceu sob a ocupação do Talibã, que proibia meninas de receberem educação. Desafiando a proibição, Malala frequentava a escola e alimentava um blog contra o Talibã, defendendo a importância da educação para meninas. Em 2012, ao voltar para casa de ônibus, ela foi baleada no cabeça; duas garotas que estavam ao seu lado também foram feridas. Malala foi levada para o Reino Unido, onde foi submetida a uma operação que salvou sua vida e, desde então, milita incansavelmente pelo direito das meninas à educação, além de fazer campanha contra o extremismo do Talibã. Em 2014, Malala ganhou o prêmio Nobel da Paz, tornando-se a mais jovem ganhadora. Ela montou o Malala Fund, que financia várias escolas em áreas devastadas pela guerra. Malala estuda na Universidade de Oxford, enquanto continua sua defesa pela educação.

Trabalhos-chave

2013 *Eu sou Malala: A história da garota que defendeu o direito à educação e foi baleada pelo Talibã* (coautoria com Christine Lamb)

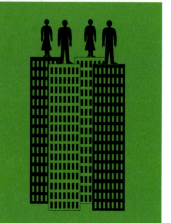

MULHERES LÍDERES NÃO, APENAS LÍDERES
FAZENDO ACONTECER

EM CONTEXTO

CITAÇÃO FUNDAMENTAL
Sheryl Sandberg, 2013

FIGURA-CHAVE
Sheryl Sandberg

ANTES
1963 Betty Friedan escreve *Mística feminina*, narrando o tédio das donas de casa norte-americanas.

1983 *Outrageous Acts and Everyday Rebellions*, coletânea de ensaios da feminista norte-americana Gloria Steinem, inclui um texto sobre "A importância do trabalho".

DEPOIS
2016 A jornalista norte-americana Jessica Bennett recebe críticas entusiasmadas por seu livro *Clube da luta feminista*, que estimula as mulheres a se apoiarem no local de trabalho.

2017 Depois da morte súbita do marido, Sheryl Sandberg escreve *Plano B*, em que defende mais compaixão no ambiente de trabalho.

No best-seller *Faça acontecer: Mulheres, trabalho e a vontade de liderar* (2013), Sheryl Sandberg, chefe de operações do Facebook, estimula as mulheres a alcançarem os mais altos cargos das instituições. Em vez de se concentrar no "teto de vidro" de barreiras sistêmicas, que impedem as mulheres de chegarem ao topo, como muitas feministas, Sandberg diz às mulheres que conseguiram romper essa barreira que devem exigir mais para as que ainda estão atrás no caminho. Quando Sandberg estava grávida e trabalhando no Google, ela pediu para ter uma vaga reservada no estacionamento, política que permaneceu ativa para as mulheres grávidas depois que ela deixou a empresa. Como alta executiva, ela argumenta, tinha o poder de colocar em ação políticas que beneficiariam outras mulheres.

Feminismo a conta-gotas
Críticos questionaram se o feminismo "a conta-gotas" que Sandberg defende iria funcionar, lembrando que líderes femininas anteriores, como a ex-primeira-ministra do Reino Unido, Margaret Thatcher, não ficaram conhecidas por lutarem pela causa. Também há discordância sobre a afirmação de Sandberg de que o ônus de acreditar mais em si deve estar sobre as mulheres, e ela foi condenada por ignorar a discriminação interseccional, como o racismo experimentado pelas mulheres negras. Alguns críticos comentaram que Sandberg disse pouco que as mulheres

Uma mãe a caminho do trabalho leva o filho para uma creche. O cuidado com os filhos ainda é visto como uma responsabilidade da mulher, mesmo quando ela tem uma carreira exigente.

COMBATENDO O SEXISMO NOS DIAS DE HOJE

Veja também: Socialização do cuidado com os filhos 81 ▪ As raízes da opressão 114-117 ▪ Organizando sindicatos de mulheres 160-161 ▪ Produto Interno Bruto 217 ▪ Feminismo do colarinho-rosa 228-229 ▪ Feminismo anticapitalista 300-301 ▪ Disparidade salarial 318-319

de gerações anteriores não foram ouvidas antes, mas ela recebeu crédito por levantar questões importantes, como incentivo à negociação salarial, uso de linguagem corporal assertiva para conquistar segurança e atenção a conotações negativas de palavras com foco no gênero, como "mandona". Seu apelo também estava em ser uma mulher rica e branca no topo da cadeia corporativa, alguém que as empresas norte-americanas desejavam.

Adaptar-se ao sistema

Sandberg lamenta a ausência de licença-maternidade remunerada nos EUA e a persistente discriminação de gênero que as mulheres enfrentam ao tentar equilibrar trabalho e vida pessoal, e a solução que oferece é adaptar-se ao sistema e perseverar em ambientes de trabalho desfavoráveis. Ela também defende que as mulheres planejem estratégias de sobrevivência no trabalho para antes e depois da gravidez: "Os meses e os anos de dedicação aos filhos", diz ela, "não são o momento de se acomodar, mas o momento crítico para fazer acontecer". Cita o exemplo de uma banqueira e diz que a dedicação dessa mulher ao trabalho à criação dos filhos foi recompensada mais tarde.

> Mulheres são líderes em todo lugar... Nosso país foi construído por mulheres fortes, e vamos continuar a derrubar muros.
> **Nancy Pelosi**
> Política norte-americana

Quando os filhos saíram de casa, a mulher que tinha "feito acontecer" ainda tinha uma carreira gratificante. Sandberg reconhece que nem todo mundo quer alcançar o topo e não é insensível às demandas da maternidade. Citando sua própria experiência já no topo da hierarquia corporativa, em 2013, ela descreve como "corria" para o notebook depois de passar algum tempo com os filhos, à noite, e ordenhava secretamente os seios em uma cabine do banheiro enquanto fazia reuniões por telefone. Sandberg afirma que os dias em que podia se desconectar do trabalho nas férias ou nos finais de semana "há muito se foram", e descreve os horários de trabalho prolongados como "o novo normal para muitas de nós".

As críticas ao livro

Entre algumas das fãs de *Faça acontecer* estão Chelsea Clinton e Oprah Winfrey, mas muitas feministas criticaram o livro. Pouco depois de sua publicação, a feminista norte-americana e pesquisadora bell hooks criticou a estratégia de Sandberg e disse que ela não libertaria as mulheres. Em vez disso, hooks descreveu Sandberg como uma "adorável irmã mais nova que apenas quer jogar no time do irmão mais velho", e afirmou que "fazer acontecer" servia apenas aos interesses da estrutura de poder patriarcal. ∎

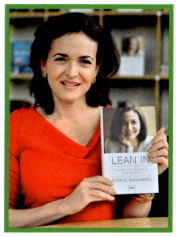

Sheryl Sandberg, a quem a revista *Fortune* apontou como uma das cinco mulheres mais poderosas nos negócios, publica *Faça acontecer*. O livro se tornou um best-seller internacional.

Mulheres CEOs

Em 2013, quando *Faça acontecer* foi publicado, Sandberg escreveu que apenas 5% dos CEOs nas quinhentas principais empresas que operam na bolsa de valores dos EUA eram mulheres, enquanto apenas 25% dos cargos executivos seniores e 19% dos conselhos administrativos eram ocupados por elas. Como disse Sandberg, os números mal haviam mudado em uma década. Em 2018, cinco anos depois da publicação de *Faça acontecer*, o número de mulheres CEOs nos EUA ainda estava em 5% de acordo com o índice Glass Ceiling ("teto de vidro") publicado no Reino Unido pela revista *The Economist*. Estudos descobriram que ter mais mulheres e mais diversidade de um modo geral nos conselhos administrativos leva a melhores decisões, a soluções mais criativas de problemas, a lucros maiores e a tomadas de risco menos prejudiciais. Em 2018, 27 investidores globais, incluindo grandes fundos de pensão, aderiram ao "30% Club", uma iniciativa do Reino Unido, que começou em 2010, para colocar mais mulheres nos conselhos das principais empresas. O objetivo é que as mulheres ocupem 30% dessas funções até 2020.

QUANDO VOCÊ EXPÕE UM PROBLEMA, VOCÊ CRIA UM PROBLEMA
A FEMINISTA ESTRAGA-PRAZERES

EM CONTEXTO

CITAÇÃO FUNDAMENTAL
Sara Ahmed, 2014

FIGURA-CHAVE
Sara Ahmed

ANTES
1981 Audre Lorde profere o discurso "A utilidade da raiva: mulheres reagindo ao racismo" na abertura da conferência anual da National Women's Studies Association (NWSA), em Storrs, Connecticut (EUA).

1992 Rush Limbaugh, comentarista político de direita e apresentador de um programa de entrevistas no rádio, nos EUA, populariza o termo "feminazi" para acusar feministas de serem extremistas fora de controle.

DEPOIS
2016 Inspiradas pelo trabalho da feminista britânica Sara Ahmed, duas acadêmicas feministas norte-americanas criam o podcast Feminist Killjoys, PhD (Feminista estraga-prazeres).

As feministas há muito tempo são retratadas como pessoas irracionalmente irritadas, sem senso de humor, que só são atraídas para o feminismo por serem infelizes e casadas com a vitimização. Para as mulheres não brancas, a combinação de sexismo e racismo resultou em estereótipos humilhantes, tais como a "negra furiosa", a "latina de sangue quente" e a "asiática autoritária". Em resposta, feministas denunciam essas representações como estratégias deliberadas para minar a raiva das mulheres em relação à discriminação, à violência e a outras formas de maus-tratos. Ignorar as raízes da raiva das feministas e pintá-las como sendo elas mesmas o problema não é novidade. No final do século XIX e início do século XX, detratores das sufragistas as acusavam de serem feias e "masculinizadas"; nos anos 1970 e 1980, quem era hostil em relação às feministas as descrevia como lésbicas agressivas que odiavam os homens. Mais recentemente, nos EUA, comentaristas de direita caracterizavam jovens feministas como "flocos de neve especiais" — millennials que foram criadas para pensar em si mesmas como bonitas e únicas, mas que não eram resilientes (daí o "flocos de neve") e se sentiam no direito de ter tratamento privilegiado.

Virando uma estraga-prazeres

Em 2010, Sara Ahmed, feminista britânica-australiana e escritora, publicou um ensaio chamado "Feminista estraga-prazeres (e outros temas voluntariosos)", em que explora o feminismo e a emoção, em particular a forma como a recusa das feministas em serem felizes em face da opressão às mulheres viola as normas sociais. No texto, Ahmed usa uma mesa de jantar como uma metáfora simples para a opressão emocional experimentada pelas feministas. Quando uma família se reúne em torno de uma mesa, compartilhando uma conversa educada e supostamente segura, afirma Ahmed, descobrir como responder a declarações ofensivas de

Feminismo não é palavrão.
Kate Nash
Cantora britânica

COMBATENDO O SEXISMO NOS DIAS DE HOJE

Veja também: Lesbianismo político 180-181 ▪ Raiva como ferramenta ativista 216 ▪ Reação antifeminista 270-271 ▪ Feminismo digital 294-297

Uma autodeclarada feminista estraga-prazeres participa da Marcha das Vadias de Ámber Rose, em Los Angeles, que promove a igualdade de gênero e combate a violência sexual e a vergonha do corpo.

O lema do blog era "ser estraga-prazeres como um projeto de construção mundial". Ahmed usa seu trabalho acadêmico e *on-line* sobre "feministas estraga-prazeres" para criticar a ideia de que feministas e outras pessoas de origem marginalizada difamadas devem conter sua raiva. Os sistemas de poder, argumenta Ahmed, exigem que aqueles que são marginalizados e oprimidos mantenham uma aparência de felicidade para perpetuar a ilusão de que o *status quo* é aceitável. Em vez de pedir às mulheres para "fazer acontecer", ou para trabalhar a partir de dentro da estrutura dominante de poder, Ahmed lembra a elas que a teimosia e a ira de pessoas marginalizadas em toda a história foram necessárias para criar mudança social. Tornar-se consciente da opressão, diz ela, e se livrar de uma sensação superficial de felicidade e segurança, o que, por sua vez, exige dos que estão comprometidos com a justiça que enfrentem sem reservas as realidades emocionalmente perturbadoras de poder. A necessidade de cultivar a teimosia como feminista estraga-prazeres, afirma Ahmed, também significa questionar as tendências opressivas dentro do próprio feminismo. Como exemplo, Ahmed cita o trabalho de feministas negras que rejeitam a falsa noção de uma "irmandade" feminista feliz, para dizer verdades difíceis, porém honestas, sobre o racismo das feministas brancas. Por meio de sua análise, Ahmed enfatiza que as feministas devem abraçar a ideia de ser "estraga-prazeres" e que devem formar redes de apoio para enfrentar o sexismo e o racismo. Mais precisamente, sugere, falar e trazer à tona sentimentos negativos como parte da solução do problema e do desmantelamento da opressão. O conceito de Ahmed de feminismo estraga-prazeres pede que as mulheres repensem o que é alegria e em cima da dor de quem essa alegria é construída. Como ela escreveu, pode haver prazer em ser estraga-prazeres. ■

um membro da família pode ser traumático. Uma pessoa pode começar a se sentir "ferida" pela lesão emocional provocada pelas palavras discriminatórias; no entanto, se ela questiona essas palavras, arrisca-se a ser interpretada como a "estraga-prazeres" que acabou com o encontro de família. Ao apontar algo como um problema, um indivíduo cria um problema e se torna o problema que criou. No contexto da discussão do racismo, afirma Ahmed, pessoas negras que reagem ao racismo dos brancos frequentemente são descritas como as estraga-prazeres da sala, efetivamente vistas como a fonte de tensão em uma reunião de grupo (ou na sociedade) em vez de se reconhecer que estavam legitimamente mirando o racismo.

Raiva e orgulho

A discussão de Ahmed sobre a figura da "feminista estraga-prazeres" agradou a muitas feministas, e em 2013 ela começou o blog "Feminist Killjoys" para se conectar com as leitoras sobre estas questões em um ambiente acessível, não acadêmico.

Sara Ahmed

Nascida em Salford, no Reino Unido, em 1969, Sara Ahmed se mudou com o pai paquistanês e a mãe inglesa para Adelaide, na Austrália, no início dos anos 1970. Concluiu seu doutorado na Universidade de Cardiff, no País de Gales, em 1994, e ocupou altos cargos acadêmicos na Austrália, no Reino Unido e nos EUA. Ela renunciou ao cargo de diretora do Centro de Pesquisa Feminista na Universidade Goldsmiths de Londres, em 2016, em protesto pelo fracasso da instituição em combater e lidar com o assédio sexual. Ahmed vive com sua parceira, a socióloga Sarah Franklin, e continua a escrever, fazer pesquisas e dar palestras sobre questões feministas, queer e raciais.

Trabalhos-chave

2004 *The Cultural Politics of Emotion*
2010 *The Promise of Happiness*
2010 "Feminista estraga-prazeres (e outros temas voluntariosos)"
2017 *Living a Feminist Life*

MULHERES SÃO UMA COMUNIDADE E NOSSA COMUNIDADE NÃO ESTÁ SEGURA
HOMENS MACHUCAM MULHERES

EM CONTEXTO

CITAÇÃO FUNDAMENTAL
Karen Ingala Smith, 2014

ORGANIZAÇÕES-CHAVE
#NiUnaMenos, #NiUnaMas

ANTES
1976 A feminista e pesquisadora sul-africana Diana Russell usa a palavra "feminicídio" no Tribunal de Mulheres contra Crimes Internacionais, que ela cofundou em Bruxelas, na Bélgica.

1989 Motivado pelo ódio às feministas, o canadense Marc Lépine abre fogo na École Polytechnique, em Montreal, matando catorze mulheres e ferindo outras catorze pessoas.

DEPOIS
2017 O Reddit, portal sobre mídias sociais com sede nos EUA, bane uma comunidade de incels (celibatários involuntários), com 40 mil membros, por considerar que encorajavam a violência contra as mulheres.

A violência contra as mulheres, afirmam as feministas, não é simplesmente uma questão de homens abusando individualmente de mulheres. Na verdade, é sintoma de estruturas de poder maiores que banalizam o desprezo dos homens pelas mulheres. Na sua forma mais extrema, homens assassinam mulheres.

Combatendo o feminicídio
O termo "feminicídio" foi cunhado em 1801, mas politizado pelas feministas na década de 1970 e refere-se ao assassinato de meninas e mulheres cometido por homens motivados pela questão de gênero. As mulheres mais marginalizadas são as que correm mais alto risco de feminicídio. Nos EUA, por exemplo, isso equivale a mulheres transexuais negras e de baixa renda. A América Latina tem algumas das maiores taxas de feminicídio, o que

Um protesto de 2016 na cidade mexicana de Ecatepec, onde seiscentas mulheres foram assassinadas nos quatro anos anteriores, incluiu um par de sapatos de salto alto que pertencia a uma das vítimas.

COMBATENDO O SEXISMO NOS DIAS DE HOJE

Veja também: Proteção contra a violência doméstica 162-163 ▪ Estupro como abuso de poder 166-171

Ni putes ni soumises

Fundado em 2002, Ni putes ni soumises (NPNS, "Nem putas nem submissas") é um grupo feminista francês dedicado a combater a violência contra mulheres. O grupo foi criado por Samira Bellil, Fadela Amara entre outras, em resposta à violência misógina nos conjuntos habitacionais nos subúrbios franceses, ou *banlieus*, onde se concentram imigrantes.

O NPNS denuncia principalmente os estupros coletivos organizados, conhecidos como *tournantes*, ou "rodízios". O grupo também protesta contra o aumento do extremismo islâmico nos *banlieues* e o tratamento dado às mulheres muçulmanas lá, especialmente a pressão para usar o véu, abandonar a escola e casar cedo. Além disso, o NPNS luta contra a pobreza de forma mais ampla.

Críticos do grupo argumentam que o NPNS se arrisca a encobrir a misoginia da sociedade francesa de modo mais amplo ao se concentrar na misoginia da cultura imigrante muçulmana, além de alimentar a islamofobia dos grupos de direita no país.

Apoiadoras do grupo Ni putes ni soumises protestam nas ruas de Paris, em 2005.

acadêmicos atribuem à complexa interação histórica entre colonização, genocídio de povos indígenas, interpretações misóginas da religião, papéis rígidos de gênero e problemas econômicos. El Salvador, por exemplo, é conhecido por ter a maior taxa de feminicídio no mundo, com 468 mortes em 2017, o que equivale a doze mortes para cada 100 mil pessoas. Movimentos como #NiUnaMenos (Nem uma a menos), na Argentina, e #NiUnaMas (Nem uma a mais), no México, organizam manifestações regulares para protestar contra o feminicídio, e também contra a inação da polícia em reagir ao problema. O #NiUnaMenos, formado em 2015, se espalhou para outros países da América Latina e da Europa, o que indica a relevância transnacional e transcultural do movimento. Mais de uma dúzia de países latino-americanos aprovou leis contra feminicídio nos últimos anos.

Homens autorizados

Nos EUA, a ascensão digital do movimento "incel" — no sentido de "celibato involuntário", um termo usado pela primeira vez na internet em 1993 — alarmou analistas. Seus adeptos (geralmente homens brancos heterossexuais) lamentam sua incapacidade de encontrar parceiras sexuais, um fracasso que atribuem às mulheres, especialmente às feministas. Posts em comunidades incel *on-line* defendem o estupro como um meio de conseguir sexo.

Esses incentivos não são meramente intimidatórios. Elliot Rodger, autoproclamado incel, assassinou seis pessoas e feriu outras catorze em Isla Vista, na Califórnia, em 2014, motivado pelo ódio às mulheres e pelo ciúme das relações sexuais alheias, e é aclamado entre muitos incels. Sua ação supostamente serviu de referência para o ataque a tiros na Umpqua Community College, em Roseburg, no Oregon, em 2015. Em 2017, um homem postou na internet que "Elliot Rodger não será esquecido" e depois assassinou dezessete pessoas e feriu outras tantas em sua escola em Parkland, na Flórida. Em abril de 2018, descobriu-se que um homem suspeito de matar dez pessoas e ferir outras catorze em Toronto, no Canadá, também havia elogiado Rodger *on-line*. Em resposta a esta crise, muitos pesquisadores se voltaram para o trabalho do sociólogo americano Michael Kimmel, que no livro *Outrageous Acts and Everyday Rebellions* (2013) atribui esse tipo de violência à diminuição do privilégio masculino. A solução, de acordo com Kimmel, deve ser a criação de uma masculinidade que rejeita a violência e que não hierarquiza e estigmatiza grupos desfavorecidos — sejam eles mulheres, negros ou pessoas LGBTQ+. ∎

Os homens têm medo de que as mulheres riam deles. As mulheres têm medo de ser mortas pelos homens.
Margaret Atwood
Romancista canadense

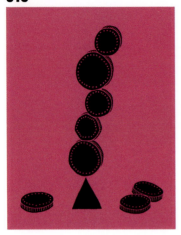

A IGUALDADE SALARIAL AINDA NÃO É IGUALITÁRIA

DISPARIDADE SALARIAL

EM CONTEXTO

CITAÇÃO FUNDAMENTAL
Hilary Clinton, 2016

ORGANIZAÇÕES-CHAVE
American Association of University Women, Fawcett Society

ANTES
1963 É assinada nos EUA a Lei de Padrões Justos de Trabalho.

1970 A Lei de Igualdade Salarial do Reino Unido proíbe o favorecimento do homem em detrimento das mulheres tanto em relação à remuneração, quanto às condições de emprego.

2002 Nos EUA, o dia da Igualdade Salarial muda a cada ano para mostrar o tempo extra que as mulheres ainda precisam trabalhar para ganhar o mesmo que os homens.

2014 A Lei de Igualdade do Reino Unido permite auditorias para verificar igualdade salarial.

DEPOIS
2018 Empresas britânicas com mais de 250 funcionários são obrigadas por lei a publicar sua disparidade salarial.

O termo "disparidade salarial de gênero" refere-se à diferença entre o que homens e mulheres ganham, e mostra essa extensão entre o que ganham. Os dados, compilados pelas empresas e por estatísticas do governo, são "regulares", levando em consideração condições como cargo, horas trabalhadas, educação, idade, situação conjugal e paternidade ou maternidade; ou "irregulares", o que mostra uma disparidade ainda maior pelo peso dos salários dos CEOs que são muito bem remunerados, e tendem a ser homens. De qualquer forma, a diferença salarial diminuiu entre os anos 1960 e 1990, graças aos progressos conquistados em relação aos direitos das mulheres em muitos países, e também por causa da sindicalização e da melhoria dos direitos trabalhistas. Mas, desde então, o avanço se tornou lento no mundo desenvolvido. Dados de 2018 revelam que as mulheres nos EUA ganham, em média, cerca de 80% do salário de um homem. A União Europeia tem uma diferença salarial média entre homens e mulheres de cerca de 16%. No Reino Unido, as mulheres na casa dos vinte anos começaram a ganhar mais do que homens da mesma idade, mas a desigualdade salarial de gênero no Reino Unido ainda é de cerca de 21%.

Mitos e maternidade

Em termos gerais, as razões para a disparidade salarial se dividem em duas categorias: voluntária (por exemplo, trabalho em meio período) e involuntária (discriminação social). Muitos mitos tentam explicar ou justificar que se trata de uma questão de escolha de carreira: as mulheres não querem assumir papéis gerenciais; os homens são mais propensos a escolher

Para cada **dólar pago a um homem branco**...

... uma **mulher branca** recebe **80 centavos**.

... e **mulheres negras** recebem **64 centavos**.

Igualdade salarial ainda não é igualitária.

COMBATENDO O SEXISMO NOS DIAS DE HOJE

Veja também: Casamento e trabalho 70-71 ▪ Socialização do cuidado com os filhos 81 ▪ Feminismo do colarinho-rosa 228-229 ▪ Privilégio 239 ▪ Fazendo acontecer 312-313

Se lutar por igualdade salarial e pagar licença-maternidade é usar a cartada do gênero, então contem comigo!
Hillary Clinton

áreas mais bem pagas, enquanto as mulheres escolhem funções de atendimento ou de serviço, que são mal remuneradas. No entanto, os dados sugerem que é a discriminação, não a escolha, a razão para a desigualdade salarial. A teoria da discriminação no local de trabalho sustenta que as mulheres são vistas como menos capazes do que os homens. O preconceito arraigado pode dar origem a suposições como a de que faltaria a um chefe do sexo feminino qualidades de liderança. Em alguns casos, presume-se que os homens são o principal provedor e precisam de um salário maior. O salário das mulheres também é afetado quando elas têm filhos pequenos, graças à ideia de que isso as levará a ter menor produtividade e comprometimento e as fará interromper treinamentos; some-se ainda a falta de creches financiadas pelo Estado, o que faz as mulheres trabalharem menos horas. Nos EUA, muitos citam a falta de licença-maternidade remunerada no país como o maior problema. No entanto, na Dinamarca, onde a licença-maternidade remunerada é obrigatória, persiste uma desigualdade salarial semelhante com evidências da "penalização pela maternidade", que inclui o preconceito em contratar

Mulheres negociam na Bolsa de Valores da Tailândia, em 1989. O setor financeiro ainda é um dos que têm as maiores disparidades salariais, principalmente no que se refere aos bônus.

mulheres que são mães e que estão em idade fértil. Outro mito é que as mulheres são menos capazes de negociar maiores salários. Mas estudos mostram que elas não tiveram sucesso quando tentaram negociar, ou que foram penalizadas por isso. A formação educacional também tem seu papel na questão, uma vez que menos mulheres estudam ciências, tecnologia e matemática, carreiras que costumam levar a trabalhos mais bem remunerados. No entanto, no Brasil, as mulheres tendem a ter melhor formação educacional e a trabalhar mais horas do que seus colegas homens e, ainda assim, ganham 24% a menos.

Pela igualdade salarial

Desde 2000, o estreitamento da diferença salarial diminuiu, e o progresso nos EUA estacionou. Nesse ritmo, as mulheres não chegarão à paridade salarial com os homens até 2119. ▪

A disparidade salarial racial

Há grande disparidade racial, assim como a salarial, em muitos países desenvolvidos. Nos EUA mulheres negras costumam ganhar em torno de 64% dos salários dos homens brancos, apesar de 80% delas serem as principais provedoras da família. Mulheres indígenas ganham em torno de 57% e hispânicas e mulheres latinas se saem pior, 54% em relação aos homens brancos, com o mais baixo pagamento semanal médio. Mulheres asiáticas norte-americanas têm o salário médio mais próximo ao dos homens, mas há uma significativa variação entre as diferentes nacionalidades asiáticas. Todos os grupos étnicos, à exceção dos homens asiáticos, e todas as mulheres ganham menos do que os homens brancos norte-americanos: homens negros e hispânicos ganham em torno de 73% e 69% respectivamente. Mulheres negras tendem a ganhar menos do que mulheres brancas, mesmo quando têm o mesmo nível educacional.

SOBREVIVENTES SÃO CULPADOS ATÉ QUE SE PROVEM INOCENTES
COMBATENDO A AGRESSÃO SEXUAL NOS *CAMPI*

EM CONTEXTO

CITAÇÃO FUNDAMENTAL
Emma Sulkowicz, 2014

FIGURAS-CHAVE
Annie E. Clark, Andrea Pino

ANTES
1972 Nos EUA, a lei de direitos civis Title IX proíbe a discriminação baseada em sexo, incluindo o assédio sexual.

1987 Uma pesquisa norte-americana diz que uma entre quatro mulheres já foi assediada sexualmente nos *campi* universitários.

DEPOIS
2017 A secretária de educação Betsy DeVos diz que o governo dos EUA vai levar em consideração os direitos dos que são acusados de agressão sexual, assim como os de quem os acusa.

2017 A Sexual Health Initiative to Foster Transformation (SHIFT), na Universidade Columbia, em Nova York, publica um estudo fundamental sobre violência sexual e saúde entre os estudantes.

Para muitas mulheres jovens, a experiência no *campus* universitário envolveu violência sexual. Pesquisas sugerem que cerca de uma em quatro universitárias é sexualmente agredida em instalações de faculdades. Campanhas estudantis contra violência sexual e abuso nos *campi* ganharam impulso a partir de 2010, com algumas sobreviventes exigindo mudanças mais objetivas. Esse novo ativismo encontrou voz no documentário *The Hunting Ground*, lançado em 2015, que registrou as experiências de mulheres (e de pessoas de outros sexos) que tentam deter a agressão sexual no *campus*. Seus esforços para denunciar os ataques foram recebidos pelas autoridades da universidade e pela polícia com culpabilização da vítima, descrença e pedidos para que o futuro do agressor fosse considerado. O filme se concentrou particularmente em duas sobreviventes de violência sexual — Annie E. Clark e Andrea Pino. Elas haviam fundado o grupo de militância End Rape on Campus em 2013 e visitaram vários *campi* nos EUA, para dar palestras e se encontrar com outros sobreviventes. Como resultado da campanha, faculdades em todos os EUA foram investigadas por violações dos direitos civis com base na lei Título IX. Em um protesto controverso que ocupou as manchetes em 2014, Emma Sulkowicz, estudante de arte na Universidade Columbia (Nova York), criou um trabalho chamado "Desempenho no colchão (carregue esse peso)", uma performance em que Sulkowicz carregaria um colchão por todos os lugares onde fosse até que a universidade concordasse em expulsar o homem acusado de estuprá-la. A Universidade Columbia o considerou "não responsável". ■

Toda estudante tem o direito civil à educação: o estupro não deve ficar no nosso caminho.
Andrea Pino

Veja também: Estupro como abuso de poder 166-171 ▪ Sobrevivente, não vítima 238 ▪ Acabando com a culpabilização da vítima 299 ▪ Consciência do abuso sexual 322-327

COMBATENDO O SEXISMO NOS DIAS DE HOJE

MEU CORPO, MINHAS REGRAS: NÃO É NÃO!
FEMINISMO CONTEMPORÂNEO NO BRASIL

EM CONTEXTO

CITAÇÃO FUNDAMENTAL
Djamila Ribeiro

ANTES
2013 Chega de Fiu Fiu foi uma campanha lançada pela ONG Think Olga que denunciou o caráter violento de "cantadas nas ruas".

DEPOIS
2015 A Lei do Feminicídio altera o Código Penal Brasileiro (art. 121 do Decreto-Lei nº 2.848/40), que inclui o feminicídio como uma modalidade de homicídio qualificado, entrando no rol dos crimes hediondos.

2018 Promulgação da Lei de "Importunação Sexual", que criminaliza o assédio contra mulheres em espaços públicos brasileiros.

Nos últimos anos, é possível notar significativo aumento na militância feminista brasileira, processo que tem sido chamado de "primavera feminista". Embora não apartada de demandas históricas do feminismo, brasileiro ou internacional, essa nova militância é descrita como essencialmente jovem e fruto das possibilidades advindas das inovações comunicacionais — a internet e as redes sociais, em especial — e traz consigo novas formas de pensar violência e direitos, palavras de ordem e reivindicações para o pensamento social e a prática feminista. A explosão de vozes, contextos e demandas é a tônica do momento, e um dos principais nomes dessa militância é a filósofa paulista negra Djamila Ribeiro que, além de acadêmica e ativista, atua como formadora de opinião em livros, artigos e nas redes sociais. O foco do feminismo contemporâneo brasileiro tem sido a interconexão das pautas feministas sobre identidade racial, identidade de gênero e orientação sexual, e vem exaltando consentimento, representatividade política e identitária

É preciso discutir por que a mulher negra é a maior vítima de estupro no Brasil.
Djamila Ribeiro

e autonomia sobre o corpo. Questiona normas rígidas de comportamento e beleza. Temas como o assédio nas ruas e no transporte público, violência sexual e agressões psicológicas emergem em meio a *hashtags* de denúncia e mobilizações, como o #chegadefiufiu, #meuprimeiroassedio, #agoraequesãoelas e "meu corpo, minhas regras". Apesar de fortemente conectado, o feminismo contemporâneo não se restringe aos meios digitais e leva às ruas milhares de mulheres em manifestações contra posicionamentos retrógrados do sistema judiciário e por ampliação na noção de integridade das mulheres brasileiras. ■

Veja também: Autonomia feminina em um mundo dominado por homens 40-41 ■ Lutas feministas no Brasil 124-125 ■ Feminismo islâmico moderno 284-285

#METOO
CONSCIÊNCIA DO ABUSO SEXUAL

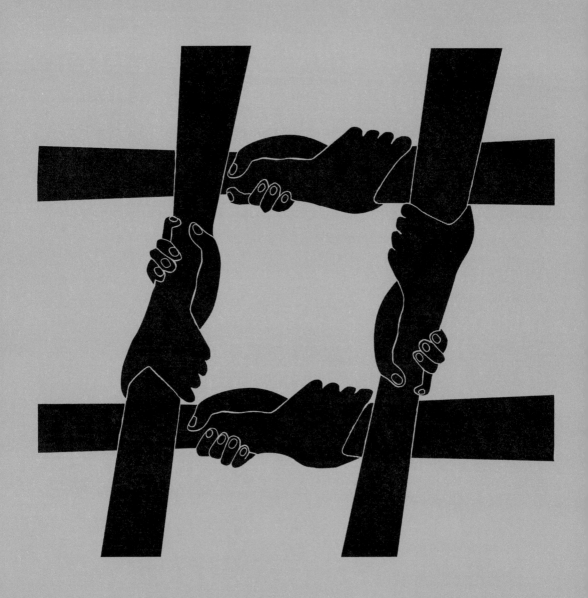

CONSCIÊNCIA DO ABUSO SEXUAL

EM CONTEXTO

CITAÇÃO FUNDAMENTAL
Tarana Burke, 2006

FIGURAS-CHAVE
Tarana Burke, Ashley Judd, Alyssa Milano

ANTES
1977 O diretor de cinema Roman Polanski foge da Califórnia depois de ser acusado de drogar e estuprar uma menina de treze anos.

1991 A advogada Anita Hill testemunha contra seu ex-chefe, Clarence Thomas, indicado para a Suprema Corte dos EUA, acusando-o de assédio sexual — acusação que ele negou.

DEPOIS
2018 A campanha de Hollywood Time's Up lança um fundo legal de 13 milhões para financiar mulheres que precisem mover ações contra abuso sexual.

2018 A conferência da Organização Internacional do Trabalho considera um acordo para proteger pessoas no ambiente profissional de violência e assédio.

Certos eventos parecem se tornar um ponto de virada, como se depois deles nada mais voltasse a ser do mesmo jeito. Alguns acreditam que a campanha #MeToo, de 2017, contra violência e abuso sexual é um desses eventos, que marca uma transformação mundial na consciência pública a respeito de práticas comuns que raramente eram expostas. A expressão "Me Too" (Eu também) não é nova. Foi usada pela primeira vez pela ativista afro-americana Tarana Burke, em 2006, para promover a solidariedade a sobreviventes de abuso sexual. Quando trabalhou na organização para jovens Just Be Inc., no Alabama, Burke costumava organizar workshops para jovens sobreviventes de violência sexual. Ela pedia que escrevessem "Eu também" em suas folhas de exercícios caso precisassem de ajuda, mas se sentissem incapazes de pedir abertamente. Cerca de vinte das trinta meninas presentes — muito mais do que Burke esperava — simplesmente

Tarana Burke discursa em Beverly Hills, na Califórnia, durante marcha dos movimentos Take Back the Workplace e #MeToo, em novembro de 2017, durante a premiação Producers Guild of America.

Não tenho tolerância para discriminação, assédio, abuso ou desigualdade. Pra mim, chega.
Alyssa Milano

escreveram "Eu também". Este foi o começo do movimento #MeToo, originalmente criado para que jovens negras se unissem em busca de solidariedade e apoio. A mensagem para aquelas mulheres era que elas não estavam sozinhas. A partir de 2006, a conscientização em relação ao assédio sexual e o ativismo para contê-lo continuaram a crescer. Em 2015, a capa da revista *New York* mostrou fotos de 35 mulheres que haviam acusado o comediante americano Bill Cosby de agressão sexual; ele foi condenado por três acusações em abril de 2018. Na campanha presidencial de 2016, nos EUA, foi divulgada uma fita de áudio de 2005, em que Donald Trump se gabava de apalpar mulheres sem o

Precisamos de uma mudança cultural global nos locais de trabalho, de Hollywood Hills aos corredores de Westminster, aos chãos de fábrica de Daca...
Helen Pankhurst
Neta de Sylvia Pankhurst

COMBATENDO O SEXISMO NOS DIAS DE HOJE

Veja também: Sobrevivente, não vítima 238 ▪ Reação antifeminista 270-271 ▪ Feminismo digital 294-297 ▪ O sexismo está por toda parte 308-309

Em 2017, a expressão "Me too" viralizou enquanto milhões de mulheres ao redor do mundo respondiam à *hashtag* MeToo no Twitter para indicar suas experiências de assédio e abuso sexual.

 #  #  #  #

2006
A ativista pelos direitos civis **Tarana Burke** usa a frase "Me too" para **conscientizar** sobre assédio e abuso sexual.

2017
São feitas alegações de abuso sexual no *The New York Times* contra o produtor cinematográfico americano **Harvey Weinstein**.

2017
A atriz **Alyssa Milano** encoraja suas seguidoras no **Twitter** a responderem com **#MeToo** se já tivessem sofrido assédio ou abuso sexual.

2017
Alegações contra Weinstein fazem **muitas mulheres virem a público** para acusar homens famosos e poderosos de abuso sexual.

2018
Mulheres da indústria cinematográfica usam preto na premiação do Globo de Ouro para **mostrar apoio** ao movimento #MeToo.

seu consentimento; ele usou a frase "agarrá-las pela boceta". Muitos dos que participaram das Marchas das Mulheres de 2017 usavam gorros que ficaram conhecidos como "pussy hats" (a palavra *pussy* pode se referir tanto a gatinho, quanto à boceta, uma forma pejorativa de chamar a vagina) para marcar sua revolta com as palavras do novo presidente.

Um caso histórico

Em 5 de outubro de 2017, o *The New York Times* publicou uma matéria com sua longa investigação sobre alegações de assédio sexual cometido pelo produtor de Hollywood Harvey Weinstein. A matéria cobria supostos incidentes em várias cidades e países ao longo de quase três décadas e dizia que Weinstein havia comprado o silêncio de mulheres que apresentavam queixas contra ele. Mais mulheres rapidamente se pronunciaram, Weinstein foi demitido de sua própria empresa e, em seguida, acusado criminalmente de estupro e abuso sexual. Ele negou essas e muitas outras acusações de má conduta sexual. Então, um número crescente de mulheres começou a falar publicamente sobre o assédio praticado por Weinstein e por outros homens poderosos em Hollywood e em outros lugares. Elas tentaram falar antes, dizem, mas suas denúncias foram desprezadas, e algumas mulheres foram silenciadas por ameaças e por advogados. Afirmou-se que a conduta sexual predatória de Weinstein era um segredo aberto em Hollywood; no entanto, antes da reportagem do *New York Times*, ninguém o havia realmente exposto. Alguns atores disseram que haviam permanecido em silêncio porque temiam o efeito que fazer oposição a um homem tão poderoso poderia ter em suas carreiras. Ashley Judd foi a primeira atriz a acusar Weinstein publicamente, e mais tarde, em abril de 2018, ela entrou com uma ação contra ele. Na ação, Judd alegou que Weinstein havia espalhado declarações falsas sobre ela e sabotado sua carreira, depois que ela rejeitara seus avanços sexuais — alegações que ele negou. Outros atores e ex-funcionários também descreveram suas próprias experiências. A proeminência de acusado e acusadores atraiu uma publicidade considerável, e logo levou a novas alegações de má conduta sexual contra outros homens no ramo do entretenimento.

Mídias sociais

Dez dias depois da matéria no *The New York Times* e incentivada por um amigo, a atriz Alyssa Milano publicou um post no Twitter convocando as mulheres que tivessem sido assediadas ou agredidas sexualmente a postarem "Me too" como resposta. O post de Milano foi o primeiro "Me too" *on-line*. Milhares de respostas se seguiram em questão de horas, e uma mulher usou o #MeToo para descrever sua experiência de estupro e assédio. Depois disso, milhões postaram #MeToo em suas próprias contas no Twitter e por outras redes sociais. Suas » revelações, mostrando a onipresença do assédio sexual e de atos piores, também foram amplamente discutidas na mídia convencional. Mulheres que até então sentiam medo ou vergonha demais para revelar suas experiências de repente começaram a contar suas histórias, encorajadas pela atmosfera de maior compreensão.

Impossível ignorar

Enquanto o #MeToo ganhava força, alguns homens e muitas pessoas trans também começaram a postar relatos de suas experiências com má conduta sexual no ambiente de trabalho. O ator e diretor Kevin Spacey está entre os que foram acusados por homens jovens, embora negue as alegações. Também ficou claro que o assédio sexual era habitual em vários campos profissionais. Em dezembro de 2017, o *Financial Times* fez um gráfico do "efeito Weinstein" em relação a relatos de abuso sexual. Em fevereiro, havia a voz solitária de Susan Fowler, engenheira de software norte-americana que escreveu um blog contando sobre um suposto assédio na Uber, na Califórnia. Houve um caso em uma empresa de mídia em abril, mais dois casos em empresas de tecnologia em julho, e outro algumas semanas mais tarde. Então, depois das acusações contra Weinstein, a pesquisa do *Financial Times* encontrou mais de quarenta registros nos EUA e no Reino Unido de homens importantes na política, nas finanças, na mídia e nas indústrias da música, tecnologia e entretenimento que foram acusados de má conduta sexual. Um bom número desses homens perdeu seus empregos.

Uma reação mundial

A noção de que mesmo homens poderosos agora podem ser punidos pelo que, em alguns casos, corresponde a décadas de assédio sexual encorajou as vítimas. O movimento #MeToo também ajudou a retirar o estigma de relatos sobre esse tipo de incidente. Isso provocou uma discussão pública

Queremos que os culpados sejam responsabilizados e que sejam implementadas estratégias de mudanças sistêmicas a longo prazo.
Tarana Burke

mais ampla sobre má conduta sexual, forçando empregadores e empregados a avaliar o que é e o que não é um comportamento aceitável. Enquanto as denúncias do #MeToo vinham de pessoas importantes da indústria do entretenimento, mulheres trabalhadoras de diversas profissões e setores nos EUA e em outros países de língua inglesa rapidamente se animaram a seguir o exemplo e compartilhar experiências semelhantes. O #MeToo se espalhou rapidamente pelo restante do mundo. Em outubro de 2017, menos de um mês depois de ser lançada, a *hashtag* tinha sido compartilhada no Twitter em 85 países via 1,7 milhão de tuítes. *Hashtags* em outras línguas ajudaram a espalhar a ideia. A diretora italiana Asia Argento lançou #QuellaVoltaChe ("naquela vez em que"), explicando que um diretor havia se exibido para ela quando Argento tinha apenas dezesseis anos de idade. Seguiu-se #YoTambien ("eu também") e #balancetonporc ("denuncie seu porco"), assim como *hashtags* em árabe e hebraico. As mulheres muçulmanas personalizaram a *hashtag*, criando

Atrizes e outras mulheres da indústria cinematográfica usaram preto na premiação do Globo de Ouro, em 2018, em Beverly Hills, na Califórnia, para mostrar seu apoio à campanha #MeToo. Alguns homens também usaram preto em apoio.

COMBATENDO O SEXISMO NOS DIAS DE HOJE

A reação contrária

Uma reação contra o movimento #MeToo chegou rápido. E se os homens agora ficarem assustados demais para convidar uma mulher para sair, perguntaram os críticos; todo o comportamento masculino deve mudar? Uma reclamação, no jornal francês *Le Monde*, em janeiro de 2018, assumiu a forma de uma carta aberta assinada por cem mulheres conhecidas, incluindo a atriz Catherine Deneuve. Elas argumentaram que o #MeToo era extremo demais e que colocava a liberdade sexual em perigo. Apesar de deplorar o abuso, elas disseram que sedução não era crime. Essas mulheres acharam que o #MeToo era ao mesmo tempo tirânico e puritano, que arriscava mostrar mulheres como vítimas perpétuas, e que os homens acusados de abuso sexual tinham sido submetidos a um "linchamento da mídia" sem direito de resposta. Mais tarde, Deneuve defendeu sua postura, desculpando-se apenas com as vítimas que se sentiram ofendidas pelo artigo do *Le Monde*. Ela acha que a solução para o problema está na educação e em medidas mais duras para apontar o abuso sexual no trabalho assim que ele acontecer.

Catherine Deneuve, aqui em um desfile de moda em Paris, foi uma das várias mulheres famosas que acusaram o movimento #MeToo de ir longe demais.

#MosqueMeToo para detalhar uma lista de incidentes, incluindo alguns na cidade santa de Meca na Arábia Saudita. As mulheres afetadas também narraram como o assédio sexual destrói vidas pessoais e profissionais, provocando perda de confiança e dano emocional e estagnando oportunidades de promoção na carreira.

Alto risco

Para um mundo que parecia chocado com as revelações do #MeToo, logo se tornou claro que a má conduta sexual no ambiente de trabalho ainda é uma experiência cotidiana na vida de muitas mulheres tanto nos países desenvolvidos quanto nos em desenvolvimento. Ativistas pelos direitos trabalhistas chamaram a atenção para o drama das mulheres mais pobres, como as milhões que trabalham ganhando o salário mínimo em fábricas ou na terra, e que correm um risco significativo de sofrer abuso. Migrantes ilegais também são especialmente vulneráveis. As ativistas explicam que, quanto menos controle têm os indivíduos, maior a probabilidade de que os empregadores ou outros em posição de poder abusem desse poder, muitas vezes sexualmente. Nos EUA, o Bandana Project, fundado pelo Southern Poverty Law Center (SPLC) em 2007, faz campanha contra a exploração sexual de mulheres que trabalham no campo, na América do Sul, com baixa remuneração. Essas trabalhadoras rurais, muitas delas migrantes, cobrem o rosto com uma bandana para desviar a atenção sexual indesejada. Quando "MeToo" começou a ser usado como uma *hashtag* contra o abuso sexual, Tarana Burke, sua instigadora, não era muito conhecida. Hoje, reconhecida como ativista de longa data e como mulher negra que milita contra o abuso sexual, ela ajudou a expor a natureza multirracial da má conduta sexual. Burke foi uma das oito ativistas convidadas para a premiação do Globo de Ouro em 2018, que acompanharam estrelas como Michelle Williams, Emma Watson e Meryl Streep, ajudando a divulgar o movimento. No entanto, agora diretora sênior do Girls for Gender Equity, no Brooklyn, em Nova York, Burke vem se mantendo distante de grande parte do debate. Por mais que esteja ciente de que o debate provocado pelo #MeToo se expandiu muito além do seu foco original em mulheres jovens negras, ela lembrou que o movimento vinha sendo construído de forma sólida desde 2006. Sob a chamada You Are Not Alone (Você não está sozinha), o site do Me Too afirma que, desde 1998, mais de 17 milhões de mulheres relataram uma agressão sexual.

Tolerância zero

Poucos contestariam o súbito e significativo impacto do caso Weinstein e do movimento #MeToo para a conscientização em sobre o abuso sexual. Como determinou a diretriz de uma empresa de advocacia norte-americana com escritórios por todo o mundo: "Se não for desejado, será assédio". Mas a questão evoluirá por décadas, o #MeToo é um sinal de que as campanhas para acabar com o sofrimento e para lutar pelos direitos das mulheres são tão relevantes hoje como sempre foram. ∎

Nenhuma mulher deve sacrificar sua dignidade e segurança por salário.
Dolores Huerta
Líder trabalhista mexico-americana

LEITURA ADICIONAL

Além das feministas e organizações feministas que aparecem na parte principal deste livro, um número incontável de outras pessoas e grupos desafiou a subordinação das mulheres, contribuiu para o desenvolvimento da teoria feminista, ou ajudou a melhorar a vida cotidiana de mulheres em todo mundo. Seus campos de atuação variam de política, educação, direitos dos trabalhadores até controle de natalidade, conscientização e melhoria da representação feminina nos negócios, nas artes e nos registros históricos. Muitas dessas mulheres enfrentaram feroz oposição ou foram ridicularizadas pelos homens, que comumente dominavam as instituições que elas buscavam transformar, e às vezes também pelas próprias mulheres. Com o tempo, no entanto, muitas das suas opiniões foram não só reconhecidas como integradas à própria definição de sociedade moderna.

FEMINISTAS

CHRISTINE DE PIZAN
1364–1430

Escritora italiana, pensadora política e defensora dos direitos das mulheres, Christine de Pizan nasceu em Veneza, na Itália — era filha de Thomas de Pizan, médico e astrólogo da corte do rei Carlos V da França. Ela começou a escrever para sustentar a família, depois que o marido morreu vítima da peste. Alcançou o sucesso escrevendo baladas de amor e conseguindo muitos clientes ricos na corte francesa. Seu livro de 1402, *Le Dit de la Rose*, critica a obra popular *Le Roman de la Rose*, de 1275, do escritor francês Jean de Meun; De Pizan afirma que o livro de De Meun é um ataque às mulheres, que são injustamente retratadas como sedutoras. Em 1405, ela escreveu *A cidade das mulheres*, que ilustra as contribuições femininas para a sociedade e defende que tenham acesso à educação. O livro foi traduzido para o português e para o holandês, e uma versão em inglês foi concluída em 1521. De Pizan é vista como a primeira escritora profissional no mundo ocidental.

Veja também: Autonomia feminina em um mundo dominado por homens 40-41 ▪ Liberdade intelectual 106-107

MARY WARD
1585–1645

Mary Ward era freira e foi uma das primeiras defensoras dos direitos das mulheres. Ela nasceu em uma família católica inglesa, no condado de North Yorkshire, que foi atacado por turbas anticatólicas durante o reinado da rainha Elizabeth I. Quando tinha quinze anos, Ward se juntou a um convento franciscano da Ordem das Clarissas, no norte da França, mas logo decidiu que queria uma vida mais ativa e saiu do convento em 1609 para fundar uma nova ordem — o Instituto Beatíssima Virgem Maria (conhecido hoje como as Irmãs de Loreto), comprometido com a educação das mulheres. Em vez de seguir o caminho da contemplação na clausura exigido pelas autoridades clericais para as mulheres na Igreja, Ward determinou que as irmãs em sua nova ordem deveriam trabalhar em nome dos pobres e criar e ensinar em escolas católicas por toda a Europa. Ward andou mais de 2.400 quilômetros para pedir ao papa Urbano VIII a aprovação do Vaticano ao Instituto, lutando por seu direito de existir, apesar de o Vaticano já tê-la encarcerado anteriormente e ordenado a extinção do movimento que ela defendia. As duas ordens de Ward, Loreto e a Congregação de Jesus, fundada em 1609, seguiram abrindo escolas por todo o mundo.

Veja também: Instituições como opressores 80

ANNE HUTCHINSON
1591–1643

Nascida em Lincolnshire, na Inglaterra, Anne Hutchinson era parteira, herborista e pregadora, e ficou mais conhecida por desafiar as autoridades religiosas do sexo masculino através de sua pregação e de suas ideias não convencionais. Casou-se com William Hutchinson em 1612, e os novos cônjuges se tornaram seguidores do ministro puritano John Cotton. Quando Cotton foi perseguido pela Igreja Anglicana e fugiu para a colônia da baía de Massachusetts, na América do Norte, a família Hutchinson o seguiu com seus dez filhos, em 1634. Como Anne Hutchinson continuava a pregar uma doutrina contrária à crença puritana estabelecida, os líderes puritanos homens, incluindo Cotton, viraram-se contra ela, e o governador de Massachusetts, John Winthrop, a chamou de "Jezebel americana". Ela e a família foram declarados hereges e banidos da colônia. Eles se mudaram, então, para Rhode Island e, depois da morte de William, para o que é hoje a cidade de Nova York. Hutchinson é celebrada atualmente como uma das primeiras defensoras das liberdades civis e da tolerância religiosa na Nova Inglaterra colonial.

Veja também: Instituições como opressores 80

SOR JUANA INÉS DE LA CRUZ
1648–1695

Conhecida como a primeira feminista das Américas, Sor (Irmã) Juana Inés de la Cruz era escritora, poeta, dramaturga, compositora, filósofa e freira. Nascida Juana Ramirez, era filha ilegítima de mãe crioula e de pai espanhol e foi uma estudiosa autodidata que contribuiu para o início da literatura mexicana e para a Idade de Ouro da literatura espanhola (início do século XVI – final do século XVII). Fluente em latim, Cruz também escrevia na linguagem asteca de nauatle. A fim de evitar o casamento e prosseguir com seus estudos, ela se juntou a um convento em 1667 e lá escrevia sobre amor, religião e direitos das mulheres. A carta "La Respuesta" foi escrita para um padre que esperava silenciá-la e a outras mulheres e negar-lhes o acesso ao ensino. Pesquisadores se basearam na poesia romântica que Cruz escreveu para outras mulheres para argumentar que ela pode ter sido o que hoje seria entendido como lésbica.

Reconhecida como um ícone nacional, Juana Inés de la Cruz é representada na moeda mexicana.

Veja também: Autonomia feminina em um mundo dominado por homens 40-41 ■ Liberdade intelectual 106-107

MARGARET FULLER
1810–1850

Autora de *Women in the Nineteenth Century* (1845), o primeiro grande texto feminista norte-americano, Margaret Fuller era professora, escritora, editora e ativista social de Cambridge, em Massachusetts. O pai deu a ela uma educação igual à de um menino. Fuller acabou se tornando defensora da educação e do emprego para as mulheres, da abolição da escravatura e da reforma prisional. Em 1839, ela começou a organizar "conversas" para que as mulheres discutissem temas intelectuais. Quando, no mesmo ano, Ralph Waldo Emerson convidou-a para editar seu periódico transcendentalista *The Dial*, Fuller aceitou, mas renunciou ao cargo depois de dois anos. Ela se mudou para Nova York em 1844 para se tornar a primeira resenhista de livros em tempo integral do jornalismo americano, no *New York Tribune*. Fuller também foi a primeira mulher correspondente internacional do *Tribune* e viajou para a Europa durante as revoluções de 1848 na Itália. Fuller morreu em um naufrágio com o marido e o filho quando voltava para os EUA.

Veja também: Ação coletiva no século XVIII 24-27 ■ Liberdade intelectual 106-107

TÁHIRIH
1814–1852

Poeta e defensora dos direitos das mulheres, a teóloga persa Táhirih orientou as mulheres a reclamarem de sua condição inferior na sociedade. Táhirih, que significa "A Pura", foi batizada Fatimah Baraghani e educada pelo pai. Ela se tornou seguidora da fé Bábi, uma religião monoteísta abraâmica que se afastou do islamismo, e foi uma precursora da fé Bahá'í. Enquanto falava sobre os direitos das mulheres durante uma conferência de líderes Bábi, Táhirih tirou o véu como um desafio aos homens presentes, e alguns deles ficaram chocados com a atitude. Táhirih acabou sendo executada clandestinamente, aos 38 anos, ato que a transformou em mártir para a comunidade Bahá'í. Suas últimas palavras supostamente foram: "Vocês podem me matar assim que quiserem, mas nunca vão deter a emancipação das mulheres". A organização nacional norte-americana Táhirih Justice Center, fundada em 1997 para lutar pelo fim da violência contra mulheres e meninas, é dedicada ao legado de Táhirih.

Veja também: Educação para mulheres islâmicas 38-39

CONCEPCIÓN ARENAL
1820–1893

A escritora Concepción Arenal foi uma grande celebridade feminista na Espanha, uma ativista em um país que, na época, era muito tradicional. Foi a primeira mulher a frequentar uma universidade espanhola, onde as autoridades exigiram que se vestisse como homem nas aulas. Seu primeiro texto sobre os direitos das mulheres foi *La Mujer del Porvenir*, de 1869. Arenal defendia o acesso das mulheres à educação e criticava a ideia de que eram biologicamente inferiores aos homens. No entanto, ela não defendia o acesso das mulheres a todas as ocupações porque não achava que as mulheres eram hábeis em liderança. E também não queria que as mulheres se desviassem de seus papéis como esposas e mães para ingressar na política. Arenal se dedicou ainda à reforma das prisões, à abolição das escravidão e a ajudar os pobres. Em 1859, ela fundou a Conferência de São Vicente de Paulo, um grupo feminista que ajudava os pobres. Em 1871, Arena começou um trabalho de catorze anos com a revista *La voz de la caridad*, em Madri, e em 1872 fundou o Beneficiário da Construção, um grupo comprometido com a construção de habitações de baixo custo para os pobres.

Veja também: O movimento global pelo sufrágio 94-97 ▪ Anarcofeminismo 108-109

ANNA HASLAM
1829–1922

Sufragista irlandesa influente, Anna Haslam nasceu em uma família *quaker*, no condado de Cork, na Irlanda. Ela foi criada para acreditar no pacifismo, na abolição da escravidão, no movimento de temperança e na igualdade entre homens e mulheres. Haslam e o marido Thomas foram membros fundadores da DWSA, sigla em inglês para Associação pelo Sufrágio das Mulheres de Dublin, na década de 1870. Depois de fazer campanha por dezoito anos contra os Atos sobre Doenças Contagiosas, de 1864 — que sujeitava as mulheres suspeitas de prostituição a exames médicos forçados e possível prisão —, o ativismo de Anna ajudou a revogar a lei. Haslam também assistiu a conquistas progressivas em relação ao direito ao voto para as mulheres na Irlanda, culminando na vitória de 1922, quando todas as mulheres irlandesas de mais de 21 anos finalmente conquistaram o direito ao voto.

Veja também: O movimento global pelo sufrágio 94-97

KATE SHEPPARD
1847–1934

Nascida em Liverpool, no Reino Unido, Kate Sheppard emigrou para a Nova Zelândia com a família em 1868, onde se envolveu com a igreja Woman's Christian Temperance Union of Christchurch. Sheppard acabou se tornando a suffragette de maior destaque no país. Ela foi editora do *The White Ribbon*, o primeiro jornal da Nova Zelândia a ser administrado por mulheres e acabou ajudando o país a se tornar o primeiro no mundo a estabelecer o sufrágio para todos os adultos brancos cidadãos, em 1893. O povo indígena Maori, no entanto, só conquistou o direito ao voto quando foi aprovada a lei Commonwealth Franchise Act, em 1902. Sheppard foi eleita a primeira presidente do Conselho Nacional das Mulheres da Nova Zelândia, uma organização fundada em 1896 para lutar pela igualdade de gênero. No fim da vida, ela viajou para o Reino Unido para ajudar na luta pelo sufrágio das mulheres do país. Em 1991, a Nova Zelândia honrou-a substituindo a rainha Elizabeth II por Sheppard na nota de 10 dólares.

Veja também: O movimento global pelo sufrágio 94-97

CARRIE CHAPMAN CATT
1859–1947

Professora americana, jornalista e líder do sufrágio feminino, Carrie Chapman Catt cresceu em Charles City, no Iowa. Ela frequentou o Iowa State Agricultural College, onde foi a única mulher a se formar e a oradora da turma. Catt se interessou pelo sufrágio feminino ainda adolescente quando reparou que a mãe não tinha os mesmos direitos que o pai, e foi sufragista de 1880 em diante. Em 1900, ela se tornou presidente da NAWSA e dois anos depois fundou a Aliança Internacional pelo Sufrágio Feminino. Catt também foi uma das fundadoras do partido Women's Peace Party, em 1915. Sua "estratégia vencedora", que combinava assegurar o sufrágio das mulheres estado por estado enquanto pressionava por uma emenda constitucional, teve sucesso ao aprovar a 19ª Emenda, em 1920, garantindo às mulheres o direito ao voto. No mesmo ano, Catt fundou a Liga das Mulheres Votantes, que ainda existe hoje, para ajudar as mulheres a terem um papel mais amplo na vida pública.

Veja também: O nascimento do movimento sufragista 56-63

EDITH COWAN
1861–1932

Primeira mulher membro do parlamento na Austrália e proeminente ativista pelos direitos das mulheres e das crianças, Edith Cowan nasceu em uma fazenda de criação de ovelhas na Austrália Ocidental. Ficou órfã quando o pai foi executado pelo assassinato da madrasta e viveu com a avó até se casar, aos dezoito anos. Em 1894, Cowan cofundou o Karrakatta Club — o primeiro clube social para mulheres na Austrália — e se tornou membro de destaque do movimento pelo sufrágio feminino. As mulheres da Austrália Ocidental conquistaram o direito de voto em 1899, cinco anos depois da Austrália do Sul, mas antes de qualquer outro Estado. Eleita para o parlamento em 1921, Cowan cumpriu apenas um mandato, mas nesse tempo conseguiu aprovar a lei que permitiu às mulheres entrarem na profissão jurídica. Ela também defendeu a educação sexual nas escolas.

Veja também: O movimento global pelo sufrágio 94-97

HANNA SHEEHY-SKEFFINGTON
1877–1946

Nascida Johanna Mary Sheehy no condado de Cork, na Irlanda, a suffragette e nacionalista Hanna Sheehy-Skeffington foi uma das fundadoras da Liga Irlandesa pelo Voto Feminino, em 1908, e do Sindicato das Mulheres Trabalhadoras, em 1911. Ela cresceu em um família de nacionalistas irlandeses, mas o pai se opunha ao sufrágio feminino, uma contradição que influenciou a visão de Hanna tanto sobre a independência da Irlanda quanto sobre a opressão às mulheres irlandesas. Ela comentou a respeito: "Até as mulheres da Irlanda serem livres, os homens não alcançarão a emancipação". Depois de seu casamento com Francis Skeffington em 1903, Hanna e o marido adotaram o sobrenome Sheehy-Skeffington. Em 1912 ela foi uma das fundadoras do jornal feminista *Irish Citizen*. Hanna também participou de ações militantes junto com outras suffragettes e foi presa por quebrar as janelas do Castelo de Dublin. Em 1913, foi demitida do emprego de professora por seu ativismo. Depois que o marido foi morto durante a Revolta da Páscoa contra o domínio britânico, de 1916, ela deu várias palestras na Irlanda e nos EUA sobre nacionalismo irlandês.

Veja também: O nascimento do movimento sufragista 56-63 ▪ O movimento global pelo sufrágio 94-97

KARTINI
1879–1904

A ativista indonésia Kartini, cujo nome completo era Raden Adjeng Kartini, foi uma defensora da educação das meninas e dos direitos das mulheres indonésias. Nascida em Java, no que eram, então, as Índias Orientais Holandesas, ela frequentou uma escola de língua holandesa até os doze anos de idade. Depois disso, foi confinada à casa dos pais até se casar — uma prática comum na época. Durante sua reclusão, Kartini continuou os estudos, incluindo a leitura de textos holandeses, que alimentaram seu interesse pelo feminismo ocidental. Com a experiência de quem tinha sido pressionada pelos pais a aceitar um casamento arranjado com um homem que tinha várias esposas, Kartini escreveu cartas contra a poligamia e abriu uma escola primária para meninas indígenas em 1903, que adotava um currículo ocidental. Ela também esperava escrever um livro, mas morreu aos 25 anos depois de dar à luz o filho. As Kartini Schools — escolas holandesas para meninas indígenas — são inauguradas em sua memória desde 1912.

Veja também: Educação para mulheres islâmicas 38-39 ▪ Liberdade intelectual 106-107

ANNIE KENNEY
1879–1953

Annie Kenney era uma suffragette inglesa da classe operária, que trabalhou em uma fábrica de algodão em Lancashire dos dez aos 25 anos. Ela é conhecida por ajudar a levar o movimento do sufrágio a um estágio de militância. Kenney foi presa treze vezes por interromper reuniões políticas e, em uma ocasião, por cuspir em um policial. Era uma integrante dedicada da principal organização de militância sufragista no Reino Unido, a WSPU. Kenney e Christabel Pankhurst, uma das fundadoras da WSPU, foram supostamente amantes, e Kenney esteve romanticamente ligada a pelo menos dez membros da WSPU. Em 1912, ela foi colocada à frente da WSPU de Londres e cuidava das atividades ilegais da organização em casa à noite, até ser presa em 1913. Kenney publicou uma autobiografia, *Memories of a Militant*, em 1924.

Veja também: Igualdade política na Grã-Bretanha 84-91

MARGARITA NELKEN
1894–1968

A intelectual e socialista espanhola Margarita Nelken nasceu em um família judia abastada em Madri. Educada em Paris, ela se tornou tradutora, crítica de arte e romancista. O interesse por política e feminismo a levou a publicar *A condição social das mulheres na Espanha*, em 1922, e em 1926 foi designada pelo governo para investigar as condições de trabalho das mulheres. Em 1931, Nelken se tornou membro do Partido Socialista e, mais tarde naquele ano, foi eleita para o parlamento, embora as mulheres espanholas ainda não tivessem direito ao voto. Em uma postura controversa, ela não apoiou o sufrágio das mulheres na Espanha naquela época, porque achava que as mulheres espanholas apoiariam forças conservadoras católicas. Quando a Guerra Civil espanhola eclodiu em 1936, Nelken permaneceu em Madri para trabalhar para a resistência. Depois da vitória dos nacionalistas em 1939, ela foi para o México, onde retomou sua carreira anterior como crítica de arte.

Veja também: O nascimento do movimento sufragista 56-63 ▪ Organizando sindicatos de mulheres 160-161

BELLA ABZUG
1920–1998

Conhecida como "Battling Bella" (algo como Bella Lutadora), Bella Abzug era advogada, membro do Congresso e líder da segunda onda feminismo nos EUA. Seu primeiro *slogan* de campanha, em 1970, foi algo como "O lugar dessa mulher é em casa — na casa dos representantes do povo". Filha de imigrantes judeus do Bronx, em Nova York, Abzug desafiou o sexismo de sua congregação de judeus ortodoxos, quando adolescente, e se formou em direito pela Universidade Columbia em 1947. Como advogada, ela defendeu a Emenda dos Direitos Iguais, lutou por um julgamento justo para Willie McGee — seu cliente negro que havia sido condenado à morte — e se opôs à Guerra do Vietnã. Eleita para a Câmara dos Representantes dos EUA, Abzug foi uma das primeiras integrantes do

Congresso a defender os direitos dos gays; em 1974, ela apresentou a Lei de Igualdade com o parlamentar de Nova York Ed Koch.

Veja também: O nascimento do movimento sufragista 56-63 ▪ Igualdade racial e de gênero 64-69

CORETTA SCOTT KING
1927–2006

Nascida em Marion, no Alabama, a ativista dos direitos civis norte-americanos Coretta Scott King casou-se com o líder da luta, Martin Luther King Jr., em 1953. Depois do assassinato do marido em 1968, Coretta Scott King continuou a assumir papéis de liderança na luta pelos direitos civis — ela fundou o Centro Martin Luther King Jr. para a Mudança Social sem Violência, em Atlanta, na Georgia, em 1968. Scott King também se envolveu no movimento das mulheres, lutou pelos direitos LGBTQ, pelo pacifismo e pelo fim do *apartheid* na África do Sul. Em 1966, ela afirmou que "as mulheres têm sido a espinha dorsal de todo o Movimento pelos Direitos Civis" e montou a segunda convenção da Organização Nacional das Mulheres. Scott King também fez campanha pela Emenda dos Direitos Iguais e participou do Congresso Nacional das Mulheres Negras. Em 1983, defendeu a inclusão da sexualidade como uma "classe protegida" na Emenda dos Direitos Civis e fez campanha a favor da igualdade LGBTQ até morrer.

Veja também: Igualdade racial e de gênero 64-69 ▪ Feminismo negro e mulherismo 208-215

BERTHA LUTZ
1894–1976

Assim como pelo resto do mundo, as mulheres brasileiras não fugiram à luta pela igualdade de direitos. No início do século XX, quando a pauta feminista se organizava, sobretudo em torno do sufrágio feminino, as sufragistas brasileiras criaram diversas associações, clubes, ligas e grupos politicamente atuantes. A cientista e jurista Bertha Lutz talvez seja a mais destacada figura do sufragismo brasileiro. Após conhecer a militância das mulheres na Europa e nos Estados Unidos, Bertha fundou a Federação Brasileira para o Progresso Feminino, em 1922, ano em que também organizou o Primeiro Congresso Internacional Feminista, no Rio de Janeiro. Somente em 1934, após décadas de movimentação de mulheres e aliados, o voto feminino foi nacionalmente adotado no Brasil.

Veja também: Igualdade racial e de gênero 64-69 ▪ Raiva como ferramenta ativista 216 ▪ Lutas feministas no Brasil 124-125 ▪ Feminismo contemporâneo no Brasil 321

JOKE SMIT
1933–1981

Nascida em Vianen, na Holanda, Joke Smit era feminista, jornalista e política. Em 1967, ela publicou "O desconforto das mulheres", um ensaio que descreve a frustração das mulheres holandesas por estarem confinadas aos papéis de esposas e mães, e é creditado a ela o início da segunda onda do movimento feminista nos Países Baixos. Em 1968, Smit ajudou a fundar o grupo anti-hierárquico de ação feminista Man Vrouw Maatschappij (MVM, "Homem Mulher Sociedade"), com a política holandesa Hedwig "Hedy" d'Ancona. Ao longo dos anos 1970, Smit escreveu sobre feminismo e socialismo, a importância da educação para meninas e mulheres, a divisão do trabalho entre homens e mulheres, libertação das lésbicas e muitos outros tópicos feministas.

Veja também: As raízes da opressão 114-117 ▪ Estruturas familiares 138-139

FRANÇOISE HÉRITIER
1933–2017

A antropóloga e feminista francesa Françoise Héritier explorou a divisão hierárquica dos sexos na sociedade no primeiro e no segundo volumes de seu livro *Masculin/Féminin*, publicados em 1996 e 2002. Orientada pelo antropólogo Claude Lévi-Strauss no Collège de France, Héritier aplicou a análise estrutural ao campo da antropologia, mostrando por que ela era útil para que se compreendesse o gênero e as relações baseadas no parentesco tanto na África Ocidental quanto na França. Mais tarde, Héritier sucedeu a Lévi-Strauss no Collège de France, tornando-se a primeira catedrática de Estudos Comparativos de Sociedades Africanas. Héritier foi presidente do Conselho Nacional de AIDS, de 1989 a 1995.

Veja também: As raízes da opressão 114-117 ▪ O problema sem nome 118-123

RUTH BADER GINSBURG
1933–

Segunda mulher juíza da Suprema Corte dos EUA, Ruth Bader Ginsburg nasceu no Brooklyn, na cidade de Nova York, filha de pais judeus. Ela estudou na Harvard Law School e depois na Columbia Law School. Em 1972, Ginsburg foi uma das fundadoras do Projeto pelos Direitos das Mulheres na União pelas Liberdades Civis Americanas (ACLU). Em 1973, tornou-se conselheira geral da ACLU e diretora da organização Women's Rights Project, em 1974. Ginsburg ganhou cinco de seis casos de discriminação de gênero que defendeu diante do Tribunal da Suprema Corte dos EUA entre 1973 a 1976. Depois de atuar como juíza na Vara Cível de Apelações em Washington, D.C., por treze anos, foi nomeada para a Suprema Corte, em 1993, pelo presidente Bill Clinton, onde tem defendido os direitos das mulheres. Ginsburg se descreve como uma feminista flamejante, e aos 85 anos anunciou que não tinha planos de se aposentar até ter pelo menos noventa.

Veja também: Conquistando o direito legal ao aborto 156-159

MARGARET ATWOOD
1939–

Autora de peças e poemas desde os seis anos, a romancista Margaret Atwood nasceu em Ottawa, no Canadá. Depois de concluir o mestrado no Radcliffe College, nos EUA, em 1962, Atwood ensinou escrita criativa em universidades por todo o Canadá e começou a publicar poemas premiados em 1961. Em 1969 publicou seu primeiro romance, *A mulher comestível*, um de seus vários livros que seriam descritos como feministas por fãs e críticos, embora ela tenha rejeitado o rótulo do feminismo. No entanto, grande parte do trabalho de Atwood destaca a opressão às mulheres, mais notoriamente o aclamado romance distópico de 1985, *O conto da aia*, que foi adaptado como filme, ópera e série de televisão.

Veja também: As raízes da opressão 114-117

OMOLARA OGUNDIPE-LESLIE
1940–

Escritora feminista nigeriana, poeta, editora e ativista, Omolara Ogundipe-Leslie é considerada uma das mais importantes escritoras contemporâneas, abordando assuntos como mulheres africanas e feminismo africano. Ela nasceu em Lagos, em uma família de educadores que acreditavam na importância de ensinar aos filhos história e linguagem africanas, apesar de a Nigéria ser, na época, uma colônia britânica. A mãe também ensinou a ela ideias progressistas sobre gênero. No livro de 1994, *Re-Creating Ourselves: African Women & Critical Transformations*, ela cunhou o termo "stiwanism" (transformação social na África incluindo as mulheres) para defender a derrubada de estruturas opressoras institucionalizadas na sociedade africana. O trabalho de Ogundipe-Leslie explora o impacto do colonialismo e do neocolonialismo nas culturas africanas, bem como a internalização do patriarcado pelas mulheres africanas. Ao mesmo tempo, ela também enfatiza a importância de compreender as complexidades das culturas da África pré-colonial e indígena e seu impacto na vida das mulheres africanas.

Veja também: Anticolonialismo 218-219 ▪ Feminismo pós-colonial 220-223

BEATRIZ NASCIMENTO
1942–1995

Intelectual, historiadora, professora e poeta, Beatriz foi uma importante pensadora dos estudos raciais no Brasil. De origem pobre, ela migrou com a família do Sergipe para o Rio de Janeiro. Em sua obra, Beatriz abordou temas como a mulher negra no mercado de trabalho, deslocamentos de populações negras, as relações entre Brasil e África e quilombos. Além de acadêmica, Beatriz foi ativista do movimento negro. Seu trabalho mais célebre é o documentário *Ôri* (1989), dirigido por Raquel Gerber. Beatriz foi assassinada em 28 de janeiro de 1995 pelo companheiro de uma amiga sobrevivente de violência doméstica. No livro *Eu sou Atlântica: sobre a trajetória de vida de Beatriz Nascimento*, de Alex Ratts, pode-se ter uma boa introdução à vida e à obra de Beatriz.

Veja também: Conquistando o direito legal ao aborto 156-159 ▪ Lutas feministas no Brasil 124-125 ▪ Feminismo contemporâneo no Brasil 321

DONNA HARAWAY
1944–

Nascida em Denver, no Colorado (EUA), Donna Haraway é professora emérita da Universidade da Califórnia, em Santa Cruz. Ela é mais conhecida pelos ensaios "Manifesto ciborgue" (1985) e "Saberes localizados: a questão da ciência para o feminismo e o privilégio da perspectiva parcial" (1988). O trabalho inicial de Haraway questionava o preconceito masculino na construção do conhecimento científico rotulado como "objetivo". Ela investigou como as suposições sobre o gênero humano e a raça influenciavam a interpretação dos cientistas (homens brancos) do comportamento de espécies não humanas, um tópico que expande no livro de 1989, *Primated Visions: Gender, Race and Nature in the World of Modern Science*. Em "Manifesto ciborgue", Haraway defende a substituição da ideia de identidade política pelo que chama de "política de afinidade". Mais amplamente, seu trabalho desafia o antropocentrismo, ou a ideia de as outras espécies girarem ao redor dos humanos, e considera como os humanos incorporam tecnologia ciborgue em suas vidas.

ANNE SUMMERS
1945–

A feminista australiana Anne Summers nasceu em Deniliquin, em Nova Gales do Sul, filha de pais católicos, em 1945. Depois de engravidar enquanto estudava política e história na Universidade de Adelaide, em 1965, ela foi submetida a um aborto malfeito, experiência que instigou seu interesse crescente no feminismo. Depois de se casar com um colega e de deixá-lo, ela fundou um grupo do Movimento de Libertação das Mulheres em Adelaide, em 1969, e, no ano seguinte, criou um abrigo para sobreviventes de violência doméstica em Sydney. No início dos anos 1970, Summers começou a escrever e publicou *Damned Whores and Gods Police*, em 1975, livro sobre os papéis das mulheres na sociedade australiana. Depois de um período como editora da revista feminista *Ms.*, em Nova York, Summers voltou para a Austrália e se tornou consultora política para assuntos das mulheres. Ela continua a escrever, a participar de programas de rádio e TV e a organizar conferências sobre feminismo.

Veja também: As modernas publicações feministas 142-143 ▪ Conquistando o direito legal ao aborto 156-159

MARIELLE FRANCO
1979–2018

Socióloga e feminista negra, nascida e criada em uma favela do Complexo da Maré, Marielle Franco foi a quinta vereadora mais votada nas eleições municipais de 2017 da cidade do Rio de Janeiro, no Brasil. Importante voz na defesa dos direitos humanos, em prol da população LGBT e crítica ferrenha de abusos de autoridade por parte de policiais, Marielle foi assassinada a tiros, num atentado em março de 2018. O legado de seu ativismo aliado ao clamor popular pelo esclarecimento de sua morte fizeram com que sua breve legislatura ganhasse significados mais amplos. Marielle se tornou um dos símbolos de diferentes lutas por direitos, trazendo no corpo marcadores sociais de raça, classe e gênero. Em uma ilustre fala na Câmara de Vereadores carioca, Marielle ressaltou que, a despeito de todas as desigualdades a que foi submetida, ela não seria interrompida.

Veja também: Lutas feministas no Brasil 124-125 ▪ O sexismo está por toda parte 308-309 ▪ Feminismo contemporâneo no Brasil 321

ROXANE GAY
1974–

Nascida em Omaha, Nebraska (EUA), e filha de pais haitianos, Roxane Gay é uma escritora feminista de sucesso e professora de redação criativa na Universidade Purdue, em Indiana. Gay começou escrevendo ensaios quando era adolescente. Seus textos exploram temas como gênero, raça, sexualidade e obesidade, e incluem obras de ficção e não ficção, como o livro de ensaios de 2014 *Má feminista* e a coleção de contos de 2017 *Mulheres difíceis*. As memórias de Gay, *Fome*, também publicadas em 2017, abordam suas estratégias para transitar por uma sociedade que odeia os gordos, sendo uma mulher obesa.

Veja também: Positividade gorda 174-175 ▪ Interseccionalidade 240-245

KAT BANYARD
1982–

Chamada de "a jovem feminista mais influente do Reino Unido" por Kira Cochrane, do *The Guardian*, em 2013, Kat Banyard chegou ao feminismo depois de enfrentar o sexismo na faculdade. Antes, ela presumia que o feminismo era uma questão ultrapassada, de uma época anterior. Seu interesse crescente pelo feminismo levou-a ser uma das fundadoras e a dirigir o *UK Feminista* — grupo que pressiona os políticos para que aprovem legislação feminista —, organiza oficinas em escolas sobre a igualdade de sexos e coordena campanhas feministas contra as *lads mags* (revistas para rapazes) e contra o assédio sexual nas escolas. Ela também se concentra na luta contra a objetificação sexual. Banyard é autora de *The Equality Illusion: The Truth About Women and Men Today* (2010) e de *Pimp State: Sex, Money and the Future of Equality* (2016). Ela defende que os homens devem ser parceiros ativos das mulheres na luta contra a desigualdade de gênero.

Veja também: Combatendo a agressão sexual nos *campi* 320

PATRISSE CULLORS
1984–

Nascida em Los Angeles, Califórnia, EUA, Patrisse Cullors é ativista queer e uma das fundadoras do movimento Vidas Negras Importam. Cullors entrou no ativismo político ainda adolescente e acabou fundando a Dignity and Power Now, uma coalizão contra a brutalidade policial centrada na conduta dos xerifes nas cadeias dos condados. Ela atribuiu o comprometimento em lutar desde tão jovem por justiça racial a sua própria experiência como negra, filha de uma família de baixa renda em Los Angeles, e também por ter enfrentado a brutalidade policial contra o irmão nas cadeias do condado de Los Angeles. Em 2013, Cullors, e as amigas Alicia Garza e Opala Tometi, fundou o Vidas Negras Importam como uma resposta à absolvição de George Zimmerman pelo assassinato de Trayvon Martin, adolescente negro que estava desarmado, na Flórida. Cullors ganhou vários prêmios por seu ativismo e é membro do conselho do Centro de Direitos Humanos Ella Baker, um grupo de ação organizado para evitar ciclos de violência urbana.

Veja também: Raiva como ferramenta ativista 216 ▪ Feminismo e teoria queer 262-263

LEITURA ADICIONAL

ORGANIZAÇÕES

SOCIEDADE DAS MULHERES DINAMARQUESAS
1871

A organização pelos direitos das mulheres mais antiga do mundo, a Dansk Kvindesamfund, foi fundada em 1871 por Matilde Bajer e seu marido Frederik Bajer. Matilde tinha sido ativa no *Comité locale de l'association internationale des femmes* (Comitê Regional da Associação Internacional das Mulheres), sediado na Suíça, e Frederik era político e um importante apoiador do Movimento de Emancipação das Mulheres. A Sociedade das Mulheres Dinamarquesas defendia o direito das mulheres ao emprego remunerado e à independência na família. Mais tarde, a organização se empenhou também pelo sufrágio feminino na Dinamarca (conquistado em 1915) e pela legalização do aborto (conquistada em 1973). Hoje, a Sociedade das Mulheres Dinamarquesas atua como uma ONG de direitos das mulheres e publica a *Kvinden & Samfundet* (*Mulheres e sociedade*), revista feminina mais antiga do mundo.

Veja também: Início do feminismo escandinavo 22-23

SEKIRANKAI
1921

O grupo de direitos das mulheres Sekirankai (Sociedade da Onda Vermelha, em japonês) foi a primeira organização socialista de mulheres no Japão. Fundada pelas ativistas anarquistas Sakai Magara, Kutsumi Fusako, Hashiura Haruno e Akizuki Shizue, o Sekirankai permaneceu ativo por curtos, porém explosivos oito meses no ano de 1921. Suas integrantes defendiam que o capitalismo devia ser derrubado a fim de alcançar uma sociedade socialista e afirmavam que o capitalismo transforma as mulheres em escravas e prostitutas. No Dia do Trabalho, também conhecido como Dia Internacional dos Trabalhadores para socialistas e comunistas, o Sekirankai distribuiu cópias de seu "Manifesto às Mulheres", em Tóquio. Escrito pela socialista Yamakawa Kikue, o manifesto criticava o capitalismo a partir de uma perspectiva feminista e o denunciava por permitir o imperialismo. Cerca de vinte integrantes da organização marcharam pelas ruas, e todas foram presas. A legislação do governo, que restringia a liberdade de expressão e de agrupamentos — especialmente para mulheres —, combinada à desaprovação social acabaram dissolvendo o Sekirankai, mas suas integrantes criaram outros grupos feministas socialistas japoneses.

Veja também: Feminismo no Japão 82-83

GULABI GANG
2002–

Fundado pela ativista social Sampat Pal Devi no distrito de Banda, no estado de Uttar Pradesh, norte da Índia, o Gulabi Gang é um grupo de ativistas formado principalmente por mulheres da casta mais baixa da Índia, os Dalits ("intocáveis"), para combater a violência masculina, a pobreza e o casamento infantil. O foco do Gulabi Gang é treinar mulheres para autodefesa, equipando-as com longos paus de bambu conhecidos como *lathis*. O grupo garante às mulheres recursos para conseguirem segurança financeira e, portanto, menos dependência dos homens. "Gulabi" significa "rosa" em hindi e refere-se aos sáris rosa que distinguem as integrantes. A idade das mulheres no grupo varia de dezoito a sessenta anos. O Gulabi Gang toma para si a missão de fazer justiça em face do fracasso generalizado da polícia em protegê-las da violência masculina. As integrantes usam táticas como o diálogo, o confronto aos agressores e sua exposição pública e também as artes marciais. O documentário da diretora indiana Nishtha Jain sobre o grupo, *Gulabi Gang*, estreou em 2012.

Veja também: Feminismo indiano 176-177

FEMEN
2008–

Fundado na Ucrânia por Anna Hutsol, o FEMEN está sediado em Paris e tem filiais em todo o mundo. O grupo feminista radical dedica-se a lutar contra a exploração sexual de mulheres, contra a opressão às mulheres sob ditaduras e religiões patriarcais, e está comprometido com o ateísmo. O FEMEN é conhecido por seus controversos protestos de *topless* e define suas táticas deliberadamente provocativas como "sextremismo". O *slogan* do grupo é "Meu corpo é minha arma!". Seus membros veem o *topless* como uma parte importante da reinvindicação das mulheres de seus próprios corpos em relação ao controle patriarcal e escrevem a respeito em seu site: "A manifestação do direito ao próprio corpo é o primeiro e mais importante passo para a libertação da mulher". O FEMEN tem como alvo Estados teocráticos islâmicos que praticam a Sharia (o direito islâmico) — alvo que alguns críticos alegam ser islamofóbico. O FEMEN também está empenhado em acabar com a

prostituição e com a "indústria do sexo", que o grupo chama de "genocídio".
Veja também: A popularização da libertação feminina 132-133 ▪ Positividade sexual 234-237 ▪ Cultura raunch 282-283

PUSSY RIOT
2011–

O grupo feminista de punk rock russo Pussy Riot, com sede em Moscou, encena performances públicas de guerrilha e se opõe ao presidente Vladimir Putin e a sua repressão à liberdade de discurso, aos direitos das mulheres e direitos LGBTQ. O grupo começou com cerca de uma dúzia de membros e agora tem um elenco rotativo de músicos e artistas. Desde sua prisão, em 2012, por tocarem músicas contrárias a Putin dentro de uma igreja ortodoxa russa, as integrantes Nadezhda Tolokonnikova, Maria Alyokhina e Yekaterina Samutsevich tornaram-se as imagens do grupo na mídia global. As três foram condenadas por "vandalismo religioso", e, apesar de a sentença de Samutsevich ter sido suspensa graças a um recurso, Tolokonnikova e Alyokhina foram forçadas a passar dois anos na prisão. Após sua libertação, Tolokonnikova e Alyokhina tornaram-se defensoras da reforma prisional, além de trabalhar como ativistas. As canções do Pussy Riot incluem "Kill the Sexist", "Death to Prison, Freedom to Protests" e "Mother of God, Drive Putin Away". Durante a final da Copa do Mundo de Futebol de 2018, em Moscou, quatro ativistas do Pussy Riot invadiram o campo usando uniformes da polícia e pedindo o fim da detenção ilegal. Elas receberam sentenças de quinze dias de prisão.
Veja também: Protesto do Guerrilla 246-247 ▪ O movimento Riot Grrrl 272-273

MOVIMENTOS

COMISSÃO PRESIDENCIAL SOBRE A SITUAÇÃO DAS MULHERES
1961–1963

A Comissão Presidencial sobre a Situação das Mulheres (PCSW) foi designada pelo presidente dos EUA John F. Kennedy. Kennedy havia assumido o compromisso político de investigar a desigualdade sofrida pelas mulheres para manter o apoio do movimento trabalhista, essencial para sua vitória eleitoral e que se opôs fortemente à ratificação da Emenda dos Direitos Iguais (ERA). A ex-primeira-dama dos EUA, diplomata e ativista, Eleanor Roosevelt, foi presidente da PCSW. A comissão descobriu que as mulheres do país não tinham tanto acesso à educação quanto os homens, nem faziam parte da economia ou da política no mesmo nível. Em seu relatório final de 1963, intitulado "Mulheres americanas", a comissão deixou subitamente de endossar o ERA e passou a defender, em vez disso, uma decisão da Suprema Corte que garantiria às mulheres o direito a igual proteção dos direitos civis sob a 14ª Emenda da Constituição dos EUA. A criação da PCSW levou à fundação da Organização Nacional para as Mulheres (NOW), em 1966, e à criação de comissões em todos os cinquenta estados dos EUA, em 1967, para estudar a situação das mulheres em nível local.
Veja também: O nascimento do movimento sufragista 56-63 ▪ Igualdade racial e de gênero 64-69

MANIFESTO DAS 343
1971

Escrito pela feminista e filósofa francesa Simone de Beauvoir, o Manifesto das 343 (ridicularizado como o Manifesto das 343 Prostitutas ou 343 Cadelas) foi uma petição assinada por 343 mulheres francesas declarando que haviam feito abortos ilegais e exigindo direitos reprodutivos. Devido ao *status* ilegal do aborto na França naquela época, a declaração das mulheres as expôs ao risco de um processo criminal. No Manifesto, que foi publicado na revista *Le Nouvel Observateur*, Beauvoir destacava o fato de que a cada ano um milhão de mulheres francesas faziam abortos em condições perigosas e declarava que ela também havia feito um aborto. O Manifesto inspirou 331 médicos franceses a escreverem um documento próprio, em 1973, defendendo o direito da mulher ao aborto. Em janeiro de 1975, o aborto durante as primeiras dez semanas de gravidez foi legalizado na França.
Veja também: As raízes da opressão 114-117 ▪ Conquistando o direito legal ao aborto 156-159

CONTRACEPTIVE TRAIN
1971

Em 22 de maio de 1971, membros do Movimento de Libertação das Mulheres Irlandesas (IWLM) fizeram uma ação direta para fornecer contraceptivos para as mulheres do país. Como a contracepção havia sido declarada ilegal na República da Irlanda desde a Lei Criminal (Emenda) de 1935, Nell McCafferty, cofundadora, e outras mulheres da IWLM dirigiram-se para Belfast, na Irlanda do Norte, usando o trem. Elas tentaram comprar pílulas anticoncepcionais, mas não conseguiram, já que as mulheres da Irlanda do Norte eram obrigadas a apresentar uma receita médica para a compra. As mulheres compraram, então, preservativos e gel espermicida, além de centenas de pacotes de aspirina, para enganar os funcionários aduaneiros, fazendo-os pensar que eram pílulas anticoncepcionais. Equipes da mídia internacional acompanharam a jornada. As mulheres exibiram os contraceptivos aos funcionários da alfândega, correndo o risco de serem presas. O evento ajudou a quebrar o tabu contra a discussão sobre controle de natalidade. A contracepção foi totalmente legalizada na República da Irlanda em 1993.

Veja também: Controle de natalidade 98-103 ▪ A pílula 136

#BRINGBACKOURGIRLS
2014–

Em abril de 2014, 276 estudantes foram sequestradas em Chibok, na Nigéria, pelo grupo terrorista islâmico Boko Haram. Dias após o sequestro, Obiageli "Oby" Ezekwesili — contadora nigeriana e ex-vice-presidente da divisão para a África do Banco Mundial — declarou em um discurso que os nigerianos deveriam tomar uma atitude concreta para "trazer de volta nossas meninas". Mais tarde naquele mês, Ibrahim Abdullahi, advogado corporativo em Abuja, na Nigéria, referiu-se a Ezekwesili no Twitter e publicou um tuíte: "Sim, tragam nossas filhas de volta #BringBackOurGirls". Esta foi a primeira vez em que a *hashtag* BringBackOurGirls foi usada nas redes sociais. Logo se tornou um clamor global, atraindo apoiadores como a primeira-dama dos EUA na época, Michelle Obama. Desde então, 57 garotas escaparam em 2014, e dezenas foram encontradas mais tarde ou resgatadas. Até 2018, no entanto, mais de 100 meninas permaneciam desaparecidas, várias são dadas como mortas, e os sequestros continuam.

Veja também: Feminismo digital 294-297 ▪ Feminismo universal 302-307

HEFORSHE
2014–

Campanha de solidariedade pela igualdade de gênero, a HeForShe pede a rapazes e homens que se envolvam na luta e assumam a promessa da campanha de combater o preconceito de gênero, a discriminação e a violência. A campanha foi iniciada pela Entidade para Igualdade de Gênero e Empoderamento das Mulheres das Nações Unidas, também conhecida como ONU Mulheres, e foi lançada em 2014 com um discurso feito pela atriz britânica Emma Watson, que também é uma Embaixadora da Boa Vontade da ONU. Em sua fala, que viralizou rapidamente, Watson explicou como passou a se identificar como feminista e a importância de rapazes e homens se envolverem na luta contra a desigualdade de gênero. Entre os homens conhecidos que se envolveram no movimento HeForShe estão o ex-Secretário-geral da ONU, Ban Ki-Moon; o ex-presidente dos EUA, Barack Obama; e o ator americano Matt Damon.

Veja também: Feminismo digital 294-297 ▪ Feminismo universal 302-307

TIME'S UP
2018–

Na sequência do movimento #MeToo contra a cultura do estupro e do abuso sexual em série, as celebridades de Hollywood organizaram o movimento Time's Up — a criação foi a anunciada no *The New York Times*, em 1º de janeiro 2018. O anúncio incluiu várias iniciativas, como a convocação para que as mulheres vestissem preto na cerimônia de entrega dos prêmios do Globo de Ouro e falassem sobre assédio sexual, além da criação de um fundo de defesa legal de US$ 13 milhões para ajudar com as ações judiciais por assédio sexual e agressão no local de trabalho movidas por mulheres que não são celebridades. Em seu site, o Time's Up apresenta uma carta aberta contra a violência sexual e a desigualdade no local de trabalho assinada por quase quatrocentas mulheres.

Veja também: Feminismo digital 294-297 ▪ Feminismo universal 302-307

GLOSSÁRIO

Anarcofeminismo Uma combinação de anarquismo e feminismo baseada na crença de que o patriarcado e as hierarquias resultam em opressão. As anarcofeministas lutam por uma sociedade baseada na ideia de comunidade, em que os indivíduos são capazes de controlar suas próprias vidas.

Androcêntrico Foco ideológico que tem os homens como o sexo principal, em que o ser humano padrão é do sexo masculino e as mulheres são vistas como subordinadas aos homens.

Bluestockings Grupo de mulheres cultas que participavam de encontros sociais e intelectuais nas casas umas das outras na Londres de meados do século XVIII.

Capitalismo Sistema econômico em que o comércio, a indústria e os lucros de uma sociedade são baseados na propriedade privada, em vez de as indústrias pertencerem ao Estado ou aos indivíduos que trabalham nelas com base na participação nos lucros.

Cisgênero Pessoa cuja identidade de gênero corresponde ao que lhe foi atribuído ao nascer. É comumente abreviado para "cis".

Cishet Refere-se a uma pessoa, situação ou grupo que é tanto cisgênero quanto heterossexual.

Conscientização Forma de ativismo que teve origem na década de 1960, em Nova York, inspirada no conceito de "o pessoal é político". Mulheres reunidas em pequenos grupos para discutir as realidades de suas vidas e assim encontrar experiências de opressão em comum que influenciariam seu ativismo.

Coverture Um marco jurídico que prevaleceu em muitos países de língua inglesa antes do final do século XIX, pelo qual um casal era tratado como uma entidade, e a mulher estava sob a proteção e autoridade do homem.

Culpabilização da vítima Quando a vítima de um ato ofensivo ou de um crime é total ou parcialmente responsabilizada por ele.

Cultura do estupro Um ambiente em que agressão sexual e abuso são normalizados ou banalizados.

Determinismo biológico A ideia de que as personalidades e os comportamentos de homens e mulheres são inatos e determinados pelo físico, e não por fatores culturais.

Discriminação positiva Favorecer explicitamente os membros de um grupo que sofreram, ou sofrem, opressão.

Disparidade de gênero As diferenças entre homens e mulheres em um conjunto de variáveis, como educação, renda e política.

Disparidade salarial A diferença na remuneração recebida por pessoas diferentes fazendo o mesmo trabalho. Refere-se frequentemente à disparidade salarial de gêneros, na qual os homens são mais bem remunerados do que as mulheres, mas também pode se referir a disparidades de remuneração por raça ou classe.

Dyke Antes um termo depreciativo, esta palavra foi "resgatada" pelas feministas lésbicas na década de 1970 e é uma identidade importante para algumas. Muitas, no entanto, ainda acreditam que seja uma ofensa, e o termo costuma ser usado para insultar mulheres masculinizadas.

Empoderamento Medidas para melhorar a vida das pessoas oprimidas, particularmente mudanças legais e sociais, como melhorar a educação das meninas no mundo em desenvolvimento. Também descreve um sentimento de força experimentado pelas mulheres quando promovem mudanças pessoais internas e nos campos profissional e dos relacionamentos.

Essencialismo de gênero Crença de que existem diferenças profundas entre homens e mulheres que são essenciais para sua identidade e que não podem ser mudadas.

Falocêntrico Ênfase no falo — o simbólico, em vez do real, do órgão sexual masculino — como um sinal de dominância masculina.

Feminicídio Assassinato de mulheres entendido a partir de um viés de desigualdade de gênero, como em situações de violência sexual, doméstica ou de crimes de ódio. No Brasil, é um agravante de homicídios desde 2015.

Feminismo Ampla gama de movimentos sociais e ideologias baseada em afirmar os direitos das mulheres; ativismo coletivo para questões jurídicas, econômicas e de igualdade social entre os sexos; e a crença de que as mulheres devem ter direitos e oportunidades iguais aos dos homens.

Feminismo antipornografia Ativismo influenciado pela crença de que a pornografia sexualiza e torna aceitável a violência contra as mulheres.

GLOSSÁRIO

Feminismo branco Feminismo que se concentra principalmente em questões que afetam as mulheres brancas.

Feminismo anticolonial Proposta de reflexão feminista que considera o contexto político e social do colonialismo para a construção de normas de gênero em determinadas regiões do mundo, como a América Latina.

Feminismo igualitário Vertente do feminismo, às vezes adotada por conservadores nos EUA, centrada na igualdade jurídica entre mulheres e homens.

Feminismo lésbico Feministas para quem a lesbianidade era uma parte intrínseca de seu feminismo e vice-versa. Essa vertente do feminismo começou no final dos anos 1960 por causa da exclusão de lésbicas do feminismo dominante nos EUA.

Feminismo liberal Foco na capacidade das mulheres de escolher a vida que desejam e de alcançar a igualdade de gênero através de ações individuais em vez de coletivamente.

Feminismo marxista Vertente do feminismo que acredita que a opressão das mulheres é principal ou exclusivamente um efeito do capitalismo.

Feminismo negro Feminismo influenciado pelas experiências de mulheres negras que sustentam que o sexismo, o racismo e a opressão de classe estão indissoluvelmente ligados.

Feminismo radical Crença de que as mulheres só estarão livres da opressão quando a sociedade controlada por homens — ou seja, o patriarcado — terminar; ativismo coletivo de mulheres para alcançar esse objetivo.

Feminismo revolucionário Versão mais extrema da segunda onda do feminismo, em que o homem era visto como "o inimigo" das mulheres.

Feminismo trans Movimento de e para as mulheres trans, estimulando seu envolvimento dentro do feminismo como um todo e defendendo suas questões específicas.

Feminismo transnacional Teoria e ativismo que examina as formas como a globalização e o capitalismo afetam e enfraquecem as pessoas de todos os gêneros, sexualidades, nações, raças e classes.

Gênero O estado de ser masculino ou feminino; comportamentos, papéis e atividades socialmente construídos que estão ligados à masculinidade ou à feminilidade; percepção profundamente internalizada de um indivíduo de que é do sexo masculino ou feminino.

Gênero fluido Refere-se a uma pessoa que considera que sua identidade ou expressão de gênero não é fixa ou que inclui tanto o masculino quanto o feminino.

Herstory Uma palavra da segunda onda feminista para "história" ("history" em inglês), para enfatizar a vida das mulheres ("hers", delas, em inglês), removendo o prefixo "his" (deles em inglês).

Heteronormatividade Forte crença de que a heterossexualidade é a única orientação sexual normal e que as diferenças entre homens e mulheres também são distintas, naturais e complementares.

Heterossexualidade compulsória Ideia de que a sociedade patriarcal impõe a heterossexualidade como a orientação sexual padrão.

Incel Um homem que se considera "involuntariamente celibatário" porque não consegue atrair o tipo de mulher que deseja. Os incels geralmente adotam um comportamento misógino agressivo, culpando-as por sua falta de sexo e de amor.

Interseccionalidade Importante vertente do feminismo moderno que explica como diferentes aspectos da identidade de um indivíduo, como raça, sexo e idade, criam sistemas convergentes de discriminação.

Intersexo Pessoas que nascem com uma mistura de características dos sexos masculino e feminino, incluindo cromossomos e hormônios sexuais.

Irmandade Um forte vínculo de solidariedade entre as mulheres com base na ação coletiva para aumentar os direitos das mulheres.

Kiriarquia Ideia que engloba múltiplos sistemas de opressão, incluindo o patriarcado, e avalia como cada pessoa se encaixa dentro deles. Por exemplo, uma mulher branca lésbica da classe trabalhadora tem simultaneamente mais e menos poder do que um homem negro heterossexual da classe alta.

Lesbianismo político A ideia de que a lesbianidade é uma escolha política e que as mulheres devem desistir dos homens para combater a opressão masculina, desejem elas ou não outras mulheres.

LGBT/LGBTQ/LGBTQ+ Iniciais que representam lésbica, gay, bissexual, transgênero e, depois de 1990, queer. O termo abrange diferentes grupos dentro de culturas de sexo e gênero. Um sinal de "mais" indica a inclusão de pessoas incertas de sua sexualidade e de pessoas intersexo e assexuadas.

Liberdade reprodutiva O direito da mulher ao aborto e ao controle de natalidade, e a liberdade de fazer essas escolhas sem julgamento ou pressão.

GLOSSÁRIO

Machismo Atitude condescendente e degradante dos homens em relação às mulheres, nascida da crença de que os homens são superiores.

Matriarcado Família, grupo ou Estado que é governado por uma mulher ou por mulheres; forma de relação social em que a mãe ou a mulher mais velha é a chefe da família; situação em que a descendência familiar e a herança vêm da linhagem feminina, em vez da masculina.

Microagressão Pequenos atos regulares de invalidação dirigidos a membros de grupos marginalizados.

Misoginia Ódio e desprezo dos homens pelas mulheres; preconceito entranhado contra mulheres.

Movimento de Libertação das Mulheres Parte importante da segunda onda do feminismo, o WLM (na sigla em inglês) nasceu dos movimentos radicais do final da década de 1960. O Women's Lib, como também é chamado, baseou-se no ativismo coletivo em muitas das sociedades industrializadas do mundo. O movimento rejeitava a ideia de que uma reforma política e social gradual levaria a mudanças profundas ou rápidas, e afirmava que era necessária uma transformação mais profundamente enraizada.

Movimento dos Direitos Civis Movimento político nos EUA nos anos 1950 e 1960, liderado por e para afro-americanos. Seus defensores lutavam pela igualdade de oportunidades com norte-americanos brancos e pelo fim da discriminação racial legalizada.

Mulherismo Termo cunhado pela escritora Alice Walker, na década de 1980, para se referir à história e às experiências de mulheres negras que não eram contempladas na corrente predominante da segunda onda do feminismo.

Não binário Termo geral para algo que compreende mais de dois elementos. No feminismo e nos estudos de gênero, é um termo guarda-chuva para pessoas que não se identificam com o masculino ou o feminino, ou que se identificam como ambos.

Objetificação Dentro do contexto do feminismo, é tratar as mulheres como objetos sexuais em relação ao desejo masculino, e não como indivíduos com pensamentos ou direitos próprios.

Olhar masculino Forma como as artes visuais retratam as mulheres como objetos passivos para serem vistos por homens heterossexuais.

Opressão O exercício do poder e da autoridade de um grupo de pessoas sobre outro, ou pelo Estado, de maneira cruel ou injusta.

Outro, O Termo usado para descrever como um grupo vê alguém de fora através de seus próprio padrões.

Patriarcado Sistema social no qual é atribuída aos homens a maior parte ou todo o poder, privilégio e valor, e as mulheres são em grande maioria ou completamente excluídas deste poder; sistema em que o pai ou o homem mais velho é o chefe da família e a descendência é considerada através da linhagem masculina.

Performatividade O modo como os indivíduos "apresentam" a masculinidade ou a feminilidade, englobando sentimentos, aparência e atitudes; isso por si só constrói tanto o que a masculinidade ou a feminilidade significam para essa pessoa quanto como elas são percebidas por outros, indicando que gênero não é necessariamente fixo ou estável.

Política sexual As relações de poder entre um grupo de pessoas (homens) e outro (mulheres).

Porco chauvinista Uma gíria da segunda onda do feminismo para designar um homem que acredita na superioridade masculina e, por isso, age de forma desagradável em relação às mulheres.

Pós-colonialismo Estudo do rescaldo do colonialismo e do imperialismo — seja como forma de governo, seja como maneira de ver o mundo — e seus efeitos sobre o poder social e político.

Pós-feminismo Termo que ganhou destaque nos anos 1980, postulando que o feminismo não era mais necessário porque as metas tinham sido alcançadas.

Positividade gorda Aceitação de pessoas de todos os tamanhos, reconhecendo que não é necessário ser magro para ser saudável ou feliz; movimento para combater o preconceito em relação aos gordos.

Positividade sexual Filosofia que promove a sexualidade e a expressão sexual, e considera que ambas formam parte da liberdade das mulheres.

Primeira onda do feminismo Um período do feminismo de 1848 até por volta de 1918–1920. Centrou-se no direito das mulheres ao voto, nos direitos dentro do casamento e no fim das barreiras à educação e ao trabalho.

Privilégio A ideia de que os membros de um grupo são favorecidos em comparação a membros de outro grupo. Mulheres brancas, por exemplo, têm privilégios se comparadas a mulheres negras, independentemente de outros aspectos de suas vidas, como classe ou nível de educação. De acordo com essa teoria, algumas pessoas são mais oprimidas do que outras.

"Provocar Eva" (Eve teasing) Eufemismo usado no sul da Ásia, quer dizer assédio sexual e abuso de mulheres em locais públicos.

GLOSSÁRIO 341

Queer Termo abrangente usado a partir de 1990 aproximadamente para designar minorias sexual e de gênero, sejam indivíduos ou grupos; membros da comunidade LGBT que não estão interessados nos objetivos políticos do movimento gay; uma maneira de abalar as normas convencionais de gênero e sexualidade.

Reforma do vestuário Movimento da segunda metade da era vitoriana que promoveu o uso de roupas práticas e confortáveis. Isto contrastava com as roupas femininas desconfortáveis e exageradamente elaboradas, como os espartilhos, que eram usados naquele tempo. Reformadores de vestuário geralmente eram tratados com descrença e ridicularizados.

Riot Grrrl Movimento de base de jovens feministas, mais popular do início até meados dos anos 1990. Suas seguidoras expressavam-se através de música punk e outras formas de criatividade como zines.

Segunda onda do feminismo Período do feminismo a partir de meados dos anos 1960 até início dos anos 1980, especialmente na América do Norte e na Europa, mas com impacto em muitos outros países ao redor do mundo. Centrou-se nas experiências das mulheres dentro da família, nas relações sexuais e no trabalho.

Separatismo A ideia de que um grupo (neste caso, mulheres) deve se afastar o máximo possível de grupos opostos (como o dos homens) na vida política, social, doméstica e profissional.

Sexismo Uso de estereótipos para oferecer vantagens ou desvantagens a um gênero em detrimento de outro; discriminação sistêmica contra as mulheres; falta de respeito pelas mulheres.

Sexismo internalizado Quando as próprias mulheres acreditam nas percepções da sociedade tradicional sobre a inferioridade feminina.

Slut-shaming Crítica velada a mulheres cujo comportamento sexual ou roupas reveladoras transgridem códigos convencionalmente aceitáveis de comportamento e que tem o efeito de colocar a culpa pela violência sexual na vítima.

Subalterno Pessoa ou grupo a que é atribuído um *status* inferior em uma hierarquia, ou que é deixado de fora das estruturas políticas de poder em qualquer sociedade.

Suffragette Mulher, especialmente do início do século XX, na Grã-Bretanha, que lutava pelo direito ao voto através de protestos organizados, às vezes violentos.

Sufragista Feminista da primeira onda que fazia campanha pela extensão do direito ao voto a quem não tinha, especialmente as mulheres, usando meios constitucionais e pacíficos.

SWERF Sigla em inglês para "feminista radical que exclui profissionais do sexo". Alegam que as mulheres engajadas no trabalho sexual estão fazendo algo que oprime as mulheres em geral e prejudica as pessoas envolvidas. Elas acreditam que a opinião das profissionais do sexo sobre suas experiências não deve ser levada em consideração.

Teoria queer Uma variedade de ideias acadêmicas que questionam, entre outras coisas, se as identidades são fixas, se gênero ou sexualidade são binários e se algum comportamento é realmente normal.

Terceira onda do feminismo Período do feminismo que começou nos anos 1990 e terminou em torno de 2012. Seu foco principal estava na escolha pessoal e no empoderamento das mulheres como indivíduos.

TERF Sigla em inglês para "feminista radical transexcludente", que acredita que mulheres trans não são "mulheres de verdade" e, portanto, não têm lugar dentro feminismo, como expresso pela política do "mulher nascida mulher" de alguns eventos TERF.

Trabalho doméstico Trabalho não remunerado realizado em casa, principalmente por mulheres. O desempenho deste trabalho essencial é muitas vezes considerado chave para a desigualdade das mulheres.

Trabalho emocional Uma exigência de alguns trabalhos, especialmente os executados por mulheres, em que os empregados devem gerenciar seus próprios sentimentos e mostrar entusiasmo ou dedicação. O termo também é usado em relação ao papel não reconhecido das mulheres de organizarem e conservarem relações emocionais e sociais.

Trans (transgênero) Pessoa cuja identidade de gênero difere da que lhe foi atribuída ao nascer.

Transfobia Preconceito contra — e medo de — pessoas trans.

Womyn/Wombyn/Wimmin Grafias alternativas da palavra "women" (mulheres, em inglês) que foram usadas por algumas feministas da segunda onda para evitar o sufixo "-men" (homens em inglês).

Zines Revistas artesanais, produzidas em pequenas quantidades, normalmente para os fãs, pelas bandas punk do movimento Riot Grrrl dos anos 1990.

ÍNDICE

Números de página em **negrito** se referem às principais inserções; os que estão em *itálico* se referem às legendas.

A

a pílula 100-101, 112-113, **136**, 150, 152
abjeção 187
aborto 15, 81, 113, 137, **156-159**
    escrevendo sobre igualdade para as deficientes 277
    ilegal 101, 137, 156, 158, 159, 336-337
    legalização 137, 156, 157, 159, *268*, 337
    legislação antiaborto 157, 158
    punição criminal para *157*
Abramović, Marina 129
Abrigo para mulheres em Chiswick 163
abrigos de mulheres 162-163, *162*, 244
Abu-Lughod, Lila 285
Abuso infantil 169, 225
    sobreviventes **238**
Abzug, Bella 121, 331-332
Acampamento de Paz das Mulheres em Greenham 92, 108, 206-207, *206*
Acker, Kathy 273
Adams, Abigail 19, 31
Addams, Jane 92
Adichie, Chimamanda Ngozi 292, 304, 305-306, 307
Afeganistão *222*, 284, 285
    educação para meninas 311
Agha-Soltan, Neda 296
agressão sexual no *campus* 234, 292, **320**
Ahlgren, Catharina 23
Ahmed, Leila 105
Ahmed, Sara 314-315
"A irmandade é poderosa" 132-133, 135
al-Sharaawi, Huda 104, 105
Alemanha
    feminismo socialista 54-55
    licença-maternidade 81
    salões 25
Aliança Internacional pelo Sufrágio Feminino 63, 105, 330
alimentação forçada 89, 90
Al-Sa'dawi, Nawal 105, 280, 281
Allen, Pam 132
Allen, Paula Gunn 227
Almodovar, Norma Jean 298
Alyokhina, Maria 336
Amara, Fadela 316

Ameaça lilás 180
Amin, Qasim 104
Amor e casamento (Stopes) 101-102, 136
Anabatistas 20
anarcofeminismo 45, **108-109**
âncoras de notícias, mulheres 265
Anderson, Elizabeth Garrett 77
Angelou, Maya 191, 210, 213, 307
Anger, Jane 20
anjo em casa, O (Patmore) 106, 107
anorexia nervosa 266
Anthony, Susan B. 58, 60, 61, 62, 63, 66, 69
Anwar, Zainah 233, 285
Anzaldúa, Gloria 191, 219, 263
Arábia Saudita 233, 293
    sufrágio 94
Arenal, Concepción 329-330
Arendt, Hannah 274
Argélia 233
Argentina 108, 317
Argento, Asia 326
arte, feminista **128-131**
    Guerrilla Girls 131, 191, **246-247**, *247*
Asquith, Herbert Henry 89, 91
assédio sexual 134, 177, 254, 255, 293, 295-297, 308, 309
    ver também movimento #MeToo
    ver também feminismo marxista
assistência médica **76-77**, 113, **148-153**
    ver também controle de natalidade
Associação Americana para o Sufrágio Feminino (awsa) 59, 61, 62, 63, 69
Associação Americana por Direitos Iguais (aera) 59, 61, 69
Associação das Damas da Filadélfia 31-32
Associação de Solidariedade das Mulheres Árabes 105
Associação Nacional dos Estudos das Mulheres 154
Associação Nacional para o Progresso das Pessoas de Cor 213-214
Associação Política Feminina Sheffield 86
Astell, Mary 18-19, 20, 21, 34
At the Foot of the Mountain coletivo teatral 178
ativismo antiguerra 55, **92-93**, 132-133
ativismo antinuclear 92, 108, **206-207**, *206*
ativismo hashtag 293, 296-297, 326
Atkinson, Ti-Grace 127, 135
Atwood, Margaret 143, 317, 333
Audre Lorde Project *288*
Aunt Lute Books 143
Austrália
    centros de crise de estupro 170, 171
    Perdida (Roubada) Geração 225

sufrágio 63, 93, 330
violência doméstica 163
Áustria 40

B

Bache, Sarah Franklin 31
Badinter, Elisabeth 285
Bagley, Sarah 48
Bahrein 233
Baker, Josephine *244*
Baldwin, James 227, *227*
Ban Ki-Moon 337
Bandana Project 327
Banksy 247
Banyard, Kate 334
Barbauld, Anna Laetitia 27
Barlas, Asma 105
Barnett, Sonya 299
Barry, Kathleen 298
Bartky, Sandra Lee 165
Bass, Ellen 238
Bates, Ann 32
Bates, Laura 292, 308, 309
Baumgardner, Jennifer 250, 254
bdsm (Bondage, Dominação, Sadismo, Masoquismo) 181, 236, 256
Beauvoir, Simone de 14, 35, 106, 112, **114-117**, *117*, 120, 126, 132, 133, 134, 142, 152-153, 156, 192, 194, 258, 336
Behn, Aphra 21, *21*, 24
Bélgica 96, 97
Bellil, Samira 317
Benmussa, Simone 179
Bennett, Jessica 312
Bentham, Jeremy 30
Besant, Annie 48, 50, 100
Beyoncé 304, 306
Bhavnani, Kum-Kum 216
Bíblia
    e a subjugação das mulheres 20, 58, 66
Bikini Kill 256, 272, *272*, 273
Billinghurst, Rosa May 276
Bindel, Julie 298
bissexualidade 185, 237, 251, **269**
Bitch (revista) 142
Blacklips *260*
Black Woman for Wages for Housework 147
Black, Clementina 50
Blackwell, Elizabeth 44, 76-77, 77, 100
Bland, Sandra 244

ÍNDICE 343

Blank, Joani 235
Blatch, Harriet Stanton 63
blogosfera 292, 294, 295, 304, 311
Bloomer, Amelia 60, 294
Bluestockings 25, 26-27, 82, 294
boates de sexo 197
Bodichon, Barbara Leigh Smith 35, 44, 72, 74, 75
Boko Haram 38, 292, 293, 296, 305, 337
Boland, Rose 161
Bondeli, Julie von 25
Booth, Heather 158
Bordo, Susan 266
Bornstein, Kate 287-288
Boscawen, Frances 27
Boserup, Ester 217
Bourgeois, Louise 130
Bradlaugh, Charles 100
branquitude 222, 227, 239, 263
 ver também privilégio, branco
Bratmobile 272, 273
Brenner, Sophia Elisabet 22
Briggs, Laura 268
Bright, Susie 235, 237
#BringBackOurGirls 296, 305, 306, 337
Broadsheet (revista) 143
Brown, Wilmette 147
Browne, Stella 102
Browning, Elizabeth Barrett 75
Brownmiller, Susan 134, 140, 168-169, 170, 198, 256, 278
brutalidade policial 89, 168, *243*, 296, 297, 299
bulimia 266
burca *222*
Burke, Tarana 297, 324, *324*, 325, 327
Burkholder, Nancy 173
burkini 285
burlesco 283
burlesque femme queer 283
Burney, Fanny 25, 27
Bush, Laura 285
Butler, Josephine 79, 100
Butler, Judith 184, 251, 256, **258-261**

Califia, Pat 236
Campanha Dove para Beleza Real 175, 264, 267
campanha Wages for Housework (Remuneração para os trabalhos domésticos) 52, 55, **147**
Campanha da Pena Branca 91
Campanha White Ribbon 163
Campoamor, Clara 97
Camposada, Mercedes 108
Canadá
 aborto *158*

Campanha White Ribbon 163
centros de crise de estupro 170-171
julgamentos de estupro 299
mulheres indígenas desaparecidas e assassinadas (MMIW) 224, 226-227
movimento sufragista 63, 96-97
violência doméstica 163
capitalismo 52, 53, 54
 objetificação das mulheres 140, 185-186, *187*, 187, 301
 ver também feminismo anticapitalista
Care International *257*
Carpenter, Edward 101
carreira de enfermeira *76*
Carson, Rachel 200, *201*
Carter, Elizabeth 27
Casa de bonecas (Ibsen) 79
casamento
 casamento forçado **232-233**
 casamentos arranjados 232
 casamento infantil 177, *233*
 como prostituição 34
 coverture 72-73
 direitos das mulheres casadas **72-75**
 e retirada dos direitos das mulheres 59, 60, 71, 73
 estupro marital 72, 168, 170
 sexo antes do casamento 127
 ver também divórcio
Castañeda, Antonia 169
castidade da viúva 231
Castle, Barbara 161
Catt, Carrie Chapman 330
Cavaleiros do Trabalho 48
Cavarero, Adriana 274
centros de crise de estupro 170, *170*, 171
CEOs, mulheres 313
Chade 280
Chang, Min Chueh 136
Chega de Fiu Fiu 321
Chicago, Judy 128, 129, 130, *130*, 131, 246
Chile 108
Chodorow, Nancy 258
Christine de Pizan 20, 328
Churchill, Caryl 178-179
cinema *ver* indústria do cinema
Círculo Langham Place 24
cirurgia cosmética 266, 271
cisgênero 172, 186, 287, 289
cissexismo 174
Cixous, Hélène 184, 185, *185*
Clare, Eli 289
Clark, Annie E. 320
classe
 opressão de classe racializada 243
 preconceito de classe dentro do feminismo 203, 243
 ver também mulheres de classe média; feminismo socialista; feminismo da classe trabalhadora
Clinton, Bill 228

Clinton, Chelsea 313
Clinton, Hillary 244-245, *270*, 301, 305
Club Burlesque Brutal 283
Cobbe, Frances Power 71
Cochrane, Kira 295
Coelhinhas da Playboy 142, 143, 282
Coffee, Linda 159
Coletivo Black Maria 135
Coletivo Boston Women's Health Book Collective 150
Coletivo Combahee River (CRC) 214, 242-243
Coletivo Furies 180
Coletivo Strippers do East London 283
coletivo teatral Sistren 178
coletivo teatral Spiderwoman 178
coletivo teatral The Sphinx 178
Collins, Patricia Hill 202, 212, 216, 243
Colonialismo *ver* feminismo anticolonial; mulheres negras escravizadas; feminismo indígena
"colonização tripla" 222-223
Comitê Internacional de Mulheres pela Paz Permanente (ICWPP) 92, 93
comunidade LGBTQ 244, 255, 262, *288*
 violência doméstica 162
comunidades tribais das nações 288
Conchita (Thomas Neuwirth) *263*
concursos de beleza 132-133, 264
Condorcet, marquês de 30
Conferência Barnard sobre Sexualidade (1982) 199, *199*, 237
Congo Belga 218-219
conscientização 15, 37, 112, 117, **134-135**, 162, 214, 254, 294, 308
Conselho Internacional de Mulheres 63
contracepção *ver* controle de natalidade
Contraceptive Train 336-337
Convenção de Seneca Falls (1848) 24, 58-59, 63, 68, 203, 204
Cooper, Brittney C. 210
Cor púrpura, A (Walker) 211, 214
Corão 38, *39*, 104, 105, 233, 284, 285
Corday, Charlotte 33
Cosby, Bill 324
Costa, Mariarosa Dalla 147
coverture 72-73
Cowan, Edith 330
Cox, Laverne 286, 289
Crenshaw, Kimberlé 15, 242, 243, 244, 245, 255-256
crimes de "honra" 232
crimes de dote 177
Crispin, Jessa 301, 307
Cruz, Sor Juana Inés de la 329
cuidados com os filhos *312*, 313
 gênero neutro 139, 306
 socialização dos **81**, 141
Cullors, Patrisse 215, 244, 334
culpabilização da vítima 168, 293, 298, **299**
cultura raunch 15, 250-251, *257*, **282-283**, 300-301

culture jamming 246, 247
Curry, Ruth 142
custódia dos filhos 74

Daly, Mary 172, 216
Damas Coloniais da América 154
Damon, Matt 337
Darragh, Lydia Barrington 32
Daschner, Katrina 283
Daughters of Bilitis 180
Daughters of St Crispin 49, 50
Davis, Adrienne 169-170
Davis, Angela 190, 203, 204, 205, 243
Davis, Gwen 161
Davis, Laura 238
Davison, Emily 90
Declaração de Independência Americana *31*, 67
"Declaração dos direitos e sentimentos" 58-59
Declaração do Homem e do Cidadão 32, 33
Declaração dos direitos da mulher e da cidadã 32, 33, 36
Delegacia de Defesa da Mulher 124-125
Deneuve, Catherine 327, *327*
Deng Xiaoping 230
depressão pós-parto 153
Desai, Anita 223
desigualdade salarial
   desigualdade salarial de gênero 271, 301, **318-319**
   desigualdade salarial racial 319
   discriminação pelo peso 175
Devi, Sampat Pal 335
Dia Internacional da Mulher 55, 246
Diallo, Rokhaya 285
Diamond, Lisa 180
Diderot, Denis 30
Dinamarca 22, 335
   disparidade salarial de gênero 319
   sufrágio 96
direita cristã 255, 273
direito ao voto *ver* movimento sufragista
direitos de herança 53, 66
direitos de propriedade 40, 44, 60, 72, 73, 75
Dirie, Waris 281
disforia de gênero 289
disparidade salarial de gênero 271, 301, **318-319**
divórcio 44, 62, 73, 81
   bases para 72, 73, 162
   custódia dos filhos 74
Dodson, Betty 235, 237
doenças venéreas 78, 100
Dorkenoo, Efua 280-281

Douglass, Frederick 59, 60, 66, 69
Douglass, Sheila 161
doxxing 297
Du Bois, W.E.B. 227
dualismo mente-corpo 174
dupla moral sexual 45, 78-79, 100
Dworkin, Andrea 140, 144, 171, 181, 196-97, 198, 199, 236

Eastman, Crystal 101
Eaubonne, Françoise d' 200
Echols, Alice 199
ecofeminismo **200-201**, 275
economia feminista 217
écriture féminine 184, 185, 186, 187
Edelson, Mary Beth 130
Editions des femmes 146
editoras, mulheres 75, 142-143, 146, 235, 237
educação 34, 35
   como direitos humanos 310-311
   cursos específicos de gênero 122, 145
   e disparidade salarial de gênero 319
   sexual 102, 311
   Estudos das Mulheres 154-155, 216, 223, 231, 256
   global **310-311**
   mulheres islâmicas **38-39**
   objetivos de desenvolvimento das Nações Unidas 310-311
   positividade sexual 199, **234-237**, 251, 256, 257, 282, 292, 294
Egito 104-105
Ehrenreich, Barbara 228, 229
Ekiken, Kaibara 82
El Salvador 317
Elliot Beth 172
Ellis, Brett Easton 164
Ellis, Havelock 101, 126
Emenda dos Direitos Iguais (ERA) 228, 255, 270, 271, 332
Emin, Tracey 131
Emmanuelle (filme) 127
empoderamento 250-251, 257, 300
empowertisement 257
Engels, Friedrich 50, 52, 53, 58, 114, 139, 147
Ensler, Eve 179, 237
escopofilia 165
escravidão *ver* mulheres negras escravizadas
esfera doméstica 18, 24, 34, 44, 70, 301
"esferas separadas" doutrina das 154
   ver também esfera doméstica
Espanha 329-330, 331
   anarcofeminismo 108-109
   sindicalismo 161

sufrágio 96, 97
essencialismo biológico 187
Estados Unidos
   aborto 137, 156, 158-159
   abrigos de mulheres 244
   agressão sexual nos *campi* 320
   arte, feminista 246-247
   assistência médica para mulheres 77
   ativismo revolucionário 31-32
   centros de crise de estupro 170, *170*, 171
   Comissão Presidencial sobre a Situação das Mulheres 336
   controle de natalidade 100, 101, 102, 103
   direitos de propriedade 40, 60
   ecofeminismo 200-201
   educação feminina 311
   Emenda dos Direitos Iguais (ERA) 228, 255, 270, 271
   feminismo antipornografia **196-199**, 235-237, 256
   feminismo da classe trabalhadora 48-50, 51, 55
   feminismo indígena 225-227
   feminismo negro 15, 45, 133, 165, 190-191, **208-215**
   igualdade salarial 50, 123, 160, 318, 319
   movimento contra a escravidão 58, 60-61, **66-69**
   movimento feminista punk 256, **272-273**
   movimento sufragista 45, 58, 59, 60-63, 66, 69, 80, 95, 96, 330
   sindicalismo 48-50, 51, 160-61
   violência doméstica 162
Estônia 95
"estraga-prazeres", feminista **314-315**
Estruturalismo 184
estudos da branquitude 227
Estudos sobre as mulheres 154-155, 216, 223, 231, 256
estupro 134, 140, 141, 145, **166-171**
   como abuso de poder 168-171
   crimes de guerra 278, 279
   culpabilização da vítima 168, 293
   cultura do estupro 170-171
   cultura do silêncio 168, 169
   e consequentes casamentos forçados 233
   estupro coletivo 168, 176, 279, 317
   estupro marital 72, 168, 170
   estupro no campus 234, 292, **320**
   falsas alegações 169
   mitos sobre 169
   mulheres negras escravizadas 169-170, 243
   politizando 168
eugenia 103, 205, 277
existencialismo 117

ÍNDICE 345

F

falocentrismo 186, 274
falogocentrismo 185
Faludi, Susan 250, **270-271**
Falwell, Jerry 255
família
  nuclear 53, 113, 138-139, 141
  patriarcal *144*, 145
Famous Five *96*, 97
Fanon, Frantz 218, 220, 221
Fatima 38
Fawcett, Millicent 35, 86, 87
Federici, Silvia 147
Feldt, Gloria 136
FEMEN 336
"feminazi" 314
feminicídio 293, **316-317**
  Brasil 321
  crimes de "honra" 232
  mulheres indígenas desaparecidas e assassinadas (MMIW) 224, 227
feminilidade
  construção social da 116, 117
  idealizada 106, 107, 112, *120*, 121, 122
feminismo
  cronologia *ver* primeira onda do feminismo; segunda onda do feminismo; terceira onda do feminismo; quarta onda do feminismo
  origem do 18-19
  primeiro uso do termo 18
  reação contra o 250, 254, **270-271**, 293
feminismo "faça acontecer" 300, 307, **312-313**
feminismo a conta-gotas 312-313
feminismo anticapitalista 15, 109, **300-301**
  ver também anarcofeminismo
feminismo anticolonial 176, 191, **218-219**
feminismo antipornografia **196-199**, 235-237, 256
feminismo árabe **104-105**
feminismo brasileiro **124-125**, 321, 332, 333, 334
feminismo chicano 219
feminismo chinês **230-231**
feminismo da classe trabalhadora **36-37**, 45, 55
  anarcofeminismo **108-109**
  greves 50, 51
  sindicalismo 36, 45, **46-51**, 160-161
  ver também feminismo socialista
feminismo da diferença sexual 186, 187
feminismo de carreira 300, *300*, 312–313
feminismo de estilo de vida 301, 307
feminismo do bom senso 304-305, 307
feminismo do colarinho-rosa **228-229**
feminismo e deficiência **276-277**
feminismo escandinavo **22-23**
  ver também Dinamarca; Noruega; Suécia

"feminismo fálico" 146
feminismo iluminista **28-33**
feminismo indígena **224-227**
  ver também feminismo pós-colonial
feminismo islâmico **284-285**
  ver também mulheres muçulmanas
feminismo lésbico 180
  lesbianidade radical 180, 181, 190, 195
  Radicalesbians 194
feminismo liberal 55, 300, 301
feminismo marxista **52-55**
feminismo negro 15, 45, 133, 165, 190-191, **208-215**
feminismo *on-line* 292-293, 294-297
feminismo pós-colonial 191, 220-223
  ver também feminismo indígena
feminismo radical 113, **137**, 141, 298
feminismo radical transexcludente **172-173**, 287
feminismo socialista 44-45, 139
feminismo trans **286-289**
feminismo transinclusivo 172, 173
feminismo transnacional 220
feminismo universal **302-307**
feministas pró-sexo *ver* positividade sexual
Feministas Radicais Transexcludentes (TERFS) 172, 173
Feministing 295, *295*
femvertising 257
Fernandes, Maria da Penha 124-125
Festival de Música Michigan Womyn's 173
Filali, Amina 232
Filhas da Liberdade 31
Filhas da Revolução Americana 154
Filhas Unidas da Confederação 154
filosofia, feminista **274**
Finlândia 95
Finnbogadóttir, Vigdís 161
Firestone, Shulamith 117, 127, 132, 137, 138-139, 300
Fishman, Sara 174
Flynn, Elizabeth Gurley 205
"flocos de neve" 314
Forer, Anne 135
Fornés, María Irene 179
Fórum de Mulheres Africanas Educadoras (FAWE) 311
Foucault, Michel 164, 259, 262
Fouque, Antoinette 146
Fourier, Charles 40
Fowler, Susan 326
França
  aborto 117, 159, 336
  ativismo revolucionário 32, 33
  direitos herdados 66
  escrita feminista pós-estruturalista **184-187**
  feminismo da classe trabalhadora 36-37
  movimento São-Simoniano 36-37
  movimento sufragista 63, 97, 114
  proibição do niqab 285
  prostituição 78

salões 25, *30*
  violência misógina 317
Francisco, papa 275
Franco, general 96, 97, 108, 109
Franco, Marielle 334
Franklin, Miles 107
Frazier, Demita 214
Freeman, Jo 139
Freespirit, Judy 174
Friedan, Betty 112, 114, **120-123**, 134, 138, 140, 157, 180
frigidez 126, 127
Fruchter, Rachel 157
Fuller, Margaret 41, 329
funcionalismo 122
Fusako, Kutsumi 335

G

Gage, Matilda Joslyn 80
Galtier, Brigitte 147
Gâmbia 281, 311
Gandhi, Indira 176
Garganta profunda (filme) 197, 198, 235
Garland-Thomson, Rosemarie 276-277
Garrud, Edith *89*, 90
Garza, Alicia 215, 244, 334
Gaskell, Elizabeth 75
Gay, Roxane 306, 334
gênero
  binário 258, 259, 260, 261, 262, 286-287
  distinção entre sexo e gênero 258
  estereótipos 34, 202, 204, 229, 243, 301, 304, 305, 314
  não binário 288
  performatividade 251, **258-261**
  socialmente condicionado 112
gênero não binário 288
genocídio em Ruanda (1994) 279
Geoffrin, Madame *30*
George, Sue 269
Gilman, Charlotte Perkins 100, 106
ginocrítica 107
Ginsburg, Ruth Bader 332-333
girl power 273
Girls Gone Wild (franquia de vídeo) 282, 283
Girls not Brides 232-233
Girton College, Cambridge 74, *106*
Gloucester, Mary, duquesa de 25
Goldman, Emma 101, 108, *108*
Goldstein, Vida 93
Gordura é uma questão feminista (Orbach) 174, 175
Gouges, Olympe de 32, 33, 36, 94
Gould, Emily 142
Grã-Bretanha
  aborto 156, 157, 158

346 ÍNDICE

assistência médica para mulheres 77
atividades sindicais 50-51, *160*, 161
ativismo antiguerra 92, 108, 206-207, *206*
casamento forçado 233
centros de crise de estupro 170, 171
controle de natalidade 100-101, 102-103
direitos das mulheres casadas **72-73**
direitos de propriedade 40, 73, 75
divórcio 73-75
feminismo da classe trabalhadora 50-51
igualdade salarial 71, 161, 318
início do feminismo britânico 19, **20-21, 24-27**, 30-31, 34-35
luta por direitos iguais 70-71
marchas "Reclaim the Night" 181, *181*
movimento sufragista 63, **86-91**, 94, 96, 331
prostituição 79
violência doméstica 162-63
Graves, Nancy 129
Greer, Germaine 112, 114, **140-141**, 157,173, *173*
greve das Match Girls (1888) 50
greves 49, 50, 51, 147, *160*, 161
Grimké, Angelina 67
Grimké, Sarah 58, 67
Griswold, Estelle T. 158
Grupo Bloomsbury 107
Grupo Feminista Revolucionário de Leeds (LRFG) 181
Guerra Civil Americana 60-61, 154
Guerras civis no Congo 279
Guerra da Bósnia 278-279
Guerra da Independência Americana 19, 31-32, 154
"guerras dos sexos feministas" 199, 237, 282
Guerrilla Girls 131, **246-247**, *247*
Guesde, Jules 36
Guiné-Bissau 219
Gulabi Gang 177, *177*, 335
Gutiérrez, Gustavo 275

H

Hajji Koka 39
Hanisch, Carol 132, 135, 308
Hanna, Kathleen 272, 273
Haraway, Donna 333
Hardie, Keir 90
Harper, Frances 67
Haruno, Hashiura 335
Haslam, Anna 330
Havaí 224
Hayes, Rose Oldfield 280
Head, Bessie 218
Hegel, George Wilhelm Friedrich 52
Héritier, Françoise 332
"heroin chic" 267

Herz, Henriette 25
heteronormatividade 194, 261
"heterossexualidade compulsória" 190, **194-195**
heterossexualidade hegemônica 260-261
Heymann, Lida Gustava 92
Highsmith, Patricia *195*
hijab 285
Hill, Anita 255, 273, 324
hipersexualização da mídia 282-283
Hiratsuka, Raicho 82
Hirschfeld, Magnus 126
história, mulheres na **154-155**
HIV/AIDS 255, 263, 285
Hobbes, Thomas 30
Höch, Hannah 129, 246
Hollaback! 295-296
Holmes, Janet 192
Holten, Emma 297
homens trans 172-173
hooks, bell 165, 191, 205, 212, 214-215, 216, 222, 242-243, 304, 313
Hosken, Fran 280
Hot Brown Honey 179
Howe, Florence 143
Hudson-Weems, Clenora 215
Huerta, Dolores 327
Hughes, Dorothy Pitman 143
Hurston, Zora Neale 212-213, *212*
Hutchins, Barbara 154
Hutchins, Loraine 269
Hutchinson, Anne 328–29
Hutsol, Anna 336
Hynde, Chrissie 272

I

Ibsen, Henrik 79
Ichikawa, Fusae 83
idealização da feminilidade 106, 107, 112, 120, 121, 122
identidade de gênero (Butler) **258-261**
Iêmen *233*
Igreja Católica Romana 97, 101, 103, 275
Igreja Cristã
    e a subjugação das mulheres 18, 20, 21, 66, **80**, 113, 125
    oposição à contracepção 101, 103
    oposição ao sufrágio feminino 97
    patriarcado e misoginia 113, 125
    ver também igreja anglicana; igreja católica romana; teologia feminista
igualdade de gênero 30, 33, 71, 109, 161, 292, 295, 306-307, 310
igualdade salarial 50, 62, 71, 80, 160, 161
Iluminismo 14, 19, 23
Iluminismo escocês 27
"imposto rosa" 301, *301*

"imposto tampão" 301
incesto 238
Índia
    ecofeminismo 200, 201
    feminismo indiano **176-177**, 223, 335-336
    sufrágio *95*, 281
Indian Rights for Indian Women (IRIW) 226
Indonésia 331
indústria cinematográfica
    assédio sexual de mulheres 325
    branquitude 165
    cinema de Hollywood 165, 325
    filmes pornô 196, 197, 234, 235, 237
    olhar masculino 164-165
    olhar oposicionista 165
    olhar queer 165
iniciativa HeForShe 305, 337
interseccionalidade 15, 173, 191, **240-245**, 255-256, 294-295, 312
    estrutural 243
    política 243
    representativa 243
inveja do pênis 112-113, 146
inveja do útero **146**
Irigaray, Luce 184, 185-187
Irlanda
    aborto 156, *268*
    contracepção 337
    lavanderias Magdalene 171
    sufrágio *95*, 330, 330-331
irmandade 117, 133, 203, 205, 215, 221, 222, 256, 315
Islândia 113, 161
Itália 147

J

Jacobs, Aletta 92
Jaggar, Alison 274
James, Selma 147
Jane Collective 158
Japão **82-83**, *83*, 142, 171, 335
Jarvis, Heather 299
Jeffreys, Sheila 172-173, 263
Jex-Blake, Sophia 77
Johnson, Samuel 27
Johnson, Virginia 127
Jones, Mary Harris 48
Jorgensen, Christine *287*
jornalismo,
    início do jornalismo feminista 37, 40-41, 50-51, 75
Judd, Ashley 325
justiça reprodutiva 45, 103, 113, **268**
    ver também aborto; controle de natalidade

ÍNDICE **347**

K

Ka'ahumanu, Lani 269
Kahlo, Frida 128, *129*, 246
Karma Nirvana 233
Kartini 331
Kennedy, Adrienne 179
Kennedy, John F. 160-161, 336
Kenney, Anne 331
Kerber, Linda 155
Khoury, Lina *179*
Kikue, Yamakawa 335
Kimmel, Michael 317
King, Coretta Scott 332
King, Deborah K. 243
kiriarquia 245
Kishwar, Madhu 177
Kitzinger, Sheila 150, 152, 153
Klint, Hilma af 129, *129*
Koedt, Anne 113, 127
Kollontai, Alexandra 44, 53, 55, 81, *81*, 137
Kollwitz, Käthe 246
Koyama, Emi 288-289
Krasner, Lee 130
Kristeva, Julia 184, 187, *187*, 259, 261
Krueger, Barbara 131
Kurian, Alka 177
Kuwait 233

L

La tribune des femmes 37
Lacan, Jacques 146, 164
lad mags 282-283
Ladies of Langham Place 75
LaDuke, Winona 226, *226*
Lansbury, George 90
Lauretis, Teresa de 262
lavanderias Magdalene 171
Lei de Comstock 100, 102, 103, 158
Lei de "Importunação Sexual" 321
Lei do Divórcio 124
Lei do Feminicídio 321
Lei de equidade 73
Lei Revolucionária de Mulheres 224
Leidholdt, Dorchen 236
Leigh, Carol 298
Leigh, Mary 88, 90
Leonard, Franklin 239
Lépine, Marc 316
Lerner, Gerda 144, 155
lesbianismo politico 15, 172, **180-181**, 185, 190
lesbianidade radical 180-181, 190, 195

separatismo 195, 214
ver também lesbianismo politico
Letônia 95
Levy, Ariel 250-251, 257, 282, 283, 300
Li Xiaojiang 231
liberdade intelectual **106-107**
Libéria 311
Líbia 233
libido 113, 141
licença-maternidade 81, 319
Liga das Mulheres Votantes 330
Liga Internacional das Mulheres pela Paz e Liberdade (WILPF) 93, 206
Liga Malthusiana 100-101
Liga Spartacus 55
Limbaugh, Rush 314
Lincoln, Abraham 61, 68
linguagem
 e patriarcado 184, 186, **192-193**
 "he/man" 192-193
Lippard, Lucy 131
Lister, Anne 194
Lituânia 95
Lloyd George, David 89, 91
Loden, Marilyn 228
Lorde, Audre 199, 215, 216, *216*, 222, 243, 245, 314
Lovelace, Linda (Linda Boreman) 197, 198
Lowell Female Labor Reform Association (LFLRA) 48, 49
Lutz, Bertha 332
Luxemburgo, Rosa 53, 54-55

M

M'Clintock, Elizabeth 59
Maathai, Wangari 200
Macaulay, Catharine 34
MacKinnon, Catharine 197, 198, 199, 236
mães solteiras 81, 228, 229, 243
Magara, Sakai 335
Mahathir, Marina 285
Makin, Bathsua 20-21
Malásia 105, 233, 284, *284*, 285
Malawi 311
Mali 280
Manifesto das 343 117, 156, 159, 333, 336
Manushi (revista) 113, 177
Mao Tsé-Tung 230
Marcha das Vadias 234, 292-293, 299, *315*
Marcha de um milhão de mulheres (1997) 255
marchas "Reclaim the Night" 181, *181*
Marchas das Mulheres (2017) 245, *277*, 325
Marcus, Sarah 272
Marion, Kitty 89, 90
Marrocos 105
Martineau, Harriet 41, 70, 71

Marx, Karl 50, 52–53, 53, 58, 139, 147, 300-301
Masters, William 127
masturbação 185
matriarcado negro 229
McClung, Nelly *96*
McCorvey, Norma 159
McDonald, CeCe 289
McGowan, Rose 297
McIntosh, Peggy 239, 256
McRobbie, Angela 257
Mead, Margaret 122
Mendelsohn, Jennifer 239
Mernissi, Fatima 105
meu corpo, minhas regras 321
México 219, 224, 311
 feminicídio *316*, 317
Meyerhoff, Miriam 192
Michel, Louise 108
microagressão 308
mídia social 292-293, 294-297, 325-326
Milano, Alyssa 297, 325
mill girls 48–49, *49*
Mill, Harriet Taylor 34, 70, 71, 170
Mill, John Stuart 34, 41, 71, 86
Miller, Alice Duer *62*
Millett, Kate 112, **144-145**, 192, 269
misoginia 112, 113, **140-141**, 145, 146, 192, 250-251, 283
Mística feminina (Friedan) 114, 120-123, 134, 138, 142, 312
mito da beleza, O 251, **264-267**
Mock, Janet 289
Mohanty, Chandra Talpade 191, 221-222, 256
Momma, Margaret 18, 22-23, 78
Monólogos da vagina, Os (Ensler) 179, 237
Monroe, Marilyn 196
Monstrous Regiment coletivo teatral 178
Montagu, Elizabeth 25, 26, 27
Montreal Mission for Friendless Girls 298
Montseny, Federica 109
Moore, Eleanor 93
Maioridade Moral 255
Moran, Caitlin 292, 304-305, *305*, 307
More, Hannah *25*, 27
Morgan, Lewis Henry 53
Morgan, Robin 132, 133, 197, 236, 256
Morgentaler, dr. Henry *158*
Morris, Jenny 277
Morrison, Toni 143, 220
Moss, Kate 267
Mott, Lucretia 35, 58-59, *58*, 61, 63, 66, 67, 68
Mouvement de Libération des Femmes (MLF) 117, 146, 184
movimento #MeToo 134, 141, 168, 176, 270, 292, 293, 294, 297, 308, **322-327**
 reação contra 327
movimento abolicionista 45, 58, 60-61, 66-69, *67*
movimento antiescravidão 45, 58, 60-61, **66-69**, *67*
Movimento Chipko 200
Women's Christian Temperance Union 94-95

348 ÍNDICE

Movimento de Libertação das Mulheres 15, 103, 112, 123, **132-133**, 140, 156, 157, 180, 216
   "o pessoal é político" 135
   conscientização 15, 37, 112, 117, **134-135**, 162, 214, 254, 294, 308
preconceito de classe média branca 202, 203
Movimento dos Direitos Civis 168, 205, 211, 214, 215, 254
movimento feminista punk 256, **272-273**, 336
movimento incel (celibatários involuntários) 316, 317
Movimento Indígena Americano (AIM) 225
movimento literário Négritude 218
movimento Occupy Wall Street (2011) 178, 296, 301
movimento pela positividade corporal 175, 267
   ver também positividade gorda
movimento Riot Grrrl 175, 250-251, 256, **272-273**
movimento São-Simoniano 36-37
Movimento Social-Democrata das Mulheres 54
movimento sufragista 14, **56-63**, 66, 69, 80, **86-97**
   movimento pela paz na Primeira Guerra Mundial 92-93
   sufrágio limitado 86, 91, 96
   ver também em países individuais
movimento V-Day 178, 179
Ms. (revista) *142*, 143
Maomé, profeta 38, 232, 284
Mujeres Libres 108-109
mulher eunuco, A (Greer) 140-141, 151
"mulher do Terceiro Mundo" *221*
   ver também feminismo pós-colonial
mulher identificada com mulher 195
Mulheres Contra Pornografia (WAP) 198, 236
Mulheres Contra Violência Contra as Mulheres (WAVAW) 170, 198, 236
mulheres de classe alta ver mulheres de elite
mulheres de classe média
   descontentes ("o problema sem nome") **120-123**, 138
   início do feminismo 34-35, 36
   primeira onda do feminismo 14, 63, 191, 202
   segunda onda do feminismo 120-123, 202, 210, 242
   suffragettes 86-91
mulheres de cor
   estereótipos 202, 204, 229, 243, 314
   feminismo anticolonial 176, 191, **218-219**
   feminismo pós-colonial 191, **220-223**
   opressão dupla 45, 133, 210, 213, 214, 229, 243
   ver também feminismo negro; mulheres negras escravizadas; feminismo indígena; racismo
mulheres de elite 18, 21, 22, 23, 24-27, 63
   ver também mulheres de classe média
Mulheres muçulmanas 38-39, 104-05, 232, 233, 284-285, 317, 326
mulheres nativo-americanas 80, 169, 225-227, 319

mulheres negras escravizadas 203, 204
   função reprodutiva 204, 243
   risco múltiplo 243
   violência sexual contra 169-70, 204, 243
   ver também movimento antiescravidão
mulheres trans 15, 112, **172-173**
mulheres Yazidi 278, *278*
mulherismo 15, 191, 202, 210-212, 213, 215, 254
   ver também feminismo negro
Mulvey, Laura 164-165, 264
Munro, Alice 143
Murray, Judith Sargent 32-33
Musawah 284-285
mutilação genital feminina 104, 105, 191, **280-281**

N

Namaste, Viviane K. 263, 289
Nana Asma'u 39
Nascimento, Beatriz 333
Nash, Jennifer 245
Nash, Kate 314
natalidade 274
National American Woman Suffrage (NAWSA) 59, 63, 330
National Federation of Women Workers (NFWW) 51
National Organization for Women (NOW) 121, 123, 132, 145, 336
National Union of Women's Suffrage Societies (NUWSS) 86, 87, 88
National Woman Suffrage Association (NWSA) 62, 66, 69, 204
National Women's Political Caucus 121
Natural Childbirth Trust 152
Neo Boys 272
neocolonialismo 219, 223
Neshat, Shirin 131
Nettles, Bea 129-130
Neuman, Molly 273
New York Radical Women (NYRW) 127, 132, 135, 137, 139
Newcastle, Margaret, duquesa de *20*, 21
Ni putes ni soumises (Nem putas nem submissas) 317, *317*
Nigéria 38, 39, 232, 305-306
   raptos 38, 296, *306*, 337
niqab 285, *285*
niveladores 20
Nochlin, Linda 130
Nordenflycht, Hedvig 18, 23, 23
Norton, Caroline 44, 73-75, *73*
Norton, Mary Beth 155
Noruega 96
Nottage, Lynn 179
Nova Zelândia

profissionais do sexo 78
sufrágio 63, 94-95
Nwapa, Flora 223

O P

O'Connell, Helen 126
O'Flaherty, Natalya *268*
O'Keeffe, Georgia 130
O'Neill, Eileen 274
O'Reilly, Leonora 48
Obama, Barack 102, 269, 311, 337
Obama, Michelle 304, 305
objetificação das mulheres 139, 185-186, 187, *187*, 301
objetificação sexual das mulheres 164-165, 251, 266, 282
Ochs, Robyn 269
Off our Backs (revista) 142-143
Ogundipe-Leslie, Omolara 333
olhar masculino **164-165**, 264, 283
olhar oposicionista 165
olhar queer 165
Oliver, Mike 276
Olivia Records 172, 287
On Our Backs (revista) 199, 235, 237
Ono, Yoko 129-130
Operaismo 147
"o pessoal é político" 15, 112-113, 135, 308
oposição binária 184
opressão
   fontes de 113, 114-117, 139
   ver também interseccionalidade
Orbach, Susie 174, 175
Organização Feminista Negra Nacional (NBFO) 132, 202, 214
orgasmo 126, 127
Our Bodies, Ourselves (cartilha) **150-153**, 157, 158
Outro, mulheres como o 115, 186, 192, 222
Owen, Robert 40
Países Baixos 31
Pandey, Jyoti Singh *171*, 299
Pankhurst, Adelia 87
Pankhurst, Christabel 87, 89, 90, *91*, 331
Pankhurst, Emmeline 87-88, *88*, 89, 90, *90*, *91*,92
Pankhurst, Helen 324
Pankhurst, Sylvia 87, 88, 89, 92, 108
panopticismo 164
Paquistão 38, 311
Parada do Orgulho Gay *180*
Parentelli, Gladys 275
Parker, Dorothy 264
Parkes, Bessie Rayner 75
Parks, Suzan-Lori 179
Parsons, Lucy 51
parto

ÍNDICE 349

alívio da dor 153
cesariana 153
concentrados nas mulheres 15, 152
domiciliar 152, 153
fardo de dar à luz 139
medicalização do trabalho de parto *150*, 152, 153
Paterson, Emma 50
patriarcado 53, 112, 135
capitalismo patriarcal 109
casamento e *194*
como controle social **144-145**
evolução do 14
heterossexualidade compulsória e 194-195
linguagem e **192-93**
Paul, Alice 83, 95-96
Pearce, Diana 229
Pelosi, Nancy 313
Penny, Laurie 300-301
Penthouse (revista) 234
Performance (filme) *235*
Peterson, Esther 160-161
Phillips, Wendell 69
Pierce, Chester M. 308
Pincus, Gregory 136
Pino, Andrea 320
Pinzer, Maimie 298
Pizzey, Erin 162-163
Planned Parenthood 136, 151, 307
Platão 274
pobreza
exploração sexual de mulheres pobres 327
feminilização da 228-229, 243-244
Poch y Gascón, Amparo 108
Polanski, Roman 324
poligamia 104, 191, 331
política do "filho único" 230, *231*
Política sexual (Millet) **144-145**
pornografia 140, 144, **196-199**, 234, 256
criada por feministas 237, 251
Feminist Porn Awards 282
filmes pornô 197-198, 234, 235, 237
pornô de vingança 293, 297
pornografia na internet 196
questão do livre discurso 197
ver também feminismo antipornografia
Portugal 97
pós-estruturalismo **182-187**
pós-feminismo 15, 250, **252-257**, 283, 304
positividade gorda **174-175**, 267
prazer sexual **126-127**
Prescod, Margaret 147
Primavera Árabe 104, 296
Primavera silenciosa (Carson) 200, *201*
Primeira Guerra Mundial 55, 90-91, 96
movimento pela paz **92-93**
primeira onda do feminismo 44-109, 255
emergência da 14
mulheres de classe média 14, 63, 202
primeiros objetivos da 14, 114
privilégio branco *222*, **239**, 288-289

Produto Interno Bruto (PIB) 217
produtos para branqueamento da pele 267, *267*
profissão de médica **76-77**, 150-151
programas de esterilização 205, 226-227, 268
projeto Everyday Sexism 292, 308-309
prostituição 78-79, *78*, 187, 236-237
protesto no Miss América (1968) 120, 132-133, *132*, 264
protestos de topless 336
Pullen, Eileen 161
"pés de lotus" 231
"pussy hats" 325
Pussy Riot 336

quakers 20
quarta onda do feminismo 14, 177, 254, 292-327
ver também pós-feminismo
Queen Latifah *255*
Queen, Carol 235, 237
queima às bruxas 194
"queimadoras de sutiã" 133
Quênia 280

racismo 133, 190-191
branquitude e 227
dentro do feminismo 69, **202-205**, 214, 216, 222-223, 242
no cinema 165
racismo estrutural 229, 245
risco múltiplo 243
Radicalesbians 194
"rainha do bem-estar social" 229, 243
raiva, como ferramenta ativista **216**, 314-315
Rame, Franca 179
Rankin, Jeannette 132-133
Rauh, Ida 101
Raymond, Janice 172, 173, 287
reação contra o feminismo 250, 254, **270-271**,293
Reagan, Ronald 179, 229, 255, 270
Rede de Mulheres Indígenas Baseadas nos EUA (IWN) 226
Redstockings 135, 137, 139, 161
Reed, Esther 31-32
Reid, Marion 20
Reinshagen, Gerlind 179
Reivindicação dos direitos das mulheres (Wollstonecraft) 19, 20, 33, **34-35**, 58, 66, 78,

120, 140
Relatório Hite, O (1976) 113, *127*, 235
Relatório Moynihan (1965) 229
Relatórios Kinsey 126-127, 235
religião
teologia da libertação **275**
ver também Bíblia; igreja cristã
Remond, Charles 68
Remond, Sarah 67
Revolução Francesa 19, 32, 33
Revolução Industrial 40, 48, 204
Ribeiro, Djamila 321
Rich, Adrienne 190, **194-195**, 262
Richards, Amy 250, 254
Richardson, Mary 90
risco múltiplo 243
Roald, Anne Sofie 233
Rock, John 136
Rodger, Elliot 317
Roe vs. Wade 159, *159*
Roland, Madame 33
Romênia 96
Roosevelt, Eleanor 336
Rosler, Martha 130
Ross, Loretta 268
roupas
burca *222*
hijab 285
niqab 285, *285*
restritivas 60, 271
Rousseau, Jean-Jacques 19, 30, 34
Rowbotham, Sheila 154, 155
Rubin, Gayle 139, 181, 198-199, 236, 237, 262
Russell, Diana 316
Rússia/ União Soviética
aborto 81, 137
ativismo revolucionário 88
feminismo marxista 55
movimento feminista punk 336
Ryan, William 229, 299

Sager, Sophie 22
Salbi, Zainab 279
salões 19, 23, 25-26, *25*, *30*
Samois 236
Sampson, Deborah 32
Samutsevich, Yekaterina 336
Sandberg, Sheryl 300, 307, **312-313**, *313*
Sanger, Margaret 100, 101-102, 103, 136, 150, 157, 158, 205, 235
Sanghera, Jasvinder 233
Santoro, Gerri 158
Saornil, Lucía Sánchez 108, 109
Sarachild, Kathie 135
Sartre, Jean-Paul 115, 117, *117*, 164

350 ÍNDICE

sati (imolação da viúva) 176
#SayHerName 244, 297
Schapiro, Mirian 131
Schneemann, Carolee 129
Schor, Naomi 262
Schwimmer, Rosika 92
Scott, Sarah 27
Sedgwick, Eve Kosofsky 262
segunda onda do feminismo 109, 112-247, 250, 254, 255, 256, 257
   "o pessoal é político" 15, 112-113, 135
   conscientização 15, 37, 112, **134-135**, 162, 214, 294, 308
   preconceito da classe média branca 120-123, 202, 210, 242
   principais questões 112, 114
   sectarismo 15
   surgimento da 14-15, 115
   ver também Movimento de Libertação das Mulheres
Segundo Sexo, O (de Beauvoir) 106, 114-117, 115, 120
Seito (revista) 142
Seitosha (Bluestockings) 82-83
Sekirankai 335
Selfridge, Henry Gordon 90
Senior, Olive 223
separação 73
   ver também divórcio
Serano, Julia 173, 287, 289, 300-301
Serra Leoa 280
serviço militar 32
Sex and the City (série de TV) 256, 257
Sex Workers' Rights, movimento **298**
sexismo 112, 133, 293, **308-309**
   na linguagem 192-193
   risco múltiplo 243
sexo biológico 112, 258
   a pílula **136**, 150, 152
   clínicas 102, 103
   controle de natalidade 45, **98-103**, 151
   impacto psicológico 152
   métodos contraceptivos 100-101, 113, 136, 152
   oposição feminina 100
   padrões racistas dúbios 205
   politizando 102
   questões de classe 101
hierarquia sexual 186
sexualidade, construção social da 190, 262
Shange, Ntozake 213
sharia (lei islâmica) 232, 233
Sheehy-Skeffington, Hanna 330-331
Shelley, Mary 35
Sheppard, Kate 94, 95, 330
Sherman, Cindy 131
Shiva, Vandana 201
Shizue, Akizuki 335
Showalter, Elaine 106, 107
Sime, Vera 161
Sindicalismo 36, 45, **46-51, 160-161**

sindicato 161
Sioux, Siouxsi 272
Sisterhood is Global Institute (SIGI) 133
Sisters in Islam (SIS) 233, 285
Sivey, Cher 153
Sklar, Holly 228, 229
slut shaming 298
Smit, Joke 332
Smith-Rosenberg, Carroll 155
Smith, Adam 52
Smith, Andrea 169, 225
Smith, Barbara 214
Smith, Beverly 214
Smith, Jen 273
Smith, Lucy 168
Smith, Mary 86
Smith, Patti 272
Smyth, Ethel 91
Smythe, Viv 172
Sobel, Janet 129
socialismo utópico 36-37, 40
Sociedade das Mulheres Dinamarquesas 335
Sociedade de Mulheres Revolucionárias e Republicanas 32
Sociedade Britânica para Promover o Emprego para as Mulheres 70
sociedades de debate 30-31
Spacey, Kevin 326
Spade, Dean 289
Spare Rib (revista) 143
Spencer, Jane 106
Spender, Dale 192-193
Spice Girls 273
Spivak, Gayatri Chakravorty 222, 223
Spoon, Rae 288
St James, Margo 298
Stallard, Karin 228, 229
Stanton, Elizabeth Cady 58-59, 60, 61, 62, 63, 66, 67, 68, 69, 144, 170
Starhawk (Miriam Simos) 201
Steinem, Gloria 121, 137, 142, 143, 172, 312
Stone, Lucy 58, 60, 61, 62, 67, 95, 100, 170
Stone, Sandy 172, 287
Stopes, Marie 102-103, 136
Stowe, Harriet Beecher 68
Street, Jessie 95
Strindberg, August 79
Strong, Anna Smith 32
Stryker, Susan 288
Suazilândia 310
subalternos 222, 223
Sudão do Sul 223
Suécia 40, 306
   início do feminismo 18-19, **22-23**
   prostituição 78-79
   sufrágio 94, 96
suffragettes **86-91**, 86, 95-96
sufragistas 50, 86, 87, 95, 203, 204
Suíça
   licença maternidade 81
   salões 25

Sulkowicz, Enna 320
Summers, Anne 163
Sycamore, Mattilda Bernstein 288
Sylvia Rivera Law Project (SRLP) 289

T

tabus sobre menstruação 177
Tahirih 330
Tailândia 319
Talibã 38, 222, 311
Tanenbaum, Leora 299
Tardieu, Auguste Ambroise 238
Taylor, Harriet 44
Taylor, Sonya Renee 175, 296
Dotekabo-ichiza, teatro coletivo 178
Teatro Nightwood 178
teatro feminista **178-179**
teologia da libertação **275**
teoria da transação 185-186, 187
teoria do *continuum* lésbico 195
teoria freudiana 113, 121, 122, 126-127, 146, 165
teoria queer 190, 260-261, **262-263**, 283
terceira onda do feminismo 15, 234, 248-289
   empoderamento 250-251
terrorismo corporal 296
teto de vidro 228, 312
Thatcher, Margaret 179, 254-255, 312
Thatcherismo 254-255
The Dinner Party (Chicago) 130, 131, 246
The Feminist Press 143
The Woman Citizen (revista) 142
Thiam, Awa 218
Think Olga 321
Thomas, Alma 129
Thomas, Clarence 234, 255, 273, 324
Thompson, Frances 168
Thompson, William 70
Time's Up 308, 324, 337
Todasco, Ruth Taylor 147
Tolokonnikova, Nadezhda 336
Tometi, Opal 244, 334
Top Girls (Churchill) 179, 179
trabalho
   trabalho "penalização pela maternidade" 319
   carreiras profissionais 76-77, 122
   direito ao trabalho 40, 44
   disparidade salarial de gênero 271, 301, **318-319**
   divisão do trabalho baseada em gênero 53, 218-219
   doméstico 35, 52, 54, 139, **147**, 203, 217, 231
   exploração 327
   feminismo de carreira 300, 300, 312-313
   feminismo do colarinho-rosa **228-229**
   industrial 37, 48-51, 60
   "penalização pela maternidade" 319

ÍNDICE

proposta de sociedade pós-trabalho 301
teto de vidro 228, 312
trabalho em escritório 40, 41, 193
   não remunerado **217**
      doméstico 35, 52, 54, 139, **147**, *203*, **217**, *217*, 231
      Remuneração para Trabalhos Domésticos 15, 22, 55,*147*
   infantil 48, 51
   sexual 298
   descriminalização do 78, 147, 298
   ver também prostituição
tráfico humano 232-233
transtornos alimentares 266
Trident Ploughshares 206
trollagem 297, 309
Trump, Donald 137, 244-245, *270*, *277*, 292, 296, *305*, 309, 324–25
Truth, Sojourner 45, 67, 68, 69, 242
Tubman, Harriet 67
tucker green, debbie 179
Two-Axe Earley, Mary 226

U V

Uganda *280*
Um teto todo seu (Woolf) 106-107
Underground Railroad 67
União Soviética *ver* Rússia/ União Soviética
Union des Femmes 30
Universidade Cornell *155*
Urdang, Stephanie 219
vaginoplastia 267
Vaid-Menon, Alok 288
Vail, Tobi 273
Valenti, Jessica e Vanessa 295, 296, 297, 304
Vanita, Ruth 177
Veil, Simone 159
Vesey, Elizabeth 26
Vickery, Alice 102
Victoria Press 70, *74*
Vidas Negras Importam 215, *215*, 244, 245, *345*, 296, 334
violência contra mulheres
   banalização através da pornografia 196-198
   culpabilização da vítima 299
   feminicídio 224, 227, 232, 293, 316-317
   mutilação genital feminina 104, 105, 191, 280-281
   sobreviventes de abuso infantil 238
   violência policial 89, 168, 243, 296, 297, 299
   ver também violência doméstica; estupro
violência doméstica 71, 73, **162-163**
   comunidade LGBTQ 162
   elemento racial 244
Virago Press 143
Vivonne, Catherine de 24, 25

Vogel, Lisa 172
Voilquin, Suzanne 37
voyeurismo 165
Vuola, Elina 275

W

Wadud, Amina 105
Wages Due Lesbians (Remuneração devida às lésbicas) 147
Walker, Alice 15, 107, 143, 191, 202, 210-214, 215, 254
Walker, Rebecca 15, 234, 250, 254, 255
Wann, Marilyn 174, 175
Ward, Mary 328
Waring, Marilyn 217
Warner, Michael 194
Warrior, Betsy 217
Watson, Emma 297, 304, 305, 337
Weddington, Sarah 159
Weed, Elizabeth 262
Weeks, Kathi 301
Weinstein, Harvey 308, 325
Wells, Ida B. 213-214
Wheatley, Phillis 66
Wheeler, Anna 70, 71
Whipple, Beverly 126
Whisman, Vera 180
Whitbread, Helena 194
White, Patricia 165
Wilcox, Kathi 273
Wilde, Oscar 262
Williams, Saundra 133
Willis, Ellen 137, 139, 237
Wilson, Woodrow 96
Winfrey, Oprah 313
Winterson, Jeanette 175
Wise, Tim 239
Wittig, Monique 258
Wolf, Charlotte 269
Wolf, Naomi 251, **264-267**
Wolfe, Alison 273
Wollstonecraft, Mary 20, 33, **34-35**, 58, 66, 78, 120, 140
Women for Women International (WFWI) 279
Women of All Red Nations (WARN) 225-226
Women's Industrial Council (WIC) 50-51
Women's International Terrorist Conspiracy from Hell (W.I.T.C.H.) 133, 137, *137*, 178
Women's Protective and Provident League 50
Women's Social and Political Union (WSPU) 87, 88, 89-91, 331
Women's Trade Union Association 50
womyn-born-womyn 172, 173
Woodhull, Victoria 170
Woolf, Virginia **106-107**, 142
Wright, Frances (Fanny) 40-41

Y

Yavan, Duru 284
Yousafzai, Malala 38, 39, 311
Yu Zhengxie 231
Yukichi, Fukuzawa 82

Z

Zakrzewska, Marie 77
Zâmbia 311
Zapata, Angie 286
Zasulich, Vera 88
Zeisler, Andi 257
Zemon-Davis, Natalie 155
Zetkin, Clara 44, 53, 54, 55
zines feministas 175, 273
zonas de guerra, mulheres em **278-279**
   ver também ativismo contra a guerra

AGRADECIMENTOS

Dorling Kindersley gostaria de agradecer a Rabia Ahmad, Anjali Sachar e Sonakshi Singh pela assessoria em design, e a Mik Gates pela assessoria em ilustrações.

CRÉDITOS DE IMAGEM

A editora gostaria de agradecer pela gentil permissão para reproduzir suas fotografias a:

(Símbolos: a-acima; b-abaixo; c-centro; e-esquerda; d-direita; t-topo)

20 Alamy Stock Photo: Chronicle (cd). **21 Alamy Stock Photo:** Artokoloro Quint Lox Limited (bd). **22 Getty Images:** Photo Josse /Leemage (t). **23 Getty Images:** Heritage Images (td). **25 Getty Images:** Photo 12 (td); Adoc-photos (ceb). **26 Bridgeman Images:** Kneller, Godfrey (1646-1723)/Hardwick Hall, Derbyshire, UK/ National Trust Photographic Library (t). **27 Getty Images:** Heritage Images (td). **30 Getty Images:** Christophel FineArt (b). **31 Getty Images:** Ken Florey Suffrage Collection /Cattle (td). **32 Getty Images:** Photo Josse / Leemage (t). **33 Alamy Stock Photo:** ART Collection (t). **35 Alamy Stock Photo:** Famouspeople (td); Interfoto (be). **37 Alamy Stock Photo:** The History Collection (td); Everett Collection Inc (cb). **39 Getty Images:** Lawrence Manning (t). **40 Alamy Stock Photo:** Science History Images (t). **41 Alamy Stock Photo:** Art Collection 2 (td). **48 Wikipedia:** Sarah Bagley (b). The Granger Collection (cdb). **50 Alamy Stock Photo:** Lebrecht Music & Arts (be). **51 Alamy Stock Photo:** Pictorial Press Ltd (bd). **53 Alamy Stock Photo:** Chronicle(td). **54 Rex by Shutterstock:** AP (te). **55 Alamy Stock Photo:** Brian Duffy (ccb). **58 Alamy Stock Photo:** Pictorial Press Ltd (be). **Getty Images:** Bettmann (td). **60 Getty Images:** Culture Club (te). **61 Alamy Stock Photo:** Granger Historical Picture Archive (b). **62 Alamy Stock Photo:** Everett Collection Historical (t). **63 Getty Images:** Ullstein bild Dtl (td). **66 Getty Images:** Bettmann (cd). **67 Getty Images:** Fotosearch / Stringer (cea). **68 Alamy Stock Photo:** The Granger Collection (te). **Getty Images:** Heritage Images (be). **69 Library of Congress, Washington, D.C.:** Reproduction Number: LC-DIG-ppmsca-08978 (td). **70 Getty Images:** Heritage Images (t). **71 Alamy Stock Photo:** Historic Collection (td). **73 Getty Images:** Hulton Archive / Stringer (bd). **74 Alamy Stock Photo:** Chronicle (bd); The GrangerCollection (bd). **75 Getty Images:** Rischgitz / Stringer (cd). **76 Alamy Stock Photo:** De Agostini / Veneranda Library Ambrosiana (cd). **77 Getty Images:** Museum of the City of New York (td). **78 Getty Images:** Adoc-photos (cb). **79 Getty Images:** Print Collector (te). **81 Alamy Stock Photo:** Sputnik (td). **83 Alamy Stock Photo:** Chronicle (be). **Getty Images:** Kyodo News (td). **86 Rex Briarl Shutterstock:** The Art Archive (bd). **88 Getty Images:** Keystone-France (te). **89 Mary Evans Picture Library:** (t). **90 Alamy Stock Photo:** Everett Collection Historical (te). **Getty Images:** Jimmy Sime / Stringer (b). **91 AlamyStock Photo:** Shawshots (t). **93 Alamy Stock Photo:** History and Art Collection (t). Library of Congress, Washington, D.C.: LC-DIG-ggbain-18848 (b). **95 Getty Images:** Heritage Images (ca). **Library of Congress, Washington, D.C.:** LC-DIG-gbbain-3393 (t). **96 Alamy Stock Photo:** Michael Jenner (bd). **SuperStock:** Prisma (te). **101 Getty Images:** Bettmann (te). **102 Photo Scala, Florença:** The British Library Board (te). **103 Getty Images:** Science & Society Picture Library (t). **Mary Evans Picture Library:** (td). **106 Getty Images:** Ullstein bild Dtl. (cd). **107 Alamy Stock Photo:** Ian Dagnall Computing (td); Albert Knapp (cb). **108 Alamy Stock Photo:** Granger Historical Picture Archive (bc). **109 Getty Images:** Universal History Archive (te). **120 Getty Images:** Apic / Retried (td). Anônimo / AP (be). **123 Alamy Stock Photo:** Granger Historical Picture Archive (b). **124 Silvio Correa** / Agência O Globo. **125 NurPhoto/ Corbis / Getty Images (bd).** Jarbas Oliveira / AE (cd). **127 Getty Images:** Movie Poster Image Art (te); Bettmann (bbl). **128 Getty Images:** David M. Benett (bd); Bettmann (bbc). **130 Getty Images:** Reg Innell (be). **131 Courtesy of Sikkema Jenkins & Co.:** © Kara Walker (td). **132 Getty Images:** Bev Grant (cd). **133 Getty Images:** Astrid Stawiarz /Stringer (bd). **134 Getty Images:** Bettmann (bd). **137 Getty Images:** Robert Altman (cdb). **138 Getty Images:** H. Armstrong Roberts / ClassicStock (c). **140 Alamy Stock Photo:** Photo-zone (bc). **141 Getty Images:** Estate Of Keith Morris (be). **142 Reprinted Briarl permission of Ms. magazine:** © 1972 (bc). **143 Getty Images:** Susan Wood (te). **144 Getty Images:** FPG / Staff(bd). **145 Getty Images:** Ulf Andersen (td). **147 Getty Images:** Camerique / ClassicStock (bc). **150 Alamy Stock Photo:** Interfoto (t). **152 Getty Images:** Mike Flokis / Stringer (te). **Our Bodies Ourselves:** (td). 153 Getty Images: Barcroft (r). **155 Alamy Stock Photo:** Gary Doak (td); Age Fotostock (te). **157 Alamy Stock Photo:** Interfoto (b). **158 Getty Images:** Jeff Goode (td). **159 Alamy Stock Photo:** Moviestore collection Ltd (td). **Getty Images:** James Andanson (be). **160 Alamy Stock Photo:** Trinity Mirror / Mirrorpix (bd). **161 Alamy Stock Photo:** Valentin Sama-Rojo (td). **162 Getty Images:** Hulton Deutsch (bd). **163 Getty Images:** Ira Gay Sealy (t). **165 Alamy Stock Photo:** Everett Collection Inc (te). **168 Getty Images:** New York Daily News Archive (be). **170 Alamy Stock Photo:** SCPhotos (td). **171 Getty Images:** Hindustan Times (be). **172 Getty Images:** Scott Olson (bc). **173 Getty Images:** Gaye Gerard (te). **175 Alamy Stock Photo:** Pako Mera (be). **Getty Images:** Brooks Kraft (td). **176 Alamy Stock Photo:** Tim Gainey(cb). **177 Getty Images:** Joerg Boethling (bd). **Getty Images:** AFP/Stringer (te). **179 Alamy Stock Photo:** Jenny Matthews (bd). **Rex by Shutterstock:** Alastair Muir (te). **180 Getty Images:** Scott McPartland(be). **181 Alamy Stock Photo:** Redorbital Photography (td). **184 Getty Images:** Ulf ANDERSEN (be). **185 Getty Images:** Herve Gloaguen (td). **187 Alamy Stock Photo:** Lebrecht Music & Arts (be). **Getty Images:** Patrick Box(td). **193 Alamy Stock Photo:** ClassicStock (be). **194 Alamy Stock Photo:** Mauritius images GmbH (t). **195 Alamy Stock Photo:** Everett Collection Inc (td). Getty Images: Nancy R. Schiff (be). **197 Getty Images:** Barbara Alper (te); Jodi Buren (td). **199 © MorganGwenwald:** (te). **200 Getty Images:** Alexander Joe (bd). **201 Getty Images:** Amanda Edwards (td); Alfred Eisenstaedt (tr). **203 Getty Images:** Howell Walker (bc). **204 Getty Images:** Stringer (bd). **205 Getty Images:** Jean-Claude Francolon (td). **206 Alamy Stock Photo:** Homer Sykes Archive (td). **207 Getty Images:** Julian Herbert (td). **211 Getty Images:** Anthony Barboza (td). **212 Getty Images:** PhotoQuest (t). **213 Getty Images:** Jill Freedman (t). **214 Getty Images:** Anthony Barboza(be). **215 Alamy Stock Photo:** BFA (te); Torontonian (b). **216 Getty Images:** Robert Alexander (cdb). **219 Getty Images:** Bettmann (bd). **221 Chandra Talpade Mohanty:** (te). **222 Getty Images:** Per-Anders Pettersson (e). **Rex by Shutterstock:** Pawel Jaskolka / Epa (te). **223 Getty Images:** Stefanie Glinski (bd). **225 Alamy Stock Photo:** Entertainment Pictures (td). **226 Getty Images:** Scott J. Ferrell (td). **227 Getty Images:** Bettmann (cdb). **228 Getty Images:** Heritage Images (bc). **229 Getty Images:** Bloomberg (t). **231 Alamy Stock Photo:** Barry Lewis (te). **232 Getty Images:** AFP /Stringer (bd). **233 Getty Images:** Lluis Gene (td); AFP /Stringer (te). **235 Getty Images:** Andrew Maclear / Retired (bc). www. comeasyouare. com: (cd). **237 Getty Images:** Ethan Miller (be). **238 Getty Images:** Alex Wong (td). **242 Getty Images:** Mike Coppola (td). **243 Getty Images:** Bettmann (te). **244 Getty Images:** Ullstein bild Dtl (bd). **245 Getty Images:** Sean Rayford (te). **Getty Images:** Jack Mitchell (te). **254 Getty Images:** AdelaLoconte (te). **255 Getty Images:** Chris Polk (bc). **256 Alamy Stock Photo:** Photo 12 (bd). **257 Alamy Stock Photo:** Philip Robins (te). **259 Alamy Stock Photo:** Agencja Fotograficzna Caro (td). **260 Getty Images:** Catherine McGann (be). **261 Alamy Stock Photo:** Paulo Lopes / ZUMA Wire / Alamy Live News / Zuma Press, Inc. (bd). **263 Alamy Stock Photo:** Chromorange / Franz perc (be). **265 Getty Images:** Stefan Gosatti (bd). **266 Rex by Shutterstock:** (be). **267 Alamy Stock Photo:** Pacific Press (t). **268 Alamy Stock Photo:** Laura Hutton/Alamy Live News (bc). **270 Getty Images:** AFP / Stringer (bd). **271 Getty Images:** Evan Hurd Photography (te). **272 Getty Images:** Lindsay Brice (bc). **273 Getty Images:** Jesse Knish (td). **274 Getty Images:** Universal History Archive (cd). **277 Alamy Stock Photo:** Guy Bell / Alamy Live News (t). **278 Alamy Stock Photo:** Eddie Gerald (cd). **279 Getty Images:** Dimitar Dilkoff (bd). **280 Alamy Stock Photo:** Soup Images Limited (bd). **281 Getty Images:** Ben Hider (td). **282 Rex Briarl Shutterstock:** Nils Jorgensen (bc). **283 Alamy Stock Photo:** Guy Corbishley / Alamy Live News (te). **284 Alamy Stock Photo:** CulturalEyes — AusGS2 (cd). **285 Getty Images:** Alain Jocard (t). **287 Alamy Stock Photo:** Wesley / Stringer (cdb). **288 Getty Images:** Pacific Press (be). **289 Julia Serano:** (td). **295 feministing.com:** (bd). **Getty Images:** Daniel Zuchnik (te). **296 Getty Images:** Joe Sohm / Visions of America (te). **299 Getty Images:** Jeff J Mitchell (cd). **300 Getty Images:** Luca Sage (cd). **301 123RF.com:** Varee Tungtweerongroj (be). **305 Getty Images:** Mireya Acierto (bc). **306 Getty Images:** AFP/ Stringer (t). **307 Getty Images:** David Levenson (t). **308 Alamy Stock Photo:** Florian Schuh / dpa picture alliance (ca). **309 Getty Images:** Roberto Ricciuti (t). **310 Getty Images:** Gideon Mendel (b). **311 Getty Images:** Chip Somodevilla (td). **312 Getty Images:** Paul Barton (bc). **313 Alamy Stock Photo:** Britta Pederson / Dpa picture alliance (cd). **315 Getty Images:** Chelsea Guglielmino (te). **316 Getty Images:** Ronaldo Schemidt (td). **317 Getty Images:** Jean-Luc Luyssen (td). **319 Getty Images:** Peter Charlesworth (t). **324 Getty Images:** Gabriel Olsen (bd). **326 Getty Images:** Ben Hider (td). **327 Getty Images:** Handout (t). **327 Getty Images:** Marc Piasecki (td)

Imagens de capa:
Todas as outras imagens © Dorling Kindersley

Para mais informações, acesse: www.dkimages.com